TRUDEAU CITOYEN DU MONDE

Révision : Sylvie Massariol, Nicole Raymond
Correction : Sylvie Tremblay, Linda Nantel
Recherche documentaire : Céline Widmer
Infographie : Johanne Lemay

Catalogage avant publication de Bibliothèque et Archives Canada

English, John
Trudeau: Citoyen du monde

Traduction de : Citizen of the World.
Sommaire : Tome 1 : 1919-1968.

1. Trudeau, Pierre Elliott, 1919-2000.
2. Canada – Politique et gouvernement – 1968-1979.
3. Canada – Politique et gouvernement – 1980-1984.
4. Premiers ministres – Canada – Biographies. I. Titre.

FC626.T7E5314 2006 971.064'4092 C2006-941647-8

09-06

Dépôt légal : 2006
Bibliothèque et Archives nationales du Québec

ISBN 10 : 2-7619-2083-X
ISBN 13 : 978-2-7619-2083-4

DISTRIBUTEURS EXCLUSIFS :

- Pour le Canada et les États-Unis :
  MESSAGERIES ADP*
  955, rue Amherst
  Montréal, Québec H2L 3K4
  Tél. : (514) 523-1182
  Télécopieur : (450) 674-6237
  * une division du Groupe Sogides inc.,
  filiale du Groupe Livre Quebecor Média inc.

- Pour la France et les autres pays :
  INTERFORUM
  Immeuble Paryseine, 3, Allée de la Seine
  94854 Ivry Cedex
  Tél. : 01 49 59 11 89/91
  Télécopieur : 01 49 59 11 33
  Commandes : Tél. : 02 38 32 71 00
  Télécopieur : 02 38 32 71 28

- Pour la Suisse :
  INTERFORUM SUISSE
  Case postale 69 - 1701 Fribourg - Suisse
  Tél. : (41-26) 460-80-60
  Télécopieur : (41-26) 460-80-68
  Internet : www.havas.ch
  Email : office@havas.ch
  DISTRIBUTION : OLF SA
  Z.I. 3, Corminbœuf
  Case postale 1061
  CH-1701 FRIBOURG
  Commandes : Tél. : (41-26) 467-53-33
  Télécopieur : (41-26) 467-54-66
  Email : commande@ofl.ch

- Pour la Belgique et le Luxembourg :
  INTERFORUM BENELUX
  Boulevard de l'Europe 117
  B-1301 Wavre
  Tél. : (010) 42-03-20
  Télécopieur : (010) 41-20-24
  http ://www.vups.be
  Email : info@vups.be

Gouvernement du Québec – Programme de crédit d'impôt pour l'édition de livres – Gestion SODEC – www.sodec.gouv.qc.ca

L'Éditeur bénéficie du soutien de la Société de développement des entreprises culturelles du Québec pour son programme d'édition.

Nous remercions le Conseil des Arts du Canada de l'aide accordée à notre programme de publication.

Nous reconnaissons l'aide financière du gouvernement du Canada par l'entremise du Programme d'aide au développement de l'industrie de l'édition (PADIÉ) pour nos activités d'édition.

JOHN ENGLISH

TRUDEAU CITOYEN DU MONDE

TOME 1 : 1919-1968

Traduit de l'anglais par Suzanne Anfossi

À Hilde, sans qui ce livre et tellement
d'autres choses n'auraient jamais été possibles

Avant-propos

Pierre Trudeau est le premier ministre qui intrigue, fascine et choque le plus les Canadiens. Remarquablement intelligent, très discipliné, et néanmoins apparemment plein de spontanéité, toujours prêt à courir des risques, il a fait de sa vie une aventure. Nous connaissons bien les grandes lignes de son parcours. Né à Montréal au sein d'une famille fortunée de culture à la fois française et anglaise, il étudie dans les meilleures écoles catholiques de la ville, fait ses études universitaires à Montréal, et poursuit des études supérieures d'abord à Harvard, puis à Paris et à Londres. Lorsqu'il revient au Canada à la fin des années quarante après un long périple en Europe, au Moyen-Orient et en Asie, il vit pendant les quinze années suivantes en dilettante : il écrit des articles pour des journaux et des revues, se promène au volant de voitures sport et sur sa Harley-Davidson, accompagne de ravissantes femmes au concert ou au restaurant, voyage autour du monde quand bon lui semble, fonde des regroupements politiques voués à disparaître, pour finalement obtenir un poste d'enseignant à l'Université de Montréal. Puis, en 1965, il décide, soudainement semble-t-il, de se porter candidat pour le Parti libéral aux élections fédérales, remporte son siège, attirant rapidement l'attention de tout le pays en sa qualité d'expert en questions constitutionnelles et comme ministre de la Justice innovateur. Trois ans plus tard, il est élu chef du Parti libéral du Canada au milieu d'une frénésie médiatique habituellement réservée aux stars du rock, et non aux hommes politiques. Comment tout cela a-t-il pu arriver ?

Ce premier tome de la vie de Pierre Elliott Trudeau livre une clé du mystère. Peu après sa mort, les exécuteurs testamentaires de Trudeau m'ont demandé si j'étais intéressé à écrire une biographie faisant autorité, basée sur un accès complet et sans précédent à ses documents et portant tout autant sur sa vie publique que sur sa vie privée. J'ai hésité, sachant à quel point Trudeau était un homme secret et combien peu il s'était livré dans ses mémoires, bien que sa carrière publique comptât parmi les plus influentes du Canada. J'admirais Trudeau ; je l'avais appuyé pendant et après sa carrière politique, et nous avons eu de nombreux amis et connaissances en commun. Pourtant, je ne l'avais rencontré qu'à quelques reprises, et ce, presque toujours dans un cadre politique ; il y avait été superbe à l'occasion, et aussi parfois visiblement mal à l'aise.

Mais l'énigme Trudeau m'intriguait. En outre, lorsque j'appris, par quelques-uns de ses exécuteurs testamentaires — Alexandre Trudeau, Jim Coutts, Marc Lalonde, Roy Heenan et Jacques Hébert —, qu'il avait conservé un très important trésor de lettres et de documents personnels dans sa fameuse demeure Art déco de Montréal, je compris qu'une occasion rare se présentait à moi et j'acceptai de relever le défi. Ces documents, qui, pour la plupart, se trouvent maintenant dans l'ancien centre de recherches de Bibliothèque et Archives Canada du Pré Tunney, fournissent un extraordinaire témoignage de sa vie privée. Je suis le seul biographe ayant eu un accès complet à ces documents et à la pièce fermée dans laquelle ils sont préservés. De plus, par l'entremise de la famille Trudeau et d'autres personnes, j'ai eu accès à des documents que les chercheurs précédents n'avaient pu consulter ou avaient choisi de ne pas le faire, ou encore dont ils ignoraient l'existence. Ensemble, tous ces documents constituent une extraordinaire collection de pièces révélant le Trudeau intime, avec ses espoirs, ses craintes, ses amitiés et inimitiés, et ce, depuis ses premières années jusqu'à son décès.

Les documents personnels, rassemblés par Grace Trudeau et par Pierre Trudeau lui-même, offrent un récit détaillé de ses années de formation. Jusqu'aux années soixante, Trudeau, perfectionniste en matière littéraire, faisait un brouillon de chacune de ses lettres et a conservé la plupart de ces ébauches — dans certains cas, plusieurs ébauches d'une même lettre. En ce sens, les documents de Trudeau se révèlent plus complets que ceux de Mackenzie King, son seul rival en matière de conservation d'un dossier personnel exhaustif couvrant l'ensemble d'une vie. Il faut ajouter que Grace Trudeau fut encore plus assidue qu'Isabel King dans la consignation du dossier scolaire de son fils préféré. Pratiquement tous ses bulletins, carnets d'écolier, avis de prix remportés et dissertations furent préservés. Trudeau conserva également dans ses dossiers des documents éminemment polémiques, notamment des preuves de ses activités nationalistes et secrètes au début des années quarante.

À la lecture des écrits de Trudeau, j'en vins à réaliser que les apparentes contradictions dans sa vie révélaient plus souvent qu'autrement une logique, et que l'homme qui demeurait réservé avec ses collègues et amis masculins était étonnamment ouvert et sincère avec les femmes. J'ai mis au jour des allégeances de jeunesse qu'il avait espéré garder secrètes, ce qui ne m'a pas empêché de constater de quelle manière, de catholique socialement conservateur, il se transforma complètement pour devenir un socialiste catholique lorsqu'il fut exposé aux différentes idées et influences de Harvard et de la London School of Economics. J'ai également découvert que son entrée en politique, alors qu'il avançait dans la quarantaine, ne fut pas du tout un acte qui aurait dû étonner, mais quelque chose qu'il avait planifié depuis son adolescence. Il avait simplement attendu le moment propice pour se lancer. Et j'ai découvert que le *play-boy* qui se faisait photographier en compagnie de ravissantes blondes l'une après l'autre avait su entretenir des relations extrêmement enrichissantes avec quelques femmes extraordinaires. Les lettres qu'il écrivit à ses amies et à sa mère sont celles qui sont le plus fréquemment citées dans cet ouvrage, non parce qu'elles sont sensationnelles, mais parce qu'elles mettent davantage en lumière la personne intime que Trudeau cherchait à cacher aux regards.

Dans sa jeunesse, Trudeau nota dans son journal que le mystère était essentiel à la définition d'une identité, et qu'il voulait être l'ami de tous mais l'intime de personne. Il garda cette perspective tout au long de sa vie. Quoique plus tard il parcourût nombre des documents qu'il avait écrits précédemment, il ne les utilisa pas dans les brefs mémoires politiques parus en 1993. Pas plus qu'il ne succomba à la tentation de les publier ou de les détruire. Heureusement, il choisit la voie de l'intégrité et de la vérité, conservant dans ses archives des documents intimes ou susceptibles de semer la controverse. Après avoir lu la multitude de documents d'un bout à l'autre, je pris contact avec nombre de ses proches amis toujours vivants, dont plusieurs acceptèrent généreusement de discuter de ces lettres avec moi, me confiant plus avant, au cours de ces conversations, les souvenirs qu'ils gardaient de Pierre (je les remercie de manière plus particulière et détaillée dans la section « Remerciements » de ce livre). Mon texte, grâce à leur générosité et à leur soutien, revoit et même contredit en plusieurs endroits la version que Trudeau lui-même avait donnée quant à certains épisodes de sa vie, ainsi que celles d'autres biographies qui lui ont été précédemment consacrées. Trudeau, ainsi qu'il se révèle dans ces pages, est un personnage beaucoup plus complexe, contradictoire et difficile à cerner qu'il ne nous est jamais apparu auparavant.

Le premier tome de cette biographie nous fait connaître Trudeau au cours de ses cruciales années de formation, depuis sa naissance en 1919 (une année décevante pour le Canada), jusqu'à la course à la direction du Parti libéral en 1968 (une année d'abondance et de promesses pour la nation qu'il allait bientôt gouverner). Le second tome couvrira les quinze années controversées au cours desquelles il fut premier ministre, son rôle d'époux et de père dévoué, ainsi que sa vie privée et publique souvent tumultueuse, jusqu'à sa mort survenue dans la toute première année du XXIe siècle.

CHAPITRE 1

Deux mondes

La Grande Guerre était finie ; les temps avaient un goût amer. Les soldats, de retour au pays, avaient rapporté la grippe avec eux ; la maladie les tuait en plus grand nombre que la guerre dans les tranchées, et comme la guerre, elle fauchait de préférence les plus jeunes. En général, la mort survenait rapidement, la victime suffoquant dans une écume sanguinolente qui parfois jaillissait de manière grotesque[1]. L'année 1919 était arrivée, l'hiver cédant sa place au printemps, mais les théâtres restaient vides. Hommes et femmes, méfiants, fréquentaient les lieux publics un masque de gaze sur le visage. Le fléau se propageait rapidement dans les endroits confinés, contraignant la population à l'isolement et à la réflexion. Quelles avaient pu être les pensées de Grace Elliott Trudeau et de son époux, Joseph-Charles-Émile, quand ils avaient appris, au milieu de l'hiver 1919, qu'elle attendait un enfant ? Déjà, en temps ordinaire, une grossesse n'était pas sans danger, mais nul doute que la grippe qui sévissait à cette époque épouvanta la jeune femme tandis qu'elle voyait son ventre s'arrondir dans l'attente de son deuxième enfant.

Le XXe siècle n'avait été jusqu'alors qu'une grande déception — surtout pour les Canadiens de langue française. Il y avait bien eu quelque élan d'enthousiasme et d'espoir dans les premières années : Wilfrid Laurier, le premier homme politique de langue française à occuper le poste de premier ministre du Canada, avait pris le pouvoir et le pays semblait se diriger vers une économie de plus en plus prospère. La grande transformation de la société occidentale qui s'était opérée avec l'avènement de l'électricité, du bateau à vapeur, du téléphone, du chemin de fer et de l'automobile, bouleversant ainsi l'équilibre de l'ère victorienne, avait eu des répercussions profondes dans l'univers des jeunes Trudeau. Au Québec comme ailleurs, la population migrait, délaissant les secteurs familiers propres à la vie rurale et aux métiers traditionnels pour s'installer dans les villes, lesquelles avaient littéralement explosé et s'étalaient maintenant bien au-delà des centres datant de l'ère préindustrielle. À Montréal, la population était passée de 267 730 habitants en 1901 à 618 506 habitants en 1921. Les riches s'étaient regroupés, habitant à proximité les uns des autres, dans les grandes maisons du « Golden Square Mile » de la rue Sherbrooke et au nord de celle-ci sur le versant sud du mont Royal, tandis que les pauvres occupaient les rues plus au sud et à l'est. En 1900, disait-on, les trois quarts de tous les millionnaires du Canada habitaient le Square Mile. Stephen Leacock, qui les connaissait bien, a fait cette remarque : « Les riches de Montréal jouissaient d'un prestige que même les riches ne méritaient pas[2]. »

Malheureusement, presque tous les riches se comptaient parmi la population anglophone ; les pauvres, pour la très grande majorité d'entre eux, étaient francophones. À l'époque où ces derniers vivaient principalement dans les villages, la différence ne se voyait pas de manière aussi évidente. En ville, ce fossé fit bientôt germer les graines d'un profond malaise. Et, avec l'arrivée des nouveaux immigrants en provenance du continent européen, surtout des Juifs, de nouvelles tensions apparurent au sein de la ville dorénavant plus diversifiée[3].

Même avant la guerre, les visiteurs étrangers avaient pressenti ces tensions. En 1911, l'écrivain autrichien Stefan Zweig, après un séjour à Montréal, affirma que tout homme raisonnable devrait conseiller aux Français d'ici d'abandonner leur résistance et d'accepter que leur sort fut de n'être qu'un épisode[4]. Le défi que représentait ce nouveau siècle provoqua chez les francophones du Québec une réaction de plus en plus nationaliste, en particulier lorsque les propos des politiciens canadiens-anglais se teintèrent du discours impérialiste des Britanniques qui avait marqué les années d'avant la Grande Guerre. Avec l'arrivée du nouveau premier ministre, Robert Borden, la voix du Canada français au sein du gouvernement fédéral ne se fit pratiquement plus entendre. De plus, en 1914, la guerre avait divisé le pays comme jamais auparavant, plaçant les Canadiens français d'un côté et le reste du pays de l'autre.

Une fois de plus, il semblait qu'un accord venait d'être rompu. Wilfrid Laurier, maintenant chef de l'opposition, soutenait l'effort de guerre, se rangeant ainsi aux côtés de l'Église catholique française. Même Henri Bourassa, fondateur du quotidien nationaliste *Le Devoir* et porte-parole des francophones d'un bout à l'autre du pays pour la défense de leurs droits, restait muet. Il s'était rangé avec les évêques puisque Borden avait promis qu'il n'y aurait aucune conscription ; pourtant, trois ans plus tard, elle était instituée, une décision qui s'accompagna de critiques acerbes de la part du Canada anglais à l'endroit des francophones du Québec. Au cours des élections canadiennes de 1917, qui se déroulèrent dans un climat d'amertume et de violence, les francophones votèrent massivement en faveur des candidats libéraux de Laurier, opposés à la conscription, tandis que les anglophones accordèrent leur soutien à la coalition formée par les libéraux anglophones et les conservateurs. À Montréal, le vent tourna à l'émeute, et l'on compta de nombreux morts à Québec. En 1919, Laurier décéda, puis survint la dépression pendant que, à Versailles, les vainqueurs se partageaient les fruits de leur victoire, alors même que le monde commençait à comprendre que cette guerre qui devait mettre fin à toutes les guerres était loin d'avoir rempli sa promesse.

Dans leur modeste mais confortable résidence du 5779, avenue Durocher, située dans la nouvelle banlieue d'Outremont à proximité du mont Royal, les Trudeau vivaient relativement à l'aise. La population d'Outremont se partageait alors entre Français et Britanniques d'origine, en plus de compter un nombre important de Juifs. Les résidants vivaient loin des habitations surpeuplées au bas de la colline, où il n'était pas rare que la mort emportât les femmes enceintes et leur bébé[5]. Charles et Grace s'étaient mariés le 11 mai 1915 et, peu après, Grace était devenue enceinte ; elle donna naissance à un enfant qui ne survécut pas[6]. En 1918, naît une fille, Suzette. Charles avait déjà une bonne raison de ne pas s'enrôler et, une fois la *Loi sur le service militaire obligatoire* promulguée en 1917, d'éviter la conscription.

Parce qu'elle était mariée, Grace, comme les autres femmes du Québec à cette époque, avait les mêmes droits que les mineurs et les aliénés. Son époux lui devait protection en échange de sa soumission[7]. Mais Grace disposait malgré tout de solides assises. Son père, un homme d'affaires important issu d'une famille loyaliste de l'Empire-Uni, avait fait éduquer sa fille au Dunham Ladies' College dans les Cantons-de-l'Est ; elle y avait étudié la littérature et les auteurs classiques, et appris les règles de l'étiquette, une éducation que peu de jeunes filles recevaient au Québec. Elle parlait le français, la langue de sa mère, ainsi que l'anglais, qu'elle et Charles avaient choisi de parler le plus souvent à la maison. Tout comme Charles, Grace était de religion catholique romaine et pieuse[*]. Les Trudeau, dans les premières années de leur mariage, étaient financièrement à l'aise sans être riches, ayant les moyens d'engager des filles de la campagne pour les tâches domestiques.

Avec l'aide d'une sage-femme, c'est chez elle, le 18 octobre 1919, par une chaude journée d'automne, que Grace mit au monde son fils nommé Joseph Philip Pierre Yves-Elliott Trudeau[8]. Parmi cette multitude de prénoms, les parents choisirent immédiatement celui de Pierre. Cependant, plus tard ce dernier mettra un long moment avant d'opter pour un prénom. L'ordre dans lequel les prénoms figurent dans l'« album de bébé » laisse probablement entendre quelle fut l'intention première, à savoir : Joseph Pierre Yves Philip Elliott Trudeau. Des années plus tard, interrogé à ce sujet, Trudeau lui-même ne parviendra pas à se rappeler l'ordre exact de ses prénoms[9]. À sa naissance, il pesait huit livres et quatre onces (trois kilos soixante-quatorze) et, dès les premiers jours, il fut accablé de coliques, qui finalement cessèrent lorsqu'on l'opéra pour des végétations en mai 1920. Outre les détails sur la santé physique de Pierre, Grace consignait dans un journal les différentes étapes de sa vie spirituelle. Ce journal commence à son baptême et se poursuit en oc-

* Comme cela se faisait à l'époque, Grace avait embrassé la religion de sa mère, qui était catholique. Elle parlait aussi couramment le français, même si sa mère mourut alors qu'elle avait dix ans. Trudeau expliquera plus tard que « de toute évidence elle avait toujours parlé français aussi, parce qu'autrement elle n'aurait pas rencontré le groupe d'amis de mon père du temps où il étudiait à Montréal ». Trudeau affirma également qu'ils s'étaient rencontrés à l'église attenante au collège Sainte-Marie, ajoutant que « c'est un bon endroit pour se rencontrer, je suppose, du moins pour les histoires qu'on raconte aux enfants ». Entrevue (en anglais) entre Pierre Trudeau et Ron Graham, 28 avril 1992, dans FT, vol. 23, dossier 3.

tobre 1921 où, à l'âge de deux ans, « Pierre a fait le signe de la croix ». En décembre, il commence à dire ses prières sans aide et demande « que soient bénis papa, maman, Suzette, etc.[10] ». Six mois plus tard, c'est une maman toute fière qui inscrit dans le journal que son fiston précocement bilingue sait chanter *Sing a Song of Sixpence, Little Jack Horner, Au clair de la lune* et *Dans sa cabane.* Sans relâche, elle recueillera et consignera les témoignages de la vie de Pierre — travaux scolaires, bulletins, articles de journaux et correspondance —, et cela, jusque dans les années soixante, moment où il quittera la maison maternelle dans la force de l'âge.

Grace n'a conservé qu'un petit nombre de documents concernant sa vie à elle et celle de son époux. Nous avons retrouvé une curieuse lettre de Charles datée de 1921, à l'époque où il travaillait à Montréal et où Grace, enceinte de Charles fils (que l'on surnommera « Tip »), se trouvait avec Pierre et Suzette à Lac-Tremblant, où la famille possédait un chalet. Il amorce sa lettre en s'excusant de ne pas donner davantage de ses nouvelles, expliquant que ses tâches quotidiennes l'occupent sans répit. Il laisse ensuite libre cours à ses émotions, gribouillant à la hâte et demandant fébrilement des nouvelles des enfants :

> Comment vont les « bébés » ? Surveille-les toujours bien attentivement ; je ne saurais trop insister pour que tu penses non pas à moi, mais à eux. Observe bien leurs pas, leurs jeux, leurs bagarres, leur santé. On dirait bien que frérot [Pierre] est sur la bonne voie. Cela devrait te rendre heureuse, tâche d'en profiter ; mais souviens-toi toujours que tous les deux, le couple, sont jeunes et qu'un accident peut toujours arriver. S'il fallait que nous perdions l'un d'eux… Ils sont si mignons, si gentils – tous les deux – et tu connais le proverbe : « Ce sont les meilleurs qui partent en premier. » Ces paroles sont si vraies qu'elles me font craindre pour ces deux-là ; un troisième enfant, et un quatrième, etc. seraient très bienvenus si seulement Notre Seigneur dans Sa bonté voulait bien nous en donner d'autres comme ceux que nous avons. Je suppose que, maintenant que je suis « garagiste », je peux bien dire : d'autres comme ceux-là feraient de bonnes « pièces de rechange ».

Après cette tentative d'humour un peu boiteux, une référence aux stations-service qu'il vient d'acquérir, Charles reprend son style didactique, où il demande à Grace de bien surveiller le développement du caractère de leurs enfants et de les corriger s'ils commettent des fautes. Il fallait les corriger, disait-il, et cela toujours pour leur bien. Suivent quelques autres recommandations, puis il termine en les embrassant tous: « Salut à Madame, un bon baiser à toi et des caresses aux petits[11]. »

À l'évidence, Charles était un homme affectueux, et certainement les rapports hiérarchiques étaient pour lui d'une grande importance; toutefois, et même dans les descriptions qu'en ont fait ses enfants et ses amis, il restait un homme insaisissable[12]. Il sortait des catégories habituelles où figuraient la plupart des hommes de son temps, tout comme ce serait le cas pour son fils plus tard. Au départ, cependant, son chemin avait été plus conventionnel. À l'instar de la plupart des francophones québécois du XIXe siècle, il avait grandi dans une ferme. Son père, Joseph Trudeau, avait reçu une éducation de base, ce qui ne l'avait pas empêché de devenir un fermier assez prospère à Saint-Michel de Napierville, au sud de Montréal. Son ancêtre, Étienne Truteau, un charpentier de La Rochelle, en France, était arrivé en Nouvelle-France en 1659. Trois ans plus tard, et comme le montrerait une plaque aujourd'hui disparue et jadis fixée à un immeuble situé à l'angle des rues de La Gauchetière et Saint-André à Montréal: « Ici Truteau, Roulier et Langevin-Lacroix résistèrent aux Iroquois, le 6 mai 1662[13]. » À l'époque de la naissance de Charles, en 1889, ce n'étaient plus les Iroquois ni les soldats de l'armée britannique conquérante à Québec qui posaient un défi à la présence française; c'étaient plutôt des forces intangibles surgies de la transformation d'une société commerciale et agraire en une nouvelle société urbaine et industrielle.

Les parents de Charles, et en particulier sa mère, Malvina, fille de maire et sœur de médecin, savaient bien que leur monde, celui de la ferme, de la paroisse et de la famille, serait bientôt chose du passé. Ils étaient déterminés à ce que leurs garçons, parmi leurs huit enfants, aient la chance de se tailler une place dans le nouveau monde qui les attendait. Charles fut envoyé au collège Sainte-Marie, éminent collège classique de Montréal fondé par les Jésuites en 1848, une fois que le puissant ordre religieux eut été autorisé à revenir au Canada après en avoir été banni. Situé en plein cœur de la ville, le collège était — c'est du moins ce que certains élèves en diraient plus tard — un endroit à part. La discipline qui y régnait — petite prière du matin à 5 h 30, suivie d'une période d'étude à 6 h et de la messe à 6h30 — avait pour effet « [d'accentuer] la séparation entre le collège et le monde extérieur par un horaire régulier et routinier[14] ».

Il est paradoxal de constater que, bien que loin des affaires du monde, ces garçons furent amenés à devenir l'élite privilégiée qui dominerait bientôt les secteurs du droit, de la politique, de la religion et de la médecine dans le Québec du XXe siècle. C'étaient là, par contre, des secteurs traditionnellement associés aux francophones du Québec ; dans la nouvelle ère industrielle, ils procuraient de moins en moins de satisfactions matérielles, bien moins que le monde de la finance ou du capitalisme industriel dominé par les Anglais. Au surplus, la politique semblait de plus en plus tributaire de la richesse, et c'est vers les capitalistes anglais que les politiciens francophones de l'époque se tournaient. Si certains des Québécois les plus en vue, particulièrement au sein de l'Église catholique romaine, s'empressèrent de critiquer le capitalisme de l'ère moderne, d'autres reconnurent les nécessités qu'il imposait et réussirent en s'en accommoder. Ce fut le cas de Charles Trudeau.

Bien peu des cahiers d'exercices datant des années de Charles au collège Sainte-Marie nous sont parvenus, et ils ne nous donnent qu'une vague idée de son éducation et de sa personnalité. Ses parents l'ayant bien averti que tout échec signifierait un retour à la ferme, il s'était appliqué dans ses études. Au cours de sa dernière année, en 1908-1909, il rédigea et défendit sa thèse en latin devant sa classe de philosophie, un cours qui se donnait également en latin. Il avait aussi recopié des citations qu'il apprenait par cœur et qui donnent une idée négative des problèmes de ce début de XXe siècle — révoltes, alcoolisme et guerre. « La guerre tue les arts, les sciences, la civilisation », nota-t-il. Viennent ensuite des citations qu'il transcrivit à l'appui de cette déclaration sybilline. Sur l'importante question de l'impérialisme, sa critique à l'endroit des Britanniques ne fut pas aussi sévère. L'une des citations qu'il incorpora à sa thèse laisse entendre qu'il serait dangereux de se séparer d'« Albion » : « Nous serions incomparablement plus faibles, isolés comme nous sommes au nord de l'Amérique, cinq millions seulement dans un pays immense en face d'un voisin de soixante millions. » De plus, le Québec avait besoin de l'investissement de fonds étrangers. Il conserva tout de même certains doutes : « L'autorité de la mère patrie et les décisions du conseil privé ne suffisent pas à protéger les droits des catholiques d'une province. » Les germes du nationalisme avaient pris racine. Une fois ses études au collège terminées, et après avoir remporté de nombreux prix malgré une réputation de trouble-fête, Charles étudia le droit pendant trois ans au campus de Montréal de l'Université Laval (qui deviendra en 1919 l'Université de Montréal)[15].

Charles, semble-t-il, était un bon élève : il faut admirer à quel point ses notes, prises d'une écriture fine et élégante, sont organisées et détaillées ; de plus, ses études classiques lui avaient permis d'acquérir une base solide sur le plan intellectuel. Et pourtant, de l'avis de ceux qui l'ont connu plus tard, un changement radical s'opéra chez lui à cette époque. Il devint d'un tempérament extraverti, aimant s'amuser, jouer à des jeux de hasard et mener la grande vie. À la maison, par contre, les choses étaient différentes. Tant Suzette que Pierre, dans des entrevues ultérieures, se rappelleront de lui comme d'un père strict qui, bien que souvent absent, manifestait une énergie débordante lorsqu'il était chez lui en famille. C'est lui qui apprit à Pierre à boxer, à tirer, et qui lui montra même quelques prises de lutte. Il s'assura aussi que son fils put être autonome. Trudeau, plus tard, racontera l'amère déception qu'il avait éprouvée de voir son ami Gerald O'Connor monter en deuxième année alors que lui allait en première. Il s'en était plaint à son père, le suppliant de demander au principal de l'école de le faire monter lui aussi en deuxième année. Ce à quoi son père lui avait répondu : « Non ! C'est ton affaire. Frappe à sa porte et demande-le-lui toi-même. » Ce que Pierre s'était empressé de faire, après quoi il avait pu rejoindre les rangs de la deuxième année en compagnie de son ami Gerald. Dans les années soixante-dix, George Radwanski relatera comment, en parlant de Trudeau, son regard s'allumait et ses gestes devenaient plus animés lorsqu'il parlait de son père. Il lui avait donné « l'impression d'un enfant qui, peut-être à son insu, a été ébloui par un père exceptionnellement dynamique. Ce qui expliquerait sa sensibilité et son insécurité d'enfant, puis son désir de se mettre à l'épreuve et son esprit de rébellion[16] ».

Trudeau lui-même écrivit sans réserve sur le tempérament de son père, parlant de lui comme d'un homme qui « parlait fort, s'exprimait vigoureusement. Ses amis aussi[17] ». Pendant les week-ends à Lac-Tremblant, il invitait des amis, jusqu'à vingt parfois, et s'attendait à ce que Grace leur prépare les repas. Trudeau se souvient qu'« ils aimaient se joindre à nos jeux, qu'ils aimaient jouer aux cartes, boire et manger». Parfois, ils organisaient ces fêtes au sous-sol de leur résidence de Montréal, mais d'ordinaire, explique-t-il, le seul moment de toute la journée où ils avaient la chance d'être avec lui, c'était quand Charles rentrait à la maison pour le repas du soir et prenait quelques instants pour examiner les travaux scolaires des enfants; la nuit venue, il disparaissait pour aller travailler ou jouer. Même si Pierre accordait à son père de lui avoir enseigné certains sports, il affirmait toutefois, en dépit des visites que leur rendait le flamboyant maire de Montréal de l'époque, Camillien Houde, qu'ils n'avaient jamais discuté de politique. Jamais il n'avait posé à son père quelque question que ce soit sur le sujet, et celui-ci ne faisait rien pour stimuler son intérêt. Mais il l'aura fait, à tout le moins indirectement.

D'autres ont brossé un portrait plus sombre de Charles, que l'on surnommait «Charlie» ou «Charley», le bon vivant qui jouait au poker avec ses amis mal dégrossis. Stephen Clarkson, dans une étude sur Pierre Trudeau écrite en collaboration avec Christina McCall, prétend que Charles était parfois violent à l'égard de Grace. Ils citent un ami de la famille qui affirme que Charles était brutal envers ses propres amis et que les choses n'étaient pas faciles lorsqu'il rentrait chez lui après avoir trop bu[18]. Il n'existe aucun document venant étayer ces spéculations. La famille nie fermement les rumeurs qui veulent que Charles ait été violent à l'endroit de Grace, sans toutefois démentir le fait que ces fêtes bruyantes pouvaient se prolonger jusqu'à tard dans la nuit.

Petit homme maigre et nerveux, énergique et animé d'une grande volonté de réussir, Charles se fatigua vite des petites causes dont il s'occupait avec ses deux associés de son étude, raisonnablement prospère, de la rue Saint-Jacques, Trudeau & Guérin. Comme c'était souvent le cas à l'époque, Charles-Émile Guérin était d'allégeance libérale, alors que Charles et son frère Cléophas se rangeaient du côté des *bleus* ou conservateurs. Il n'hésitait pas à risquer de grosses sommes d'argent; on a retrouvé dans les documents appartenant à son fils un carnet indiquant en détail les montants gagnés et perdus au jeu chaque soir, des sommes qui, souvent, dépassaient le revenu annuel d'un travailleur montréalais. Mais en 1921, avec deux enfants et un autre (Charles) à naître bientôt, il changea complètement d'orientation dans sa vie professionnelle. Ayant remarqué le nombre croissant d'automobiles qui circulaient dans les rues de la ville, il chercha à savoir qui les réparait et les alimentait en carburant. En 1910, on ne comptait au Québec que 786 automobiles ; en 1915, ce nombre se chiffrait à 10 112 ; et en 1920, à 41 562. En cinq ans, ce nombre augmentera jusqu'à atteindre environ 100 000. Dans les années vingt, c'était aux voies de communication qu'était attribuée la plus grande part du budget du Québec[19]. Charles, pressentant l'avenir, ouvrit un garage près de chez lui, et acquit bientôt plusieurs autres stations-service, où il vendait de l'essence aussi bien que les services d'entretien grandement nécessaires à l'époque. Il devint un « garagiste » comme il devait l'écrire lui-même dans une de ses lettres à Grace. L'entreprise prit le nom d'Association des automobilistes de Montréal et s'installa au 1216, rue Saint-Denis. Le commerce prospéra rapidement. Il eut également l'idée ingénieuse de convertir l'association en un club auquel les propriétaires d'automobile adhéraient pour bénéficier de certains services en vertu d'un contrat annuel[20].

Au début des années trente, l'association comptait environ 15 000 membres et Charles possédait trente garages. L'Imperial Oil, constatant son succès, lui offrit en 1932 d'acquérir son entreprise pour la somme de 1,2 million de dollars. Il accepta, investissant les fonds dans le secteur minier (dans les mines Sullivan principalement), le parc Belmont (un grand parc d'attractions à Montréal) et même dans les Royaux de Montréal, une équipe de baseball dont il devint le vice-président. Les secteurs des mines et du divertissement figuraient parmi les secteurs d'investissement de choix dans les années trente : immédiatement après la transaction, Charles vit les cours des marchés boursiers grimper de manière fulgurante. La fortune de Charles se chiffrait alors, comme Pierre Trudeau devait le dire modestement plus tard, à une somme « fort respectable pour l'époque ». Charles devint membre du Cercle Universitaire, du Club Canadien ainsi que de plusieurs clubs de golf. À la vérité, la fortune de Charles assura la sécurité matérielle de Grace et des enfants pour le restant de leurs jours[21]. Ils étaient devenus et demeureraient partie intégrante de la haute bourgeoisie du Québec.

Pierre fut sans doute impressionné par la manière dont son père avait si habilement réussi à battre les Anglais sur leur propre terrain. Il avait rapidement quitté la pratique du droit, en affirmant à Pierre, toutefois, qu'il s'agissait là d'un diplôme « utile ». Mais le commerce l'intéressait davantage ; c'était aussi un milieu gratifiant, et sa nature extravertie y trouvait son compte. Charles avait reçu une excellente éducation en français chez les Jésuites. Il était cependant déterminé à apprendre l'anglais et insistait pour que ses enfants lui écrivent dans cette langue. Il lui arrivait même de signer ses lettres «Papa Charley». Convaincu qu'ils devaient apprendre l'anglais s'ils voulaient réussir dans le Québec de ce temps, ce n'est qu'une fois certain qu'ils pouvaient parler couramment l'anglais qu'il les envoya à l'école française. Trudeau s'est rappelé plus tard que les mécaniciens travaillant dans les garages de son père étaient francophones. Cependant, le nom de l'entreprise figurait en anglais seulement sur la papeterie, et il est probable que la majorité des clients étaient anglophones[22].

Cela n'empêchait pas Charles d'avoir à cœur la présence française au Québec. Il avait choisi de vivre à Outremont et non à Westmount — il en aurait eu amplement les moyens. Il était membre du Club Saint-Denis, un club «français» fondé dans les années 1870. Et son bureau situé rue Saint-Denis se trouvait loin du centre où habitaient les riches bourgeois de Montréal. Il faisait preuve de générosité envers de nombreux organismes de bienfaisance catholiques français, en particulier les hôpitaux. Ses vues politiques étaient conservatrices et nationalistes. Il est hautement révélateur que son journal préféré ait été le quotidien *Le Devoir*, véritable bible des nationalistes. Il était même membre du comité du journal chargé du fonctionnement. Contrairement à bien des Québécois francophones de l'époque, Charles trouvait beaucoup de plaisir à découvrir le monde moderne et ses merveilles. La famille, de plus en plus à l'aise financièrement, déménagea ses pénates dans une résidence plus imposante, toujours à Outremont, située au 84, avenue McCulloch (que l'on écrit parfois McCullough). La maison, ornée d'une grande véranda, comprenait des chambres pour loger la bonne et le chauffeur, Elzéar Grenier. Elle était également située près du grand parc du Mont-Royal, loin des faubourgs et à proximité des meilleures écoles pour les enfants. C'était une maison en briques, imposante sans être prétentieuse, qui se composait de trois étages et dont les pièces étaient grandes et meublées avec goût. La montagne, avec ses pentes verdoyantes, était aussi tout près et facilement accessible.

Lorsque Charles n'était ni à son garage ni à son club, il était en voyage. Il voyageait quelquefois en Europe, souvent aux États-Unis. Dans une lettre que Pierre adressa à son père, Grace ajouta un post-scriptum: «T'écrirai à

Los Angeles — à l'hôtel Biltmore. Je n'en connais pas d'autre[23]. » De toute évidence, on avait peine à suivre Charles dans ses déplacements, un trait de caractère dont son fils héritera. Et pourtant, loin ou près de sa famille, Charles manifestait intensément sa présence, affectueuse et bienveillante. Le 28 septembre 1926, il envoie à Pierre une carte postale représentant un avion, au-dessus duquel il écrit qu'il s'était trouvé là pendant presque trois heures. Au verso, il met en garde son jeune fils: quoi qu'il fasse lorsqu'il serait grand, dit-il, il ne fallait pas qu'il devienne aviateur, car il s'en inquiéterait trop. Voler à neuf cents mètres dans les airs, à une vitesse de deux cents kilomètres à l'heure pendant trois heures, c'était « saprement » long, disait Charles. En mai 1930, il envoie de la ville de New York une autre carte postale, sur laquelle on peut voir le dessin caricatural d'un jeune garçon qui se fait gronder par sa mère parce qu'il vient de cracher par terre. Dans son mot il lui demande d'être le papa à la maison maintenant, et lui signale de dire aux autres de prendre leurs ordres de lui. Il signe « Pa » en l'embrassant affectueusement. Quelques mois plus tard, il écrit de San Francisco à son Pierrot à lui, en lui disant qu'il est content de constater qu'il a tout le loisir de faire ce qu'il veut quand il le veut[24].

Pierre, dans ses lettres, était tout aussi chaleureux à l'égard de son père — lettres qu'il rédigeait la plupart du temps en anglais. Au cours de l'été de 1929, il lui écrit cette lettre, alors que les enfants et Grace sont au chalet d'été à Old Orchard, dans le Maine :

> Cher papa,
>
> Comment allez-vous ? Nous nous amusons bien. Nous faisons nos exercices trois fois par jour. Tippy [son frère Charles] apprend à nager et il se débrouille assez bien. Je sais faire la planche et j'adore ça. Nous sommes allés en pique-nique hier après-midi — dix enfants. Nous avons joué, et rendus au repas il a fallu ouvrir nos bouteilles sur une clôture de barbelés ! Il y avait beaucoup de moustiques alors nous sommes rentrés à la maison. J'aimerais apporter ma bicyclette ici et Tippy aussi. Est-ce que maman vous l'a dit ? J'espère que vous reviendrez bientôt.
>
> Votre fils qui vous aime, Pierre
> (P.-S.) N'oubliez pas la bicyclette.

La lettre de Pierre fut accueillie par de gentils reproches. Le 19 juillet, Charles lui écrit en retour :

Mon cher petit Pierre*

Je suis bien content de voir que tu t'amuses bien, que tu fais tes exercices et que vous êtes tous de bons « petits », c'est Maman qui me l'a dit dans sa dernière lettre…

En tant qu'aîné, j'espère que tu montres à Tippy à nager et que toi-même, tu le surveilles : c'est ce que doit toujours faire un grand frère.

Je suis content de savoir que tu as appris à faire la planche et je parie que tu t'es aussi amélioré à la natation. Maintenant, est-ce que Suzette fait aussi ses exercices et est-ce qu'elle se pratique bien au swing ? Je voudrais pouvoir garder un œil sur elle aussi et lui montrer comment devenir sage, forte et en santé.

Oui, Maman m'a parlé de ta bicyclette, Pierre, et tu peux être sûr que Maman n'oublie jamais rien lorsqu'il s'agit de faire plaisir à ses « petits ». Toutefois, mon opinion est que là-bas, vous n'avez pas besoin de bicyclette. Vous pouvez jouer à toutes sortes de jeux sur la plage, faire toutes sortes d'exercices, etc., ce qui est bien mieux, je crois, que de se promener dans la rue sur une bicyclette. Ce n'est pas important, Pierre, si le garçon d'à côté en a une : cela ne lui apportera rien de plus. Et puis, tu possèdes autre chose que lui n'a pas et, de toute façon, il n'y a que très peu de garçons qui ont une bicyclette là-bas. En fait, je pense qu'il n'y en a aucun.

Maintenant, dis à Suzette que je m'attends à recevoir une lettre d'elle bientôt, et je ne comprends pas qu'elle t'ait laissé écrire avant elle.

Dis à Tippy aussi qu'il peut au moins écrire une carte postale et signer son nom.

Dis à Maman que je vais lui écrire ce soir ou demain. Continue de bien t'amuser et d'être un bon garçon. N'oublie pas de faire tes exercices, de te pratiquer au swing et d'écouter Maman. Si tu fais tout cela, tu travailleras aussi fort que ton papa, et le travail, c'est cela qui fait d'un homme ce qu'il est.

Je vous embrasse tous, Papa Charley

---

* NDT : en français dans le texte.

Il n'y aurait pas de bicyclette sur la plage d'Old Orchard cet été-là[25].

Les fréquentes absences de Charles entraînaient une avalanche de cartes postales, et Pierre, alors âgé de dix ans, répondait avec chaleur en y prenant beaucoup de plaisir. Dans une lettre de la fin des années vingt, il assure son père qu'il ne voit pas de problème à rester à l'école jusqu'à 17 h 30 tous les après-midi, car lorsqu'il rentre à la maison, tous ses devoirs sont faits. Après avoir dit qu'il n'avait pas manqué de faire ses exercices 5BX, sorte d'exercices de gymnastique militaire, et qu'il n'avait manqué de travailler son piano qu'une seule fois, il dit qu'il n'a plus rien à ajouter et termine en « donnant plein de xxxxxx et d'amour ». Il passait une partie de l'été dans les Laurentides, puis se rendait faire un long séjour à Old Orchard. Au chalet de Lac-Tremblant, les enfants se tenaient à l'affût, guettant le son lointain des pneus sur le pont, signifiant l'arrivée de Charles. Pierre finissait souvent sa lettre par une facétie quelconque. Une fois, il signa J P E Trudeau et une autre fois, il imita la fin des émissions radiophoniques : « Nous quittons maintenant l'antenne. Veuillez demeurer à l'écoute pour entendre l'annonce de la station. Votre fils qui vous aime, Pierre. »

En 1933, Charles décida d'emmener toute la famille, y compris le père de Grace, en Europe. Soixante ans plus tard, Pierre dira de ce voyage qu'il en a retenu « mille images saisissantes ». Pour la première fois, disait-il, nous (en parlant des enfants sans doute) « vivions la remarquable expérience de nous trouver presque totalement hors de notre élément ». Il avait aimé et aimerait pour le reste de sa vie ressentir cette impression. Il y aurait désormais chez lui ce besoin irrésistible de voyager. L'une des anecdotes que Trudeau a souvent racontées est celle où son père s'est arrêté devant un hôtel en Allemagne pour lui dire : « Pierre, va nous louer les chambres. » Mis au défi et ne possédant que quelques rudiments d'allemand, le garçon de treize ans s'était néanmoins acquitté de sa tâche.

Si Charles confiait à son fils aîné des responsabilités d'adulte, Pierre, en retour, conservait un ton enfantin dans ses rapports avec son père au début de son adolescence. À l'été de 1934, il écrit à son père depuis Old Orchard. Lui et Tippy, qui semble être devenu le frère cadet soumis à l'aîné, venaient tout juste d'assister à une représentation du film *La Soupe au canard*, mettant en vedette les frères Marx. Dans sa lettre, Pierre fait part de ses commentaires sur les allées et venues des amis et des membres de la famille. Le dernier groupe, dit-il, ne l'avait « pas beaucoup intéressé, car il n'y a que des filles dans les deux familles ». Mais il est presque certain qu'il ne s'agit là que d'une pointe d'humour. Des photographies prises sur la plage à l'époque laissent à penser que le regard perçant de Pierre était constamment rivé sur les filles, qui s'attroupaient souvent autour de lui. À nouveau, il parle de ses exercices, avant de conclure ainsi : « J'espère que vous viendrez nous voir bientôt. Maintenant, je dois vous laisser, car tout le monde est sur la plage et je dois y aller aussi. Je vous embrasse (xxx) Pierre[26]. » Pierre adorait ces mois d'été et aurait souhaité plus que tout que son père soit là.

Le 30 mars 1935, il se plaignit à ses parents, alors en vacances en Floride pour assister aux séances d'entraînement du printemps des Royaux de Montréal, au sujet de la saison hivernale « désagréable » à Montréal. Il attendait impatiemment qu'arrivent les vacances de Pâques, mais encore davantage les vacances d'été, dans trois mois à peine. À l'école, il avait reçu un « Bene », mais l'événement le plus intéressant du mois avait été la venue à l'école d'« Antoni, le fameux magicien canadien », qui avait ébloui les élèves par ses tours extraordinaires. Le 8 avril, sa mère revint de Floride et immédiatement Pierre écrivit à son père :

> Cher Papa,
>
> Comme Maman a décidé de vous envoyer mon bulletin [de Brébeuf] que j'ai reçu aujourd'hui, j'ai décidé d'ajouter quelques mots :
>
> Lorsque je suis rentré à la maison ce soir, Maman m'a dit que vous étiez malade et je m'empresse de vous souhaiter un prompt rétablissement. Je suis soulagé d'apprendre que ce n'est probablement rien de grave.

Il exprima l'espoir que son père écrive bientôt, faisant remarquer qu'il avait reçu à nouveau un « Bene » et laissant entendre qu'il serait probablement aussi content des résultats obtenus pour ses dissertations. Puis, il conclut :

> Ne restez pas trop longtemps loin de nous et essayez d'être ici pour Pâques au moins !
>
> Nous nous portons tous bien, ici. Au revoir !
>
> Votre fils qui vous aime, Pierre

Mais Charles ne rentra pas à la maison pour Pâques.

La pneumonie qui n'avait rien de « grave » avait provoqué une crise cardiaque. Lorsque Grace apprit que l'état de Charles se détériorait rapidement, elle et Suzette s'envolèrent vers la Floride en laissant Tip et Pierre aux soins d'une tante. Avant que Pierre ait pu envoyer sa lettre, la sonnerie du téléphone retentit. Du haut de l'escalier, il vit sa tante se tourner vers lui pour lui annoncer la nouvelle : « Ton père est mort, Pierre[27]. » « En une seconde », se rappellera-t-il plus tard, « j'ai senti que le monde se vidait. J'ai vraiment ressenti ce départ comme l'abolition d'un monde. » Et quarante ans plus tard, il dira : « Ce fut traumatique, profondément traumatique... Même aujourd'hui, je ne puis assister à des obsèques sans pleurer[28]. » La mort de Charles, qui n'avait que quarante-six ans, était survenue rapidement, plongeant toute la famille dans un état de choc[*]. Grace avait dit alors à Suzette : « Jamais je ne pourrai élever les garçons toute seule[29]. » Pierre lui-même se souviendra plus tard que, à l'âge de quinze ans, « d'un coup, je devenais chef de famille ou presque ; lui disparu, j'avais l'impression de monter en première ligne[30] ». Le recteur du collège Brébeuf lui a écrit : « Pauvre petit ! Mais tu es un petit chrétien, Pierre, et tu as les consolations de notre belle foi catholique[31]. » Cela fut d'un certain réconfort, mais le garçon atterré déchira la lettre qu'il avait destinée à son père.

Lorsque Grace rentra, elle trouva les morceaux de la lettre dans la corbeille à papier, de même que l'ébauche de la lettre qu'il avait précédemment envoyée à ses parents en Floride. Elle récupéra les morceaux pour les recoller soigneusement. Ces lettres font partie des documents qu'elle conserva jusqu'à sa mort. À son décès, elles furent remises à

---

* La mort de Charles Trudeau suscita une attention considérable dans les médias de Montréal, et les réactions furent unanimes. Le *Montreal Star*, dans son édition du 12 avril 1935, s'attrista du décès de cet homme, l'une des principales figures du monde sportif, propriétaire du parc Belmont et investisseur majeur dans les Royaux de Montréal. Dans *La Patrie*, édition du 11 avril, on déplora la perte d'un homme d'affaires canadien-français qui avait atteint le prestige et l'influence des riches et qui pourtant avait su conserver ses amis, même parvenu à l'échelon le plus élevé de l'échelle de la réussite. Trudeau, affirma *Le Devoir*, avait accompli un travail admirable au sein de son conseil d'administration à titre de conseiller financier. L'édition du 11/12 avril avance même que, malgré le fait que Charles avait perdu ses illusions quant à la politique, il aurait pu un jour entrer en politique à titre de réformateur.

Pierre, qui les plaça dans sa collection de documents. Il conserva aussi un autre objet. Sur le portrait célèbre de Trudeau que l'on peut admirer dans l'édifice du Parlement, juste à l'extérieur de la Chambre des communes, on le voit arborant, dans un dernier hommage, la cape noire de son père, qu'il avait gardée pendant plus d'un demi-siècle[32]. Il est certain qu'il éprouva un immense chagrin, mais ressentit-il aussi une « ambivalence » envers son père, compliquant l'épreuve, comme certains l'ont suggéré ? Cela est moins sûr. Je reviendrai sur ce sujet de l'impact psychologique de la vie et de la mort de Charles sur Pierre. Les documents de l'époque qui ont été recueillis viennent étayer les remarques de sa sœur Suzette, qui se rappelle que Pierre « n'a pas cherché à nous choquer, à nous déranger ou à réagir d'une façon qui aurait donné à croire qu'il le faisait parce que mon père n'était plus là. Peut-être a-t-il assumé une certaine responsabilité[33] ». Néanmoins, jamais son père n'a cessé de lui manquer profondément[*].

Le samedi suivant, Camillien Houde, maire de Montréal, conservateur et nationaliste, ainsi que J.-A. Bernier, président de la Société Saint-Jean-Baptiste, et Georges Pelletier, rédacteur en chef du *Devoir*, se joignirent à la famille lorsque arriva, tôt le matin, la dépouille de Charles à la gare Windsor. Aux obsèques, on compta treize prêtres ainsi que plusieurs juges et sept voitures remplies de fleurs[34]. Ce jour restera à jamais gravé dans la mémoire de Pierre, même s'il ne manqua l'école que pendant une brève période et que ses notes, consignées chaque semaine, demeurèrent remarquablement bonnes. Le 28 avril, il écrit à sa mère, et plus tard le 2 mai, moins d'un mois après le décès de son père. Dans un style plutôt guindé, il lui dit à ces deux occasions qu'il la sait « en bonne santé », et qu'il souhaite

---

[*] Le 10 avril 1938, à l'occasion du troisième anniversaire de la mort de Charles, Pierre se rendit à l'église et communia pour le salut de l'âme de son père. Dans son journal intime, il écrit ceci : « Le temps guérit tout. C'est peut-être vrai et on peut s'habituer à une absence, mais plus le temps passe, plus je regrette sa bonté tendre mais ferme, ses conseils pleins de lumière. Sans doute il me guide toujours de Là-Haut mais il serait bon de pouvoir parler et discuter avec lui. » Il regrettait de n'avoir pu profiter de la sagesse de son père que pendant quinze années. Il acceptait que la volonté de Dieu était qu'il soit maintenant auprès de Lui. On peut lire l'expression de son chagrin partout dans les pages de son journal intime de 1938 à 1940. Journal intime de 1938, 10 avril 1938, FT vol. 39, dossier 9.

qu'elle la conserve toujours. Il lui arrivait parfois de rester à l'école comme pensionnaire et, dans la première lettre, il fait remarquer que «les douceurs de la maison et les caresses d'une maman» lui manquent. Dans la seconde lettre, il lui dit qu'il a récolté les meilleures notes de sa classe, soit 292 sur 300 au total. Viennent ensuite les mots «poisson d'avril» écrits en grec, en latin, en anglais, en français, et dans une autre écriture. L'année scolaire se déroulait bien. Dans une autre lettre à sa mère datée du 10 juin, il lui dit qu'il s'attend à remporter des prix. Grâce à son excellent professeur, dit-il, «nous avons tous passé une bonne année». Il termine en la remerciant de l'avoir envoyé dans un si bon collège[35].

C'est un garçon changé qui revint à l'école après la mort de son père, selon plusieurs des camarades de classe de Pierre. Il était devenu plus anticonformiste, plus désireux d'épater son entourage, les professeurs comme les élèves[36]. On regretta certainement la disparition de «Charlie» à Brébeuf, lui qui, comme les pères jésuites devaient plus tard se le rappeler, «leur offrait de leur acheter des havanes pour offrir à la fin d'un banquet donné en l'honneur d'un délégué apostolique ou de leur faire livrer, à leur convenance, une caisse de whisky pour leur propre plaisir[37]». Rien d'étonnant à ce que beaucoup d'entre eux aient été présents à ses obsèques. L'atmosphère à la maison avait également changé. Trudeau dira plus tard: «Du vivant de mon père, on passait son temps en effusions, en rires et en embrassades, mais après, ce furent un peu les mœurs anglaises qui prirent le dessus, à tel point qu'on se moquait de certains cousins, voisins et amis canadiens-français qui avaient toujours fait des grandes démonstrations d'affection, en famille, avec leur mère et ainsi de suite[38].» Pierre commence alors à se faire appeler Elliott-Trudeau, ce qui laisse croire qu'il abordait différemment le côté anglais de la famille, même si, déjà en 1931-1932, il avait brièvement utilisé le nom de J.-P. Elliott Trudeau[39]. Il semble qu'il soit devenu de plus en plus rebelle en classe, tandis qu'à la maison, où l'atmosphère se prêtait moins aux plaisanteries, il cherchait de plus en plus à plaire à Grace. Ses lettres et ses cahiers d'exercices dénotent une personnalité plus complexe après la mort de son père: il ressemble davantage à ces pierres aux couleurs chatoyantes, changeant d'aspect selon l'angle du regard. Il était devenu plus secret, mais, paradoxalement, ce qu'il révélait avait l'effet d'illuminer brièvement le cœur même de sa personnalité.

Il est certain que Pierre adorait sa mère, s'inquiétant constamment de sa santé. Bien que nous ne disposions d'aucun document indiquant l'état d'esprit de Grace, il est évident que la mort de Charles l'avait profondément bouleversée. Sa vie avait été centrée sur la carrière de son époux et, surtout, sur ses enfants. Des années plus tard, Grace Pitfield, liée de près et de loin à de nombreuses personnes de l'élite britannique de Montréal (et qui était la mère de l'ami et plus tard collègue de Trudeau, Michael Pitfield), raconta à une journaliste comment Grace Elliott, dont les racines étaient loyalistes et qui possédait un petit héritage, avait simplement disparu. Certaines de ses amies qui « étaient allées à la même école que Grace Elliott, explique-t-elle, avaient bien entendu dire qu'elle avait épousé un Canadien français, mais personne ne le connaissait et aucune d'entre elles ne resta en relation avec Grace par la suite[40] ». Il ne faut pas se surprendre, dans ce contexte de division qui existait à l'époque au sein de la société montréalaise, que Grace — qui s'était coupée de tout son passé — eût recherché intensément l'affection et l'attention de ses enfants. Et ceux-ci le lui rendaient bien. Une fois seule, la réserve qu'elle avait toujours montrée du vivant de son exubérant mari disparut ; elle gagna de l'assurance, devint plus gaie. Mais cet aspect du caractère de Grace ne se manifestait qu'en privé. « 'Formidable' est le terme qu'emploie parfois Trudeau en parlant de son père », mentionne le journaliste Richard Gwyn, « alors que tout le monde l'applique plutôt à sa mère, Grace Elliott ». Après la mort de Charles, Grace Trudeau gagna en présence[41].

Il semble que Pierre ait alors joué le rôle à la fois du fils et du compagnon, un mélange qui a ses charmes, mais comporte aussi des dangers sur le plan affectif. Selon Suzette et Pierre lui-même, il se mit à prendre davantage de responsabilités dans les affaires familiales. La mort de son père leur avait assuré indépendance financière et sécurité matérielle, et Pierre chérissait la liberté que cela lui apportait. Chacun des enfants recevait apparemment la somme de 5000 $ par année, ce qui représentait plus que le salaire annuel moyen d'un médecin ou d'un avocat à la fin des années trente. On disposait également de réserves en cas de besoin[42]. À la fin de son adolescence, Pierre assura lui-même la gestion d'un gros héritage. Pour sa part, Grace partagea les longues années qui lui restaient entre les voyages, le bénévolat et sa participation aux œuvres de l'Église catholique romaine, se préoccupant très peu de la gestion des fonds. En 1939, elle réussit même à perdre certains des nombreux certificats d'actions que la famille possédait[43]. Elle adorait la musique et jouait très bien du piano, faisant l'envie de Pierre qui en jouait, lui aussi, mais en amateur. Elle manquait rarement l'occasion d'assister à un concert de musique classique, se plaisant même à inviter quelques-uns des plus grands artistes de l'heure à se produire en concert privé, chez elle, devant les amis et la famille. Une fois, elle persuada le grand Arthur Rubinstein de jouer pour eux rue McCulloch[44]. D'aucuns disent que la demeure des Trudeau s'était assombrie après la mort de Charles; et c'était le cas, disaient ses enfants, parfois en riant, Grace partant souvent en voyage. Elle allait fréquemment à New York, en Floride, en Europe et aussi dans le Maine, qu'elle adorait. Elle s'y rendait parfois avec ses enfants, mais de plus en plus souvent avec des amies. Suzette, fille affable et sans complications, devint pour elle un grand soutien et une véritable compagne, mais celui qu'elle adorait, c'était Pierre.

Au moment où Charles décéda, Pierre était élève de jour au Collège Jean-de-Brébeuf, situé chemin de la Côte-Sainte-Catherine à Montréal. Ses parents l'avaient d'abord envoyé à l'Académie Querbes, une école catholique fréquentée à la fois par des anglophones et des francophones. Entré à l'âge de six ans, il y resta jusqu'en 1932. Il fut d'abord inscrit à la section anglaise, « pour une raison que j'ignore », déclare-t-il dans ses mémoires politiques. Il avait oublié: son père l'avait déjà dit dans ses lettres, dans le monde dans lequel « ils » vivaient, les avantages allaient à ceux qui parlaient l'anglais[45]. Et c'est ainsi que ses enfants fréquentèrent l'école anglaise.

L'Académie Querbes, avec son allée de quilles et sa piscine, était située au 215, avenue Bloomfield à Outremont, et Pierre n'avait que sept camarades de classe au moment de son entrée en première année. Ses bulletins indiquent qu'il récolta des notes parfaites pour la conduite, l'application, la politesse et la propreté. Il fut premier de classe presque chaque mois, à l'exception du mois de mars, où il fut malade. Le nombre d'élèves passa à seize en troisième année et il occupa alors le deuxième rang. L'année suivante, il commença l'année en anglais, mais fut transféré à l'école française. Dans son dernier mois en anglais, il fut le premier de sa classe, et conserva cette place pendant le premier mois de la classe en français. Il termina une fois de plus l'année au sommet de sa classe, ayant obtenu une note générale de 92,5 en juin 1930. Grace signait les bulletins de la classe anglaise; une fois du côté français, Charles prit la relève.

À l'école, Pierre était plongé dans l'univers de la religion catholique et des débats moraux, mais dans la rue, il se bagarrait, comme tous les garçons à cette époque, semble-t-il. Michel Chartrand, un camarade de l'Académie Querbes et futur militant syndical, se souvient de Pierre qui se mêlait souvent aux bagarres dans les rues d'Outremont, où les garçons plus pauvres s'en prenaient volontiers aux fils privilégiés de la classe bien nantie[46]. Dans sa dernière année — il est alors premier de classe sur vingt-six élèves, avec un pourcentage de 95,4 —, Pierre obtient ses meilleures notes en mathématiques et en religion. Ce scénario allait se poursuivre pendant tout le temps de ses études[47]. Plusieurs de ses travaux scolaires ont été conservés dans ses papiers. Ils sont le reflet à la fois de son esprit et de son époque. Pour un travail qu'il avait fait sur le légendaire soldat français Dollard des Ormeaux qui, en 1660, avait repoussé les Iroquois sur la rivière des Outaouais, il reçut le commentaire « Beau travail ». Pour conclure sa dissertation, Pierre affirmait que Dollard et ses compagnons étaient des martyrs et des saints et que sans leurs sacrifices, la colonie aurait été complètement détruite par les barbares. Dans une dissertation portant sur les armes à feu, il raconte comment il avait demandé à son père s'il pouvait aller chasser avec lui. Son père avait répliqué qu'il n'avait que onze ans et que non, il ne le pouvait pas. Lorsque Pierre avait insisté, Charles lui avait parlé, en lui donnant des exemples, des accidents qui pouvaient se produire avec des armes à feu, et Pierre avait finalement approuvé. Dans une autre dissertation, sur l'enfant et la politesse, Pierre mit l'accent sur le fait d'être gentil envers les autres, y compris les serviteurs. À l'église, personne ne devait parler ou bouger; on devait simplement prier. La grande leçon qu'il tira de cet exercice fut celle-ci: l'enfant poli devient populaire en société[48]. Pour ce travail, il reçut sa meilleure note: 9,5 sur 10.

Après avoir fréquenté l'Académie Querbes, Pierre fit ses études au collège Jean-de-Brébeuf, un nouveau collège classique situé à distance de marche de chez lui à Outremont. Tout juste fondé en 1928, il s'agissait de l'un des cinq collèges jésuites qui se consacraient explicitement à l'éducation de l'élite française au Québec. Les mesures disciplinaires qu'on y appliquait étaient promptes, brèves et brutales. Il arrivait souvent que les prêtres expulsent les étudiants perturbateurs et la ceinture de cuir et autres instruments de discipline n'étaient jamais bien loin. Pierre se distingua rapidement comme un élève exceptionnel, bien qu'il développât, au cours des huit années de collège, un côté mordant. Il y avait attiré des amis qu'il avait connus à l'Académie Querbes et dans les rues d'Outremont, notamment Pierre Vadeboncoeur, qui le suivrait pendant toutes ses années de collège, puis à la faculté de droit et dans ses activités politiques, et ce, pendant trois décennies. Brébeuf fut une expérience décisive dans la vie de Trudeau ; il y acquit un remarquable sens de l'autodiscipline et c'est là aussi qu'il développa un intérêt profond pour les idées et la politique. C'est dans ce cadre qu'il développa des amitiés et fit la connaissance de personnes qui joueraient un rôle majeur dans sa vie et dans sa carrière. Il dira plus tard qu'il ne s'intéressait que bien peu à la politique au moment où il fréquentait Brébeuf. Mais, encore une fois, sa mémoire lui a fait défaut[49].

Ce que dit Trudeau de sa participation aux activités politiques contemporaines au cours de ses années à Brébeuf est contradictoire. Il a également dit un jour que le père Robert Bernier, qui était « l'un des hommes les plus cultivés que j'aie connus, (…) m'a initié à la politique[50] ». Ses cahiers de l'époque sont remplis de notes sur la « politique », aussi bien dans le sens théorique du terme, à commencer par la tradition classique, que dans son sens plus étroit, c'est-à-dire sur les événements politiques des années trente. Il était entré à Brébeuf au plus fort de la Grande Dépression, la « Grande Crise » au Québec, juste avant que Roosevelt soit élu président et que Hitler accède au poste de chancelier. Dans sa classe, les étudiants se faisaient de moins en moins nombreux au fur et à mesure que leurs parents s'enfonçaient dans la pauvreté la plus abjecte. L'Église catholique, au Québec et ailleurs, vivait des moments difficiles, cherchant à comprendre ce que l'effondrement de la démocratie en Europe et du capitalisme partout dans le monde signifiait pour les fidèles. Au Québec, une critique du capitalisme et de la démocratie au Canada émergea de la façon la plus véhémente de la plume de l'abbé Lionel Groulx. En 1919, l'année de la naissance de Pierre, Groulx avait prononcé une conférence historique intitulée « Si Dollard revenait ». Les arguments qu'il avançait avaient déjà profondément marqué le jeune

Pierre à l'époque où il avait écrit son essai sur Dollard à l'Académie Querbes. L'abbé fut le premier à occuper une chaire d'histoire canadienne au campus de Montréal de l'Université Laval, pour devenir plus tard le rédacteur en chef du très influent journal *L'Action française*. En peu de temps, il devint l'instigateur d'un nouveau nationalisme, qui liait ensemble la foi catholique, la langue française et la famille, tout en appelant à l'instauration d'institutions autonomes qui viendraient protéger ces éléments fondamentaux de la menace de l'anglicisation, de l'américanisation, de la sécularisation et de la corruption de la classe politique[51].

La réaction de l'abbé face à la crise de la conscription et à la Première Guerre mondiale fut de se tourner vers le passé: la conquête de la Nouvelle-France en 1760 devint un événement décisif, une épreuve que Dieu avait envoyée au peuple vaincu; le pacte de la Confédération, une promesse rompue. Les premières batailles de Dollard contre les Iroquois et, par le fait même, les batailles que livra Étienne Truteau, avaient mené à la création de la paroisse, là où la nation avait germé et là où les institutions et les souvenirs communs s'étaient formés. À ses yeux, c'est au cours de la Conquête, des rébellions des Français contre les Anglais en 1837-1838, des actes de traîtrise provoqués par la Confédération et la crise de la conscription de 1917 que la nation canadienne-française s'était forgée, dans le feu d'une lutte incessante et dans le cadre des liens durables qui unissaient ses membres au catholicisme. Selon Groulx, c'était par cette lutte continuelle contre «l'autre» que la nation était devenue une réalité[52]. L'agressivité du Canada anglais en temps de guerre; l'exode rural des francophones vers Montréal où les symboles du pouvoir étaient anglais; la chute du taux de natalité chez les francophones dans les villes et chez la population française au Canada (qui comptait pour 31% des habitants en 1867, mais seulement 27% en 1921) et l'infériorité économique de la classe professionnelle francophone, tout cela avait été à l'origine de *L'appel de la race*, populaire roman de l'abbé Groulx publié en 1922, relatant les difficultés d'un mariage mixte entre un avocat catholique français et une mère anglaise protestante convertie. La jaquette de la première édition portait la citation suivante: «Chacun des descendants des 65000 vaincus de 1760 doit compter pour un[53].» C'était là un puissant argument nationaliste, l'un de ceux qui agitèrent la société canadienne-française dans l'entre-deux-guerres.

Dans les années trente, la démocratie libérale bourgeoise était menacée par le communisme, le socialisme et le fascisme qui se faisaient la lutte pour dominer l'Europe. Les vents violents qui soufflaient de ce continent atteignirent le Québec. Pour les catholiques du Québec, le communisme était tout simplement l'œuvre du diable, tandis que le libéralisme souffrait de son passé anticlérical et de sa faiblesse présente. Au sein de l'Église du Québec, d'âpres débats s'engagèrent entre ceux qui croyaient qu'il fallait d'abord « rechristianiser » la population et ceux qui, avec Groulx, faisaient coïncider « action nationale » avec « action catholique » et ce qu'il appelait la refrancisation du Québec. À son retour de France en 1937, André Laurendeau, qui deviendra plus tard coprésident de la Commission royale d'enquête sur le bilinguisme et le biculturalisme, lança une attaque contre les partisans du bilinguisme au Québec. Admirateur de l'abbé Groulx, il fit une mise en garde : « Le jour où les Canadiens français seraient devenus bilingues, ils parleraient tous anglais (...) et le français lui-même serait bientôt inutile[54]. » Le débat faisait rage au sein des nombreux groupes de jeunes catholiques qui proliféraient au Québec dans les années trente, en particulier lorsqu'il s'agissait de réagir à un rapport sur le sujet élaboré par le prêtre dominicain Georges-Henri Lévesque, qui disait que la principale préoccupation devait être l'individu dans la société et non la question nationale[55]. Lorsque ces débats débordaient des salles de classe et des églises pour se rendre dans la rue, il leur arrivait parfois de prendre une forme vulgaire, entre autres dans la création d'un mouvement fasciste québécois, le Parti national social chrétien, dont l'emblème était la croix gammée entourée de feuilles d'érable, le tout surmonté d'un curieux castor. Le chef de ce mouvement, Adrien Arcand, était un homme haineux et antisémite qui approuvait les attaques perpétrées contre les commerces tenus par des Juifs à Montréal et qui préconisait la déportation des Juifs à la baie d'Hudson.

Ce fut une époque de toute évidence importante dans la formation de Pierre Trudeau, avec l'effondrement de l'ordre européen, l'émergence de nouveaux mouvements nationalistes au Québec (en particulier, l'Action libérale nationale ou ALN) et la crise économique qui se poursuivait. Même si aucun document ne montre directement que Charles Trudeau a encouragé son fils dans une voie politique quelconque, le nationalisme dont il était lui-même partisan, comme en témoignent son association avec *Le Devoir* et son amitié avec des hommes tels que

Camillien Houde, tout cela a certainement dû laisser des traces. Pierre, jusqu'à ce qu'il ait vingt et un ans en 1940, avait évolué dans le cocon qu'était le collège Brébeuf, où l'atmosphère était incontestablement nationaliste. Au cours de ses premières années au collège, Pierre se concentra sur ses études et sur les sports. Il commençait habituellement sa journée par des prières à 5 h 30, puis venait à la messe du matin. Il n'évitait pas ses devoirs religieux, allant à la messe parfois jusqu'à trois fois dans une même journée. Il participait souvent à des retraites, même si, à certains moments, il se plaignît du grand nombre de célébrations religieuses prévues à ces occasions.

Quand il était question de sport, il ne se plaignait jamais. Il était capitaine de son équipe de hockey, faisait partie d'une équipe de crosse et partait faire des excursions en ski*. Et il faisait différents exercices. Sur les photographies, il apparaît toujours mince et musclé, non pas à la manière des haltérophiles modernes, mais plutôt à l'image de Clark Gable et d'autres vedettes de cinéma de l'époque. Il aimait la compétition et cela se reflétait dans ses travaux : il surveillait attentivement ses notes pour les comparer à celles de ses camarades. Il lui fallait arriver premier — en 1935, malgré la mort de son père, il remporta de nombreux prix et obtint d'excellents résultats. En classe, il se fit aussi peu à peu une réputation de farceur : par exemple, au cours d'une présentation sur la navigation, il sortit un verre d'eau de la poche intérieure de son veston. Plus tard, il devrait interpréter ces tours comme le fait de « prendre (…) le contre-pied des affirmations courantes [et de] mettre en doute les opinions dominantes », mais cela, apparemment, n'offensait pas beaucoup ses professeurs — ni sa mère, qu'il régalait de certaines de ces histoires. Ses camarades ne s'en irritaient pas non plus, à ce qu'il semble, pas autant que certains d'entre eux s'en sont rappelés plus tard. On le nomma à plusieurs postes, y compris celui de vice-président de l'assemblée étudiante et on le choisit pour devenir le rédacteur en chef du journal étudiant[56]. Il fut déçu de ne pas être élu président, mais se considéra chanceux, compte tenu du

* Trudeau aimait aussi assister aux matchs des Royaux de Montréal, dont il suivait la fiche de points. Il acquit une certaine popularité auprès des religieux de Brébeuf en tirant profit des intérêts de la famille dans le club pour procurer aux pères des billets pour le match d'ouverture de la saison. On le récompensa en lui permettant de manquer l'école pour accompagner le père Toupin au match. Journal personnel, 1937-1940, FT vol. 39, dossier 9.

fait qu'il ne faisait partie d'aucun groupe d'amis particulier, de terminer deuxième dans une classe où l'on comptait cinquante étudiants[57].

Les professeurs de Pierre passaient l'éponge sur les tours qu'il jouait ou les remarques moqueuses qu'il lançait. En effet, on le voyait s'engager de plus en plus dans les affaires de l'école, envers la foi catholique et aussi dans sa volonté de comprendre la « question nationale ». Cet engagement s'intensifia après la mort de son père. L'un des fils de Trudeau, Alexandre (Sacha), croit que l'une des répercussions les plus importantes de la mort de Charles-Émile sur Pierre Trudeau a été l'apparition d'une certaine méfiance envers le monde des affaires et du commerce ainsi que du domaine du droit. Il en était venu à associer le monde des affaires avec les longues veillées et le fait de boire beaucoup, de fumer et de discuter fort sous l'effet de l'alcool. Pour reprendre les paroles d'Alexandre, pour Pierre, c'étaient les affaires qui avaient tué son père. Il ne fumait pas, et jamais il ne lui arrivait de boire à l'excès, ni de jurer avec force ou de débattre d'un sujet jusqu'aux petites heures du matin, même s'il adorait son père qui, lui, avait fait tout cela[58].

Chose étrange, même si plusieurs prêtres du collège Brébeuf, notamment le père Robert Bernier, exercèrent une influence sur Pierre, celui qui eut sur lui l'impact le plus déterminant ne lui a jamais enseigné. Le père Rodolphe Dubé, jésuite et romancier, écrivait sous le nom de plume de François Hertel — nom qui avait été celui d'un adversaire brutal et féroce des Anglais et des ennemis autochtones de la Nouvelle-France. En parcourant les documents laissés par Trudeau, on peut croire que Hertel fut probablement celui qui l'influença le plus profondément sur le plan intellectuel, et ce, jusqu'au milieu des années quarante. Cela explique sans doute les éloges qu'il témoigne à son endroit dans ses mémoires, quoiqu'il le fasse indirectement. Il est vrai cependant que le prêtre avait un fort ascendant sur les jeunes. Il était doté d'un remarquable charisme et ses opinions sur la politique et les arts ont profondément influencé la jeunesse catholique de la fin des années trente et du début des années quarante. Il s'était d'abord fait remarquer par un écrit rédigé en 1936 intitulé *Leur inquiétude*, dans lequel il parle de l'impatience des jeunes gens du Québec, de « leur désir d'évasion du réel, leur insatisfaction du présent, leur retour douloureux sur le passé, leur regard anxieux vers l'avenir[59] ». Plus tard dans le milieu universitaire, on appuiera les opinions exprimées par Hertel en arguant que l'inquiétude qui avait marqué les étudiants des collèges classiques dans les années trente — et qui prenait la forme de tours pendables, de manifestations publiques et de comportements répréhensibles — avait été une réaction à l'importance qu'accordaient les collèges à la chasteté, à l'ascétisme et à la soumission. Dans ces institutions mâles, de tels enseignements représentaient une menace à l'expression de l'identité sexuelle des étudiants à une époque où les distractions et les tentations du monde moderne ne manquaient pas[60].

Pierre n'a jamais ressenti cette douleur dont parle Hertel à propos des étudiants, mais il éprouvait de plus en plus d'impatience. En février 1935, il a quinze ans lorsqu'il écrit une dissertation, pleine d'esprit quoique juvénile, dans le cadre de son cours d'anglais. La dissertation, intitulée « My Interview with King George of England » (Mon entretien avec le roi George d'Angleterre), décrit une visite qu'il rend au monarque en raison du grand désordre qui règne dans sa classe. Une fois à la cour, on le conduit jusqu'aux appartements du roi :

> Puis, au milieu du son retentissant des trompettes et des cris « Le roi ! Le roi ! », un vieil homme très digne entre dans la pièce, escorté par des soldats à l'uniforme multicolore.
>
> « Comment allez-vous, Monsieur ? » dis-je.
>
> « Très bien merci, à part quelques petits problèmes de dents » répond-il. « Je suis enchanté de faire votre connaissance. »
>
> « Tout le plaisir est pour moi, dis-je, mais parlons maintenant affaires. J'aimerais m'entretenir avec vous seul à seul. »
>
> « Fort bien. Vous pouvez disposer, capitaine », et après une brève discussion dans laquelle le roi démontre qu'il pouvait se débrouiller tout seul, le capitaine prend congé du roi. [Ici, le professeur, dont on sent la colère monter, écrit le commentaire « Sottise ».]
>
> Voyant que le gentilhomme commence à transpirer sous son uniforme, je lui propose qu'il retire son manteau ; une fois cela fait, je commence. [Professeur : « Sottise ».]

Pierre poursuit en affirmant que le gouverneur général lord Bessborough l'avait fortement encouragé à rencontrer le roi, car le professeur était « anglais ». Il décrit le désordre total qui règne dans sa classe, chez lui à l'école :

> « Ils mettent même le feu à des allumettes, sans aucun doute pour brûler le collège. Ils font aussi exploser des bombes puantes dont l'odeur est très désagréable. Maintenant, notre professeur, M. Gosling, vient d'Angleterre et j'ai pensé que vous auriez peut-être quelque sympathie pour lui (car il trouve tout cela assez pénible). »

Le roi George réplique que tout cela l'attriste beaucoup, car, dit-il « je croyais que tous les garçons de l'Empire britannique sur lequel le soleil ne se couche jamais étaient de parfaits gentilshommes. Il faut y voir immédiatement ». Ce sur quoi il promet de se rendre au collège Brébeuf pour s'entretenir avec les étudiants de la classe. Puis, Pierre conclut en ces termes :

> « Merci beaucoup, George, je savais bien que je pouvais compter sur vous. Bon, eh bien, au revoir, et à plus tard. »
> « Au revoir, Pierre. »
> « Au revoir. Je pense que je vais maintenant me rendre à Rome et voir si je ne peux pas convaincre le pape de venir nous voir lui aussi au Canada. »

Les commentaires du professeur furent les suivants : « Il se peut que tu deviennes célèbre en écrivant des sottises. Mais je te suggère de faire preuve d'un peu plus de sérieux, et tâche d'éviter ce langage familier. » Une mise en garde inoffensive, mais qui serait suivie plus tard d'une critique plus sérieuse[61].

Au fur et à mesure que les opinions de Pierre Trudeau se faisaient de plus en plus nationalistes, tout comme celles de ses camarades de classe et de ses professeurs, son enthousiasme grandissant se reflétait tant dans ses travaux scolaires que dans son choix de lectures. Il se concentre tout particulièrement sur les écrits de l'abbé Groulx, dont certaines des interrogations trouvent un écho sympathique chez lui. Sur une copie d'un article que l'abbé a publié dans *L'Action nationale*, il souligne un passage où l'auteur déclare que certains hommes aspirent, pour le Canada, à « l'indépendance totale ; pour leur province [Québec], à l'autonomie totale ; et pour leur nationalité, à un noble avenir ». Il prend également connaissance de l'un des pamphlets de Groulx qu'il déclare être « assez intéressant » en ajoutant qu'il « faut une préparation totale », même si l'on ne sait pas trop de quelle préparation il pouvait s'agir[62].

Au même moment où se développait son intérêt pour les questions nationales, sa foi catholique conservatrice s'intensifiait. Ces deux aspects de son engagement étaient devenus pour lui inextricablement liés, comme c'était le cas chez de nombreux autres étudiants. Alors qu'auparavant il s'était plaint à ses parents de la fréquence des célébrations religieuses, il cherchait maintenant de plus en plus l'occasion de faire des retraites et de discuter de questions liées à la foi. Par contre, probablement en raison de son esprit indépendant et de l'élitisme de Brébeuf, il ne fit jamais partie des Jeunesses étudiantes catholiques, le groupe catholique le plus en vue à l'époque. En tant que rédacteur en chef du journal étudiant, intitulé *Brébeuf*, il désapprouvait vigoureusement l'idée que tous les journaux étudiants devraient adopter le même point de vue. Il s'intéressait grandement à la littérature catholique, et tout particulièrement au renouveau de la foi catholique en France au cours des années vingt. Comme il était de mise à cette époque, il condamnait vigoureusement les communistes : par exemple, il dénonçait André Gide ; il voyait en lui un communiste qui, sur le plan moral, était « un des plus pernicieux auteurs qui aient existé ». C'était « donc une question de vie » d'avoir une pensée pénétrée du catholicisme[63].

Les cahiers d'exercices de Pierre adolescent sont le reflet de son époque et de son milieu, alors qu'il cherche à comprendre le monde complexe dans lequel il vit. Il tenait le Traité de Versailles et, bizarrement, l'insistance des Britanniques envers l'Allemagne pour qu'elle abandonne ses colonies, pour responsables des troubles des années trente. Les opinions de son père trouvaient écho chez le fils. Pierre exprima ainsi sa vision traditionnelle de la différence entre les hommes et les femmes : « Dieu fait les sexes, celui de la femme pour les travaux à la maison et les occupations ; celui de l'homme pour les choses de dehors. » L'homme avait un corps robuste qui le prédisposait à la guerre et aux voyages ; en revanche, à la femme, de constitution moins robuste, « Dieu a destiné le travail à la maison et la maternité[64] ». Dans une histoire qu'il écrit en octobre 1937, Trudeau décrit le personnage d'un harangueur de foule parlant de la conscription qui avait été imposée vingt ans auparavant et mettant en garde son auditoire, affirmant qu'une autre guerre signifierait automatiquement une nouvelle conscription[65]. Dans un débat qui eut lieu à Brébeuf, il prit position contre toute intervention dans le conflit sino-japonais, car, dit-il, « la Chine est infestée d'étrangers, et le Japon poursuit donc un noble objectif en voulant que la race jaune survive ». Il accusa aussi les « Rouges » de causer des problèmes en Chine[66].

En 1936, dans la classe du père Robert Bernier, il écrit une nouvelle où il déplore l'isolement dans lequel se trouve le collège, et rêve de ce qu'il pourrait faire s'il venait un jour à se faire matelot et à partir à l'aventure. Dans son récit fantaisiste, il voyage de par le monde, se joint à l'armée de l'air, accomplissant de nombreux exploits dangereux et faisant exploser des usines ennemies, puis gagne la guerre. Il rentre ensuite à Montréal vers 1976, alors que le temps est venu, dit-il toujours dans son récit, de déclarer l'indépendance du Québec. Les Maritimes et le Manitoba se joignent au Québec pour confronter l'ennemi et là, à la tête des troupes, il conduit l'armée à la victoire sur les infidèles protestants anglais. « Je vis maintenant », continue-t-il dans sa fantaisie, « dans un pays catholique et canadien[67] ». Il était le Dollard des temps modernes, celui de la mythique « Laurentie » de Groulx et d'autres nationalistes de l'époque.

Comme c'était souvent le cas des vagabondages intellectuels de Pierre à cette époque, cette fantaisie — selon laquelle il serait à la tête d'une armée réussissant à gagner l'indépendance du Québec l'année même où le Parti québécois entra véritablement au pouvoir — n'est tout simplement qu'une bagatelle de jeunesse. Dans certaines de ses dissertations, il prenait le parti d'écrivains antisémites, élitistes et catholiques conservateurs. Dans d'autres, il ne faisait tout simpement que prendre position dans une école où l'art oratoire était fortement encouragé. Il fit même l'éloge de l'ouvrage misogyne, élitiste et fasciste qu'est *L'homme, cet inconnu* d'Alexis Carrel, de même que d'autres ouvrages similaires à caractère catholique conservateur[68]. Et dans un discours portant sur la survie des Canadiens français qu'il prononça en novembre 1937, il s'inspira directement des propos de nationalistes tels que Groulx. Pour sauver notre civilisation française, disait-il, nous devons garder notre langue et fuir la civilisation américaine. La « revanche des berceaux », dit-il, puisque les catholiques français avaient de grandes familles alors que les protestants anglais n'avaient que quelques enfants, permettrait rapidement à la population française d'excéder celle des Anglais. Il s'attaquait à l'immigration, car elle tendait à accroître la population anglaise, et se réjouissait que le gouvernement ait refoulé la plupart des immigrants au cours de la Grande Dépression. Le Canada français, disait-il, avait un rôle à jouer bien précis et même divin — celui de propager les idées françaises et catholiques dans le Nouveau Monde.

Néanmoins, il y a aussi certaines incohérences dans les propos du jeune Trudeau à l'époque. Dans ses notes datées de 1936-1937, il cite favorablement Jacques Maritain, un éminent philosophe catholique qui s'opposait au fascisme et soutenait la démocratie libérale. Il paraphrasa son idée qui voulait que « si l'auteur est bon, il va spontanément blâmer le vice et approuver le bien », abondant avec force dans le sens de cette opinion libérale. Il annonça aussi fièrement à sa mère qu'il s'était joint à d'autres étudiants pour honorer non seulement le héros nationaliste qu'était Dollard, mais aussi la date du 24 mai, « la fête de la reine », qui célébrait l'anniversaire de naissance de la souveraine, une fête qui représentait à ses yeux « encore une excellente occasion de manifester le patriotisme[69] ». Les contradictions ne manquent pas.

Du 28 novembre au 4 décembre 1937 se tint au collège Brébeuf une « semaine sociale », à laquelle Trudeau participa et où l'on échangea sur une variété de sujets à caractère social. À saveur fortement nationaliste et conservatrice, cette semaine lui permit d'en apprendre sur « l'erreur du libéralisme économique », « la nécessité du corporatisme » et « l'illusion du communisme et du socialisme* ». Devant ses professeurs et à ses amis nationalistes, il pouvait vigoureusement nier qu'il était « américanisé ». Et

* Malgré sa teneur hautement nationaliste et, en économie, corporatiste, comme le voulait la pensée catholique de l'époque, la semaine comportait une part de diversité et d'équilibre. André Laurendeau, par exemple, condamna vigoureusement le communisme tout en affirmant que l'idée de propriété collective n'était pas entièrement mauvaise, citant en exemple l'électricité et les chemins de fer. Le père Omer Jenest, un jésuite, affirma que le soutien de l'Église envers le corporatisme devait se distinguer du fascisme. Il avança que l'imposition par la force du corporatisme en Italie devait être condamnée. Gérard Filion, futur rédacteur en chef du *Devoir*, traita du sujet des coopératives en disant que les plus avancées se trouvaient dans les pays nordiques. Il ajouta que l'Italie, en raison du fascisme, était dans une meilleure position que la France. Les notes de Trudeau figurent dans FT, vol. 4, dossier 6.

pourtant, en 1937, il avait tenté d'établir des liens entre le journal étudiant *Brébeuf* et celui du New York Catholic Fordham College. Il avait affirmé au rédacteur en chef américain qu'ils « [entreraient] plus directement en contact avec les Français et les Canadiens français, et ainsi l'objectif de M. Roosevelt d'établir des relations de bonne volonté et d'amitié entre les peuples américains en sera grandement favorisé[70] ». En outre, pour ce qui était des questions de langue en général, et contrairement à André Laurendeau, Trudeau rejetait la cause populaire et nationaliste de l'unilinguisme, suivant plutôt l'opinion de son père qui affirmait qu'en raison des avantages que procurait la connaissance de l'anglais, la majorité des « Canadiens » se devaient d'apprendre cette langue. Loin de les blâmer, disait son père, il trouvait qu'ils avaient parfaitement raison — sauf lorsqu'ils introduisaient des anglicismes dans leur parler français[71].

Pierre n'a jamais pu s'identifier aux éléments du nationalisme extrême qui s'attaquaient aux maisons closes et aux clubs de nuit à Montréal et qui détestaient la musique et le cinéma américains. Il continuait d'aller à New York, de fréquenter les théâtres, et il adorait les frères Marx, de même que les séduisantes actrices de Hollywood. En 1937, il se fait une promesse : « Je ne veux pas sortir avant l'âge de vingt ans parce que les filles me distraient, etc. », et tout spécialement les jeunes Américaines frivoles[72]. Mais cet été-là à Old Orchard, il fait la connaissance d'une étudiante américaine, Camille Corriveau, « dont j'admire la beauté depuis quatre ans[73] ». Quand elle finit par lui adresser la parole le 18 août, toutes ses bonnes résolutions s'envolent et, en une semaine, il en tombe amoureux. En octobre, elle lui dit qu'elle le voit bien dans n'importe quelle profession, sauf la prêtrise. « Même le métier de policier serait plus passionnant », croit-elle. Puis ce fut le retour à Brébeuf.

C'était un monde différent. Le père Brossard lui enseignait l'histoire canadienne. C'était un patriote, selon Pierre, mais pas un fanatique. Le 20 octobre, le jeune Trudeau se rase pour la première fois. Le jour suivant, il se joint aux rangs des « autonomistes » dans le parlement étudiant et entend ce soir-là Henri Bourassa, le fondateur nationaliste du *Devoir*, prononcer un discours. Le 22 octobre, il se joint à d'autres étudiants pour manifester contre « les communistes ». Puis, à Noël, il rejoint sa famille et part faire du ski dans la semaine précédant le jour de l'An, refusant du coup l'invitation de sa sœur Suzette à aller à la danse de la veille du jour de l'An avec elle et ses amies. La jeune fille dont il serait le cavalier, « Olga Zabler », était très jolie, mais lui était encore timide. « Je suis toujours timide avec les femmes », dit-il en méditant sur son sort, même si cette réserve l'amenait souvent à exagérer l'assurance qu'il démontrait en leur présence. Bref, il était maladroit. Réfléchissant à ses frustrations, il prend une résolution pour le Nouvel An, celle de « cultiver chez moi le plus possible le sentiment de l'honneur » et d'éviter d'agir d'une manière qui pourrait lui causer de l'embarras. Les « patriotes exaltés », comme Pierre appelait les fervents nationalistes, n'auraient certainement pas beaucoup approuvé ses idées et ses activités au cours des fêtes de cette année-là.

Le 2 janvier 1938, Pierre, accompagné de son frère Tip, part faire un séjour à New York. Aussitôt arrivés, ils se rendent à un théâtre de comédie musicale sur Broadway, et le lendemain ils assistent à un spectacle du comédien juif américain Ed Wynn. Le jour suivant, ils visitent le Rockefeller Center — « c'est colossal ! » écrit Pierre — et dans la soirée, ils se rendent au réputé Cotton Club. Là, il rapporte que « l'orchestre et les comédiens sont bons (...) mais la revue plutôt immorale et vulgaire ». On voit bien l'influence de Brébeuf dans cette dernière portion de son commentaire. Il aime beaucoup mieux le Radio City Music Hall où il assiste à un spectacle des Rockettes, qui lancent bien haut les jambes dans les airs. Dans ses termes, les artistes étaient « très bonnes » et le théâtre lui-même, « une merveille ». Une fois de retour chez lui, il continua à aller au cinéma et à écrire à Camille, résistant pendant tout ce temps à son grand désir de faire des avances aux jolies jeunes femmes[74].

Lorsque Pierre rentra à Montréal le 8 janvier, Brébeuf l'engloba à nouveau dans son vaste sein. Il était ambitieux dans ses travaux comme dans le sport, même s'il avait remarqué qu'une jolie fille pouvait accaparer son attention « en dépit de ma froideur et de mon indépendance[75] ». Parmi ses ambitions, il y avait celle de se présenter aux élections scolaires et de participer à un concours d'art dramatique. Il s'inquiétait de sa popularité à cause de sa timidité et de sa tendance à être « contrariant ». Parfois, il était troublé. Dans une lettre à sa mère, il écrit : « Température incertaine comme l'adolescence. » On trouve aussi dans ses notes l'ébauche de ce qui est peut-être un poème : « Mon cœur d'adolescent est comme la nature / Tout y est bouleversé. Triste température[76]. »

Le père Bernier, à l'automne de 1937, l'avait rassuré en lui disant qu'il avait « une mentalité de Canadien mêlé d'Anglais », une combinaison qui, de l'avis de Pierre, n'était « pas mauvaise pour élargir l'esprit ». L'éducation à Brébeuf se faisait en français, toutefois, et il résolut d'améliorer sa diction française, de lire davantage et d'assister à la messe souvent. Mais il était fier de ses antécédents biculturels, même si de nombreuses personnes, à l'époque, critiquaient et déploraient le mélange des cultures française et anglaise. Il décida qu'il continuerait de signer « Elliott » comme partie intégrante de son nom : en cela, il montrerait qu'il était « de souche et distingué[77] ».

Puis, dans cette dualité culturelle sereine arriva un événement qui lui porta un coup brutal. Juste après les élections du début du mois de février 1938 au conseil scolaire, au cours desquelles son grand rival Jean de Grandpré avait failli le battre à la présidence, « Laurin » raconta à Pierre que l'un de leurs camarades avait déclaré n'avoir aucune confiance en lui — « que j'étais médiocre, américanisé, anglicisé, en somme que je trahirais la race plus tard. J'ai fait semblant de ne pas m'en occuper, mais dans le fond ça m'a fait un choc ». « C'est peut-être vrai que je semble superficiel en certaines matières », écrit Pierre dans son journal, « mais l'essentiel est que je travaille. Et je ne trahirai jamais les Canadiens français ». À la moindre attaque directe il mettrait son poing à la figure de son accusateur. Puis il s'arrête : « Cependant je suis fier de mon sang anglais qui me vient de ma mère. Au moins, il tempère mon sang bouillant de Français. Il me laisse plus froid et perspicace. » Cet incident le rendit encore plus déterminé que jamais à terminer premier à Brébeuf, joyau des institutions scolaires françaises à Montréal[78].

Quatre jours plus tard, le 9 février, les résultats d'une autre élection furent annoncés, cette fois celle du Conventum — le conseil de classe. Au départ, Pierre n'avait pas songé à s'y présenter, mais il changea d'avis lorsqu'il découvrit que son père avait été membre du secrétariat du Conventum à son école. Une fois encore, il arriva derrière Jean de Grandpré, mais il remporta l'élection finale et fut élu vice-président. « Ô bonheur ineffable ! » s'écrie-t-il dans son journal. Il ajoute qu'il est très heureux de constater que son nom bilingue, Pierre Elliott Trudeau, ne lui a pas nui beaucoup dans l'élection. En mars, cette question continue à le préoccuper. Dans la classe d'anglais, il fait semblant d'être Irlandais et, « pour rire », met au défi les autres élèves de se battre avec lui. Il n'y eut aucune bagarre, mais le père Landry menaça de l'expulser. Après la classe, il nota par contre dans son journal qu'il était content d'être à la fois d'origine anglaise et française. Le mélange, concluait-il, faisait qu'il était moins craintif d'aller à l'encontre de « l'esprit général ».

Certains ont affirmé que Trudeau a servi de modèle à François Hertel pour son roman *Le beau risque*, écrit en 1939. Cette histoire met en scène un personnage du nom de « Pierre Martel », un jeune étudiant dans un collège classique, qui s'assagit au fur et à mesure que son « âme » devient française à part entière. Le roman prend la forme de mémoires relatés par un prêtre-enseignant en route pour l'Asie. Il affirme que Pierre manque de confiance en lui, malgré qu'il soit intelligent et que son père, qu'il admire, soit un chirurgien renommé. Le narrateur, le père Berthier, ne tarde pas à découvrir que le père est un homme vide et sans profondeur qui ne se préoccupe que des apparences. Comme Pierre Trudeau, Pierre Martel est acnéique, vit dans une grande maison à Outremont, est le fils d'un père riche, fait des voyages à New York, irrite ses professeurs sans raison, préfère les sports individuels aux sports d'équipe, aime la poésie et, peut-être est-ce là le détail le plus révélateur, passe ses étés à la plage d'Old Orchard. Le roman relate la manière dont Pierre s'éloigne du monde matérialiste et américanisé de son père et comment il puise une force dans le monde traditionnel de ses grands-parents à Boucherville. Confrontant son père sur son scepticisme, ses anglicismes et son matérialisme, il en vient en même temps à admirer le respect de son grand-père envers le passé et, en particulier, la manière dont il a conservé l'esprit des rebelles de 1837. Pierre ressent l'appel des racines et refuse avec colère d'aller à Old Orchard ou de visiter un « inn » à Québec qui, comme il le dit à son père, doit se dire une « auberge ». Il fait siennes les luttes continues que livre son peuple, devient un adepte dévoué d'un catholicisme renouvelé et exprime son engagement envers un monde où « nous serons plus nous-mêmes[79] ». Trudeau lut le livre lorsqu'il sortit en librairie, comme de nombreux autres jeunes Québécois, mais le bref compte rendu qu'il en fait dans son journal n'indique pas s'il s'identifiait ou non à Martel. Il reste qu'en ces temps troublés, Pierre Trudeau avait, comme Martel, une âme divisée.

Au printemps de 1938, alors qu'il méditait sur les remarques qu'on avait faites à propos de son « américanisation et anglicisation », Pierre écrivit une pièce de théâtre intitulée *Dupés*, mettant en scène un couturier montréalais. La pièce, d'une écriture plutôt faible et décevante, gagna un concours au collège Brébeuf, où elle fut jouée avec Pierre dans l'un des rôles. Jean de Grandpré, le grand rival de Trudeau, futur homme d'affaires d'envergure, jouait le rôle principal. À l'époque où cette pièce a été écrite, les nationalistes du Québec tentaient de promouvoir une campagne d'« achat chez nous » que la communauté juive de Montréal condamnait comme étant antisémite. La « comédie de mœurs » de Trudeau est parsemée de sarcasmes et affiche une certaine amertume. Le personnage principal est un couturier, Jean-Baptiste Couture, qui, dans la première ébauche, est décrit comme un bon père de famille canadien-français, honnête quoique parfois violent. Un autre personnage, Jean Ditreau, s'intéresse à la fille de Couture, Camille, un prénom que Trudeau avait malicieusement choisi en hommage à son amie de cœur américaine. Parmi les autres personnages de la pièce, il y a aussi quelques clients, dont le personnage louche de Paul Shick.

Ditreau est diplômé en « psychologie du commerce » de l'Université McKill et il s'offre pour aider Couture à évaluer ses clients. Il lui explique que son commerce, situé dans un quartier canadien-français, est boudé par les francophones, qui préfèrent, dit-il, acheter chez le Juif, d'abord parce qu'ils ne veulent pas voir s'enrichir l'un des leurs, et ensuite parce qu'ils croient qu'ils paieront meilleur marché. Il propose alors une solution : remplacer l'enseigne « Chez Couture » par « Goldenburg, tailor ». Il conseille également à Couture de vendre les revues américaines et d'installer des fontaines de boissons gazeuses ; après la messe, les gens viendraient boire du « Coke ». Tout en parlant, Ditreau déchire une enseigne où l'on peut lire « Encourageons les nôtres » et la remplace par une nouvelle sur laquelle on peut lire, en anglais : « We sell for less — Goldenburg, fine goods. Open for business » (Nous vendons moins cher — Goldenburg, produits fins. Nous sommes ouverts.).

Une fois toutes les enseignes remplacées, Couture annonce à son premier client, à la manière d'un Juif, écrit toujours Trudeau, qu'il a en magasin les dernières nouveautés de Paris, de New York et de Londres et puis, plus bas, il murmure qu'en dépit de sa répugnance [envers Hitler], il suit même la mode de Berlin[80]. Les négociations se poursuivent — et la confusion s'accroît. Le prétendant Ditreau est finalement éconduit par

Camille parce qu'il est un politicien, la plus méprisable de toutes les professions, dit-elle. Les viles manières des politiciens sont également illustrées par un autre client, Maurice Lesoufflé, représentation évidente du premier ministre du Québec Maurice Duplessis, qui propose que six Canadiens « héroïques » se partagent le vote, de telle sorte qu'un candidat « hébreu » puisse remporter une élection.

Dupés fut un grand triomphe pour Pierre Trudeau à Brébeuf, et les prêtres, les parents et les étudiants qui assistèrent à la représentation applaudirent chaleureusement son jeune auteur — jeune mais compliqué. La pièce reflétait non seulement l'atmosphère qui régnait à Outremont, mais aussi toute une époque : c'était le temps où le premier ministre canadien comparait Hitler à Jeanne d'Arc, où son conseiller principal, O. D. Skelton, membre éminent du Parti libéral, se disait contrarié par l'influence « juive » qui incitait la Grande-Bretagne à la guerre, et où Vincent Massey, haut-commissaire pour le Canada au Royaume-Uni et futur gouverneur général, déclarait que le Canada n'avait pas besoin des immigrants juifs.

Comme la majorité des étudiants, Pierre Trudeau réagissait en fonction de ce que ses professeurs, ses camarades et sa famille attendaient de lui — la plupart du temps. On constate cependant certaines contradictions non résolues dans son journal personnel, cet espace privé où il exprimait ses opinions et relatait ses activités. En surface, il semblait effectivement se conformer au contexte de l'époque : nationaliste, antisémite et anti-anglais. Et pourtant, quelques jours seulement avant la première de *Dupés*, étroitement supervisée d'ailleurs par le corps enseignant de Brébeuf, Trudeau avait « rencontré » Laurin à propos de ses origines mixtes et de ses manières américaines et anglaises. Nul doute qu'après cet incident, le texte final de *Dupés* révéla encore plus le climat général qui régnait à Brébeuf. Pierre avait écrit à sa mère le 24 janvier 1938 : « Une des qualités du genre épistolaire est le tact, c'est-à-dire que celui qui écrit doit prendre un ton proportionné aux circonstances et adapté aux sentiments de celui qui lira la lettre. » Cette remarque faisait référence à une lettre bien particulière, mais elle décrit bien la pensée de Trudeau, qui croyait à la nécessité de s'adapter aux circonstances. Ce qui ne l'empêchait pas, comme il le dit à sa mère, de trouver l'exercice « complexe ». Il se conformait, certes, mais souvent dans son cœur soufflait un vent de révolte, et il arrivait dans ses actes qu'il se contredise[81].

Trois jours avant que Pierre amorce l'écriture de *Dupés*, il avait pris quelques notes sur « le pour et le contre » de la vie religieuse. À cet égard, doutes et certitudes abondaient. Le côté du « pour » faisait surtout ressortir en quoi la prêtrise lui permettrait de toujours se diriger vers la perfection et de se rapprocher du Christ. Une vie religieuse lui accorderait une place privilégiée au Ciel et, de manière générale, ferait de lui un homme meilleur. Mais ce fut le « contre » qui l'emporta. La vocation ne l'attirait pas beaucoup. Il n'était pas assez soumis ; il était trop fier et trop indépendant. Il aimait mener une vie active et ne serait pas à l'aise d'entendre les confessions, n'ayant pas la disposition qu'il fallait. Qui plus est, il ne serait pas bon professeur : « Je ne suis pas assez ouvert », avait-il conclu. Un pressentiment juste[82]. Pierre Trudeau était un bon catholique, mais il aurait fait un prêtre bien médiocre.

CHAPITRE 2

La guerre, *no Sir !*

À la fin du printemps 1938, après le succès remporté par *Dupés* auprès des étudiants du collège Brébeuf et de leurs parents, et après qu'il eut pris sa décision de ne pas devenir prêtre, Pierre Trudeau commença à se demander, comme cela arrive souvent à la fin de l'adolescence, quel serait son destin. Il n'aimait pas le monde des affaires, et la carrière de son père ainsi que sa mort l'avaient laissé ambivalent quant à une carrière en droit. En juin 1938, à l'approche de la fin de l'année scolaire, il écrivait dans son journal : « Je me demande quelquefois si je pourrai faire quelque chose pour mon Dieu et ma patrie. J'aimerais tant être un grand politique et guider mon pays[1]. » Si ce rêve ne mourut jamais, sa vision de son pays et de sa politique, elle, changea assurément avec le temps.

À l'époque où Pierre se mit en quête de sa destinée à Brébeuf dans les années trente, le flot des événements qui se succédaient sur la scène internationale prenait soudain des allures de rapides tumultueux. La grande dépression en modifiait le parcours et l'Allemagne de Hitler en interrompait le flux. Et tels des confluents, les guerres en Chine et en Espagne avaient formé un torrent ; celui-ci déferla au plus fort de sa puissance dévastatrice en septembre 1939, moment où le monde éclata à nouveau. Comme d'autres, les Canadiens furent submergés par le flot des événements. Quelques-uns furent emportés par la vague de l'esprit martial. Farley Mowat, fils d'un soldat fier des souvenirs qu'il avait gardés de la Première Guerre mondiale, vit un jour son père dévaler le chemin de campagne en annonçant joyeusement la nouvelle de la guerre, et c'est ainsi que ce fils obéissant partit combattre pendant six cruelles années[2].

Dans les quartiers pauvres de Montréal, les centres de recrutement étaient bondés : pour les chômeurs et les jeunes gens à l'avenir incertain (y compris la future étoile du hockey Maurice Richard), la guerre et ses dangers semblaient plus attrayants que leur vie misérable à cette époque. Parmi les camarades de classe de Pierre à Brébeuf, en revanche, peu répondirent à l'appel, la plupart des membres de cette jeune élite s'opposant probablement à ce conflit qu'ils jugeaient être celui de l'Empire britannique, et dans lequel les Canadiens allaient verser leur sang, en plus de voir leur pays profondément divisé. Le maire Camillien Houde, ami intime de Charles Trudeau, ne cacha pas son accord avec ce point de vue.

Pierre avait dix-neuf ans lorsque les Allemands franchirent la frontière polonaise en septembre. On ne pouvait prévoir quelle serait sa réaction envers la guerre ; chose certaine, il en comprenait toutes les horreurs. Lors d'un débat sur le conflit sino-japonais au collège, dans lequel il prit le parti des Japonais, il reconnut qu'ils étaient sans pitié. Mais pouvait-on éviter de telles choses en temps de guerre ? demandait-il. Et il poursuivait dans le même sens : l'Allemagne n'a-t-elle pas utilisé le gaz en 1914 et bombardé la Croix-Rouge des forces alliées ? L'Italie n'a-t-elle pas employé des moyens brutaux en Éthiopie ? La Chine n'a-t-elle pas massacré les Européens pendant la Révolte des Boxers ? Franco n'a-t-il pas fait des milliers de petits Espagnols orphelins ? La France n'a-t-elle pas exécuté sans scrupule certains de ses ennemis pendant la dernière guerre ? La Grande-Bretagne elle-même n'a-t-elle pas utilisé ces atroces balles explosives contre les Boers[3] ? Trudeau en savait manifestement beaucoup sur la guerre, mais il n'énonça aucune des opinions complaisantes sur l'Italie de Mussolini et l'Espagne de Franco qu'entretenaient couramment le clergé et certains commentateurs de l'époque au Québec.

Camille Corriveau, sa petite amie américaine, lui écrivit lorsque la guerre éclata, le suppliant de ne pas s'enrôler. Il ne lui répondit pas directement ; cependant, il lui décrivit les effets évidents de la guerre à Montréal : « Les soldats montent la garde sur le pont Jacques-Cartier, les avions survolent souvent la ville. Les régiments recrutent. Le Parlement siège actuellement pour décider s'il y aura conscription. Il y a déjà quelques rassemblements anticonscription dans la ville. Les menaces grondent. » Il admit n'avoir lu aucun journal et qu'il n'était donc pas bien au courant, mais il lui confia qu'il était persuadé que Hitler était près de la fin[4]. Beaucoup de ceux qui avaient lu les journaux partageaient cette opinion au moment où la machine de guerre de Hitler s'arrêta pendant la « drôle de guerre » de ce premier hiver. Mais ils avaient tort.

Pierre aurait pu s'enrôler, mais il ne le fit pas. Il n'y avait aucune tradition militaire dans sa famille, si ce n'est la célèbre victoire d'Étienne Truteau sur les Iroquois au XVIIe siècle, et il se souvint plus tard qu'un seul de ses cousins s'était engagé[5]. De manière générale, les francophones étaient peu représentés au sein de l'armée canadienne. Le français n'était parlé que dans le glorieux Royal 22e Régiment, et l'administration militaire au Québec ne fonctionnait qu'en anglais, malgré les controverses soulevées au cours de la Première Guerre mondiale. Parmi les hauts gradés, les francophones étaient rares, et aucun des commandants de brigade de la Première Division canadienne n'était francophone[6]. Pendant sa dernière année au collège Brébeuf, en 1939-1940, Pierre se concentra sur ses études, sur ses fonctions de rédacteur en chef du journal du collège et sur ses projets d'avenir. Pendant ce temps, il se garda soigneusement d'exprimer ses opinions sur la guerre.

« Je ne suis pas assez ouvert », en avait-il conclu après une réflexion sur son éventuelle vie religieuse. Sans aucun doute, Pierre était devenu moins convaincu au fil de ses années d'adolescence, à mesure que son identité se formait et que cela modifiait sa compréhension des événements extérieurs. À l'automne de 1935, il dit à sa mère que les prêtres de Brébeuf s'inquiéteraient peut-être du résultat des élections, sans toutefois s'étendre davantage sur le sujet et passant rapidement à autre chose[7]. Il maugréa aussi à propos des trois messes quotidiennes et des cinquante-six observances religieuses de toutes sortes, en vigueur à Brébeuf. Mais ces récriminations ne l'empêchèrent pas d'exprimer de plus en plus et de façon dévote sa piété catholique : avec passion, il raconta à sa mère comment, en retraite, on avait éteint les lumières afin qu'ils pussent mieux apercevoir la croix magnifique qui se dressait au-dessus d'eux sur le mont Royal. Parlant d'une autre retraite qu'il avait vécue dans une maison aux chambres modestes, située près d'une rivière tranquille, il lui dit qu'il avait aimé les sermons, mais qu'il avait apprécié par-dessus tout le silence à table. C'est après cette expérience de quelques jours qu'il commença à méditer, une pratique qu'il gardera toute sa vie.

Pierre écrivit cette lettre à sa mère le 26 novembre; c'était le lendemain d'un grand changement politique au Québec, soit la quasi-défaite du gouvernement libéral corrompu et capitaliste de Louis-Alexandre Taschereau; six semaines après la victoire des libéraux de Mackenzie King à Ottawa; trois mois après que Mussolini, avec le bombardement de l'Abyssinie (l'Éthiopie actuelle), eut anéanti le fragile espoir d'un monde plus sûr promis par la création de la Société des Nations; et neuf mois après que l'Allemagne eut dénoncé les clauses du désarmement dans le traité de Versailles et introduit la conscription. C'était aussi seulement huit mois après la mort de Charles Trudeau. Le Québec, aux prises avec ces nouvelles réalités, se replia sur lui-même; pour un moment, Pierre fit de même[8].

Bien qu'il se repliât sur lui-même, et contrairement aux fréquentes déclarations qu'il fit plus tard, Pierre conserva un profond intérêt pour la politique, et cela de deux façons importantes: dans le sens de la conception d'Aristote, à savoir que la fin ultime de la science de la politique devait être le bien de l'homme, et dans le contexte particulier du Québec où il fallait faire respecter les droits des citoyens francophones et catholiques. La croix du mont Royal, après tout, liait symboliquement le catholicisme romain à la mission sociale des descendants de la Nouvelle-France en Amérique du Nord. L'éducation jésuite de Pierre influença légèrement sa compréhension de la politique des années trente, et la pièce de théâtre de sa jeunesse, intitulée *Dupés*, illustre à quel point il suivait de près les événements politiques, même si plus tard il affirma ne pas s'être tenu au courant. Ses opinions, telles qu'elles étaient exprimées publiquement, avaient, selon l'usage à cette époque, un caractère nationaliste — ce que l'on attendait d'un étudiant de Brébeuf en 1938. Il soutint le mouvement « Achat chez nous » créé alors que les marchands juifs proliféraient dans les quartiers francophones de Montréal. Il déplora la tendance qui consistait à établir des limites de circonscriptions permettant la représentation électorale des Juifs, bien qu'il blâmât injustement Maurice Duplessis plutôt que les libéraux fédéraux pour cet ergotage. Ainsi que la plupart des nationalistes québécois de l'époque, il décrivait les politiciens en place comme des êtres corrompus et lâches, une position qu'il exprima sans ménagements dans une dissertation présentée à Brébeuf cette année-là, déclarant que quiconque entrait en politique risquait d'acquérir « une réputation d'imbécile ». Et pourtant, lui et quelques autres rêvaient d'une nouvelle trempe de politiciens, pas aussi corrompus, et il se plaisait à imaginer une future carrière politique pour lui-même[9].

Beaucoup plus tard, minimisant ses positions nationalistes, Trudeau rappela qu'il avait joint les rangs des étudiants dans une manifestation contre l'écrivain français André Malraux, en tournée au Canada pour défendre la cause républicaine de la guerre civile espagnole[10]. De la même façon, ses positions sur les affaires internationales, que l'on retrouve dans ses cahiers d'école — que les prêtres lisaient —, allaient dans le sens de celles des nationalistes catholiques du Québec. Dans le cadre d'un cours de rhétorique anglaise, il écrivit en octobre 1937 : « Voulons-nous aller à la guerre ? Nous ne le voulons pas. Demandez à ceux qui y sont allés s'ils ont aimé les horreurs, la terreur, la misère et l'incertitude de la guerre[11]. » Les souvenirs de la dernière guerre et des divisions amères qu'elle avait engendrées étaient encore très présents dans la province.

L'antisémitisme de *Dupés* était aussi banal à l'époque qu'il est déplorable aujourd'hui. Il n'avait pas la férocité des propos du leader fasciste canadien-français Adrien Arcand ni, d'ailleurs, de ceux du père Charles Coughlin, prêtre catholique né au Canada, qui répandait sa haine et sa peur des Juifs dans l'Amérique de Roosevelt, peur qui ne tarda pas à croître rapidement lorsqu'il dénonça les Juifs d'Amérique comme étant ceux qui avaient entraîné les États-Unis dans une guerre européenne. Cette position était moins extrémiste que celle exprimée de façon exagérée en 1933 par les Jeune-Canada, un groupe de jeunes catholiques du Québec qui, lors d'une assemblée célèbre en avril, intitulée « Politiciens et Juifs », avait dénoncé la « ploutocratie juive » et soutenu que les politiciens canadiens étaient plus prompts à condamner la discrimination envers les Juifs dans la lointaine Allemagne que celle que vivaient les Canadiens français en Ontario ou dans l'Ouest[12].

Les sentiments antiguerre de Pierre trouvaient écho dans le fort sentiment isolationniste qui régnait non seulement au Québec, mais aussi chez la plupart des intellectuels anglophones canadiens des années trente. Sa rhétorique faisait pâle figure à côté de celle du professeur d'histoire et ancien combattant Frank Underhill, de l'Université de Toronto, qui appelait le gouvernement canadien à bien faire comprendre au monde, « et particulièrement à la Grande-Bretagne, que les coquelicots qui fleurissent dans les plaines de Flandres n'ont plus d'intérêt pour nous (...) Les problèmes de l'Europe ne valent pas les os d'un grenadier de Toronto », ou, aurait ajouté Pierre, ceux d'un étudiant de Brébeuf[13]. L'opinion générale, nous rappelle l'Histoire, a souvent grand tort. Les difficultés morales du temps étaient ailleurs, et si le manuscrit de *Dupés* de Pierre fut révisé plusieurs fois, ce ne fut pas pour son antisémitisme, mais pour ses nuances de nature sexuelle suspectes*.

Après 1935, Pierre amorça cette étape de l'adolescence où chacun se pose cette question bien connue et popularisée par le psychologue Erik Erikson : « Qui suis-je ? » Les opinions qu'il entendait le plus souvent après la mort de son père étaient celles véhiculées à Brébeuf — celles de ses professeurs et de ses camarades de classe. Il se plongea dans les livres, spécialement ceux qui traitaient de la religion et de la philosophie catholiques ainsi que de la littérature française. Dans un sens plus général, il suivait le règlement, ou *ratio*, établi par Ignace de Loyola, le fondateur de la Compagnie de Jésus au XVIe siècle. Ce règlement établissait le premier système international d'éducation, dont la méthode et le contenu étaient identiques au Pérou, en Pologne ou au Québec. Pour l'époque, cette méthode était utilitaire, puisque son but était de doter la société d'hommes capables de bien gouverner, et de créer une élite catholique. Elle était conçue « pour garantir l'immersion dans la culture classique, la maîtrise de la matière, la rapidité d'esprit, le développement de la sensibilité aux aptitudes individuelles et la discipline personnelle[14] ».

En ce sens, Pierre Trudeau était un étudiant exceptionnel. Sa discipline, qualité inculquée par une éducation jésuite, était extraordinaire, et elle

* Ces révisions furent effectuées à l'insistance du père Brossard, qui agissait à titre de censeur pour l'occasion. De grandes personnalités d'Outremont, comme le juge Thouin et mesdames de Grandpré et Vaillancourt, vinrent féliciter Pierre après la représentation. La pièce, écrivit Pierre, « a eu un grand succès à en juger par les félicitations et les rires ». Il n'y eut qu'une seule objection, lorsque, à un endroit dans la pièce, Jean Couture parle à sa fille Camille en utilisant le mot « grosse » pour la décrire. Selon l'un des prêtres, ce terme pouvait signifier « enceinte » et il en condamna le double sens. Pierre nota dans son journal qu'il n'avait pas eu la moindre intention à cet égard. Lorsque cette allusion à la sexualité provoqua des réactions d'horreur dans les couloirs de Brébeuf, il fit la remarque suivante : « On ne peut plaire à tout le monde. » Journal personnel 1938, 17 mai 1938, FT, vol. 39, dossier 9.

le demeura toute sa vie. Ses carnets de notes sont d'ailleurs remarquables : il y notait tout dans les moindres détails et de manière consciencieuse. Même lorsqu'il rédigeait l'obligatoire lettre à sa mère, il apportait de nombreuses corrections aux mots et aux expressions qu'il utilisait, jusqu'à ce qu'il trouve le mot exact. Il rédigeait un compte rendu de chacun des livres qu'il lisait à Brébeuf, énonçant des commentaires d'une perspicacité inattendue chez un adolescent. Son enthousiasme ne fléchissait pas tandis qu'il étudiait les différences entre Aristote et Platon, Rome et Athènes, Jérusalem et Rome. Il maîtrisait la matière de chaque cours, qu'il s'agisse de la Grèce antique ou, en 1939, d'économie politique. Il obtenait des résultats exceptionnels : rivalisant avec les meilleurs élèves, il se classait premier dans la majorité des cours, remportait des prix plus que quiconque (pour son plus grand plaisir, il s'agissait souvent d'argent) ; lors de sa dernière année, il l'emporta sur son plus grand rival, Jean de Grandpré, et termina premier dans toutes les matières. Il était extrêmement ambitieux, une qualité qu'Ignace de Loyola valorisait aussi : Pierre inscrivait soigneusement dans son cahier les notes de De Grandpré et se réjouissait chaque fois que son rival se classait second.

Ainsi, à la fin des années trente, tandis que Pierre Trudeau se questionnait sur son identité, Brébeuf lui offrait un contexte où il pouvait trouver la plupart de ses réponses. Brébeuf différait de quelques autres collèges classiques, dont la mission première était de mener les élèves à la prêtrise, et avait bien conscience de représenter l'avant-garde du catholicisme intellectuel au Québec. Il se situait déjà au sommet de l'ensemble des collèges classiques, que Maurice Duplessis considérait comme « des forteresses, des bastions indispensables, essentiels à la préservation de nos traditions religieuses et nationales[15] ». Comme il l'écrivit dans une de ses dissertations, la « forteresse » Brébeuf était un monde clos dont les rituels et les devoirs quotidiens définissaient ses journées[16]. Parmi ses professeurs, le père Robert Bernier, un Franco-Manitobain, fut très important en ce qu'il éveilla chez lui son goût pour la littérature, et ils se vouaient assurément un grand respect. Au cours d'une retraite pascale, le prêtre lui conseilla de développer un intérêt culturel plus large, ce qui, disait-il, manquait à la plupart des Canadiens. Avant tout, avait-il ajouté, « il faut fuir tout contact avec le vulgaire, même sous prétexte de se distraire ». Pierre s'excusa d'avoir soulevé le sujet, mais dit au père Bernier qu'aucun de ses amis intimes ne pouvait lui donner un avis en cette matière[17].

Le père Bernier continua de conseiller Pierre aussi longtemps qu'il fut à Brébeuf, mais il avait des opinions traditionalistes et des manières effacées. Peu à peu, le père Rodolphe Dubé, mieux connu sous son nom de plume de François Hertel, devint celui qui exerça sur Pierre la plus grande influence. « Hertel », écrivit plus tard Trudeau, « allait spontanément vers tout ce qui était nouveau ou à contre-courant des goûts du jour » et emportait ses étudiants bien au-delà des murs de pierre épais de la forteresse et de la salle de classe[18]. Comme le disait l'un des amis les plus intimes de Pierre à Brébeuf, Hertel représentait « une (...) force révolutionnaire » auprès des fils de bourgeois, en nombre prédominant au collège, qu'il les sauva de « la médiocrité et de la bêtise congénitale de [leur] état[19] ». Le biographe de Hertel a avancé de manière convaincante que le succès de ce prêtre charismatique et plein d'humour tenait, pour une large part, à l'atmosphère empreinte de gravité et à la discipline rigoureuse qui étaient le propre de Brébeuf à cette époque. Professeur brillant et habile comédien, il commençait son cours avec une blague qui secouait les étudiants et avait tôt fait de briser la grisaille des salles de classe[20].

Intensément anticapitaliste, se méfiant profondément de l'influence de la Grande-Bretagne et des États-Unis, mais également critique à l'égard du racisme de l'Allemagne et de « l'impérialisme britannique », François Hertel admirait l'interprétation nationaliste de l'Histoire exprimée par l'abbé Groulx. En 1939, dans un article publié dans *L'Action nationale*, l'abbé, en retour, répliqua avec enthousiasme au roman de Hertel, *Le beau risque*. Il affirma que celui-ci avait exposé de manière pénétrante l'âme vide des bourgeois canadiens-français, qui s'étaient coupés de leurs racines nationalistes, et retint un court passage qui déclarait que les bourgeois francophones hésitaient toujours à soulever la « question nationale » devant leurs enfants. De son point de vue, la nouvelle génération devait se détacher des compromis des générations prédécentes si la question nationale était sérieusement posée[21]. Alors une réelle démocratie pourrait exister, basée sur la foi nationale qui résidait dans le cœur et dans l'âme du peuple[22].

Pierre ne fit aucunement mention de cet article dans son journal, mais ses écrits scolaires contiennent des sentiments antibourgeois et nationalistes semblables. Bien qu'il fasse plusieurs fois référence aux œuvres du chanoine Groulx dans ses notes, il semble ne l'avoir rencontré personnellement qu'une seule fois durant ses années à Brébeuf. Le 18 février 1938, il se rendit à une conférence de l'abbé Groulx sur l'intendant Jean Talon qui, dans la dernière portion du XVIIe siècle, avait tenté de consolider la prospérité de la Nouvelle-France, et il rapporta : « Le sujet était intéressant et a été bien traité, mais le pauvre abbé n'a pas une voix bien belle ni un talent d'orateur. » En outre, que Trudeau ait été ou pas le modèle du personnage de Pierre Martel dans *Le beau risque* de Hertel, le message du roman — les dangers de l'américanisation et de l'anglicisation, les obligations envers le passé, les limites du capitalisme bourgeois, l'importance du sentiment national parmi la jeunesse — résonna en lui avec force, malgré les démentis qu'il fit plus tard dans des interviews[*].

Comme Hertel et les autres professeurs de Brébeuf, Pierre Trudeau partageait l'enthousiasme suscité par le renouveau du catholicisme français au XXe siècle, particulièrement après la Première Guerre mondiale. La France, si laïque et si révolutionnaire au XIXe siècle, était devenue le centre d'une renaissance remarquable de la foi catholique au XXe siècle. Les principaux penseurs catholiques et théologiens, tels que le libéral Jacques Maritain, le « personnaliste » Emmanuel Mounier et le conservateur élitiste Charles Maurras, commencèrent à dominer la vie intellectuelle française dans l'entre-deux-guerres et à mettre en place un processus par lequel ils visaient à « mettre à nu totalement la condition humaine[23] ». Parmi les sujets qu'ils dénudaient, il y avait la relation entre le citoyen et l'État. Le personnalisme — une approche philosophique de la foi catholique qui mettait l'accent sur l'individu tout en liant l'action individuelle à des fins plus vastes au sein de la société — aurait une influence profonde sur Trudeau et sur la vie intellectuelle du Québec.

[*] Dans une entrevue avec Ron Graham en 1992, Trudeau répondit à une question au sujet de l'influence qu'avait eue sur lui l'abbé Groulx. « On me donnait certains de ses livres comme prix à la fin de l'année quand j'arrivais premier ou quelque chose comme ça. Il était un historien assez estimé. Je ne crois pas qu'aucun de nous à l'époque comprenait l'analyse qui a été faite plus tard, à savoir qu'il était quelque peu raciste ou fasciste et ainsi de suite, alors je ne me souviens pas de lui de cette façon, mais on parlait beaucoup de lui et il avait un assez grand nombre de disciples et de partisans, dont je ne faisais pas partie, comme je le disais ; il n'aurait pas aimé s'il m'avait vu applaudir la défaite des Français sur les plaines d'Abraham. » Même si Trudeau n'avait rencontré le chanoine qu'une seule fois du temps de ses études à Brébeuf, l'œuvre de l'abbé Groulx constituait la base sur laquelle s'appuyait l'enseignement de l'histoire canadienne au collège. Entrevue de Pierre Trudeau par Ron Graham, 28 avril 1992, FT, vol. 23, dossier 3.

Fils d'un père issu d'une famille prospère et d'une mère anglophone, riche, charmé par le théâtre de New York, à l'aise avec la richesse des Américains, intrigué par les femmes américaines et entiché de cinéma, Trudeau semble faire mentir par ses écrits et ses convictions de collégien ses propres actions et croyances passées, présentes et futures. Et ce sont précisément ces contradictions qui ont façonné la croissance émotionnelle et intellectuelle de Pierre Trudeau. Il avait profondément intériorisé la mort de son père ; il semble, cependant, que la source de son inquiétude ait été la tension qui s'était créée entre le nationalisme catholique de Brébeuf et ses propres expériences personnelles ainsi que ses convictions qui commençaient à se développer. Brébeuf baignait dans le nationalisme depuis le milieu des années trente. Les prêtres du collège détestaient le gouvernement libéral du premier ministre Louis-Alexandre Taschereau, qui s'était compromis avec les Américains et les capitalistes, et accueillaient la montée de l'Action libérale nationale (ALN). Ce groupe rebelle était l'expression du nationalisme et de l'action sociale qu'eux-mêmes et les groupes de jeunes catholiques considéraient comme une réponse attrayante à la dépression et aux mécontentements de l'époque. Cependant, après que l'ALN eut formé une coalition avec les conservateurs pour former un nouveau parti, l'Union nationale, le leader de l'ALN, Paul Gouin, perdit le leadership au profit de Maurice Duplessis, un nationaliste conservateur lié au milieu rural du Québec. Et, en 1936, l'Union nationale remporta les élections. Dans *Dupés*, Pierre avait révélé ses convictions politiques et celles de l'audience lorsqu'il s'était moqué de Duplessis en l'affublant du nom de Maurice Lesoufflé. Le nationalisme ne se suffisait pas à lui seul.

~

En 1938, Pierre Trudeau commença à rédiger un journal, qui se poursuivit pendant ses deux dernières années d'étude. Il est détaillé, direct et extraordinairement révélateur. C'est le seul journal intime retrouvé dans ses papiers, à l'exception de carnets de voyage moins personnels et d'un agenda de 1937 qui renferme quelques commentaires ; il reflète son propre besoin de rapporter les événements de la fin de son adolescence alors qu'il était à la recherche de son identité. Il commença son journal le jour de l'An 1938 par cette curieuse mise en garde : « Si vous voulez savoir ma pensée, lisez entre les lignes ! »

Les lignes elles-mêmes en disent long sur cette époque tumultueuse de sa vie. À l'occasion du troisième anniversaire de la mort de son père, il y relate combien l'absence de ce dernier l'afflige ; à d'autres moments, il déclare que les choses seraient différentes et probablement meilleures si son père était encore avec lui. Il ne veut pas dire que les Trudeau auraient été plus fortunés. Ces pages regorgent de signes évidents de la fortune considérable de la famille Trudeau — une Buick pour Suzette, qui aimait les plaisirs bourgeois, une Packard qui emportait Pierre, Tip et quelques prêtres en retraite, monsieur Grenier le chauffeur, les billets pour les parties des Royaux et le parc Belmont destinés aux amis et aux professeurs, les bons hôtels et restaurants que la famille fréquentait lorsqu'elle se rendait à New York. Par-dessus tout, ces pages revèlent deux facettes de son personnage : d'abord ses objectifs, au fur et à mesure que son ambition de participer à la vie publique au plus haut niveau devenait une préoccupation constante ; ensuite, sa curiosité intellectuelle et son dévouement au travail extraordinaires. Le 17 février 1938, l'étudiant de dix-huit ans remercia même Dieu de lui avoir donné la bonne santé qui lui permettait d'étudier jusqu'à minuit presque chaque soir. Il est rare que Dieu reçoive de tels remerciements de la part d'élèves.

Sa mère encourageait, mais ne dirigeait pas. Grace Trudeau continuait de passer ses étés à Lac-Tremblant et à Old Orchard dans le Maine, tandis qu'elle se rendait fréquemment à New York en automne et au printemps, et en Floride en hiver. Bien qu'ayant une forte personnalité, elle accordait à ses enfants une liberté surprenante. Dans le journal de Pierre, c'est donc le « regard » de Brébeuf que l'on ressent. Il se plaignait de cette surveillance constante non seulement dans ces pages, mais aussi dans un article qu'il écrivit en mai 1939 dans *Brébeuf*, le journal de l'école, où il laissa entendre que la classe terminale se réjouira de ne plus avoir à subir ces « surveillances » continuelles ni à demander « Père, est-ce que je pourrais...[24] ? » Il fallait continuellement demander la permission, essuyer constamment des refus, et se heurter à une censure changeante. En mars 1938, le censeur interdit la présentation d'une pièce de théâtre après que Trudeau et d'autres l'eurent répétée à maintes reprises. Et quelques prêtres les menacèrent d'expulsion en cas d'incartades, même insignifiantes. Pierre était appliqué et fondamentalement réservé, mais il voulait être populaire et attirait l'attention en distrayant les autres et en se rebellant, ce qui rendait furieux certains de ses professeurs. Après une bataille de boules de neige et quelques autres incidents, le père Landry l'avait averti de façon menaçante qu'il était à un cheveu de se faire expulser du collège : le recteur ne tolérerait plus longtemps l'« insolence de Pierre Elliott Trudeau », dit-il, et la prochaine offense signifierait un tour au bureau du recteur. Pendant toute la réprimande, Pierre avait souri, ce qui avait certainement contrarié le père Landry. Le jour suivant, l'étudiant malin avait trouvé « une excuse » pour être appelé chez le recteur, et là avait découvert que tout allait bien du côté du grand patron. Pierre savait déjà se servir de ruses de politicien.

Le père Landry continua à le harceler, mais Pierre trouva des alliés parmi les autres professeurs, particulièrement chez les pères Bernier, Sauvé, d'Anjou et Toupin. En dépit de leurs conseils d'éviter le jazz, le cinéma et la culture populaire américaine, il se rendit à New York au printemps 1939 dans la Buick de sa sœur ; sa mère avait accepté qu'il conduise en raison de son excellente année scolaire. Suzette était allée passer quatre mois en France et, en jeune fille raffinée qu'elle était, était rentrée le 16 juin à bord du *Normandie*, un bijou Art déco. Grace et les garçons séjournaient à l'élégant Plaza Barbizon, sur Central Park South, pour assister à l'Exposition universelle de New York et, avec une des amies de sa sœur, Pierre dansa toute la nuit au Rainbow Grill, situé sur le toit du Rockefeller Center. Au début, l'Exposition déçut Pierre : « Le premier bel effet est gâté par tous les gens communs, la foule, et surtout parce que presque tous les édifices sont en *beaver board*, les colonnes, en carton. Et à l'intérieur on ne voit qu'un pêle-mêle de marchandises. » C'était, conclut-il dans le plus pur style Brébeuf, trop vulgaire. Il considéra le pavillon soviétique comme une exception impressionnante avec son marbre, mais déplora qu'il représentât une propagande « merveilleuse pour le communisme ». Le monumental pavillon italien lui plut, cependant, bien qu'il ne passât aucun commentaire politique sur celui-ci ni sur Mussolini. Un autre soir, il fut profondément ému lorsqu'il vit Raymond Massey jouer dans la pièce de théâtre *Abraham Lincoln en Illinois*. L'aspirant politicien fut rassuré de découvrir que le jeune Lincoln avait été « inquiet, timide, harassé, misanthrope[25] ».

Le monde lui faisait signe, mais le magnétisme de Brébeuf persistait. Là, Pierre luttait de plus en plus avec les questions de foi, d'identité nationale et de vocation. Hors des murs du collège, il appréciait les expériences que ses carnets scolaires condamnaient souvent. Les tensions entre l'expérience et l'éducation, les certitudes et la pratique, le nationalisme et le cosmopolitisme, l'ambition et la timidité créèrent la dynamique qui propulsa sa croissance personnelle dans ces années cruciales. Alors que la situation internationale se détériorait et que les courants nationalistes déferlaient avec plus de vigueur, il érigea ses propres protections intérieures contre les pressions avec lesquelles il était soudain aux prises. L'éminent psychologue Jerome Kagan a expliqué que les adolescents ont tendance à catégoriser les gens et à les doter de certaines caractéristiques. Si un adolescent croyant appartenir à une catégorie particulière se conduit soudainement d'une manière qui ne correspond pas à ce que l'on attend des gens qui en font partie, il fait l'expérience d'une considérable incertitude[26]. Toute discontinuité appelle une résolution. À la fin des années trente et au début des années quarante, Pierre Trudeau ressentit ces discontinuités et commença à envisager leur résolution.

Une discontinuité majeure se produisit lorsque Grace Trudeau inscrivit ses deux fils au camp Ahmek, le camp d'été de Taylor Statten sur les rives du lac Canoe dans le parc Algonquin, l'un des endroits favoris de l'élite anglaise ontarienne. Quand il y arriva le 2 juillet 1938, Pierre découvrit qu'il partagerait sa chambre avec quatre compagnons anglophones. Depuis qu'il avait quitté l'Académie Querbes, ses compagnons avaient été, pour la plupart, exclusivement francophones. Percevant l'environnement étranger, il se promit dans son journal de saisir chaque occasion qu'il aurait de déclarer qu'il était « canadien-français et catholique ». Il fit rapidement sa marque, entre autres dans les combats de boxe, où son habileté et son corps d'athlète firent en sorte que plusieurs des autres campeurs se retrouvèrent le nez en sang. Il excellait aussi au théâtre, obtenant les meilleures notes pour des rôles qu'il jouait, bien sûr, entièrement en anglais. Dans la seule entrée en anglais de son journal cet été-là, il écrivit : « Voici Pierre Trudeau, le meilleur acteur du camp[27] ! »

Les prêtres de Brébeuf auraient également été contrariés d'apprendre que leur brillant étudiant de dix-huit ans était tombé amoureux. Camille Corriveau, qui avait un an de plus que Trudeau, était étudiante au Smith College, et les photos d'elle montrent une très jolie jeune fille à la silhouette pleine. Trudeau la trouvait certainement aussi séduisante que Vivien Leigh et Jean Harlow, les actrices de cinéma qu'il admirait. Il fut contrarié quand la photo qu'elle lui envoya ne rendit pas justice à son éblouissante beauté. Alors qu'il ouvrait l'enveloppe, écrivit-il dans sa réponse, la chanson *You must have been a beautiful baby* commençait à jouer. Il aurait souhaité davantage que cette photo décevante, se plaignit-il, « alors je garde en pensée la belle et douce chevelure que l'on ne voit pas, l'oreille délicate [il avait rayé « que j'embrasse »], une épaule féminine, un bras gracieux, quelques courbes charmantes, ici et là [il raye ici « une jambe délicieuse »], et tellement d'autres choses qui me manquent. Vraiment, tu me caches quelque chose, petite iconoclaste, va ! ». Nous ne pouvons être sûrs que les mots de cette ébauche de lettre parvinrent à Camille, mais ils témoignent bien de l'attrait qu'elle exerçait sur lui[28].

Franco-américaine, Camille passait ses vacances à Old Orchard chaque année avec les nombreux autres francophones qui se rassemblaient sur les plages du Maine. Quoique bon danseur, Pierre n'avait pas perdu sa timidité avec les femmes, et il déclinait souvent les invitations que lui transmettait sa sœur. Lorsque, à Ottawa, le 28 janvier 1938, Suzette avait fait son entrée à Rideau Hall comme débutante, il s'était lui-même décrit, alors qu'il méditait sur l'événement, comme légèrement misogyne. Il admit néanmoins que, pour des raisons « esthétiques », il pouvait admirer une belle jeune fille. Cela suffirait pour le moment, conclut-il. Cela ne suffit pas[29].

Quelques jours après leur rencontre, Camille lui envoya une lettre pleine d'affection qui le remua en dépit de sa « froideur et (…) [de son] indépendance ». Au moins, admit-il, Camille était plus sérieuse que la majorité des femmes qu'il avait rencontrées à Montréal. Le souvenir qu'il avait d'elle persistait et il se mit bientôt à attendre avec impatience et plaisir anticipé leur rencontre à l'été suivant. Il y eut un moment de doute en avril lorsqu'il fit une retraite religieuse. Le père Tobin, un prêtre américain auquel il avait procuré des billets pour le match des Royaux de Montréal, le prit à part pour lui parler des universités américaines.

Pierre avait envisagé de faire ses études universitaires supérieures dans une institution américaine, mais le père Tobin s'opposait fermement à cette option. Aux États-Unis, les universités, déclarait-il, étaient pour la plupart mixtes et de véritables lieux de dépravation. Les universités réservées aux garçons étaient également mauvaises parce que les étudiants se faufilaient furtivement dans les chambres des filles. Le pire de tout, c'étaient les collèges de filles tels que Vassar et Smith, qui étaient « des écoles d'immoralité ». De fait, la mère d'une étudiante de Smith avait confié au père Tobin que l'on trouvait des contraceptifs partout dans l'école. La raison : le cinéma immoral. Mais cette influence provenait surtout des professeurs qui prônaient ouvertement l'amour libre.

Sous le choc, Pierre ne remit apparemment pas en cause les propros du père Tobin, qui était son « ange gardien » pendant sa retraite. Cependant, dans son journal il écrivit : « Je suis convaincu que ma Camille fait exception. Cependant l'ambiance peut influer. » Heureusement, « elle est catholique », un engagement qui, dans son esprit encore innocent, représentait un rempart inexpugnable contre la luxure et la disponibilité des condoms[30].

La conversation subsista dans les recoins de la conscience de Pierre à mesure que l'été 1938 et le temps de revoir Camille approchaient. Malheureusement, Pierre et Camille n'avaient pas convenu de faire coïncider leurs séjours, et il partit à nouveau pour le camp Ahmek en juillet. Après s'être lamenté dans son journal que Camille était à Old Orchard alors que lui se trouvait dans les régions sauvages de l'Ontario, il fondit en larmes en terminant la lecture de *Cyrano de Bergerac*, la pièce écrite par Edmond Rostand en 1897. Cyrano le rejoignait dans sa conception de l'amour, et il devint son modèle. Le plus grand compliment, écrivit-il à Camille, serait de s'entendre dire : « Tu as gagné parce que tu es Cyrano[31] ! » Toute sa vie, Trudeau s'identifia à Cyrano, qui rejoignait son esprit romantique. Le téméraire homme d'épée du XVIIe siècle croyait que, du fait de son horrible nez, la belle Roxane ne l'accepterait jamais. À la fin, son très beau mais terne ami Christian gagnait le cœur de celle-ci[32]. Pierre, qui s'inquiétait constamment de son acné et qui pensait que les femmes ne le trouvaient pas attirant, s'identifiait manifestement au brillant poète mais tragique amoureux qu'était Cyrano. Quarante ans plus tard, Trudeau rappellera aussi l'importance pour lui de la célèbre tirade de Cyrano : « Ne pas monter bien haut, peut-être, mais tout seul ! » « Je pense y avoir soudainement découvert ce que j'étais et ce que je voulais être : peu importe que je n'y arrive pas tout à fait, pourvu que je le fasse sans aide, pourvu que j'y arrive seul[33]. »

Pierre s'amusa bien au camp Ahmek, mais lorsque le 29 juillet arriva, il était impatient de se rendre à Old Orchard[34]. Immédiatement, le chauffeur de la famille le conduisit, avec Tip, auprès de Grace et de Suzette, déjà dans le Maine. Camille avait accepté de rester quelques jours de plus. Hélas, lorsqu'il arriva, il découvrit qu'elle n'avait pas réussi à trouver de chambre pour ces quelques jours. Grace et Suzette réglèrent rapidement la situation en invitant Camille à demeurer chez eux. Pour Pierre, « c'est ainsi qu'une utopie se réalisa[35] ». Ils passèrent cinq merveilleuses journées pendant lesquelles, comme Cyrano avec Roxane, il lut de la poésie à Camille, ils regardèrent les étoiles assis sur la jetée et ensemble allèrent à confesse. Puis ils se séparèrent avec tristesse le 6 août, se promettant de rester en contact.

Lorsqu'ils se rencontrèrent à nouveau l'année suivante au mois d'août à Old Orchard, le monde qui s'effritait était bien loin des jeunes amoureux. Camille avait passé une partie de l'année scolaire en France, et Pierre la trouva d'abord distante, mais bientôt l'enchantement revint. Presque chaque soir ils allaient voir des films hollywoodiens, puis se promenaient sur la jetée et discutaient — lui de l'école de droit, qu'il avait commencé à envisager, elle de ses projets de devenir institutrice. Le 17 août, ils eurent leur première dispute : Pierre voulait passer la soirée à lire, alors que Camille désirait qu'il la passe avec elle. Il finit par accepter et, le lendemain soir, ils allèrent danser avec Suzette et son petit ami pour célébrer le deuxième anniversaire de leur rencontre. Plus tard, face aux reflets particulièrement envoûtants de la lune sur l'eau, ils échangèrent leur premier baiser.

À la fin du mois, cependant, ils se disputèrent à nouveau. Elle lui envoya un mot lui disant de venir la rejoindre sur la jetée s'il n'était pas fatigué. Son ton était froid. Pierre nota dans son journal : « Je trouvai ça comique et je lui aurais répondu sur le même ton, mais je ne pouvais car j'étais dans le bain. » Avec ressentiment, il alla à sa rencontre et lui reprocha sa mauvaise humeur. Ils se rendirent chez Camille, où il lui dit qu'elle était belle et charmante mais qu'il ne saurait être mené par

« le bout du nez ». Il admettait intérieurement qu'il s'était comporté de façon grossière, mais, raisonnait-il, « il me semble aussi que la femme ne doit pas conduire l'homme[36] ». Le lendemain soir, au premier jour de la Seconde Guerre mondiale, elle l'implora de ne rien faire de dangereux. Elle lui demanda plutôt de lui rendre visite à Smith à l'automne et d'assister à sa collation des grades en juin. Alors qu'elle pleurait, il embrassa ses larmes et lui murmura de la poésie à l'oreille. Ils se séparèrent enfin à 2 h 45 du matin[37].

L'été de 1939 fut le plus beau, écrivit-il dans son journal : « J'ai peu lu, mais j'ai embrassé une femme[38]. » En septembre, l'école recommença : Pierre devint le rédacteur en chef du journal de l'école, *Brébeuf*, et se prépara à lutter férocement pour ravir le leadership de la classe à Jean de Grandpré. Il pensait constamment à Camille, mais parmi ses pairs, les nouvelles de la guerre donnaient lieu à de nombreux débats dans les corridors du collège. Il évitait les discussions et restait délibérément ambigu. Le 9 octobre, il nota dans son journal : « C'est vrai qu'il y a un certain charme à garder le mystère qui m'entoure. » Il préférait entendre les gens dire : « Trudeau ? On ne le connaît pas. Ami de tous, intime de personne. »

En public, Pierre gardait ses distances par rapport aux controverses sur la conscription. Dans son journal, il rejeta de manière convaincante les allégations de quiconque voulait voir dans son nationalisme une opposition immédiate à la « guerre des Anglais ». Il trouvait les déclarations de beaucoup d'étudiants — soit qu'ils résisteraient à la conscription en se cachant dans les bois — tout simplement stupides. « Ici on parle de conscription et d'anticonscription, avait-il noté. C'est une triste chose mais j'avoue que je ne ferai pas comme tant d'autres promettent de le faire à la conscription : se cacher dans les bois. Je m'enrôlerai, et je tâcherai d'y aller et d'en revenir comme d'une aventure. » Puis il avait hésité : sa propre préférence était d'éviter la guerre et d'aller en Angleterre — pas à titre de soldat, mais comme boursier de Rhodes — ou peut-être aux États-Unis[39].

Durant les mois suivants, la guerre, comme c'était souvent le cas, changea tout y compris, de façon remarquable, la politique canadienne. En automne, Trudeau assista à deux rassemblements électoraux, tandis que Duplessis contestait l'autorité du gouvernement fédéral en matière de guerre en vertu de la *Loi des mesures de guerre*. Le 20 octobre, il se rendit avec sa mère au Forum de Montréal pour participer au rassemblement des libéraux. Un ami de la famille leur avait donné des billets, mais Pierre, dont le père avait été un conservateur, fut offusqué par la foule libérale, qui criait « comme des bébés à chaque invective contre les *bleus*[40] ». Il n'empêche qu'il trouva le lieutenant français de Mackenzie King, Ernest Lapointe, très impressionnant. Les libéraux fédéraux avaient averti le Québec francophone que la réélection de Duplessis signifierait la démission des ministres libéraux du Québec, et, inévitablement, l'émergence d'une coalition pour la conscription, comme pendant la Première Guerre mondiale.

Six jours plus tard, Pierre assista encore à un autre rassemblement des libéraux avec sa mère, où il entendit le brillant orateur Athanase David. Il n'avait pas encore l'âge de voter, mais dans le premier article sur la guerre qu'il publia dans le journal *Brébeuf*, il dénigra tous les vieux partis et exprima sa conviction que le Québec avait besoin d'un nouveau mouvement qui ne soit ni bleu ni rouge. Au sujet de la guerre, il restait remarquablement silencieux. Il ne fit aucun commentaire sur la défaite de la Pologne ni sur l'alliance entre les communistes et les nazis dans sa destruction. Il s'en prit à la tyrannie de l'opinion publique, où « les soldats n'osent pas dire qu'ils préféreraient arrêter (...) et les généraux n'osent pas demander la paix[41] ». Camille ainsi que ses projets pour sa future carrière le préoccupaient plus que la politique, et il ne dit rien publiquement lorsque les libéraux provinciaux défirent Duplessis.

Camille lui avait demandé de lui rendre visite à Smith. Il hésitait, écrivant dans son journal : « 2000 femmes. Ouf ! » Il admit qu'il ne comprenait ni Camille ni les femmes en général. Il était jaloux ; il était suspicieux. Peut-être, se souvenant des avertissements du père Tobin, se posait-il des questions sur ce jour d'été où Camille lui avait révélé son « mauvais » caractère. Il décida finalement d'aller à Smith, et emprunta pour l'occasion à Suzette son impressionnante Buick. Une fois encore, ils allèrent au cinéma, où ils virent *À l'Ouest rien de nouveau*, le film basé sur le roman de Erich Maria Remarque. Son message antiguerre impressionna Pierre, mais pas Camille. Elle était trop matérialiste et trop indépendante. Elle était assurément charmante et jolie, mais « mon Dieu », s'écria-t-il, « je suis trop idéaliste et intellectuel pour elle ». Bien que catholique et française, elle était à son grand regret trop américaine[42]. Il rentra chez lui, inquiet au sujet de la guerre, et avec un objectif en tête : obtenir la prestigieuse bourse Rhodes et aller à Oxford.

S'il avait obtenu la bourse Rhodes, Pierre Trudeau aurait pris un chemin qui l'aurait emmené loin de ses compagnons et de la vie politique tourbillonnante du Québec. Ses professeurs de Brébeuf recommandèrent vivement sa candidature à la bourse, et en janvier 1940, ses chances semblaient excellentes. En effet, la lettre du père Boulin, le directeur, ou le préfet, du collège, énumérait le nombre exceptionnel de prix que Pierre avait remportés (une centaine de prix et de mentions honorables en sept ans), disant qu'il s'était illustré avec grande distinction dans toutes les matières. Pierre était, ajoutait-il, assidu et intelligent, bien qu'un peu timide et très critique envers lui-même. Il était, disait-il aussi, un homme viril et un parfait gentleman, quelqu'un que l'on souhaitait avoir comme compagnon. Il avait fait preuve d'une détermination exceptionnelle : l'année précédente, lorsqu'il s'était cassé la jambe dans un accident de ski, continuait Boulin, Pierre n'avait pas choisi de prendre du repos dans le confort de la maison : à la place, il était devenu pensionnaire du collège, étudiant dans l'infirmerie et se rendant à tous ses cours en fauteuil roulant. Il avait pris lui-même cette décision, expliquait-il, car sa mère et sa sœur n'étaient pas encore rentrées d'un voyage en Europe. Il avait démontré la virilité que Cecil Rhodes valorisait tant, tout en développant graduellement la force de sa personnalité et de son caractère. Boulin envoya la lettre à Grace, en lui demandant de ne pas en révéler le contenu à Pierre. On peut se permettre de croire qu'elle le fit.

On demanda à l'ami de la famille, Alex Gourd, un libéral, de soumettre une lettre de soutien à la nomination de Trudeau pour la bourse. Celle-ci faisait la liste des nombreuses récompenses que Pierre avait gagnées, en attirant l'attention tout particulièrement sur *Dupés*, l'œuvre écrite par le jeune dramaturge. Après avoir énuméré les nombreux sports que Pierre pratiquait, Gourd fit remarquer qu'il était parfaitement bilingue, sa mère étant « écossaise » — une description que Pierre lui-même utilisait de plus en plus souvent. Comme le père Boulin, Gourd évoqua la timidité du jeune homme, mais en disant que, à son avis, sa réserve provenait de son manque d'expérience de la vie. Une dernière lettre provint d'un responsable de la Ville de Montréal, qui mit l'accent sur « l'affection mêlée de respect » que Pierre témoignait à sa famille, particulièrement envers sa mère.

Pierre devait rédiger une dissertation pour le comité de Rhodes. Il avait proposé de la rédiger en anglais, mais « étant un étudiant canadien-français d'un collège canadien-français », il avait pensé que le comité préférerait qu'il la soumette en français. Il commença par admettre sa difficulté à écrire sur ses intérêts et ses espoirs, et poursuivit par un plaidoyer sur son éducation. En premier lieu dans sa vie venait la religion, qui avait une application universelle ; suivaient ses études à Brébeuf, qui l'avaient bien préparé à une future vie publique. Il fit remarquer la diversité de ses études et sa propension à vivre de nouvelles expériences. Il était, écrivit-il en anglais, un « jack of all trades » (un touche-à-tout). Après avoir dressé la liste intarissable de ses activités parascolaires, il affirma que cette soif de diversité avait influencé son choix de carrière. Très simplement, déclarait-il, « j'ai choisi une carrière politique ». Il définit la politique dans ses grandes lignes, indiquant que ses aptitudes personnelles et les circonstances particulières de sa vie détermineraient si une telle carrière se déroulerait en politique, dans un service diplomatique, ou même dans le journalisme. Dans tous les cas, Pierre affirma qu'il choisissait son chemin éducationnel de telle sorte qu'il puisse se préparer rapidement à la vie publique.

À cette fin, poursuivait-il, il avait étudié l'art de discourir en public et avait publié beaucoup d'articles dans *Brébeuf*. Il rejetait les méthodes démagogiques et les magouilles politiques, soutenant qu'un politicien devait avoir, disait-il, une compréhension parfaite des hommes et une connaissance de leurs droits et de leurs devoirs. La demande était exigeante et c'était une bonne raison d'étudier la philosophie, la politique et l'économie à Oxford et, si cela n'était pas trop, l'histoire moderne aussi. Son objectif ultime était d'obtenir un diplôme en droit. Finalement, après avoir soulevé la question de savoir ce qu'Oxford signifierait pour son « moi français », il répondit lui-même en disant qu'un contact étroit avec la culture anglaise lui permettrait d'élargir ses horizons. Rhodes lui-même avait dit dans une phrase devenue célèbre : « Tant de choses à faire, si peu de temps pour les accomplir. » Comme Rhodes, Pierre Trudeau affirmait qu'il possédait une « inextinguible passion pour l'action[43] ».

Mais cela ne s'avéra pas. En janvier 1940, on accorda la bourse Rhodes à un autre candidat. Si Trudeau avait obtenu cette bourse et qu'il était parti en Grande-Bretagne, il serait devenu bien moins français et davantage partie du monde anglo-américain. Il semblait s'attendre à cette destinée. Comme rédacteur en chef de *Brébeuf*, il écrivit que le journal avait décidé de ne pas exprimer d'opinion arrêtée sur la guerre pendant l'automne 1939[44]. Cette position publique était l'écho de ses pensées intimes exprimées dans son journal. Au début, il ne s'opposait pas à la guerre, reflétant ainsi l'attitude de son Église et probablement de la plupart de ses professeurs. L'archevêque de Québec, le cardinal Villeneuve, avait pris une position franche en faveur des Alliés en demandant à Dieu « d'entendre [leurs] supplications et que les forces du mal puissent être renversées et que la paix soit redonnée à un monde égaré[45] ». La présence de Trudeau dans les rassemblements des libéraux en compagnie de sa mère et d'amis libéraux de la famille laisse entendre qu'il aurait probablement voté libéral contre Maurice Duplessis — comme sa mère le fit sûrement. Mais parce qu'il n'avait pas encore vingt et un ans, l'âge de voter, il n'eut pas à faire ce choix.

Tout changea en 1940. Jerome Kagan avait remarqué comment les « adolescents, qui commencent à faire la synthèse des convictions qu'ils adopteront pour le reste de leur vie, sont extraordinairement réceptifs aux événements historiques qui remettent en cause les croyances existantes ». Que ce soit en Irlande à Pâques 1916, à Prague ou à Paris au printemps 1968, ou à Montréal en 1940, les adolescents deviennent des observateurs attentifs lorsque l'histoire « ouvre une brèche dans les normes sociales ». Les jeunes esprits s'y engouffrent, écrit Kagan, « pour retrouver un nouvel espace mythique de liberté et inventer une nouvelle conception du moi, de la morale et de la société ». Chez Pierre, quelques mythes subsistaient, mais en 1940, sa vision des choses se transforma[46].

Son ami et contemporain des années cinquante, le sociologue Marcel Rioux, écrivit plus tard que de sa vie et de celle de sa génération, la guerre changea complètement l'orientation. Leur compréhension de la société et, particulièrement, de la relation entre la minorité anglophone, dominante sur le plan économique, et la majorité plus pauvre des francophones changea de façon spectaculaire. La rébellion prit de nombreuses formes, que ce soit dans les collèges classiques ou dans les quartiers ouvriers de Montréal. Pour Pierre Trudeau, fils d'un homme d'affaires français et d'une mère anglaise (maintenant toujours identifiée comme écossaise), cette transformation fut très mouvementée.

La guerre fit de Trudeau un nationaliste québécois. Les ambiguïtés qui avaient marqué ses écrits et ses pensées dans les années trente commençaient lentement à disparaître. Il était bien préparé : il connaissait les arguments nationalistes et les avait répétés aux prêtres nationalistes de Brébeuf et à un plus large public dans *Dupés*. Malgré ses sérieuses réserves envers les arguments nationalistes plus durs, avancés par des « patriotes exaltés », il considérait de plus en plus son héritage comme essentiellement français, et son éducation le renforçait constamment dans cette croyance. Lorsque le gouvernement canadien imposa les Règlements de la défense du Canada qui limitaient la liberté d'expression et invoquaient la conscription en 1940, Pierre vit soudainement l'Histoire d'un autre œil. Il commença, selon sa propre expression, à se préoccuper profondément de son « moi français ».

Mais le changement se faisait graduellement; il travaillait assidûment pour arriver premier à Brébeuf et il s'occupait, d'une façon plutôt originale, du journal étudiant. Comme rédacteur en chef, il adoptait une approche « de non-intervention » et mit beaucoup d'énergie dans une « tribune libre » par laquelle il était permis de s'exprimer librement. Il était également trop occupé pour écrire très souvent à Camille, mais le 30 mars 1940, il lui envoya enfin une longue lettre pour la mettre au courant de ses activités. Il lui écrivit en anglais, même si le français de Camille s'était amélioré durant son séjour à Paris, mais il la prit à partie pour les remarques qu'elle avait faites sur sa façon d'écrire ; les explications de Pierre étaient souvent obscures, avait-elle mentionné, et sa prose était trop difficile à lire. Il admit cependant que d'autres étudiants à Brébeuf avaient déploré la même chose. (Cette lettre donne une idée de sa vie à ce moment-là et contraste avec l'impression qui se dégage de ses cahiers de notes, qui se concentrent sur des ouvrages philosophiques et ne mentionnent ni les films ni les concerts auxquels il assistait, ni les livres populaires qu'il lisait.) Puis, il s'excusa longuement pour ce délai à lui répondre :

> Et pour faire une histoire courte, tu me trouves une plume à la main, un « Joyeuses Pâques » aux lèvres, et bien peu de choses derrière la tête. Mais venons-en aux faits, veux-tu ? Pendant le dernier mois j'ai beaucoup travaillé à beaucoup de choses. Naturellement nous étions débordés en classe. Comme nous finissons un mois avant les autres, nos professeurs nous bourrent de toute la matière. Ensuite j'ai assez avancé ma lecture de *Dominique* d'Eugène Fromentin [auteur et peintre français]. Et au théâtre, j'ai vu *Hamlet* avec Maurice Evans [metteur en scène et acteur canadien]. La production était tout simplement géniale. J'ai trouvé son jeu très complet mais en même temps trop déclamatoire. J'ai vu *L'Aiglon* de Rostand, qui eut quelques moments très forts.

Il poursuivit en disant qu'il avait lu *Notre jeunesse* de Charles Péguy et *Fridolinades 40*, un bon exemple de l'humour bas de gamme de Montréal, selon lui. Il avait également vu le film de Sacha Guitry *Le roman d'un tricheur*, qu'il déclara « insipide ». Il était allé à deux concerts, dont un concert-bénéfice de la Croix-Rouge réunissant « les deux orchestres symphoniques de Montréal », mais avait trouvé la prestation « remarquablement vide de quoi que ce soit de remarquable ». Et à tout cela, dit-il à Camille, « ajoute quelques conférences données par le philosophe français [Jacques] Maritain », qui appuyait vigoureusement l'effort de guerre des Alliés. Si l'on considère le nationalisme grandissant de Trudeau et son opposition à la guerre, il est intéressant de constater qu'il prêtait une oreille attentive aux propos du libéral et pro-Alliés qu'était Maritain à cette époque[47].

Pierre raconta à Camille que son équipe de hockey jouait en finale et qu'il aimait « follement » faire du ski. Il se targuait de s'être procuré des skis de saut (malheureusement, peu de temps après, il se cassa une jambe en ski). Il dit que toute la famille avait fait du ski pendant le congé de Noël et que Tip et lui avaient passé quelque temps ensemble sur les pentes « superbes » du mont Tremblant. Il poursuivit en décrivant la controverse qu'il suscitait à Brébeuf, dont il était par ailleurs assez fier :

Et maintenant pour conclure sur ce sujet (conversation sur moi-même), je vais te faire plaisir en avouant que tu n'es pas la seule à trouver mon style obscur et incohérent: dans le dernier numéro de *Brébeuf* il y avait une « Tribune libre » dans laquelle plusieurs camarades se sont un peu moqués de mes articles. Évidemment je ne pouvais pas les laisser avoir le dernier mot, alors je leur ai répondu immédiatement avec style (...) En passant, j'ai aussi publié un article sur la pensée établie et l'éducation standardisée, dont nous avons parlé ensemble. Il a causé un scandale, et on m'a demandé de m'expliquer. C'était encore plus amusant parce que Tippy au même moment avait écrit un article sur l'individualisme. Mais nous en discuterons une autre fois, j'ai hâte de te parler, ma chère Camille.

Après lui avoir demandé des nouvelles de son collège, s'être enquis de son apparence et lui avoir demandé quels étaient ses projets, il fit une blague d'un humour douteux: « I think I'll have my graduation diploma pickled; that's because I can't get stewed[*]. » En France, Camille avait développé un intérêt pour la philosophie de même que pour Freud et Proust[**]. Soudain, Pierre, d'une façon qu'il poursuivra plus tard dans ses relations avec les femmes, se mit à lui parler ouvertement de ses convictions:

De telles considérations profondes m'amènent à te parler de philosophie et de ta conception de l'éthique philosophique. Je crois vraiment que

---

* Trudeau fait ici un jeu de mots difficilement traduisible avec les termes anglais *to be pickled* et *to get stewed*, qui font tous deux référence au fait d'être ivre ou de s'enivrer. Une tradition littérale n'aurait pas de sens: « Je pense que je ferai mariner mon diplôme; c'est parce que je ne peux pas me faire mijoter. »

** Camille avait amené Pierre à s'intéresser sérieusement à l'écrivain Marcel Proust. Il lui avait dit: « Je te serai toujours reconnaissant de m'avoir placé sous l'influence de Proust. » Il avait « beaucoup entendu parler de lui », mais beaucoup « n'était rien en comparaison avec ce que j'ai trouvé en réalité. Quelle puissance d'expression, quelle pénétration dans ses observations, quelle souplesse dans un style qui suit un modèle jusque dans ses relations les plus subtiles, explore les secrets de son développement et, en vérité, le poursuit jusqu'à ses origines dans les profondeurs les plus fières de l'âme, aussi sûrement qu'un chien de chasse poursuivra une proie saignante ». Comme cette phrase l'indique, Proust avait affecté son style de prose, et pas pour le mieux. Le fait que Trudeau n'a pas connu le géant qu'était Proust avant l'âge de presque vingt et un ans témoigne des manquements dans son éducation – on étudiait une grande quantité d'œuvres de la littérature française, mais seulement de manière sélective. Trudeau à Corriveau, 29 octobre 1940, FT, volume 45, dossier 5.

nous pourrions avoir toute une discussion sur le sujet. Premièrement, je te dirais de lire *L'homme, cet inconnu* [d'Alexis Carrel] pour comprendre à quel point il est mauvais de toujours faire ce qui nous plaît. Deuxièmement, j'aimerais que tu me démontres, soit par des exemples de métaphysique, la théorie qui te fait dire qu'« une chose que la plupart des gens ont tort de faire devient une chose parfaitement correcte pour une personne en particulier ». En d'autres mots, si tous les hommes font partie de la nature humaine, pourquoi tous les hommes ne devraient-ils pas obéir à une loi naturelle universelle ? Troisièmement, je te demanderais de me dire pourquoi tu dis qu'il a fallu plus de 2000 ans à la société pour se rattraper. Veux-tu dire que la naissance du Christ marque le début de la période où la société ne se comprit pas ou de la période où elle s'est comprise ? Mais ne te donne pas la peine de répondre ; comme toutes celles de ton sexe, tu as probablement changé d'avis à propos de tout depuis le mois dernier, échangeant les théories de Freud contre celles d'Aristote.

Camille devait avoir lu *Malaise dans la civilisation* de Freud, une étude qui avait ses lacunes, mais qui était infiniment supérieure à *L'homme, cet inconnu*. Ce livre de Carrel est hautement élitiste et raciste ; les propos qu'il avance, du fait de la réputation de Carrel, qui avait remporté le prix Nobel en médecine, ont donné un poids intellectuel à la politique d'extermination de Hitler. L'opinion véhiculée par le livre, qui dit que la femme est plus faible que l'homme, se reflète également dans les commentaires de Pierre à l'endroit de Camille. Il n'indiqua nulle part en quoi Carrel venait en conflit avec Jacques Maritain ou, d'ailleurs, avec l'article de Tip sur l'individualisme.

Dans un post-scriptum à sa lettre, il fit part de sa confusion à propos de lui-même et de ses convictions. Il s'excusa de n'avoir pas écrit à un ami qu'ils avaient apparemment en commun : « J'aimerais dire qu'il s'agit de paresse ; mais en vérité, ce n'est rien d'autre qu'un manque de génie. Moi qui m'étais toujours cru être une personne simple et “comme un enfant”, je me suis rendu compte que je suis malheureusement un adulte compliqué, incapable d'exprimer une pensée simple sans l'avoir préparée ou y ajouter quelque chose. » Il devenait très lentement un adulte, mais un adulte compliqué[48]. Trudeau allait avoir vingt et un ans cette année-là, mais dans cette lettre, il semble étonnamment adolescent. Il veut s'opposer aux idées reçues, se dégager des « ornières », mais son éducation semble l'avoir laissé à la dérive, tandis que de nouvelles et puissantes vagues balayaient son monde. Il était instruit, mais pas encore tout à fait éduqué.

N'ayant pas réussi à obtenir la bourse Rhodes, Pierre Trudeau décida de demeurer au Québec et de faire des études de droit à l'Université de Montréal, avec l'intention de faire de la politique. Il avait cherché conseil partout autour de lui, demandant même à Henri Bourassa de l'orienter dans ses démarches. Édouard Montpetit, l'économiste le plus important du Québec, lui avait conseillé d'étudier le droit, puis l'économie et les sciences sociales. Les propos du père Bernier jouèrent dans sa décision finale, qu'il prit à la mi-juin de 1940. Trudeau lui avait dit qu'il avait envisagé de faire carrière en chimie ou en médecine, en se spécialisant en psychiatrie, ou bien de faire carrière en politique, laquelle, jugeait-il, exigeait un diplôme de droit. Lorsque Pierre avait éliminé la chimie, estimant qu'il était, dit-il, aussi valable de gouverner des hommes que des atomes, le père Bernier avait accepté sa décision finale en faveur de la politique, mais avait insisté pour que son ancien élève maintienne toujours un intérêt pour les arts. Il lui expliqua, comme Pierre le nota dans son journal, que bien des hommes comme son père avaient été obligés de travailler pour gagner leur vie, et que, de ce fait, ils avaient été incapables de profiter du fruit de leurs études. Tous deux se mirent d'accord pour dire qu'un homme de principe devait « avoir une mystique » et Pierre résolut de s'accorder chaque jour de quinze à vingt minutes pour, disait-il, méditer sur les fins de l'homme, le Créateur, les tâches à accomplir, la moralité, etc., et puis conclure par une prière sincère, une conversation avec Dieu. Ils se mirent également d'accord sur la nécessité de maintenir une vie ascétique. Pierre nota dans son journal, mais sans faire de commentaires, l'avis du père Bernier soit que, dans ses relations avec les jeunes femmes, un jeune homme ne devait jamais faire la moindre concession sensuelle. Par contre, il fut d'accord avec l'idée qu'« il était mauvais de trop travailler », se rappelant sans nul doute la mort prématurée de son père. Il termina en se promettant de lire davantage d'œuvres littéraires et de continuer à étudier la théologie[49].

Quelques semaines auparavant, Pierre avait exprimé ces mêmes sentiments à un ami du camp Ahmek, Hugh Kenner (qui, plus tard, deviendra un éminent critique littéraire). À la veille de quitter Brébeuf, Trudeau avait dit à Kenner qu'il avait eu « beaucoup de plaisir à sonder les mystères dévoilés par l'étude de la métaphysique et de l'éthique (…) ». Personnellement, avait-il ajouté, « c'est avec grand émerveillement que j'en suis venu à la conclusion que l'espace n'était limité que par Dieu lui-même ; que quelque part au-delà de notre univers et de tous les univers, à des millions d'années-lumière, là où la matière cessait d'être possible, il existait un espace concevable, c'est-à-dire le Concepteur ». La cosmologie, avait déclaré Trudeau, deviendrait son deuxième centre d'intérêt, après, évidemment, la littérature. Et comme pour beaucoup d'autres, la littérature jouerait un rôle prépondérant dans le développement de Trudeau en tant que révolutionnaire nationaliste à cette époque[50].

En juin, le mois même où Trudeau reçut son diplôme, la France tomba. Immédiatement, l'appel à la conscription résonna partout dans le Canada anglais, tandis que les Britanniques, les Français libres et quelques Canadiens fuyaient Dunkerque dans la célèbre défaite qui deviendra « leur plus belle heure ». En France même, bon nombre attribuèrent la défaite à la laïcité et au socialisme de la République et virent la création du régime de Vichy, gouvernement manipulé par les Allemands sous la direction d'un héros de la Première Guerre mondiale, le maréchal Pétain, comme la base à partir de laquelle on pourrait reconstruire une nouvelle France, plus catholique et moins corrompue que celle du régime précédent. Ces opinions étaient vigoureusement appuyées par les cercles conservateurs du Québec, au grand dam de bien des gens à Ottawa pour qui la menace d'invasion en Grande-Bretagne constituait la priorité. Paul Gérin-Lajoie, descendant de l'une des grandes familles du Québec, prédécesseur de Trudeau au poste de rédacteur en chef de *Brébeuf*, et qui deviendrait un éminent fonctionnaire, écrivit dans le journal du collège en février 1941 que la démocratie française n'avait pas donné les résultats escomptés et qu'il fallait la remplacer par un État corporatiste basé sur la famille — un système qui reconnaissait le besoin évident d'autorité du peuple français. Puisant à même l'idéologie de l'encyclique papale *Quadragesimo Anno* et, au Québec, dans la méfiance traditionnelle des nationalistes quant à l'impact de la modernisation, le corporatisme constituait un rejet du capitalisme, du socialisme et du libéralisme en faveur d'un État plus catholique, plus autoritaire et autosuffisant. L'Italie de Mussolini, le Portugal de Salazar et, après 1940, le régime de Vichy de Pétain furent quelques fois cités en exemple pour illustrer l'État corporatiste*. Trudeau partageait la plupart de ces vues et il conserva l'article de Gérin-Lajoie dans ses papiers.

L'historienne Esther Delisle a avancé que, dès 1937, Trudeau avait été secrètement un ardent nationaliste dévoué à la cause de l'indépendance du Québec et que, pendant qu'il était encore à Brébeuf, il était devenu membre des Frères Chasseurs, ou LX, une cellule révolutionnaire secrète ayant comme objectif de renverser le gouvernement existant. Même si les preuves de son nationalisme de jeunesse, voire de sa sympathie envers la cause de l'indépendance, commencèrent à émerger avant que Trudeau écrive ses mémoires, il ne répondit jamais à cette charge. Dans ses mémoires, il se décrit comme un antinationaliste pendant toute la période de sa jeunesse, et parle de l'époque de la guerre comme d'une déviation mineure sur ce chemin, provoquée par les injustices en temps de guerre. « La guerre, explique-t-il, c'était une réalité importante, certes, mais très lointaine. De plus, elle faisait partie d'une actualité dont je n'avais pas souci. »

Ces propos relèvent, au mieux, de l'hypocrisie. L'information qui concerne la participation de Trudeau à une cellule révolutionnaire secrète nous est venue initialement de deux sources : de son contemporain François-Joseph Lessard, un membre important des Frères Chasseurs, qui déclara dans un livre publié en 1979 que Hertel avait présenté Trudeau au groupe en 1937 comme le Simón Bolívar du Canada fran-

---

* « Il est difficile de résumer la pensée corporatiste. Essentiellement, elle vise à assurer l'ordre et la paix sociale par le moyen de la concertation harmonieuse de tous les groupes sociaux, réunis dans autant de "corporations" ou de "corps intermédiaires" voués à la poursuite du bien commun. Ainsi, aux luttes de classes succéderait leur "collaboration", puisque patrons et ouvriers d'un même secteur seraient rassemblés dans une même corporation et travailleraient ensemble à l'épanouissement de leur secteur comme à celui de toute la nation. (...) À la démocratie parlementaire, source de dissensions, le corporatisme substituerait ainsi une société unanime, où chaque individu, imprégné de la mystique nationale, se préoccuperait et en même temps profiterait de l'harmonie et de la prospérité générales. » Paul-André Linteau, René Durocher, Jean-Claude Robert et François Ricard, *Histoire du Québec contemporain : Le Québec depuis 1930* (2002), p. 118-119.

çais, et de François Hertel lui-même, qui a dit en 1977 que Trudeau était membre fondateur du groupe et que, à cette époque, il manifestait son nationalisme avec colère, et qu'il avait eu maille à partir avec la police en 1937-1938 à l'occasion des célébrations du centenaire des Rébellions[51]. Trudeau, lors de certaines entrevues, admit qu'il s'était trouvé au milieu des manifestations étudiantes contre André Malraux et les représentants de la République espagnole, affirmant toutefois y avoir été attiré par les clameurs de la foule[52]. Son journal réfute clairement cette explication.

On ne peut plus douter que Trudeau, plus tard, cacha la vérité à ceux qui lui demandèrent où il se trouvait et quelles étaient ses convictions au moment où la Seconde Guerre mondiale faisait rage. Chose surprenante, une grande partie de la preuve se trouvait déjà dans le domaine public. Ce fut toutefois Esther Delisle qui, la première, la colligea : les témoignages de Hertel et de Lessard ; les dossiers de presse au sujet d'un discours et d'un procès à la suite d'une émeute antisémite ; de même que des articles dans le journal étudiant de l'Université de Montréal, *Le Quartier Latin*, où Trudeau exprima publiquement sa virulente opposition à la guerre. Il y eut même une question à la Chambre des communes posée par un député néo-démocrate le 5 avril 1977, et Trudeau sembla admettre qu'il avait été membre d'une société secrète « séparatiste ». Pourtant, avant même que Delisle et, plus récemment, Max et Monique Nemni attirent l'attention sur cette preuve, il n'y eut jamais aucune discussion publique sur le sujet et, étonnamment, aucun journaliste ne « suivit » la question posée à la Chambre[53].

L'ensemble des documents personnels de Trudeau ne laisse absolument aucun doute quant au fait que Trudeau était devenu un ardent nationaliste du Québec et que, pendant la guerre, il fut associé aux partisans de la « Laurentie » qui épousaient la cause d'un État catholique français indépendant. Comment cet amateur de cinéma américain, qui participa au rassemblement des libéraux lors de l'élection provinciale de 1939, jeune étudiant, se méfiait des « patriotes exaltés », était fier de son sang « anglais » et de son nom « Elliott », était-il si rapidement devenu un séparatiste révolutionnaire ? C'est un chemin, comme toujours lorsqu'il s'agit de Pierre Trudeau, qui comporte de nombreux détours imprévus.

Les documents de Trudeau laissent entendre que, dans les années précédant la guerre, du fait de son éducation et de son expérience, Pierre était capable à certains moments de faire preuve d'un ardent nationalisme. À l'opposé, il réagissait contre ce même nationalisme lorsque ses origines mixtes anglaises et françaises étaient en cause. À des biographes, il affirma avec justesse que, à Brébeuf, il avait choqué les prêtres et ses camarades de classe lorsqu'il avait applaudi la victoire de Wolfe sur Montcalm lors de la bataille des plaines d'Abraham. À d'autres moments, il fut un ardent défenseur des positions nationalistes — comme lorsqu'il brûla l'Union Jack en compagnie d'un groupe de garçons de Brébeuf. Il s'était créé dans son esprit une sorte d'équilibre, qui occasionnellement rompait, penchant d'un côté ou de l'autre, par exemple lorsqu'il participait à un camp canadien-anglais ou lorsqu'il était accusé de trahir la « race » française par un étudiant. Il reste que son héritage était principalement français et catholique.

Alors que la France tombait et que le gouvernement canadien instaurait la conscription en vue d'assurer la défense territoriale, la famille Trudeau faisait route vers Old Orchard. Là-bas, elle reçut un télégramme en provenance du frère de Grace, Gordon, qui vivait en France et qui demandait qu'on lui envoie de l'argent pour l'aider à fuir les nazis. Pierre nota ces « mauvaises nouvelles » dans son journal, mais dès le lendemain matin il avait cessé de se préoccuper de la crise en Europe et des manifestations anticonscription de Montréal : il avait fait la grasse matinée, un peu de peinture à l'huile, tout en passant des commentaires sur la « parfaite tranquillité » des lieux. Quelques jours plus tard, la pleine mesure des événements qui se déroulaient en Europe le frappa — peut-être parce que Camille manifestait de façon virulente son opposition au nazisme et son appui aux Alliés, même si elle était Américaine. Il nota dans son journal que les Allemands se trouvaient maintenant à Paris. « Ah ! les porcs », s'était-il exclamé. Il visionna une bande de nouvelles sur la chute de Paris qui le mit en furie ; c'était, écrivait-il, l'œuvre des « sales Boches ». Il avait décidé de joindre les rangs de l'armée canadienne pour aller combattre. Dans l'intervalle, il lui fallait rentrer pour la collation des grades[54].

Cette information vient réfuter de manière décisive les allégations faites plus tard par Hertel et certains historiens, soit que Trudeau, dans sa jeunesse, avait nourri des sympathies antiguerre ou même profascistes. En revanche, il est vrai que son attitude en juin 1940 est surprenante, compte tenu des remarques faites dans son cahier de notes sur les œuvres d'Alexis Carrel et d'autres. Très simplement, il était rempli de contradictions et en conflit avec lui-même.

Pendant ce temps, la famille Trudeau avait décidé de traverser le Canada, en train et en voiture, pour se rendre jusque sur la côte Ouest des États-Unis. Elle entreprit le voyage le 26 juin. L'admiration de Pierre devant tout ce qu'il voyait est évidente dans ses notes. Du nord du lac Supérieur, il écrivait: « Quel pays admirable ! » à la vue d'un splendide coucher de soleil. Arrivé à Winnipeg, il décrivit la ville comme « une goutte d'huile sur la plaine ». Le regard porté sur la vastitude des étendues de terre, il se demandait à nouveau si le droit et la politique étaient le bon choix de carrière : serait-il capable, écrivit-il, de diriger le peuple du Canada, ou même le peuple de ma propre famille ? En tout cas, il suivrait la voie que Dieu lui indiquerait, et il ne serait pas surpris, ajouta-t-il avec justesse, que la route comporte maints embranchements, ravins et détours.

Il s'était fait la promesse de tenir un journal psychologique pendant le voyage, mais les exigences quotidiennes furent trop nombreuses. Cela ne l'empêcha pas de réfléchir à ce que son destin lui réservait. Il s'inquiétait de sa timidité, envers les femmes en particulier, et le reste du monde en général, et prit la résolution de regarder les gens directement dans les yeux, chose qu'il avait apparemment de la difficulté à faire auparavant. Mais il ne manquait pas de confiance en lui : il lui fallait devenir un grand homme, écrivait-il, trouvant cette phrase amusante. Il s'étonnait souvent de penser, tandis qu'il marchait seul, que les autres ne voient pas cela, qu'ils ne sentent pas chez lui qu'il était appelé à devenir un chef d'État, un diplomate de renom ou un éminent avocat. Il se disait franchement stupéfié de constater que cela ne semblait pas clairement évident, et il éprouvait de la compassion pour ceux qui ne seraient pas en mesure de se vanter, dix ou vingt ans plus tard, de l'avoir rencontré, ne serait-ce qu'une seule fois.

Il était convaincu d'avoir fait le bon choix de carrière, mais reconnaissait qu'il était possible qu'il change d'avis. Pour un homme, notait-il, la carrière est essentielle. « Chez une jeune femme, on admire qui elle est ; dans le cas d'un jeune homme, on admire ce qu'il deviendra. » Il se tracassait à propos de sa forte attirance envers les femmes, même s'il admettait que la liste de celles qu'il connaissait était, disait-il, courte au point que c'en était embarrassant. Camille venait en tête, suivie de « Micheline, de Myrna et d'Alice Ann ». De toute évidence, dans son choix de compagnes, Trudeau était — et demeurera — tout à fait multiculturel. Le danger, se mettait-il en garde, était de tomber amoureux et de se marier avant d'avoir terminé ses études. Il conclut cette autoévaluation en disant que la morale de tout cela était qu'il devait continuellement s'efforcer d'atteindre la perfection, d'être aimable, obligeant et galant (« quel mot ! »).

Le voyage se poursuivit et, comme il s'en rendit compte, il était aussi difficile de diriger sa famille que le Canada lui-même. À Edmonton, les Trudeau logèrent au magnifique Macdonald Hotel, où ils rencontrèrent un ami de Pierre de Brébeuf, Jean-Baptiste Boulanger, et sa famille. Cette rencontre est importante, car Jean-Baptiste, un Franco-Albertain, devint plus tard membre de la société secrète partisane d'un État séparatiste pour le Québec. Ensemble, ils visitèrent la cathédrale, à Saint-Albert, constatant de première main à quel point la présence française avait pris de l'ampleur. Ils ne parlèrent pas d'indépendance à ce moment-là, bien évidemment, et Trudeau continua son voyage dans les montagnes jusqu'à Jasper. Sa première impression fut profondément émouvante, raconte-t-il, et il continua d'être impressionné lorsque, après avoir récupéré la Buick de Suzette, ils continuèrent sur la route à travers le champ de glace Columbia jusqu'au lac Louise où, le 1er juillet, ils célébrèrent le Jour du Dominion.

Là, Suzette fut prise d'un malaise et Pierre dut conduire à travers les montagnes. Cette expérience le terrifia, entre autres parce que la voiture était munie d'amortisseurs défectueux. Ils arrivèrent finalement à Vancouver, où la beauté naturelle l'impressionna, mais pas l'université. Puis, le 9 juillet, ils repartirent en longeant la côte du Pacifique et s'arrêtèrent pour faire réparer la voiture. À un moment donné, Pierre passa des commentaires sur le voyage, le jugeant très valable, surtout du point de vue de la famille. Ils avaient discuté de plusieurs sujets, écrivit-il dans son journal, examiné leurs fautes et s'étaient remémoré le temps passé. Il fut plus franc avec Camille : « Nous nous amusons encore comme des fous, entre la beauté du paysage et les disputes de famille (certaines d'entre elles sont gentilles). » Lui-même profita de ce voyage pour développer « l'art de la conversation » qu'il ne maîtrisait pas, croyait-il. Il tenta délibérément d'amener des inconnus à converser avec lui, profitant de l'occasion pour les regarder dans les yeux comme il l'avait décidé. C'était, bien sûr, un bon exercice en vue d'une carrière politique.

Enfin, le 22 juillet, ils atteignirent Los Angeles. Ils se rendirent au Hollywood Bowl, où ils assistèrent à un spectacle de Paul Robeson qui livra une performance « inoubliable ». Mais ce fut là tout ce que Los Angeles eut à offrir de bon, selon Pierre, qui laissa voir son éducation à Brébeuf dans son évaluation de la capitale du divertissement : il était impatient de s'échapper de cette ville, car il étouffait. Il n'y avait pas d'« ozone » dans l'air et beaucoup trop de gaz carbonique, et les gens avaient l'air de « poissons morts », dit-il, tandis que les femmes n'avaient pas l'air naturel — et tous semblaient attendre qu'un réalisateur de film vînt à passer. Rendu à cette étape du voyage, il était fatigué d'écrire et mit donc un terme à ses comptes rendus. Au moins, nota-t-il, il avait répondu aux « attentes de mes biographes ». Effectivement, il l'avait fait.

L'Amérique adoptait toujours une position de neutralité dans la guerre, et, selon les comptes rendus de Pierre, le conflit semblait être une chose lointaine alors que le mois de juin faisait place au mois de juillet. Il demeurait néanmoins fortement opposé aux fascistes, écrivant, le 19 juillet, que Gordon Elliott avait finalement réussi à se rendre en Angleterre pendant que la guerre continuait, disait-il, son hideuse progression. Malgré certaines allégations qui ont été faites plus tard, affirmant que Trudeau admirait Hitler, dans son journal personnel, il exprimait du dégoût à son endroit. Hitler, écrivait-il, menaçait « d'exterminer les Anglais » qui, néanmoins, se battaient bravement. Il avait peu entendu parler de ce qui s'était passé en France, mais apprit qu'il y aurait une « mobilisation » le 23 août et se demanda si cela allait gâcher le voyage[55].

Le voyage ne fut pas gâché, mais Montréal avait changé à son retour. Après la chute de la France en juin 1940 et l'imposition de la conscription pour la défense territoriale, Camillien Houde, maire de

Montréal et vieil ami de son père, fut emprisonné pour toute la durée de la guerre en vertu des Règlements de la défense du Canada parce qu'il avait appelé à résister à la conscription. Avant la mort de Charles Trudeau, lorsque Houde, alors chef conservateur du Québec, était venu au chalet de Lac-Tremblant, Pierre les avait entendus se plaindre à voix haute de la « machine libérale ». Selon un comptable qui avait travaillé pour Charles, il arrivait à Houde de se rendre dans l'une des stations-service de Trudeau et de dire qu'il avait besoin « d'oxygène ». Le comptable se dirigeait alors vers le coffre-fort et lui remettait cent dollars en argent comptant[56]. L'arrestation de Houde et d'autres scandalisa Pierre et ses amis, et la guerre, qui avait été une chose si lointaine quand il se trouvait sur les rives du Pacifique, l'avait soudain rattrapé.

Ce n'était pas une guerre à laquelle ils voulaient participer. De toute sa classe, en 1939-1940, un seul des quarante étudiants de Brébeuf se joignit aux forces armées canadiennes, comparativement à trois qui avaient choisi la prêtrise, six qui s'étaient dirigés vers le droit et neuf en médecine[57]. Un sondage mené à l'Université de Montréal en mars 1940 montra que neuf cents étudiants s'opposaient à toute forme de conscription et que seulement trente-cinq se prononçaient en faveur. À la faculté de droit où Trudeau entra cet automne-là, le vote fut de cinquante-trois contre trois. Daniel Johnson, alors chef de classe (et futur premier ministre du Québec), avait déjà déclaré dans le journal étudiant qu'il s'opposait fermement à toute guerre future où l'on ne tiendrait pas compte des intérêts du Canada. Alors que la « drôle de guerre » se terminait et que la conscription pour la défense territoriale approchait, un jeune étudiant en droit, Jean Drapeau, futur maire de Montréal, écrivait à son tour un article dans lequel il avertissait ses lecteurs qu'il fallait à nouveau se battre contre la conscription, lançant un appel à la vigilance[58].

Une fois passée la *Loi sur la mobilisation des ressources nationales*, Trudeau et ses amis furent forcés de s'enrôler dans le corps d'entraînement des officiers canadiens et de participer aux exercices courants et à l'entraînement d'été. Il avait été impatient de se joindre à l'armée quand les tanks allemands étaient entrés dans Paris, mais les choses avaient changé depuis son entrée à la faculté de droit. À l'automne de 1940, lorsqu'il entra à l'Université de Montréal, Trudeau assista immédiatement aux conférences historiques du chanoine Groulx. Évidemment, il avait lu les nombreux ouvrages et articles de l'abbé, mais ses commentaires de jeunesse laissent entendre qu'il n'avait pas particulièrement été impressionné. Sa décision de suivre ce cours témoignait à la fois de son nationalisme renouvelé et de l'influence de Hertel, que l'on invitait de plus en plus souvent à la résidence familiale. Trudeau ne révéla jamais plus tard en entrevue qu'il avait étudié avec le chanoine Groulx. Et pourtant, ses documents renferment bel et bien des notes détaillées prises lors des conférences de l'abbé. Et même si leurs premières rencontres lui avaient donné l'impression que l'estimé historien n'avait pas les qualités d'un orateur, le contenu du cours maintenant l'intriguait. Ses notes indiquent que Groulx, comme on pouvait s'y attendre, resta silencieux sur les questions de séparation et, semble-t-il, sur la guerre. Comme tout bon historien, il provoquait les étudiants afin qu'ils réfléchissent aux conséquences — dans le cas qui l'occupait, aux conséquences de la Conquête de la Nouvelle-France. C'était la volonté de Dieu que les héritiers de la défaite de 1760 préservent la culture catholique française en Amérique du Nord[59].

L'abbé laissa une autre marque évidente chez Trudeau : dans ses conférences, il mettait l'accent sur l'importance du statut de Westminster, en lui conférant une signification constitutionnelle exceptionnelle en ce qu'il accordait au Canada une liberté par rapport à l'Empire britannique — une interprétation qui allait bien au-delà de celle du gouvernement de l'époque. Pendant de nombreuses années ensuite, le 11 décembre, Trudeau indiqua dans sa correspondance, à la place de la date, « Jour du statut de Westminster ». En plus d'assister aux conférences de l'abbé Groulx, Trudeau s'associa de plus en plus aux causes nationalistes. Par exemple, à l'automne de 1940, il participa à une farce satirique à l'université qui tournait en ridicule les politiciens et dénonçait la conscription. Parmi les comédiens se trouvaient Jean Drapeau et Jean-Jacques Bertrand, qui serait plus tard premier ministre du Québec, à l'époque où Trudeau serait lui-même premier ministre du Canada.

Même sa vie sociale devint fermement nationaliste : Trudeau garda un carnet de bal datant de décembre 1940 sur lequel il écrivit, au recto, « Vive la liberté » et, au verso, « Vive la liberté et les débutantes[60] ». Il écrivit à Camille en français pour la première fois : il la remercia de l'appeler « mon cher ami », lui disant qu'il était impossible de saisir pleinement l'importance d'avoir une amie qui puisse briser son inexorable solitude.

Mais leur amour déclinait, peut-être en raison du nouveau comportement de Trudeau. Il protesta énergiquement lorsqu'elle tourna en ridicule la décision de son ami « Roland » de se faire moine, car il était, selon elle, un « Don Juan ». « Vouloir se lever au beau milieu de la nuit pour chanter des cantiques est tout bonnement ridicule », déclara-t-elle à Trudeau. Celui-ci, furieux, trouva sa remarque « choquante[61] ».

À partir du printemps de 1941, Trudeau commença à se plaindre non seulement de la faculté de droit — « un véritable avocat est censé étudier six fois plus que je ne l'ai fait; inutile de se demander pourquoi la plupart d'entre eux sont des idiots » — mais également du Corps-école d'officiers canadiens, que peu de temps auparavant, comme il l'avait dit à Camille, il avait été impatient de rejoindre. Maintenant il aurait été « plus emballant d'aller au Camp de concentration* ou au front[62] ». Il rejoignit néanmoins le Corps-école d'officiers canadiens et, à son corps défendant, fit son service militaire avec bon nombre de ses camarades de Brébeuf. Charles Lussier, qui, à l'époque, était nationaliste comme Trudeau et, plus tard, deviendra un éminent fonctionnaire fédéral, se souvint d'un incident révélateur qui se produisit alors : « Un jour, l'un des élèves officiers, qui avait le grade de capitaine, nous conduisit au dépôt pour y déplacer des obus. L'officier responsable était anglais et il nous indiqua quoi faire dans sa langue. » Les huit recrues qui étaient des Canadiens français obéirent, sauf une, Pierre Trudeau, qui resta sans bouger parce que, avait-il dit en français, il n'avait pas compris les ordres. Après qu'un officier les eut répétés dans un très mauvais français, Trudeau répondit dans un anglais à l'accent impeccable : « Parfait, maintenant, je vous comprends[63]. »

Pour Trudeau, être libre voulait dire résister et c'est ce qu'il faisait, que cela fût à un officier qui ne parlait pas français ou à un règlement administratif. Toutefois, sa rébellion avait des limites. Quand, par exemple, il voulut lire *Le Capital* de Karl Marx ou les autres livres mis à l'Index par le Vatican, comme *Du contrat social* de Jean-Jacques Rousseau, il demanda respectueusement la permission à l'archevêque de Montréal. Après un premier refus, la permission lui fut accordée, non sans que « Son Excellence » lui eût enjoint de prendre grand soin de ces livres et de bien les surveiller[64]. Nul doute qu'il obéit, mais, sur d'autres

* Un camp destiné aux opposants à la guerre canadiens.

points, ni lui ni ses amis n'écoutèrent les conseils de l'archevêque, qui, en 1941 et en 1942, exhortait les Canadiens français à faire preuve de modération dans leur opposition à la conscription et à l'effort de guerre.

François Hertel était devenu ouvertement séparatiste et, dans l'essai sur le personnalisme qu'il écrivit en 1942, il espérait voir des « hommes d'action » faire le choix « de vivre ». De plus en plus attiré par le cercle grandissant des personnes qui gravitaient autour du prêtre, Trudeau suivit ce conseil et lui écrivit plusieurs lettres d'admiration. Hertel, qui était un fervent partisan du modernisme dans le domaine artistique, présenta la famille Trudeau au peintre cubiste et surréaliste Alfred Pellan, revenu de Paris après l'invasion de la France par les nazis. Éminemment cultivé, Hertel impressionna Grace et ses enfants, si bien que ceux-ci l'invitèrent fréquemment chez eux et écoutèrent ses conseils sur l'achat d'œuvres d'art. En août 1941, dans une lettre qu'il écrivit à Trudeau, Hertel adressa à Grace un compliment très flatteur par lequel il lui disait qu'elle était « la femme la moins bourgeoise que j'ai rencontrée dans ma vie[65] ». Il fit croître l'intérêt de Tip pour l'architecture et la musique, et celui de Pierre pour la littérature. Cet homme était un être complexe, qui s'intéressait à la religion, à la littérature et à la politique, et idéalisait la révolution. Bien qu'il admirât le philosophe libéral français Jacques Maritain, il le désapprouvait sur le plan politique. En effet, comme bien d'autres personnalistes européens, dont Emmanuel Mounier lui-même au début, Hertel pensa que le régime de Vichy serait mieux à même de défendre sa conception « catholique » de l'ordre, de l'anticapitalisme et du corporatisme.

En 1941, quand l'ordre des Jésuites l'exila à Sudbury en raison de la mauvaise influence qu'il exerçait sur la jeunesse, Hertel devint le confident de Trudeau[*]. Il l'encouragea à écrire avec son condisciple Roger

---

* En juillet 1942, l'ordre des Jésuites reprocha à Hertel de ternir la réputation de la Compagnie de Jésus par ce qu'il écrivait sous ce pseudonyme. Bien que l'influence qu'il exerçât sur la jeunesse ainsi que sa connaissance de la doctrine théologique fussent jugées excellentes, son enseignement fut déclaré dangereux. Ce n'est pas en babillant sur l'amour ou en plaisantant, lui avait-on dit, que l'on apprend à la jeunesse comment être sérieux, profond et fort, ni qu'on lui fait prendre conscience de la gravité des problèmes auxquels elle sera confrontée sur les plans individuel, familial et sociétal. Hertel menaça de quitter l'ordre, mais il n'en sortit qu'en 1946, quand Trudeau le rencontra de nouveau à Paris. E. Papillon, sj, à Rodolphe Dubé, sj, 18 juillet 1942, Fonds Hertel, Bibliothèque et Archives nationales du Québec — Montréal.

Rolland un compte rendu littéraire et lui expliqua les raisons qui le poussaient à s'opposer à la conscription et à la hiérarchie de l'Église catholique, et à se déclarer pétainiste. Roger, fils d'un important entrepreneur canadien-français, avait déjà attiré l'attention de Trudeau en allumant une cigarette avec un billet de deux dollars, ce qui lui avait rappelé l'exubérance de son père. Il devint rapidement un ami intime de Trudeau (qui, une fois premier ministre, fit de lui son rédacteur de discours[66]). Hertel approuvait totalement les activités « révolutionnaires » que menait François-Joseph Lessard par l'intermédiaire de sa cellule secrète, bien qu'il le trouvât un peu trop véhément, comme quand Lessard avait affirmé que Winston Churchill était personnellement intervenu pour faire exiler Hertel à Sudbury[67].

Les échanges épistolaires entre Hertel et Trudeau commencèrent de façon assez formelle (Hertel signait Rodolphe Dubé, SJ), mais devinrent rapidement très amicaux. Hertel dirigeait indéniablement Lessard et il demanda à Trudeau de se montrer patient avec son fougueux collègue. Les deux hommes étaient convaincus que le principal apport de Trudeau au mouvement révolutionnaire porterait sur le plan intellectuel et, en octobre 1941, dans une lettre envoyée à Hertel, Trudeau se moqua de l'espionnage politique auquel se livrait Lessard en des termes qui prouvent clairement qu'il appartenait déjà à sa cellule secrète : « Lessard a sans cesse des missions extrêmement délicates à accomplir, des événements formidablement graves à annoncer. J'ai quelque regret qu'il m'ait pris pour confident. J'éprouve une certaine gêne à témoigner d'une joie débordante quand il me révèle le nombre exact des bornes-fontaines de la ville de Saint-Hyacinthe. » Le révolutionnaire était bien intentionné, les activités étaient fascinantes, mais Lessard était trop zélé[68].

À mesure que leur relation se consolidait, Trudeau se mit à flatter Hertel, affirmant qu'il était « un grand homme » ; à son tour, Hertel dit à Trudeau qu'il avait l'étoffe de l'homme d'action que lui-même avait toujours rêvé d'être. En un sens, bien qu'il fût agaçant, Lessard offrait des possibilités. En réponse à une lettre de Trudeau lui demandant d'expliquer qui il était réellement, Hertel parla étrangement à la troisième personne. Ses amis, disait-il, étaient en grande majorité des jeunes hommes. Toutefois, il n'était pas homosexuel, contrairement à un certain nombre des collaborateurs de l'*Amérique française* [une revue fondée, entre autres, par Rolland]. Pierre ne devait avoir aucune crainte : ni les deux Trudeau, ni le père Bernier, ni Jacqueline [non identifiée] ne l'intéressaient. En fait, continuait-il, cet étrange personnage était un introverti léger, d'une sensibilité qui avait déjà été de la susceptibilité. Il avait appris à tout pardonner et à tout oublier, à un point tel qu'il ne relevait pas les insultes que lui faisaient ses amis. Celles qu'il recevait des autres, il pouvait également les pardonner, mais, en fait, le plus souvent il oubliait, tout simplement. Surtout, il avait décidé de ne jamais se lancer dans de mesquines vengeances.

Dans sa lettre, Hertel disait consacrer sa vie à aimer ses amis. Ainsi, cet amour sans bornes, bien que platonique et platonicien, était extrêmement exigeant. Ce « pèlerin de l'Absolu » désirait pour ses amis ce qu'il y avait de mieux. La mort de Pierre Trudeau — « et je suis sincère », écrivait-il à la première personne — l'attristerait davantage que d'apprendre qu'il vivait en concubinage. Voilà pourquoi, si ouvert d'esprit et tolérant qu'il fût, ses oreilles se dressaient lorsqu'il pressentait qu'un danger pouvait mettre l'âme de ses amis en péril. C'est la raison pour laquelle il n'aimait pas Gide [dont l'indulgence à l'égard de l'homosexualité suscitait la controverse dans les milieux catholiques] et redoutait que cet homme élégant et naïvement pervers ne fît perdre leur ingénuité à ses amis qui en avaient encore. En ce qui concernait un certain Pierre Trudeau, il croyait que, chez ce garçon, le cynisme et la maturité étaient suffisamment développés pour que celui-ci fût à l'abri de l'influence délétère de Gide. Toutefois, il ne voulait pas que ledit Trudeau pensât que tous ses amis avaient atteint le degré d'effronterie nécessaire pour ne pas se laisser souiller par Gide.

En fait, continuait-il toujours, Hertel ne voyait pas la révolution comme Trudeau. Ce dernier l'aimait comme on aime une maîtresse. Hertel, lui, avait épousé la révolution par devoir, parce qu'il lui avait fait des enfants et refusait de les abandonner.

En somme, le bilan moral dudit Hertel, qu'il était en train de dresser lui-même, était très flatteur. Néanmoins, le héros [Hertel] savait qu'il était plus beau dans ses rêves qu'en réalité. Cet étrange individu avait d'ailleurs décidé d'envoyer sa photographie. En fait, il y en avait deux : l'une pour Pierre, sur laquelle on voyait un Hertel figé, prenant une pose, le passionné des « coups d'État » (bien qu'il n'eût pris part à aucun et n'en eût même jamais vu un seul) ; l'autre, sur laquelle on voyait le Hertel par excellence, le grand Hertel.

Il terminait sa lettre ainsi : saperlipopette, s'exclamait-il, il avait failli oublier de parler de la troisième photo. Elle était pour madame Trudeau. Il prenait une pose « à l'américaine », celle qu'il avait prise, l'année dernière, lorsqu'il lui avait proposé de l'emmener voir une partie de baseball pendant que l'un de ses garçons étudiait (le studieux) et que l'autre tapotait au piano (l'artiste). Une maîtresse femme, dont les fils étaient efféminés à force de se perdre en arguties littéraires et juridiques, était digne d'accompagner à ces jeux virils le malabar de la Mauricie[69].

Cette lettre apporte plusieurs éclaircissements. D'abord, quels qu'aient été ses défauts, il est évident que Hertel considérait Lessard et ses amis révolutionnaires comme ses enfants, ce que ses supérieurs avaient admis en l'envoyant à Sudbury. Ensuite, ses références à l'homosexualité étaient obscures, car, tout en considérant celle-ci comme scandaleuse, Hertel n'en plaisantait pas moins sur l'apparence physique des jeunes hommes. Au mois de décembre suivant, quand il reçut une photographie de Trudeau, il dit que c'était « épatant. On se dirait à Tahiti ! Ah ! Si Gauguin vous avait connu à ce moment-là ». Dans la même lettre, la définition de son « *credo* révolutionnaire » rejoignait celle des penseurs catholiques français des années trente :

> Dieu est fort et pur et lucide. Nous sommes faibles, charnels et aveugles comme des taupes. Mais, nous jetons-nous aveuglément en Dieu qu'il nous donne tout ce qui nous manque radicalement. La seule originalité vraiment grande de ma pensée biscornue est d'avoir compris cette chose, l'étroite alliance du christianisme et de la révolution. Le révolutionnaire totalement chrétien, c'est-à-dire pratiquant et fervent, voilà le produit que je m'acharne à faire naître et à conserver (...) Ceci, parce que j'ai compris que, seul peut donner sa vie, celui qui peut ne point la perdre en la donnant, que, seul, celui qui est totalement sincère peut se libérer des préjugés anti-révolutionnaires et bourgeois. (...) L'Église est, à l'heure actuelle, la seule source possible de révolution.

À l'époque, le mot « révolution » était employé à toutes les sauces, non seulement par les partis politiques de droite et de gauche, mais également par les Églises catholique et protestante*. Certes, toute l'Église catholique du Québec ne partageait pas les opinions de Hertel, mais le prêtre y avait des alliés.

Le père Marie d'Anjou, l'un des quatre professeurs préférés de Trudeau à Brébeuf, était encore plus favorable à la « révolution ». L'Église catholique l'avait également éloigné de Montréal et il en éprouvait un vif ressentiment. Hertel était convaincu que ce prêtre était son plus sûr allié dans le conflit qui l'opposait à ses supérieurs. Dans ses lettres, d'Anjou appelait toujours Montréal par le nom de Ville-Marie et caressait le rêve de fonder la Laurentie, un État catholique canadien-français indépendant[70]. Alors qu'il ne vivait plus à Montréal, il écrivit souvent à Lessard pour lui conseiller de confier au jeune Trudeau diverses tâches utiles à son « groupe[71] ».

Dans les papiers de Pierre Trudeau datant de la période 1941-1942, il y a des copies d'un « plan » de cellule secrète élaboré, quelques années plus tôt, par trois « types » écœurés par les demi-mesures alors que « le peuple » était au bord du précipice. Ils avaient lu « Groulx, Péguy, Blois, Hertel, Istrati et Savard », et croyaient aux éternelles leçons de l'histoire et du catholicisme. Selon eux, la grandeur de la Nouvelle-France ne devait pas se fossiliser dans les monuments, et le couard, le clochard, la prostituée, le blasphémateur et l'ivrogne qui entachaient la tradition devaient être détruits. Pour les concepteurs du plan, la révolution était la fille de « la

---

* À cette époque, les débats politiques français eurent une grande influence sur le discours révolutionnaire au Québec. Dans son livre sur l'histoire de l'Europe d'après-guerre, l'historien Tony Judt montre que la « bipolarité » de la politique française, le mythe de la révolution et l'acceptation de la « violence » jouèrent, en France, un rôle politique de premier plan. Il donne l'exemple du politicien Édouard Herriot, du parti radical, qui affirma, en 1944, que la politique française ne pourrait reprendre son cours normal tant qu'il n'y aurait pas un « bain de sang » en France. Selon Judt, son discours « ne sembla pas étrange aux Français, même de la part d'un parlementaire provincial bedonnant, situé au centre de l'échiquier politique ». Dans les milieux intellectuels et politiques français, l'idée qu'« il ne puisse y avoir de changement historique sans une effusion de sang purificatrice », bien que floue, n'en était pas moins largement répandue. À l'évidence, Hertel s'inscrivait dans cette tradition, de par son langage et sa conception du changement historique. Tony Judt, *Postwar: A History of Europe since 1945*, New York, Penguin, 2005, p. 211.

Patrie ». La révolution militaire et politique, disaient-ils, ne constituait qu'une étape de la Révolution, tout comme les guerres n'étaient que les cataclysmes de l'histoire. Ainsi, les véritables révolutionnaires étaient les philosophes et les doctrinaires. Parmi les philosophes de la révolution laurentienne, poursuivaient-ils, certains prêchaient au peuple le dogme de la patrie et d'autres prêchaient au désespéré celui de l'espoir. De ce point de vue, la révolution, et eux [les concepteurs du plan] en étaient la preuve vivante, n'était rien d'autre que l'humanité qui, en dépit de tout, de son égoïsme, de sa couardise, de ses passions, de ses défauts, du nombre et de la puissance de ses adversaires, de ses échecs et de ses erreurs, avançait inexorablement. Elle s'incarnait dans celui qui, en dépit des obstacles, se tenait l'épée à la main et se battait inlassablement jusqu'à ce que l'ennemi tombât[72].

Le plan contient le nom des trois « types » qui se réunirent pour mettre sur pied la cellule révolutionnaire. Il s'agissait de Lessard, de Trudeau et de Jean-Baptiste Boulanger, l'ami de Brébeuf que Trudeau avait croisé à Edmonton, lors de sa traversée du Canada. Dans ses mémoires, Trudeau dit que Boulanger et lui décidèrent « de parcourir au cours d'un été les grands ouvrages politiques : Aristote, Platon, *Du contrat social* de Rousseau, Montesquieu, d'autres encore (...) Boulanger en savait plus long que moi dans ce domaine et c'est pourquoi je le fréquentais ». En fait, les cours suivis par Boulanger comportaient l'étude de la pensée de Georges Sorel, de Léon Trotski et des divers théoriciens de la révolution. Boulanger et Trudeau lurent également l'antidémocrate français Charles Maurras, dont l'œuvre servit de fondement au régime de Vichy[73].

Trudeau répondit à l'appel des barricades et s'empressa de défendre la cause. La première bataille fut celle du référendum sur la conscription. En effet, après l'attaque de Pearl Harbor par les Japonais, le 7 décembre 1941, le gouvernement canadien décida rapidement de procéder à la mobilisation générale. Ernest Lapointe, qui avait promis qu'il n'y aurait pas de conscription, était décédé et les journaux anglais demandaient que le Canada fasse comme les États-Unis et la Grande-Bretagne. En politicien habile, le premier ministre Mackenzie King décida d'organiser un référendum qui ne porterait pas directement sur la conscription, mais qui délierait le gouvernement du serment par lequel il s'était engagé à ne pas procéder à la conscription pour le service outre-mer. La date du référendum fut fixée au 27 avril 1942.

Au Québec, André Laurendeau organisa rapidement le camp du non sous la bannière de la bien nommée Ligue pour la défense du Canada. Trudeau était enragé. Il avait écrit, douze jours après Pearl Harbor, de violents billets dans lesquels il posait la question: « Faut-il absolument être pour ou contre les Britanniques? » La réponse était claire. Il se vanta à Camille de la « révolution » qu'il planifiait et lui demanda, en 1942, de lui procurer un exemplaire de *Technique du coup d'État*, de Malaparte. Craignant que le livre ne fût saisi à la frontière, il l'avertit: « Je suis impatient de le lire. Toutefois, je crois qu'il ne serait pas prudent que tu me l'envoies par la poste, car je doute fortement que les autorités de ce gouvernement pharisien ne le laissent passer. » Il conclut par ces mots: « Merci du mal que tu te donnes et Vive la liberté[74] ! » La lecture de Trotski et des autres théoriciens de la révolution apprit à Trudeau, à Boulanger et à Lessard qu'une petite cellule pouvait accomplir une révolution si ses membres faisaient preuve de cohésion et que leurs plans étaient clairs. Pour Trudeau, la révolution, c'était l'avenir: les vieux étaient impérialistes; les jeunes, séparatistes. Les vieux appartenaient au passé, car ils recherchaient une solution qui ne ferait que maintenir le *statu quo* et favoriser leurs intérêts. Or, l'heure n'était plus à ces considérations[75].

En janvier 1942, Trudeau écrivit à Hertel que le plan prenait forme, bien que pas aussi rapidement qu'il l'eût espéré. Comme il l'avait dit auparavant, il pensait pouvoir être plus utile sur le plan intellectuel et Hertel était entièrement d'accord avec cela. Le mouvement anticonscription restait uni derrière André Laurendeau, qui était, comme l'avait écrit Hertel en décembre 1941, « un bon homme [qui avait] beaucoup de sang-froid et de vision ». Toutefois, c'était un intellectuel et non pas un « meneur d'hommes ». Il est possible que Trudeau ait écouté le conseil, car il employa la première personne du pluriel pour dire à Hertel que, sous la direction de Laurendeau, ils essayaient de mettre sur pied un groupe d'étude qui se pencherait sur les questions sociales. Puis, dans un passage qui mettait en évidence son appartenance à une cellule secrète, il lui fit part de ses doutes. Il lui dit qu'il avait parlé à Arsenault, qui s'était montré très compréhensif. Arsenault était d'accord pour dire que Trudeau devait principalement se charger de l'étude, en y mettant une touche d'anarchie spectaculaire, indispensable, selon Trudeau. Lessard ne semblait pas comprendre aussi bien, dit-il, et aurait plutôt voulu que

Trudeau joue le rôle du postier. Trudeau croyait que toute l'affaire prenait une mauvaise tangente sur tous les plans. Trop peu de personnes y croyaient. L'organisation était trop faible et ne réussissait pas à rallier les indécis. Il y avait des manifestations ratées, trop de membres du clergé provenant de la bourgeoisie docile. S'il était impossible de leur faire entendre raison et comprendre ce qui était important, il devait bien y avoir une autre manière de leur forcer la main. Il fallait y voir.

Ainsi la « révolution » progressa en titubant, tandis que Trudeau lisait abondamment, manifestait régulièrement et essayait tant bien que mal de bûcher son droit[76].

À Montréal, le mécontentement était à son comble. Le maire Houde était en prison ; les Italiens, dont l'église principale vénérait Mussolini, étaient déboussolés ; dans les bars du port, les marins se battaient pour des femmes et les restaurants ne pouvaient servir qu'une seule tasse de thé ou de café par consommateur. Le 24 mars 1942, au marché Jean-Talon, les militants anticonscription organisèrent, avec le soutien de l'association des étudiants de l'Université de Montréal, un grand rassemblement au cours duquel Jean-François Pouliot, un dissident libéral, devait prendre la parole[77]. Après le rassemblement, quarante étudiants se regroupèrent à l'angle des rues Saint-Laurent et Napoléon, au centre-ville. Soudain, les jeunes manifestants lancèrent des pierres dans les vitrines, criant : « À bas les Juifs ! À bas la conscription ! » La police arriva rapidement sur les lieux et les manifestants se dispersèrent. Une seule arrestation eut lieu. Maurice Riel, un étudiant en droit de l'Université de Montréal, passa en jugement en avril pour répondre à une accusation de vagabondage, accusation favorite de la police canadienne à cette époque. Trudeau comparut à la barre en tant que témoin à décharge et Riel (que Trudeau nommera sénateur en 1973) fut acquitté[78]. Pendant ce temps, le plan du soulèvement suivait son cours.

Il y eut des protestations, des émeutes même, et la population francophone resta, dans une écrasante majorité, opposée à la conscription. Le jour du référendum, au grand désespoir de Trudeau, les résidants d'Outremont se démarquèrent du reste des francophones puisque 15 746 d'entre eux votèrent pour le oui, contre 9957 pour le non. L'histoire ne dit pas si Grace vota non comme son fils.

À cette époque, Trudeau se concentrait sur la lecture de biographies de mystiques et de personnes qui s'étaient mises en péril pour défendre le Christ[79]. Bon nombre de ses amis notèrent sa soudaine attirance pour l'idéalisme et le mysticisme. Déjà, au printemps de 1941, Camille lui avait fait remarquer qu'il fuyait la réalité. L'année suivante, dix jours avant le plébiscite, « votre ami, le Grand Hertel » lui écrivit pour l'avertir qu'il sombrait dans l'idéalisme.

> Vous êtes un gars décidément difficile à planter dans le réel quotidien. On dirait que vous avez une peur bleue de prendre un contact trop direct avec tout ce qui est quotidien et banal par conséquent. Ne seriez-vous pas une sorte de Romantique à rebours ? À la manière de Julien Sorel. Vous n'avez pourtant pas lu, ô chaste jeune homme, *Le Rouge et le Noir* [de Stendhal]. Romantique à rebours signifie sous mon alte plume : déséquilibre du volontarisme, amoureux de la tension. Ne cherchez-vous pas à éviter, par énergie et décision, tout ce qui pourrait vous détourner de votre belle âme ? Ne cherchez-vous pas sans cesse à vous évader sur de plus hauts paliers que le plancher des vaches auquel nous devons, coûte que coûte, adhérer par la partie pied de notre être ?
>
> (…) Et pour vous reposer de votre grandeur en marche, vous allez de temps à autre assister sur la terre des hommes aux spectacles des émeutes embryonnaires (…)[80].

Durant l'été, le plan continua de prendre forme en attendant qu'un événement décisif se produise. Trudeau terminait les lettres qu'il envoyait à Hertel par « Citoyen », et à Boulanger, par « Anarchiste », et employait la langue de la Révolution française. Même les voyages effectués pendant la saison estivale témoignaient de son nationalisme. En 1941, il avait refait, en compagnie de Guy Viau et de deux autres camarades de classe de Brébeuf, le voyage des grands coureurs des bois Pierre-Esprit Radisson et Médard des Groseilliers. Ils avaient remonté en canot la rivière des Outaouais, traversé le lac Témiscamingue et atteint Moosonee. Leur voyage dans la nature sauvage du Bouclier canadien fut décrit par un journaliste comme un « voyage d'agrément ». Cela rendit Trudeau furieux et il écrivit à Hertel : « Imaginez alors mes sentiments lorsque j'apprends que cette "agréable excursion", à laquelle j'avais longtemps rêvé, et qui était un peu *mon* entreprise (…) allait prendre une allure tout à fait bourgeoise. (…) Merde ! » Dans la description qu'il fit de ce voyage, Trudeau insista sur les difficultés que présenta cette aventure et sur le brio avec lequel il les surmonta, une tendance qui lui restera toute sa vie. Il raconta comment il affrontait les rapides pendant que les autres faisaient du portage et comment le fait d'endurer les dangers et les intempéries le fortifia. « En somme, la vie commença à être belle[81]. »

L'été suivant, Trudeau eut une moto Harley-Davidson, un véhicule qui symbolisait déjà le refus de l'autorité parentale et la témérité bien avant que les Hell's Angels et Marlon Brando en eussent fait une moto de dur à cuire. De par la vitesse qu'elles pouvaient atteindre et la pétarade de leur pot d'échappement, ces motos étaient légendaires. Cet engin convenait tellement bien à un garçon timide comme Trudeau qu'il alla jusqu'à faire paraître dans *Le Quartier Latin*, le journal des étudiants de l'Université de Montréal, un court article intitulé *Pritt Zoum Bing* dans lequel il vantait la liberté qu'apportaient ces motos. Pendant les grandes vacances, il décida de faire deux voyages en attendant la reprise des cours obligatoires du Corps-école d'officiers canadiens. Gabriel Filion, qui l'accompagna, se souvient que, durant le premier voyage, ils parcoururent « quelque 5000 kilomètres au Nouveau-Brunswick, en Nouvelle-Écosse et à l'Île-du-Prince-Édouard, dormant la nuit dans des granges et parfois dans des églises ou des maisons en construction. Le plus souvent, cependant, nous dormions en rase campagne, dressant notre tente dans un champ ou un bois. Nous prenions nos repas dans des restaurants bon marché, et Pierre payait toujours la note, puisque j'étais sans le sou ». Au cours du deuxième voyage, ils refirent « le trajet entrepris par François Paradis, le héros de *Maria Chapdelaine* ». Là encore, les motivations nationalistes semblent évidentes : Trudeau, Filion et Carl Dubuc, un autre ami, marchèrent sur les traces de Paradis, qui, dans le roman, avait quitté La Tuque pour aller au Lac-Saint-Jean rejoindre Maria, la femme qu'il aimait, mais mourut de froid. Heureusement, nos voyageurs échappèrent à ce tragique destin malgré que Filion se soit grièvement blessé à une jambe dès le deuxième jour. Ils décidèrent néanmoins de poursuivre leur voyage et, d'après Filion, « chaque jour, Pierre soignait ma blessure[82] ».

Au moment où le trio rentra à Montréal, le gouvernement libéral de Mackenzie King décida de ne pas imposer la conscription sur-le-champ. Mais cela n'émoussa pas pour autant l'hostilité à l'égard de la conscription. Au mois de novembre 1942, Jean Drapeau, un condisciple de

Trudeau à la faculté de droit, se présenta en tant que candidat indépendant lors d'une élection partielle tenue dans la circonscription d'Outremont et il reçut le soutien de la Ligue et du Bloc populaire canadien, un nouveau parti nationaliste ayant supplanté la très faible Action libérale nationale. À vingt-six ans, ce fougueux orateur avait noué d'étroites relations avec les groupes catholiques et nationalistes. Outremont était la circonscription de Trudeau, si bien que celui-ci lutta d'arrache-pied sur un territoire qu'il connaissait bien. Le candidat libéral était le général Léo Laflèche, qui avait non seulement le soutien des journaux de langue anglaise, mais également celui de *L'Action catholique* et de plusieurs des principaux journaux de langue française. Toutefois, *Le Devoir* prit fait et cause pour Drapeau. Durant l'automne 1942, Trudeau consacra une bonne partie de son temps à la campagne électorale, si bien qu'il dit à un de ses collègues de travail qu'il disposait de peu de temps pour se livrer à d'autres activités.

Lors d'un grand rassemblement politique tenu durant la dernière semaine de la campagne, Trudeau prononça un discours en faveur de Drapeau si enflammé que *Le Devoir* le publia presque en totalité. Il commença par reprocher aux libéraux d'avoir choisi un candidat qui était militaire, ajoutant qu'en démocratie, l'armée n'avait pas à se mêler de politique. Il minimisa l'importance de la menace que représentait l'Allemagne, ridiculisa le gouvernement King et, d'après *Le Devoir*, déclara qu'il craignait l'invasion pacifique des immigrants davantage qu'une invasion armée de l'ennemi. Il affirma que les Français d'Amérique du Nord se battraient lorsqu'ils seraient menacés, tout comme ils l'avaient fait contre les Iroquois et ajouta avec mépris qu'aujourd'hui, il s'agissait d'autres sauvages. Ensuite, il déclara sur un ton tragique que le gouvernement avait eu l'inconscience de déclarer la guerre à l'Allemagne bien que l'Amérique du Nord n'eût pas été directement menacée par une invasion, « au moment où Hitler n'avait pas remporté ses foudroyantes victoires ». Le journal publia sa percutante conclusion dans son intégralité : « Citoyens du Québec, ne vous contentez pas de *chialer*. Vive le drapeau de la liberté ! Assez de cataplasmes, passons aux cataclysmes[83]. »

Deux jours après ce discours démagogique, dans lequel Trudeau avait assimilé le gouvernement King à une bande de sauvages, minimisé la menace que représentait l'Allemagne et pris à partie les immigrants (qui, à Montréal, étaient Juifs pour la plupart), *Le Devoir* publia l'histoire d'un contestataire de bon aloi qui s'était fait malmener par la foule durant un rassemblement politique en faveur de Laflèche. Trudeau conserva l'article et parvint à apprendre que la victime était son ami Pierre Vaillancourt[84]. Après l'élection à l'issue de laquelle Drapeau fut battu, Trudeau exposa à l'un de ses amis les raisons de la victoire des libéraux. Il n'y avait pas lieu de se lamenter, dit-il, car « nous savions que dans un comté aux deux tiers juif et anglais, un candidat nationaliste et antibourgeois ne devait pas être trop exigeant. Drapeau n'a pas perdu son dépôt. Et surtout si monsieur King se donne la peine de considérer la statistique des polls, il constatera que les votes de Laflèche [?] quasi-uniquement des quartiers juifs et anglais, et grâce à une puissante machine électorale ». Il conclut en disant qu'ils n'auraient pas perdu, n'eût été la « malhonnêteté » des libéraux de profiter de ce qui serait plus tard appelé le « vote ethnique », et que le Bloc pourrait bien l'emporter la fois suivante[85].

La remarquable contribution que Trudeau apporta à la campagne électorale de Drapeau contraste avec le silence relatif qu'il observa à l'université, puisqu'il ne publia dans *Le Quartier Latin* qu'un seul article qui traitât de la guerre. Cet article, intitulé « Plus rien n'importe, sauf la victoire », tournait en dérision la propagande de guerre et brocardait les droits pour lesquels les Britanniques se battaient. Bien qu'il ne fût pas un admirateur de Hitler, Trudeau ridiculisait l'attitude des Britanniques à l'égard des droits des minorités. Se livrant à une évidente comparaison avec le traitement que les Anglais avaient imposé aux Français à partir de 1763, il affirmait que les hordes nazies allaient éliminer les droits linguistiques, abolir les droits des minorités, s'emparer des rênes de l'économie et transformer les Français en équarrisseurs et en porteurs d'eau. Les responsables du journal lui firent savoir que son article avait, en ce terrible mois de novembre 1942, échappé de justesse à la censure[86].

Au cours de l'été de 1943, se produisit un événement impliquant Trudeau et Roger Rolland, qui, depuis, n'a pas cessé de susciter la controverse. Dans *The Secret Mulroney Tapes*, le journaliste Peter Newman se plaint que les journalistes aient rarement mentionné que, pendant la Seconde Guerre mondiale, Trudeau se soit baladé à moto dans les environs de Montréal avec un casque allemand sur la tête. En fait, cet événement ne se passa pas à Montréal et il s'agissait probablement d'un casque français, pas allemand. En effet, dans ses mémoires, Trudeau expliqua comment lui et Roger avaient trouvé, dans le grenier de Rolland, de vieux uniformes allemands datant de la guerre franco-prussienne de 1870. Étant assez aisé, le père de Rolland avait collectionné les souvenirs de la guerre et réuni des articles ayant appartenu aux soldats des deux camps. D'après Rolland, Trudeau choisit un casque français, puis ils décidèrent de donner la collection à leurs amis Jean-Louis Roux et Jean Gascon, qui, avec le reste de leur troupe de théâtre, Les Compagnons de Saint-Laurent, passaient l'été loin de Montréal dans un chalet de Saint-Adolphe-d'Howard, dans les Laurentides.

Alors que nos motards se dirigeaient vers le nord sur leur Harley, Trudeau rattrapa Rolland près de Sainte-Agathe et lui mentionna qu'un villageois l'avait arrêté pour lui dire qu'un « soldat allemand venait de s'en aller vers le nord ». La réaction quelque peu exagérée de ce villageois les incita à faire des mauvais coups. Ils frappèrent à la porte d'une imposante maison et Trudeau demanda un verre d'eau à la domestique venue leur ouvrir. Lorsque celle-ci, terrifiée, le lui apporta, il fit mine de s'inquiéter de son contenu et passa le verre à Roger en lui disant de boire le premier. Roger s'exécuta et s'effondra en poussant des cris de douleur. La domestique referma précipitamment la porte et nos « soldats » détalèrent. Ils retournèrent à Saint-Adolphe-d'Howard. À leur arrivée, un seul des acteurs de la troupe était présent. L'acteur fut « pétrifié » à la vue de ces hurluberlus et pensa qu'il avait des hallucinations. « Il retrouva ses esprits » au bout de quelques minutes, non sans avoir avalé une bonne rasade de cognac. Plus tard, Trudeau qualifia l'incident de simple farce, mais, quand, au cours d'une interview qui eut lieu au début des années quatre-vingt-dix, Jean Lépine dit à Trudeau que Rolland avait reconnu qu'ils avaient effrayé un certain nombre de personnes, l'ex-premier ministre en convint[87].

Curieusement, quand Trudeau devint premier ministre, l'article publié dans *Le Quartier Latin* (mais pas l'incident de la moto) échappa à l'attention des journalistes, des politiciens et des analystes politiques canadiens, et ce, bien qu'il se fût agi d'un article susceptible d'avoir l'effet d'une bombe. En 1972, un parti d'opposition aurait pu avoir l'intelligence d'utiliser la violente rhétorique anti-britannique de Trudeau pour gagner quelques sièges en Ontario, province où la monarchie britannique comptait encore. Les rumeurs n'arrêtaient pas de circuler mais, étrangement, bien peu de choses furent tentées pour essayer de les démentir, même si, dans certains cas, cela eût été chose facile. Jean-Louis Roux, lui, ne fut pas si chanceux. Après avoir été l'un des meilleurs acteurs du Québec, il fut nommé lieutenant-gouverneur du Québec. Lorsque la presse révéla que, cinquante ans plus tôt, il avait arboré la croix gammée à l'Université de Montréal, il répondit que, comme bien d'autres étudiants farouchement opposés à la conscription, il avait tout simplement voulu se faire remarquer. Il demanda qu'on lui pardonne ses erreurs de jeunesse et expliqua que le contexte de l'époque avait déformé sa perception du bien et du mal[88]. Il dut néanmoins démissionner[89].

Trudeau était également un excellent acteur. Par exemple, durant l'été de 1942, il donna la réplique à Roux et à Gascon dans une pièce intitulée *Le Jeu de Dollard*, qu'ils jouèrent devant la statue de Georges-Étienne Cartier, située au pied du mont Royal. D'ailleurs, à cette époque, il changea rapidement de rôle. De terne essayiste qu'il était à Brébeuf, il devint à l'Université de Montréal un polémiste à la plume acérée, à mesure que la prudence qui avait caractérisé ses frasques de jeunesse se dissipait. Il était devenu audacieux. Ainsi, lors d'un débat sur la galanterie qui eut lieu le 8 janvier 1943, en présence d'Ernest Bertrand, le ministre fédéral des Pêches, Trudeau se comporta comme tout le monde le souhaitait, c'est-à-dire d'une manière provocante. Romantiquement, le programme le décrivait comme le « chevalier des nobles causes », comme celui qui « fait figure de révolutionnaire en notre temps ». Trudeau raconta à George Radwanski que, durant le débat sur la galanterie, il tira un pistolet de sa poche, visa l'un des juges et appuya sur la détente. De la fumée s'échappa du canon, la foule resta figée et le juge baissa la tête. Le pistolet était chargé à blanc. Évidemment, Trudeau et ses collègues perdirent le débat au cours duquel ils avaient tenté de démontrer que la galanterie était désuète et qu'il s'agissait d'une hypocrisie[90]. Ce soir-là, Trudeau fit mauvaise impression à bon nombre des participants, et ce, aussi bien sur le plan de la galanterie que sur celui du bon sens.

Que faut-il penser des agissements de Trudeau en ces temps troublés ? La correspondance qu'il entretenait avec François Hertel montre sans ambiguïté qu'il participait activement aux activités révolutionnaires de François-Joseph Lessard et que, sur le plan politique, il était non seulement antiguerre et antilibéral, mais également secret et très nationaliste ; du moins à cette époque, il était même séparatiste, voire radical.

Hertel était, au dire de Lessard lui-même, le principal recruteur de la cellule secrète et Trudeau commença à collaborer avec Lessard bien avant l'été 1942. La lettre dans laquelle il accusait les Juifs et les Anglais d'être responsables de la défaite de Drapeau, le discours en faveur de ce dernier dans lequel il annonçait sa peur des immigrants, ainsi que certains des commentaires qu'il nota dans son journal à propos d'ouvrages antisémites ou racistes, sont consternants. Par exemple, après avoir lu *La seule France*, le livre antisémite et pétainiste écrit par Charles Maurras, il dit à Hertel que cet ouvrage lui avait autant plu que la politicaillerie du gouvernement canadien en 1942 le dégoûtait.

L'éducation de Trudeau, les amitiés qu'il avait nouées et surtout le fait qu'il avait dû subir un entraînement militaire durant l'été le firent brièvement monter aux barricades en 1941 et en 1942. Lui et ses camarades ne supportaient pas d'avoir été obligés de suivre cet entraînement et la remarquable photo du commando « sans zèle » en dit long sur leur attitude. Il n'est pas difficile d'imaginer les tours pendables (comme le vol d'armes et de matériel militaire) qu'ils projetaient, tandis qu'ils « s'entraînaient » ensemble.

Son refus de la conscription est compréhensible et, par ses activités politiques en faveur de Drapeau lors du référendum, Trudeau n'a fait qu'exercer ses droits démocratiques. Cependant, il est indéniable que, sous l'influence de Hertel et alors qu'il en avait assez de la faculté de droit, qu'il avait succombé aux charmes de la révolution et que la fortune lui permettait de faire des choix, Trudeau fit et dit des stupidités. Néanmoins, il faut remettre les choses en perspective*. Il considérait les

* Dans ses mémoires, Gérard Pelletier, ami et collègue de Trudeau, décrit, en des termes qui pourraient également s'appliquer à Trudeau, la désillusion que leur futur collègue Jean Marchand ressentait dans les années quarante à l'égard du nationalisme politique radical : « On l'avait recruté [Marchand] dans l'une des innombrables ligues de l'époque (chacune formée de douze ou quinze membres) qui se proposaient toutes de renverser le pouvoir et d'en finir avec la démocratie. Tel était l'esprit du temps (...) Bien entendu, les chefs improvisés de ces groupuscules n'avaient de l'action politique aucune notion précise. On rêvait, on s'enivrait de discours, on tramait dans les sous-sols bourgeois des complots fumeux que nul ne songeait jamais à traduire dans les faits. » Trudeau est loin d'avoir été le seul à avoir ourdi ces passionnants complots, mais plus tard il en a fait aussi peu de cas que Marchand et Pelletier. Pelletier, *Les années d'impatience, 1950-1960* (1983), p. 29.

Frères Chasseurs, ou le groupe LX, comme des groupuscules ayant manqué totalement de cohésion et François-Joseph Lessard comme un boulet. C'est vrai qu'il lut Charles Maurras, Alexis Carrel et les autres, mais Hertel lui fit également connaître Alfred Pellan et Paul-Émile Borduas, et il passa bien plus de temps dans les salons à écouter de la musique classique que dans les rues à appeler à la révolution. Lui, Lessard et Jean-Baptiste Boulanger, qui allait devenir un éminent psychiatre et, dans ses mémoires, grandement reprocher à Trudeau d'avoir abandonné la cause séparatiste, semblaient particulièrement immatures. Mais beaucoup le sont en temps de guerre.

Durant toute cette période, Trudeau vécut dans la maison familiale, où il y avait un chauffeur et des serviteurs, tout en dénonçant le mode de vie bourgeois. Il invitait ses condisciples à venir écouter de la musique classique, au cours de soirées durant lesquelles sa mère tenait le rôle d'hôtesse. Il semble qu'elle n'ait jamais été mise au courant des nuits que son fils passait dans la rue ni de ses célèbres escapades à moto. Trudeau ne lui révéla pas ces secrets, car cela l'aurait sûrement ébranlée et inquiétée, ce qu'il répugnait à faire. Ils vivaient des temps agités et, comme le reconnut Camille Corriveau et même Hertel, Pierre Trudeau, qui avait caressé le rêve de devenir premier ministre du Canada lorsqu'il avait traversé le pays durant l'été de 1940, était devenu un jeune homme préoccupé.

En dépit de la hardiesse de son engagement politique (dont il a déjà été question lors du débat tenu à l'Université de Montréal) et de l'ennui que lui inspiraient ses études de droit, Trudeau avait obtenu une fois de plus d'excellents résultats scolaires. Il termina premier à l'université plus souvent encore qu'à Brébeuf. Bien sûr, il se plaignait de la rigueur qui régnait dans les classes de droit, mais sa remarquable discipline l'emportait. Par exemple, en droit civil, il obtint la note de 40 sur 40 en janvier 1941, de 38 sur 40 en juin 1941 et de 38,5 sur 40 en juin 1942 et, la même année, la note de 28 sur 30 en droit criminel, de 20 sur 20 en droit constitutionnel, de 17,5 sur 20 en droit international et de 24,8 sur 25 en droit notarial. À l'évidence, le plébiscite et la politique eurent peu de conséquences sur ses résultats.

L'année suivante, en juin 1943, Trudeau termina premier de sa promotion avec la mention « Très honorable ». Il obtint la Médaille du gouverneur général pour l'ensemble de ses résultats et celle du Lieutenant-gouverneur pour avoir fini premier à l'examen de la licence. Il écrivit personnellement une lettre de remerciement à leurs Excellences. Il reçut une réponse du bureau du Gouverneur général le remerciant de les avoir informés de l'obtention de cette médaille, ce qui, assurément, raffermit le mépris que Trudeau ressentait envers les nobles britanniques qui, à l'époque, dirigeaient ce bureau[91]. Lorsque sa sœur Suzette lut les résultats dans *La Presse*, elle lui écrivit de Old Orchard pour le féliciter de « ses dernières réussites ». Elle espérait qu'il pourrait se servir de la publicité entourant l'obtention de son diplôme pour « pouvoir faire ce que tu voudras l'année prochaine[92] ».

Mais Trudeau ne savait toujours pas ce qu'il voulait faire. Néanmoins, la plupart des historiens s'accordent pour dire que la période 1938-1943 fut décisive pour lui, mais aussi pour le Canada et le Québec. Il dut faire un choix : serait-il canadien-français ou anglais[93] ? Comme il n'avait pas obtenu la bourse de la fondation Rhodes et avait décidé d'étudier à l'Université de Montréal, Trudeau avait choisi d'être québécois. En 1940, ce mot n'avait qu'une seule acception : il désignait une personne vivant dans la ville de Québec. Mais Trudeau décida, dans ces années-là, qu'il était « français ». Il s'agissait d'un choix presque inévitable étant donné son éducation et la conjoncture de l'époque. En choisissant d'être français, il participait à l'histoire, et ce, d'autant plus qu'étant sorti premier de Brébeuf à une période où l'excellence canadienne-française était très sollicitée, il exerçait un pouvoir d'attraction énorme sur ceux qui recherchaient un meneur en ces temps difficiles.

Les débats auxquels participa le jeune homme, les batailles auxquelles il prit part et les relations qu'il noua au début des années quarante marquèrent la vie politique canadienne et québécoise des cinquante années qui suivirent. Les personnes vieillirent, des différences apparurent, mais les noms restèrent : Daniel Johnson, Jean-Jacques Bertrand, Jean Drapeau, Jean-Louis Roux, Paul Gérin-Lajoie, Charles Lussier et bien d'autres. Lors de l'élection partielle tenue dans Outremont, parmi les personnes qui, comme Trudeau, prirent la parole pour soutenir la candidature du futur maire Drapeau, il y eut Michel Chartrand, qui devint un dirigeant syndical de premier plan et un séparatiste convaincu, et D'Iberville Fortier, qui fut, quarante ans plus tard, l'un des fonctionnaires fédéraux les plus en vue. André Laurendeau, qui, ces années-là, travailla en étroite collaboration avec Trudeau, devint le journaliste au Québec le plus respecté. Pierre Vadeboncœur, son meilleur ami dans les années trente, devint un grand écrivain, alors que Jean-Louis Roux et Jean Gascon figurèrent parmi les plus importants hommes de théâtre de la seconde moitié du XXe siècle. La plupart des protagonistes de la période « révolutionnaire » des années quarante ne parlèrent pas de leur passé ni de celui de Pierre Trudeau.

À Brébeuf, Jean de Grandpré avait terminé premier devant Trudeau jusqu'en dernière année, au grand dam de son rival. De Grandpré, prenant une autre décision irrévocable, décida d'étudier à l'université McGill. Il expliqua sa décision par ces mots :

> [Trudeau] pouvait se mettre en quête de son identité. Les gens comme moi [...] étaient forcés par la conjoncture économique d'exercer une profession, d'aller à McGill pour améliorer leur anglais parce que c'était la langue des affaires, de décrocher un diplôme en droit et de se mettre à pratiquer sur-le-champ. La plupart d'entre nous s'étaient mariés très tôt et avaient commencé à élever une famille, ce qui les obligeait à gagner leur vie. Célibataire fortuné, Pierre était capable de passer des années « à la recherche de son identité[94] ».

De Grandpré, que Trudeau estimait être le plus accompli et le plus disert des élèves de Brébeuf, gravit les échelons du monde des affaires et devint président de Bell Canada. Les paroles de De Grandpré sont pleines d'amertume, mais il y a une part de vérité dans cette charge contre Trudeau, qui, grâce à sa fortune personnelle et à sa situation d'indépendance, eut la possibilité de se découvrir, de vivre des aventures, d'essayer l'anarchie et de prendre son temps. Il était plus facile d'être antibourgeois lorsqu'on appartenait à la bourgeoisie.

Parce qu'il choisit d'étudier le droit à l'Université de Montréal et parce qu'il devint l'un des principaux opposants à la conscription, Trudeau fut à même de participer pleinement au débat sur l'avenir des Canadiens français, chose qui lui aurait été impossible ou qu'il n'aurait pas nécessairement voulue s'il avait obtenu la bourse Rhodes ou fait ses études à McGill. En un sens, il avait eu raison de dire qu'il ne s'était pas senti concerné par la politique pendant la guerre. Les grands tournants des années 1942 et 1943 qu'avaient été la bataille de Midway, la bataille de Stalingrad et le débarquement allié en Italie (auquel des Canadiens avaient pris part) n'avaient pas transformé sa vie ni celle de ses condisciples et de ses amis. Trudeau et ses collègues avaient engagé le combat, évitant les champs de bataille de l'Europe, sur la place qu'occuperaient les francophones dans une Amérique du Nord moderne. S'ils savaient que tout retour en arrière était impossible, leur avenir, au début des années 1940, leur semblait encore indistinct. Pourtant, c'est à cette époque que, dans les couloirs de l'université et les rues de Montréal, Trudeau et ses condisciples ouvrirent le débat qui allait dominer la politique canadienne des années soixante aux années quatre-vingt-dix. C'est à cette époque que tout s'est joué.

Pour Trudeau, ce fut une époque enivrante, déroutante et dangereuse. Il suivit le courant. Il s'opposa à la conscription et se montra favorable à Pétain et au régime de Vichy ; il assimila sans vergogne la politique des Britanniques à l'égard du Québec à celle menée par Hitler et envisagea même de réaliser l'indépendance du Québec. Toutefois, sur le plan personnel, il resta à part, et se considéra comme un esprit indépendant qui n'hésitait pas à s'envelopper de mystère. Il écrivait en anglais à sa mère pour lui dire à quel point il s'entendait bien avec ses supérieurs militaires, passait ses vacances à Old Orchard, aimait la vie nocturne à l'américaine et réfléchissait à la possibilité de faire carrière en politique. La question du genre de carrière à entreprendre et même du pays où l'entreprendre restait entière, car, en 1943, la démocratie, si menacée dans les années trente, avait entrepris la route qui la mènerait vers ses plus retentissantes victoires. En dépit de ses dénégations ultérieures, Trudeau suivit les courants forts des idées véhiculées à l'université. Pourtant, en raison du milieu familial dont il était issu — de sa mère, de sa richesse, de son inlassable quête du libre arbitre intellectuel —, il s'arrêtait parfois pour trouver refuge sur la berge, comme lorsqu'il avait semble-t-il dit à Gabriel Filion, son compagnon de voyage sur la route de *Maria Chapdelaine*, qu'il rêvait d'un Canada uni, ou lorsqu'il écrivit dans son journal qu'il était fier de son sang anglais qui venait tempérer son sang bouillant de Français.

Dans les années quarante, devant l'imminence de la conscription, le sang de Pierre Trudeau avait bouilli. Les temps changeaient, et l'homme aussi changerait. Comme nous tous, il oublierait une bonne partie de sa jeunesse. Toutefois, dans le grenier des souvenirs resteraient bien à l'abri les amis, les jeux, les débats, la Harley, la nature sauvage. Et le premier baiser, sublime et inoubliable, de Camille.

CHAPITRE 3

L'identité et ses malaises

Vingt et un ans est quelquefois un âge sans pitié. Les sentiments de Pierre Trudeau envers Camille Corriveau s'étaient estompés au printemps de 1941, mais, comme pour d'autres femmes importantes de sa vie, il s'accrocha aux moments d'intimité qu'ils avaient partagés. Avec elle, et comme il le ferait avec plusieurs autres femmes par la suite, il avait mis son cœur à nu, comme on détache l'écorce d'un arbre pour exposer sa partie vulnérable. Dans ses rapports avec les hommes, ses camarades de classe, ses compagnons d'expédition en canot ou ses collègues de l'arène politique, il refusait invariablement de montrer quelque signe de faiblesse. Parmi les hommes, il cherchait à être unique ou, comme il l'a dit dans son journal intime de collège, à être à part. C'est cet élan qui créa chez lui les plus grandes tensions dans ce passage de l'adolescence à l'âge adulte, cette période où l'on recherche avidement les amitiés et où, dans la société nord-américaine du XXe siècle, la formation de l'identité devient une préoccupation de premier plan. Pour Trudeau, il s'agissait d'une époque particulièrement difficile, car il était déterminé à former sa propre identité et à faire des choix en toute liberté, sans que quiconque lui dise quoi faire.

En 1940, Pierre envoie à Camille une liste d'auteurs qu'il aspire à connaître à fond, dont René Descartes, Adam Smith, Aristote, Pascal, Montesquieu, Kant, Marx et Bergson[1]. Des années plus tard, en 1962, le journaliste québécois Germain Lesage posera la question à quatre-vingt-dix-sept personnalités québécoises, membres du clergé, écrivains, universitaires, ainsi que gens de théâtre et artistes visuels, à savoir de nommer les personnalités qui les ont le plus influencés. La très grande majorité d'entre eux nommeront des écrivains et des philosophes français, dont deux, Blaise Pascal et Paul Claudel — l'écrivain diplomate — reviendront le plus souvent (à treize reprises). À contre-courant des autres, Pierre Trudeau ne nommera qu'un seul auteur français, Descartes, qui n'apparaîtra sur aucune autre liste. Parmi ses autres choix, on retrouve Adam Smith, le cardinal Newman, Sigmund Freud et Harold Laski. Deux sont Britanniques, deux sont Juifs, et Freud ne sera mentionné que par deux autres répondants[2]. Trudeau s'amuse-t-il alors à défier le courant moral contemporain ou son choix reflète-t-il la diversité hors du commun de ses mentors intellectuels — en particulier lorsqu'il mentionne Descartes et Smith ? Il est tout de même intéressant de se rappeler que 1962 fut l'année où le gouvernement libéral du Québec attisa l'ardeur nationaliste en nationalisant les compagnies d'électricité privées de la province. Descartes, bien évidemment, représentait la raison et Smith, la défense de l'intervention minimaliste du gouvernement. À l'époque, les propos de Descartes et de Smith semblaient plus valables aux yeux de Trudeau que les arguments passionnés en faveur de la nationalisation mis de l'avant par son ami et ministre du cabinet québécois, René Lévesque. Il y avait aussi, dans son choix de penseurs britanniques, de la provocation et une tentative délibérée de « choquer les intellectuels » du Québec. Ce choix témoignait par ailleurs du cosmopolitisme de Trudeau, dont il avait activement fait siennes l'expression et les valeurs pendant son développement intellectuel au milieu des années quarante.

À cause de son éducation restreinte, Trudeau n'avait pratiquement eu aucune occasion de se familiariser avec Freud et Laski au moment où il reçut son diplôme de droit de l'Université de Montréal en 1943. Il avait été abreuvé, comme ses pairs, d'auteurs tels que Jacques Maritain, l'abbé Groulx, Paul Claudel et les autres auteurs mentionnés sur les listes. Il commençait déjà à s'intéresser à Freud, lectures qui devraient le préparer à sa rencontre, quelques années plus tard, avec le freudisme. Harold Laski, un professeur à la London School of Economics, penseur socialiste renommé et influent de l'époque, aura également un impact profond sur la manière dont Trudeau concevra l'État et la vie publique[3]. À qui veut bien observer, toutefois, certaines vérités se cachent dans le détail des réponses qu'il donne dans ce questionnaire, la principale étant l'importance fondamentale de la période de 1943 à 1948 dans la vie intellectuelle, personnelle et publique de Pierre Trudeau. Commençons tout d'abord, comme Trudeau l'aurait voulu, par l'aspect intellectuel.

Lorsque Trudeau, en 1940, se vit refuser la bourse Rhodes et qu'il fut ainsi forcé de demeurer à l'Université de Montréal, son séjour lui permit en revanche d'acquérir une voix solide dans le long débat qui agitera les Canadiens français à propos de leur place au sein du Canada. Lorsqu'il quitta le Canada pour étudier à l'étranger, d'abord à Harvard en 1944-1946, puis à Paris en 1946-1947, et enfin à Londres en 1947-1948, Trudeau, pour employer l'une de ses métaphores les plus connues, ouvrit une fenêtre pour laisser entrer le vent frais de la pensée et de l'action nouvelles. Comme bien d'autres, il laissa tomber une partie du bagage qu'il avait acquis et qui était devenu déplacé ou superflu : d'une part, l'antisémitisme désinvolte de sa jeunesse et, d'autre part, l'étude approfondie qu'il faisait de la pensée religieuse. Comme le père Bernier le lui avait conseillé, il continua à lire des œuvres théologiques, faisant toutefois rapidement disparaître toute référence religieuse de ses écrits. Contrairement à beaucoup d'autres Québécois, tel l'éminent journaliste et politicien André Laurendeau, Trudeau restera un croyant, profondément intéressé par les débats sur la foi et observant les sacrements de l'Église catholique romaine. À cet égard, le fait qu'il mentionne le cardinal Newman plutôt que Jacques Maritain, Teilhard de Chardin ou Emmanuel Mounier est fascinant.

À Harvard, et plus tard à la London School of Economics, Trudeau prit part aux sociétés Newman qui constituaient le centre de la vie catholique dans les milieux protestants de ces universités et, comme c'était son habitude, se plongea entièrement dans l'étude de la vie et de la pensée de Newman. Qu'est-ce qui attira Pierre Trudeau vers Newman, grand intellectuel anglican du début du XIXe siècle ? Ce fut assurément, pour une part, le passage intellectuel de Newman qu'il avait si brillamment détaillé dans *Apologia pro vita sua*. Cherchant à disputer la légitimité de l'Église catholique romaine, le théologien anglais avait conclu que, contrairement à la tâche qui lui avait été assignée et à ses propres croyances personnelles, l'Église avait « gardé la continuité avec l'Église primitive, avec l'Église établie par le Christ sur le fondement des Douze[4] ». À un moment de l'histoire britannique où les sentiments anticatholiques se manifestaient avec intensité, Newman avait suivi sa conscience et s'était converti à l'Église catholique romaine. Ce n'était pas un réformateur, socialement parlant, mais son intellect avait guidé ses actions et sa foi était issue de son raisonnement. Individualiste, Newman accueillait avec irritation la doctrine émergente de l'infaillibilité du pape. Mais toujours il découvrait la vérité par le raisonnement, et c'était là la quête que Trudeau poursuivait lui aussi. L'importance que Trudeau accordait de plus en plus au choix individuel dans l'organisation de la foi catholique était directement issue de la philosophie de Newman, tout comme sa volonté de défier l'orthodoxie.

Dans ses commentaires sur les choix des intellectuels québécois interviewés, Germain Lesage a mis en évidence deux éléments importants : en premier lieu, le fait que Paul Claudel et Georges Bernanos avaient devancé saint Thomas d'Aquin (que seulement six personnes sur les quatre-vingt-dix-sept avaient nommé) indique que ces intellectuels avaient choisi des auteurs qui les avaient le plus influencés « en dehors de leur éducation de base » et ensuite, que ces choix reflétaient une « fidélité à la France » et un « attachement au christianisme[5] ». À cet égard, le militantisme politique de Trudeau ainsi que ses attaques envers le cléricalisme ne constituaient pas un rejet du catholicisme ou de la religion en soi ; il s'agissait plutôt, comme la Révolution tranquille du Québec dans les années soixante, de manière plus générale, de mouvements qui puisaient profondément dans « les grands idéaux du renouveau chrétien européen » que l'on pouvait constater chez des catholiques tels que Jacques Maritain et Emmanuel Mounier[6]. Les révolutions, une fois amorcées, suivent leurs chemins propres et Trudeau en éprouvera plus tard le goût amer. Mais dans les années quarante, ce goût était plaisant et il s'en délectait souvent.

C'est au cours de cette décennie que Trudeau forgea consciemment son identité, lui donnant une forme reconnaissable à partir d'éléments que l'on retrouve dans son passé, sa famille et son éducation. Dans son étude sur les « sources du moi » dans la modernité, le philosophe Charles Taylor, un ami de Trudeau et, plus tard, un adversaire politique, montre bien de quelle manière la quête du moi dans la société occidentale moderne diffère de celle de la tradition chrétienne et d'autres traditions plus anciennes, dans lesquelles la notion de « ce que je veux et quelle position je devrais adopter sur un grand nombre de sujets » est définie par les autres et en fonction d'un ensemble de croyances et de pratiques. Par contraste, dit-il, la quête identitaire moderne requiert de « quitter la maison » ; elle met l'accent sur la capacité à compter sur soi-même et, surtout, sur l'individualisme. Pendant que nous tentons de nous orienter nous-mêmes vers le bien, nous devons cependant tenter de « concevoir nos vies dans une forme narrative, comme une "quête"[7] ». Par ces mots, Taylor, aussi un Montréalais catholique, rend parfaitement le sens de la « quête » que l'on retrouve constamment dans la façon dont Trudeau lui-même comprenait son identité.

Trudeau a été façonné de manière indélébile par son enfance et son adolescence, mais il affichait également un individualisme profond. « Ah ! La liberté, l'indépendance », écrivait-il dans son journal de février 1940. « Ne plier le genou devant personne ; garder le front haut devant les forts[8]. » Nous constatons cet esprit dans son choix d'influences intellectuelles, spécialement chez Newman et Freud. Nous comprenons ses origines romantiques lorsqu'il laisse couler ses larmes à la lecture de ce passage de *Cyrano de Bergerac* où Cyrano cherche à se libérer des contraintes de temps et d'espace. Et pourtant, comme les grands romantiques du XIXe siècle, Trudeau se devait de faire correspondre son élan individualiste avec ses ambitions bien définies, chose qui ne pouvait se faire que dans une société civilisée et ordonnée. Pour Trudeau, cette quête était un défi constant, et si elle provoquait des périodes de silence et d'étranges détours, elle n'a jamais été malicieuse.

Il y eut des retards : Stephen Clarkson et Christina McCall optent pour une approche psychologique lorsqu'ils abordent la vie de Trudeau dans les années quarante, concluant qu'il était dans l'état du *puer*, caractérisé par le passage retardé à l'âge adulte et une longue adolescence. Il est vrai que Trudeau a prolongé les plaisirs de l'adolescence et retardé les écueils propres à l'âge adulte ; il l'a fait non seulement parce qu'il le pouvait matériellement parlant, mais aussi parce qu'il luttait continuellement avec son passé, ses croyances et sa quête.

Dans un sens très concret, Trudeau reflétait le Québec tel qu'il était dans les années quarante, dans son débat sur les questions de technologie et de politique modernes, ainsi que dans sa relation avec son passé et ses traditions. Les parallèles sont frappants. Les femmes québécoises ont obtenu le droit de vote en avril 1940, ce même printemps où Trudeau tentait de faire accorder ses puissants élans sexuels avec sa conception traditionnelle et catholique de la chasteté féminine. Trudeau avait choisi une carrière en droit plutôt que la philosophie ou la prêtrise parce qu'il voulait participer activement à la vie publique, tout comme sa province avait accepté l'arrivée du capitalisme industriel moderne en dépit de l'impact énorme que cela aurait sur les coutumes traditionnelles. Lorsque Trudeau parle dans les années quarante de devenir un leader dans son pays, on retrouve l'ambiguïté familière vécue par les élèves du cours d'histoire du Québec au XXe siècle. Il acceptait très mal la domination britannique et n'était pas certain de ce que « la patrie » voulait dire, mais il n'adhérait pas entièrement au concept d'un État québécois séparé, même lorsqu'il jonglait avec l'idée de révolution. Il s'agit là d'une tradition étrange mais commune à cette époque au Québec, et on la retrouve dans le nom de groupes nationalistes tels que la Ligue pour la défense du *Canada* et le Bloc populaire *canadien*. Enfin, il cherchait à se faire reconnaître de l'extérieur — études à Harvard, à Paris et à Londres —, ressemblant en cela beaucoup au Québec lui-même lorsqu'il s'est d'abord engagé dans la voie du « renouveau » catholique dans les années trente et quarante, puis dans les débats mouvementés qui se livraient en Europe et ensuite, en incorporant le modernisme dans la culture et le gouvernement au cours des années cinquante et soixante. Trudeau était à coup sûr « un Québécois » catholique ; cependant, comme pour le cardinal Newman, sa quête prit des chemins inattendus.

Lorsque Pierre commença à se poser la question « Qui suis-je ? » à Brébeuf, il chercha conseil auprès des religieux qui lui enseignaient, notamment auprès des pères Robert Bernier et Marie d'Anjou. À la suite de bien des conversations animées, il avait suivi leurs conseils très sérieusement et entrepris la lecture des grands auteurs classiques, fait des études en art, et s'était mis à écouter les plus grandes musiques classiques ; bref, il s'était plongé dans l'étude de la culture occidentale en adoptant, toutefois, un angle résolument européen. Lorsqu'il avait quitté Brébeuf pour aller à l'Université de Montréal, il avait établi des fondations extraordinaires en matière linguistique, philosophique et religieuse et, surtout, il avait acquis une discipline intellectuelle. Une fois à l'Université de Montréal, il avait rapidement découvert que l'étude du droit l'ennuyait. Il n'étudiait que ce qui était « strictement nécessaire » et méprisait les avocats, bien qu'il ne méprisât pas ses camarades de classe. Il préférait passer son temps à étudier la politique et les arts et à s'imprégner de culture : il lisait, allait au concert, étudiait le piano, faisait de la peinture à l'huile et prenait des cours de ballet, son art préféré. Il n'en était pas moins le premier de sa classe. Plus que toute autre chose, écrivait-il à Camille à une époque antérieure, il ressentait que sa tâche dans les premières années de sa vingtaine était de « maîtriser » Pierre Trudeau[9].

Leur correspondance se poursuivit principalement en anglais, malgré le séjour de Camille à Paris, et, en mars 1941, il lui dit à nouveau qu'il « cherche toujours à s'accomplir dans chaque domaine ». Cet objectif colossal impliquait de relever constamment des défis, de vivre dans une tension perpétuelle, de faire preuve d'introspection et même de s'isoler, tandis qu'il tentait de définir ce que serait son avenir :

> Il me semble que je m'éloigne lentement, sûrement et paisiblement du monde des humains. J'ai laissé tomber toute espèce d'organisation qui pourrait me prendre de mon temps, et même si je fais l'effort à l'occasion d'aller danser ou d'aller au cinéma, ces activités m'ennuient profondément la plupart du temps. La majorité de mes professeurs de droit me donnent la nausée, alors je n'étudie que ce qui est strictement nécessaire (…)
>
> Ces circonstances diverses m'entraînent à me réfugier dans un monde à part où, comme un fou, je lis, j'écris et je rêve de musique et de beauté et de révolution et de sang et de dynamite. C'était tellement contradictoire ce désir à la fois d'être dans l'action et dans la réflexion[10].

Son intensité effraya Camille qui, maintenant amoureuse d'un autre homme, le mit en garde en lui disant qu'il était devenu « terriblement routinier (…) Tu t'enfermes dans une chambre, broyant du noir et méditant sur ton avenir, et te demandant où tout cela aboutira ». Elle lui conseilla avec justesse d'apprendre la patience : « Mon cher Pierre, réalises-tu que 99 % des gens que tu vas côtoyer seront beaucoup plus stupides et peu intelligents ? Tu devras faire preuve de patience envers eux, car tu auras à dépendre de ces gens. Tu veux réussir et tu réussiras, et quoi que tu fasses, en droit ou en politique, tu vas constater que les gens ne sont pas de ton calibre mental. » Elle lui recommanda d'apprendre à être patient avec ceux « qui sont moins fortunés et moins doués que tu ne l'es[11] ».

Trudeau finit par exaspérer Camille et quiconque cherchait à se rapprocher de lui, et pourtant, simultanément, il s'évertuait constamment à se rendre toujours plus intrigant et séduisant. Il se plaignait de moins en moins dans ses cahiers au sujet de son apparence, appréciant de plus en plus le regard que posaient sur lui les femmes. Sa photo prise à l'occasion de la remise des diplômes rend bien le bleu profond de ses yeux, et le montre coiffé avec élégance. Sur une demande de passeport datée de juin 1940, il déclare que ses cheveux sont « bruns » et qu'il mesure 5 pieds 10 pouces — il exagère, probablement. À l'université, il raffina ses habiletés d'acteur développées d'abord au camp Ahmek puis à Brébeuf, devenant ainsi un brillant orateur. Il continua à dire qu'il devait se départir de sa timidité et toujours rechercher l'originalité. Il savait que l'humilité constituait une vertu ; cependant, comme il l'avouait dans son journal, il s'avérait « quelquefois difficile de concilier ambition avec soumission[12] ». Il s'exerçait à échanger avec les autres de diverses manières, notant attentivement leurs réactions envers lui. Il était partisan de « la vie saine », s'engageant dans toutes sortes d'exercices de mise en forme et mettant à l'épreuve ses capacités physiques sur les pentes de ski et, peut-être avec encore plus d'ambition, lors d'excursions dans la nature.

Dans sa correspondance confessionnelle avec François Hertel, il réagit bien à l'observation du prêtre qui affirme que « l'homme d'action » est un type d'homme spécial et valorisé[13]. Dans une lettre datée d'octobre 1941, Hertel termine en disant : « Vive la France de Pétain. Voilà un homme d'action » — c'est-à-dire un homme qui, même s'il avait plus de quatre-vingts ans, choisissait de relever des défis qu'il croyait nécessaires ; Hertel l'exhortait ainsi à agir, un conseil que le jeune Trudeau croyait devoir suivre[14]. Déjà bien conscient de son physique, de sa prestance d'acteur et d'athlète, de son attirance envers les femmes et la beauté en général, il tentait désespérément d'effacer les imperfections que lui causait l'acné au visage. Sa mère l'avait pressé de consulter un chiropraticien dans l'espoir de trouver une cure[15]. C'est le temps qui vint finalement à bout de ses problèmes d'acné, et de cette calamité de jeunesse il ne conserva que quelques cicatrices peu profondes, rien qui pouvait faire en sorte de détourner les regards de l'irrésistible intensité de ses traits : visage étroit, yeux perçants et pommettes remarquablement hautes. Au printemps de 1943, l'année où il reçut son diplôme de l'Université de Montréal, Trudeau était, à plusieurs égards, un excentrique et, en grande partie, il s'était créé lui-même.

Mais qu'allait-il faire ? La guerre avait déjoué tous ses plans d'aller étudier à l'étranger, une fois ses études terminées à Brébeuf. Il terminait maintenant ses études de droit et avait posé sa candidature pour étudier aux universités Harvard, Columbia et Georgetown. La faculté de droit, qui n'était apparemment pas au courant de l'opinion qu'entretenait Trudeau à propos de ses professeurs, à savoir qu'ils étaient idiots, avait tenté d'obtenir une bourse d'études pour son meilleur étudiant. Comme l'écrit le doyen, il s'était « particulièrement distingué non seulement par ses brillantes aptitudes, mais encore par son assiduité et son application[16] ». Trudeau, par contre, n'eut pas la permission de quitter le Canada ni de se soustraire à ses obligations militaires.

Craignant avec raison que la pratique du droit ne l'ennuyât, il s'était mis à la recherche d'échappatoires, et celles-ci laissent entendre que ses activités révolutionnaires de 1942 étaient somme toute davantage un jeu plutôt qu'une chose qu'il envisageait sérieusement. Il écrit à un ami devenu diplomate canadien en Amérique du Sud pour lui demander s'il ne pourrait pas lui obtenir un poste de diplomate à Rio de Janeiro : « Je suis avocat dans deux mois, mon vieux ; c'est-à-dire presque diplomate. » L'ami en question ne lui offrit que peu d'espoir. Il posa ensuite sa candidature auprès d'Experiment in International Living afin de partir en voyage d'études au Mexique, mais une fois de plus, cette permission lui fut refusée. Il passa une partie de l'été dans un camp militaire dans les Maritimes, après quoi, il partit en voyage « avec ma moto », prenant soin de dire à sa mère inquiète que, quoi qu'il arrive, « sois rassurée, je serai prudent[17] ».

La motocyclette lui permettait de se dégager de la routine de la pratique du droit et faisait ressortir un côté de lui que ses amis connaissaient bien, c'est-à-dire son sens du jeu et son goût de l'aventure. Son grand ami Jacques Hébert affirme qu'il s'agissait de ses qualités les plus attachantes et que celles-ci venaient racheter son côté plus sérieux. Dans son article intitulé « Pritt Zoum Bing » paru dans *Le Quartier Latin*, Trudeau déclare que l'espèce humaine a été faite pour la motocyclette : « L'homme a été imaginé en vue du motocyclisme ; les narines ouvertes vers le bas, les oreilles frôlant la tête permettent l'accélération optime sans entonnement de vent et de poussière. » Par-dessus tout, le rugissement de la motocyclette, tandis qu'elle file à toute allure sur des routes de campagne et dans les rues bondées de la ville, sert à « libérer l'esprit ; le corps alors livré à ses propres ressources réapprend la pensée[18] ».

Et c'était vrai, Trudeau réapprenait la pensée.

À son retour à Montréal l'automne suivant, il est engagé comme avocat au 112, rue Saint-Jacques Ouest. Il joint les rangs du cabinet Hyde and Ahern, où il reçoit des honoraires de 2,50 $ par jour. Pour ce salaire d'apprenti, Trudeau s'occupe de dossiers simples, la plupart du temps des cas d'accidents d'automobile ou d'évictions de locataires. En tant que propriétaire d'un immeuble situé au 1247, rue Bishop en plein centre de Montréal, et qui lui rapportait 50 $ par mois, Trudeau n'avait aucune sympathie pour les locataires difficiles. Cette année-là, il fut sans pitié envers un certain délinquant qu'il n'hésita pas à poursuivre en justice[19]. Gordon Hyde et John Ahern étaient tous deux conseillers législatifs du roi et Ahern était le petit-fils de Charles Marcil, qui avait été député libéral pendant trente-sept ans. Fidèle à sa tradition biculturelle, il était membre du Reform Club aussi bien que du Club Saint-Denis, l'ancien club francophone préféré de Charles Trudeau[20]. Les dossiers plus corsés de Trudeau, qui sont toujours conservés dans ses papiers personnels, révèlent un avocat attentif, qui accordait un soin extrême des détails et qui faisait preuve d'une extrême rigueur dans son approche. Cependant, si son travail plaisait à ses employeurs, ses idées politiques, en 1943-1944, étaient loin d'en faire autant.

Trudeau demeura actif en politique, s'opposant toujours fermement à la politique canadienne sur la guerre et à la possibilité d'une conscription — comme ses amis, d'ailleurs[21]. Le vent de révolution passa rapidement en 1943, laissant derrière le Bloc populaire canadien, parti nationaliste et anticonscription. Trudeau participait aux affaires du Bloc, comme le faisaient bien d'autres militants depuis l'élection partielle à laquelle avait participé Jean Drapeau et le plébiscite de la conscription. Il était membre du comité organisationnel du Bloc, dont il avait accepté d'être le secrétaire au sein du comité chargé de l'éducation et des politiques. Il a même conservé l'insigne portée lors du congrès du Bloc tenu à l'Hôtel Windsor, du 3 au 6 février 1944 et signée par André Laurendeau, l'homme qui avait été choisi pour diriger le Bloc au cours de l'élection provinciale à venir, en raison du rôle qu'il avait joué plus tôt dans la campagne anticonscription[22]. Laurendeau dénonçait les libéraux provinciaux et fédéraux et se tenait à gauche. Les libéraux, déclarait-il dans son allocution d'ouverture, formaient un « hypocrite gouvernement (…) qui enseigne aux prolétaires bien plus efficacement que les marxistes que la seule façon d'avoir raison d'un État capitaliste libéral, c'est la révolte[23] ». Le terme « révolte » était fréquemment utilisé par les nationalistes du Québec à cette époque, y compris par Trudeau. Le mot avait une signification large et remarquablement imprécise. Tout aussi imprécis était le Bloc, où l'on pouvait retrouver des catholiques de l'aile droite, des catholiques partisans de la réforme sociale et d'autres qui ne pouvaient tout simplement pas adhérer aux politiques des libéraux et de l'Union nationale. Trudeau ne fut pas candidat à l'élection cet été-là, mais il contribua financièrement au parti appauvri. Malgré les espoirs initiaux, le parti ne gagna que quatre sièges. Maurice Duplessis avait utilisé la carte nationaliste de manière efficace au cours de la campagne et avait défait le gouvernement libéral.

Trudeau resta loyal au Bloc, mais son ardeur nationaliste avait commencé à diminuer d'intensité. Contrairement à Jean Drapeau, à Michel Chartrand et à d'autres qui se lancèrent avec énergie dans l'élection provinciale de l'été 1944, Trudeau disparut. Il avait une nouvelle fois posé sa candidature pour le programme mexicain d'Experiment in International Living et avait passé l'année à étudier l'espagnol. Quand il apprit l'existence de certaines restrictions avec lesquelles Experiment devait composer, il se joignit à un groupe d'étudiants canadiens qui quittèrent Montréal le 15 juin dans le cadre d'un voyage « d'amitié » de quarante jours au Mexique. Le 7 juin, Trudeau donna sa démission au cabinet d'avocats qui l'employait, ainsi qu'au bureau des enregistrements du service national. Sur le formulaire du service national, il écrivit d'abord « lawyer », puis ratura le mot pour le remplacer par « avocat », en ajoutant, de manière provocatrice, que la raison de son départ était « la bohème[24] ».

Trudeau découvrit la vie de bohème à Montréal à la fin des années quarante, principalement grâce au concours de François Hertel. Un goût commun pour les arts avait d'abord amené ce dernier à se rapprocher de la famille Trudeau et il avait alors commencé à présenter certains des jeunes artistes les plus prometteurs de l'époque à Grace et à ses enfants. Le frère de Grace, Gordon Elliott, était un ami de longue date et un voisin du grand peintre français Georges Braque, et la maison où habitaient les Trudeau abritait déjà l'une des œuvres du peintre. Lorsque le peintre abstrait canadien Alfred Pellan, de retour au Canada après quatorze années passées à Paris, entreprit avec détermination de briser les chaînes qui liaient les cercles artistiques au traditionalisme du Québec, Hertel devint son plus ardent défenseur. Il s'arrangea pour exposer quelques œuvres modernes à l'intérieur de la maison des Trudeau, laquelle devint, de fait, un salon où les artistes rencontraient des mécènes potentiels à une époque où l'art et la politique étaient en pleine effervescence. Pierre lui-même avait acheté trois œuvres — y compris un Pellan — de Hertel, qui agissait comme intermédiaire pour certains de ces artistes. Ce dernier dit un jour à un ami d'aller chercher « un très bel [sic] [Léon] Bellefleur (...) dans la chambre de Pierre », tableau, confirmait-il, que madame Trudeau lui remettrait[25]. Hertel, qui se faisait critique d'art à l'occasion pour *Le Devoir*, accueillit avec enthousiasme les influences européennes que Pellan avait rapportées dans ses bagages. Il encouragea aussi Paul-Émile Borduas en 1941, époque où il passa du portrait et de l'art figuratif centrés sur des thèmes religieux à des œuvres abstraites, quand « l'écho d'une idéologie plus globale » fit son apparition dans les salons de Montréal — et dans la chambre de Pierre, décorée d'œuvres de peintres modernistes[26].

Trudeau rencontra Borduas par l'intermédiaire de Hertel et, en 1942, il lui arriva souvent de rendre visite au peintre et à son épouse Gabrielle. Il les fascinait — particulièrement Gabrielle. Elle avait apparemment vu jouer Pierre au théâtre ; elle avait été captivée par la sensibilité comique du jeune homme, ainsi que par sa présence d'acteur. Comme son mari, elle voyait chez Pierre un jeune révolutionnaire, bien qu'un peu bizarre. Il adressait ses lettres à « Madame Borduas », lettres par ailleurs tout à fait convenables, en signant « Citoyen ». L'année suivante, l'attirance de Gabrielle pour lui prit une autre tournure. « Bonsoir mon cher Pierre », écrivit-elle le plus familièrement du monde le 14 décembre

1943, lui offrant « le plus grand amour de la Terre ». Elle lui dit ouvertement qu'elle était jalouse, et, parlant de la femme qui gagnerait son cœur : « J'espère qu'elle saura vous aimer autant que j'aurais pu le faire. » Elle n'écrira pas davantage, pour plusieurs raisons, dont la plus essentielle fut celle-ci : « C'est que j'ai peur d'inquiéter votre mère, et avec elle, Hertel qui est son conseiller probablement. » Elle aimait Grace parce que Pierre était son fils, parce que son fils possédait ses qualités et parce qu'elle avait permis « entre nous une amitié presque impossible ». Tout bohémien qu'il voulût être, pour Trudeau, une telle relation amoureuse — ou un tel avenir pour tous deux — était certainement impossible. La relation demeura platonique, mais on y décela toujours l'adoration[27].

Gabrielle le savait, Trudeau devait prendre d'autres chemins. Il posa sa candidature pour étudier à Harvard, obtint de reporter son service militaire et partit pour le Mexique pour y passer la plus grande partie de l'été. Camille s'était mariée avec Bill Aubuchon fils, un homme d'affaires franco-américain, en mai 1943. Sa famille possédait des quincailleries dans la plupart des villes du Nord-Est américain. Camille avait invité Pierre au mariage. Il n'y était pas allé, mais avait répondu de manière élégante qu'il espérait « que l'homme avec qui tu as consenti de partager ta destinée (...) saura t'apporter tous les égards que ta tendresse mérite ». Au fil des ans, il continua, ainsi que d'autres membres de la famille Trudeau, à entretenir des liens avec les Aubuchon. Néanmoins, et même si leurs chemins s'étaient séparés, Camille comprenait Pierre et, dès 1941, elle lui dit que lui aussi avait besoin de trouver quelqu'un à qui se confier, quelqu'un en qui il pourrait avoir confiance[28]. De toute évidence, Gabrielle Borduas ne pouvait combler ce besoin ; toutefois, et comme elle l'avait bien vu, il était à nouveau tombé amoureux.

Pierre fit la connaissance de Thérèse Gouin, fille de l'éminent sénateur libéral Léon-Mercier Gouin, en 1943. Elle avait accompagné son ami Roger Rolland à l'une des rencontres musicales que Grace Trudeau organisait à l'époque de la guerre. Il lui arrivait à l'occasion d'inviter un pianiste ; plus souvent qu'autrement, les jeunes amis de Pierre, de Tip et de Suzette venaient écouter les meilleurs disques sur le luxueux phonographe. De quatre ans plus jeune que Pierre, Thérèse, avec son esprit vif et son visage lumineux, avait immédiatement attiré l'attention de ce dernier, qui aimait badiner avec elle, et c'est ainsi qu'il commença à la fréquenter.

À son départ pour le Mexique à l'été de 1944, elle figurait en deuxième place sur la liste des personnes à qui il entendait écrire. Du Mexique, il lui écrivit une première lettre dans laquelle il posait la question suivante : quelle était la plus grande civilisation, celle que Cortez avait fondée ou celle qu'il avait détruite ? Le bref message sur la carte postale se terminait ainsi : « Amitiés du citoyen. » Il continuait toujours d'employer la langue révolutionnaire… comme il continuait toujours aussi de jouer des tours pendables.

À la fin de l'été 1944, alors que le Canada faisait face à une crise de la conscription, Pierre l'espiègle tenta d'épingler au dos du veston du père de Thérèse, juste avant que celui-ci parte travailler, une étiquette portant l'inscription « non à la conscription ». Thérèse arrêta Pierre avant qu'il commette ce qui aurait certainement été l'irréparable à ce stade naissant de leur relation amoureuse. Ce même été-là, alors que Thérèse et Pierre étaient allés se promener en chaloupe, il avait subitement bondi sur ses deux pieds et proclamé : « Je veux être premier ministre du Québec[29]. »

À l'époque où il fréquentait Thérèse, il allait au théâtre et au concert, ou bien lisait des livres, tout cela d'une manière éclectique. Même s'il avait l'intention d'étudier l'économie politique à Harvard, il lisait surtout des auteurs littéraires, notamment Paul Claudel, Stéphane Mallarmé, Arthur Rimbaud, Fiodor Dostoïevski et G. K. Chesterton. Il avait également lu *Horizon perdu* de James Hilton, qu'il aimait bien, et dont le Shangri-La intriguait le Trudeau aventurier. La pratique du droit l'intéressait peu, l'entraînement militaire l'irritait et sa passion politique s'était estompée, malgré ses rapports continus avec le Bloc populaire. C'est dans cet état d'esprit que Trudeau écrivit en 1943 un article brillant et révélateur, « L'ascétisme en canot ».

D'abord publié dans le journal de la Jeunesse étudiante catholique, l'article se révèle profondément biographique et mêle à merveille l'écriture descriptive et l'analyse culturelle :

> Je ne saurais donner à ceux qui ne l'ont pas reçu le goût de l'aventure (et qui donc nous prouvera jamais la nécessité de la bohème ?). Mais le fait reste que des gens s'arrachent par escousses à leur existence confortable et donnant la vigueur physique en exemple à leur cerveau, s'appliquent à la connaissance de sensations et de lieux insoupçonnés.

L'expédition en canot est davantage un point de départ qu'un départ, dit-il. Se rappelant sa propre recherche des sentiers qu'avaient suivis les voyageurs entre Montréal et la baie d'Hudson, Trudeau déclare que « son parti pris n'est pas de démolir le passé mais de jeter les fondements de l'avenir ». Il insiste pour dire qu'une expédition en canot purifie un individu plus que n'importe quelle autre expérience : « Faites mille milles en train et vous serez une brute ; après les cinq cent sur bicyclette, il vous restera un fond de bourgeoisie ; en canot, faites cent milles et vous êtes déjà l'enfant de la nature (…) Le canot, l'aviron ; la couverture, le couteau ; le lard salé, la farine ; la ligne de pêche, le fusil ; voilà à peu près toute la richesse. »

Quand on voyage en canot, écrit-il, il y a une nouvelle morale, celle où l'on peut gentiment faire des reproches à Dieu, où son meilleur ami n'est pas un fusil, mais la personne qui partage ses nuits après avoir passé dix heures à pagayer. En quoi cela affecte-t-il la personnalité ? L'esprit travaille de la manière dont la nature l'a voulu. Et le corps, « en indiquant le vrai sens du plaisir charnel », sert l'esprit. « Car cette sensation n'est qu'animale et que très belle, du puissant gonflement à l'air succulent du matin, de tout le corps que la nuit froide a porté, tel un fœtus plissé. » Parfois l'épuisement triomphe de la raison et « les vers dont, mâchonnant, je scandais mes pas du début étaient devenus de brutaux han ! han ! han ! ». L'humilité que l'on acquiert devient un trésor futur lorsque l'on est face aux grandes questions morales et philosophiques. Il conclut avec force : « Et je connais un homme à qui l'école n'a jamais su enseigner le nationalisme, mais qui contracta cette vertu lorsqu'il eut ressenti dans sa chair l'immensité de son pays, et qu'il eut éprouvé par sa peau combien furent grands les créateurs de sa patrie. »

Cet homme, c'était Pierre Trudeau, et en 1944 cette patrie, c'était le Québec, ou « Laurentie ». Sa loyauté envers les « fondateurs » demeure inébranlable quand il quitte le Québec en 1944 à l'âge de vingt-quatre ans. Au mois d'octobre de cette année-là, avant qu'il monte à bord du train qui allait le mener à Harvard et à Boston, Thérèse lui avait rendu visite chez lui. Elle avait découvert son fort attachement au passé et la profonde résonance qu'il avait en lui. Il lui avait demandé de venir dans sa chambre, lui avait montré un portrait de son père. Là, devant son image, ils avaient prié[30].

Harvard était un milieu bien différent lorsque Trudeau arriva cet automne-là à Cambridge, au Massachusetts. Citadelle de la tradition anglaise puritaine, elle était devenue le refuge de certains des plus grands penseurs d'Europe centrale lorsqu'ils avaient échappé à la persécution fasciste. L'université accueillait en grand nombre les blessés, les faibles et les étrangers — mais on n'y trouvait aucune femme, sauf au lointain collège Radcliffe. Il reste que l'université demeurait profondément américaine, exprimant avec assurance ce sentiment de supériorité dont s'enorgueillissaient les Américains dans les années d'après-guerre. La démocratie libérale, après l'échec des années trente, profitait d'une deuxième chance sur les champs de bataille de l'Europe occidentale et dans les îles du Pacifique Sud.

Les professeurs de Trudeau, à la fin des années trente, avaient souvent critiqué la démocratie bourgeoise, et l'étudiant se voyait maintenant exposé à une nouvelle façon de voir les choses qui venait profondément confronter ses valeurs personnelles. Il avait beau détenir un diplôme de droit et avoir exercé la profession d'avocat pendant un an, il se sentait à la dérive. « Les étudiants en sciences politiques de Harvard connaissaient mieux le droit romain et Montesquieu que moi, qui étais pourtant avocat », expliquera-t-il plus tard. « Je me suis alors rendu compte qu'au Québec, le droit était enseigné plutôt comme métier que comme discipline[31]. » Si sa formation en droit montrait quelques lacunes, sa connaissance de l'économie était lamentable. Il ne connaissait rien de la philosophie de John Maynard Keynes, dont les théories sur l'économie transformaient non seulement la discipline de la science économique, mais aussi le rôle de l'État dans le contexte économique de l'après-guerre. Les universitaires et principaux journalistes du Québec savaient bien que la province avait désespérément besoin de mieux connaître cette révolution qui avait cours dans le domaine économique. Dans ses mémoires, Trudeau affirme que sa décision d'étudier l'économie à Harvard avait découlé d'une conversation avec André Laurendeau. Le Québec ne comptait que deux économistes, lui avait-il dit, et la province manquait d'expertise en économie. Trudeau avait déjà rencontré ces deux personnes, les universitaires Édouard Montpetit et Esdras Minville ; ces derniers l'avaient à leur tour fortement encouragé à suivre cette voie, particulièrement lorsqu'ils avaient su qu'il voulait participer à la vie publique[32].

La grande migration, au cours des années trente et quarante, des intellectuels provenant d'une Europe en désintégration, avait transformé Harvard, de berceau américain et protestant de l'élite économique et politique, en centre intellectuel de premier ordre où circulaient toutes les idées tumultueuses bien que stimulantes du XXe siècle. Très tôt, et pour la première fois, Trudeau rencontra des intellectuels juifs. D'autres professeurs, tel Heinrich Brüning, le dernier chancelier allemand avant Hitler, avaient gardé le fort accent de leur pays, et étaient arrivés avec de profondes blessures. Bien davantage que les frontières reculées du Bouclier canadien, s'adapter à ce nouvel environnement fut une épreuve pour Trudeau. Il fut souvent tenté de rentrer à Montréal et de retrouver la vie de famille. Suzette se mariait; son jeune frère, Tip, allait bientôt faire de même[33]. Heureusement, Thérèse, qui graduellement gagnait son cœur, l'aida à supporter la vie à Harvard.

L'expérience de Trudeau à Harvard fut, en rétrospective, riche sur le plan intellectuel; comme il le dit lui-même, à Harvard « l'ouverture sur le monde était manifeste » et il « avait l'impression d'y vivre en symbiose avec les cinq continents[34] ». Il avait amorcé ses études en économie auprès du futur Prix Nobel Wassily Leontief, qui dit se rappeler des balles qui lui ont sifflé aux oreilles lorsqu'il se trouvait à Saint-Pétersbourg en 1917, au début de la révolution russe. Leontief avait étudié dans l'Allemagne de la République de Weimar et, dans sa vingtaine, avait été conseiller auprès de la compagnie de chemin de fer national de Chine avant de se réfugier aux États-Unis en 1932. En moins de dix ans, il montera le premier tableau des échanges interindustriels relatifs à l'économie américaine et sera le premier à se servir d'un ordinateur pour la recherche en économie. Il devancera d'une génération ce qu'on qualifiera de discipline de l'économie au Canada au début des années quarante. Dans ses cours, Trudeau lut Keynes, Kenneth Boulding, John Hicks et Joan Robinson. Mais il demeura respectueux de la pratique catholique, prenant soin de demander à l'évêque de Boston la permission de lire les livres défendus et inscrits à l'Index aux fins de ses études[35]. Rapidement, il apprit ce qui était révolu (J. M. Clark et ses descriptions interminables) et ce qui était nouveau, notamment la théorie de l'équilibre général de Keynes.

Mais si certains étaient charmés par les théories de Keynes, le cours de théorie économique de l'Autrichien Gottfried Haberler, que suivit Trudeau, établissait clairement les arguments en faveur d'une théorie contraire. Haberler, qui devint plus tard l'un des érudits les plus en vue de l'American Enterprise Institute, institution des plus conservatrices, l'initia à des points de vue plus traditionnels quant au rôle et aux responsabilités de l'État. Le professeur qui lui fit l'impression la plus durable fut l'Autrichien Joseph Schumpeter ; inclassable, il dominait pourtant un brillant groupe de spécialistes à Harvard à l'époque. Auteur doué, Schumpeter avait écrit en 1942 une œuvre qui allait devenir un véritable classique, *Capitalisme, socialisme et démocratie*, dans laquelle il affirme que la démocratie, particulièrement dans la création d'une classe intellectuelle, est victime de son propre succès, car l'esprit d'entreprise si essentiel au renouvellement du capitalisme disparaît sous la multitude des questions accessoires soulevées par le débat intellectuel dans une société capitaliste avancée.

Trudeau réussissait bien dans ses études en économie. L'observation de ses cahiers nous révèle qu'il était un étudiant sérieux : très vite, il maîtrisa à la fois les nouvelles approches qui transformaient la profession et les compétences mathématiques de plus en plus nécessaires dans ce domaine. L'économiste de Harvard John Kenneth Galbraith, qui plus tard rencontrera Trudeau à maintes reprises, a dit un jour de lui qu'il était « un penseur de l'économie de premier plan dans les années d'après-guerre », un jugement que viennent confirmer ses résultats scolaires à Harvard[36]. Il y a ici une énigme : en effet, Trudeau ne fait que rarement mention de sa formation économique dans ses écrits, et une fois élu premier ministre, non seulement ses ennemis de Bay Street, mais aussi de nombreux collègues et amis, se plaindront de ne le voir accorder aucune attention à l'économie. Et pourtant, sa formation et même des conférences qu'il prononça devant des syndicalistes des années cinquante montrent clairement qu'il avait acquis une solide formation universitaire en économie. Ses propos n'étaient pas nécessairement originaux, mais il était parfaitement au fait de tout ce que les meilleurs élèves devaient savoir. De fait, parmi les politiciens canadiens de son époque, c'était lui qui possédait le plus haut degré de formation universitaire en économie. Pourquoi, alors, semblait-il l'avoir reléguée aux oubliettes ?

Il y a probablement plusieurs raisons à cela. Premièrement, la formation en économie qu'acquit Trudeau à Harvard reflétait une diversité d'approches qui en faisait une discipline beaucoup moins fiable qu'elle ne l'avait été auparavant et qu'elle ne le serait plus tard. Keynes avait provoqué une tempête à Harvard, mais les partisans d'une approche plus traditionnelle, de même que ceux de l'école autrichienne, notamment Schumpeter et Haberler, avaient durci leur position et résistaient. De ces deux hommes, Trudeau avait appris que Keynes, selon lui, s'exprimait de manière trop vague et que ses propos n'apportaient pas une réponse aux besoins particuliers de chacun. Haberler, une personnalité forte (« Thus spake Haberler, May 3, 1946 » [Ainsi parla Haberler le 3 mai 1946], écrit Trudeau dans ses notes), l'avait initié aux idées conservatrices de Friedrich Hayek, qui s'opposait au keynésianisme politique.

Les commentaires de Trudeau sur ses lectures révèlent son bouillonnement intellectuel, mais aussi une compréhension de plus en plus fine de l'économie en ce qu'elle relevait du débat et non de la science, débat qui se fondait sur les opinions politiques, les circonstances économiques et la psychologie de la foule. « Du 29 septembre au 23 août nous avons essuyé de lourdes pertes », écrit-il dans ses notes à propos d'un cours donné par Schumpeter, « les capitalistes eux-mêmes ont perdu foi dans le système à un degré méprisable, et l'administration Roosevelt a eu à faire face à cette attitude psychologique ». John Kenneth Galbraith, qui n'adhérait aucunement aux idées de Schumpeter, allait revenir plus tard sur les points de vue qu'il partageait avec Trudeau, notamment « une même vision de l'incompétence de ceux dont le seul titre est d'avoir de l'argent ou d'être menés par l'appât du gain ». L'économie, pour Trudeau, n'était pas quelque sceptre occulte que les bien nantis pouvaient agiter à la face des politiciens. Les jugements économiques n'étaient pas le produit d'une science, mais plus souvent qu'autrement le résultat des actions de groupes de pression. C'est là une leçon que Trudeau avait apprise à Harvard et qu'il n'allait jamais oublier. Elle eut pour effet d'entraîner Trudeau, qui était lui-même un homme fortuné, vers l'aile gauche politique[37].

La deuxième raison pour laquelle Trudeau s'éloigna des considérations économiques semblera sans doute paradoxale : en étudiant l'économie politique, il en vint finalement à comprendre le sens du droit. Après avoir d'abord côtoyé les plus grands esprits dans le domaine de l'économie, il se mit ensuite à l'étude de la science politique, laquelle, dira-t-il, n'offrait pas au départ le bouillonnement intellectuel de la science économique. Le cours qu'il suivit sur l'étude comparative des gouvernements donné par le distingué professeur britannique Samuel Finer était, de l'avis de Trudeau, trop dogmatique. Il trouva plus intéressant le cours que donna Merle Fainsod sur l'Union soviétique, durant lequel il en vint rapidement à la conclusion que les socialistes britanniques Sidney et Beatrice Webb étaient d'une naïveté désespérante. Trudeau tira une conclusion importante de ses études en sciences politiques et peut-être même de la vie universitaire : « Plus on avance dans la lecture de l'analyse en apparence approfondie et détaillée [des Webb], plus on se rend compte que les spécialistes des sciences politiques ne sont pas non plus à l'abri de la pseudo-science[38]. »

Trudeau lut également plusieurs ouvrages contemporains importants sur le fascisme européen, et en fut profondément troublé. Quelque part en 1945, il lut l'ouvrage de Franz Neumann, *Behemoth*, et se rendit compte des horreurs perpétrées par Hitler. « Ouvrage puissant », nota Trudeau dans son journal, « écrit par un spécialiste intègre et extrêmement bien documenté ; pour un livre écrit par un virulent opposant du nazisme, il contient remarquablement peu de préjugés. Il en est d'autant plus convaincant. Montre toute la puissance du nazisme, ses terrifiantes réalisations, et pourtant analyse avec une telle exhaustivité son cynisme, son militarisme, son irrationalité fondamentale, irréfutable. » De l'œuvre de Neumann, Trudeau tira une importante leçon : une démocratie libérale doit démontrer que « efficacité » est compatible avec « liberté » et que « la démocratie n'est pas synonyme d'exploitation capitaliste[39] ». Cette importante conclusion constituera la base des convictions qu'il affichera plus tard, selon lesquelles la politique au sein d'une démocratie se devait d'être « fonctionnelle » et que les notions romantiques et irréalistes telles que le nationalisme pouvaient causer beaucoup de tort. Le droit prenait son importance non dans les conflits qui opposaient propriétaires et locataires, le genre de dossiers dont il s'était occupé à Montréal, mais dans l'établissement d'une alliance entre un dirigeant et un peuple. La science sociale positiviste comme telle était insuffisante, car les valeurs ne sont pas créées par la statistique. Après avoir lu Auguste Comte, il conclut: « Le spirituel aura voix *décisive en éducation*, consultative en action[40]. » Cette opinion marque une profonde rupture par rapport à ses conclusions précédentes, et cette conviction demeurera celle qui animera plus tard sa vie publique.

Harvard et son corps professoral ont poussé Trudeau à réévaluer ce qu'il avait appris et accompli jusqu'alors. Ses expériences passées lui semblaient soudainement relever d'une mentalité de clocher; toutes les passions soulevées par les élections partielles de Jean Drapeau, le plébiscite, ainsi que les débats dans *Le Quartier Latin* semblaient très différentes dans le contexte de l'histoire violente du XXe siècle. Il se rendait compte, au moment même de la chute du 3e Reich au printemps 1945, qu'il avait eu tort. Cela sera-t-il son grand regret? écrivait-il dans une lettre à Thérèse Gouin. De toute sa vie, ne jamais avoir levé les yeux d'ouvrages de qualité douteuse, lié à un avenir hypothétique, alors que le plus grand cataclysme de tous les temps, poursuivait-il, faisait rage à dix heures de distance de sa table de travail. Ou bien le fait d'écouter sa conscience apportait-il en soi compensation pour les pertes qu'il infligeait? Et d'ailleurs, disait-il encore, quelle est la véritable conscience, celle qui est raisonnée, ou celle qui est intuitive?

Thérèse avait répondu en lui demandant quelques éclaircissements: de quel cataclysme s'agissait-il? Il lui répondit sèchement dans une lettre datée du 25 mai 1945, au moment de la chute du 3e Reich: « P.-S. – Le cataclysme? C'est la guerre, la guerre, la GUERRE[41] ! »

Cet échange devait avoir la vie longue. George Radwanski fut troublé lorsque, dans les années soixante-dix, Trudeau lui livra ses commentaires sur la guerre. Il disait, en termes simples, qu'on lui avait enseigné à se « tenir à l'écart des guerres impérialistes » — une explication que Radwanski avait trouvée « pas trop convaincante[42] ». Fait encore plus révélateur peut-être, Trudeau, dans ses *Mémoires politiques*, semble avoir gardé un souvenir exact de cet échange avec Thérèse. « C'est seulement à Harvard, à l'automne de 1944 », écrivait-il, « que j'ai pleinement mesuré l'importance historique du conflit qui se terminait ». Bien entendu, la lettre ne fut pas écrite en 1944, mais au mois de mai 1945, moment où la guerre avait véritablement pris fin en Europe. Il poursuit en disant: « Dans ce milieu hyper-informé, il me fut impossible de ne pas saisir les vraies dimensions de l'événement, et cela malgré mon indifférence persistante à l'égard des médias. » Ici encore, il reprend presque mot pour mot ses propos de mai 1945 : « J'eus alors conscience d'avoir pour ainsi dire raté l'un des événements majeurs du siècle où j'étais appelé à vivre. »

Thérèse Gouin se rappela plus tard avec précision que Trudeau avait exprimé certains doutes quant à la manière dont il était passé à côté de la guerre sans qu'il s'en rende compte, mais il ne soulèvera plus la question dans aucune des deux cents lettres qu'il lui écrira. Qui plus est, dans ses mémoires, il refusa d'exprimer quelque regret que ce fût d'avoir « raté » l'« importance historique » de la guerre. « J'ai toujours tenu les regrets pour des sentiments stériles », dit-il. À Harvard, il n'avait « guère le temps de cultiver des états d'âme[43] ». L'échange en dit long sur Trudeau : doué d'une mémoire exceptionnelle, il pouvait se rappeler dans les moindres détails la façon dont il avait pensé et agi ; il réagissait rapidement aux grands événements et avait tendance à les interpréter en fonction de sa propre vision des choses. Il pouvait volontiers changer de point de vue sans pour autant jamais prendre le temps d'admettre qu'il avait eu tort. Il n'avait que peu de patience envers ceux qui s'enlisaient dans le passé et, malgré sa fabuleuse mémoire pour les détails, il pouvait tout aussi bien ne pas considérer les événements ni les expériences qu'il jugeait « farfelus », du temps perdu[44].

La mémoire de Trudeau est correcte sur une chose particulièrement importante : Harvard l'avait effectivement changé. À partir des débris qu'il trouva autour de lui en 1945, Trudeau, à l'instar du monde occidental, entreprit un processus de reconstruction. Il réalisa que le droit n'avait rien à voir avec ce qu'il en avait appris dans l'« horrible » classe de procédures civiles à l'Université de Montréal ou dans les disputes qui opposaient propriétaires et locataires, l'essentiel de sa pratique. Il s'agissait plutôt d'un cadre conceptuel par lequel il pouvait comprendre le processus de changement et contribuer à lui donner forme. Ses notes, en particulier celles prises durant les cours de pensée politique avec le spécialiste constitutionnel Carl Friedrich* et l'historien du droit Charles McIlwain, illustrent l'intelligence exceptionnelle et curieuse avec laquelle il organisait son expérience et ses

* Il arriva à une occasion que Trudeau ne partageât pas l'avis de Carl Friedrich sur le sujet d'une définition philosophique. Friedrich, apparemment, avait rejeté cavalièrement ses commentaires pour ensuite demander à le voir et de l'excuser d'avoir été brusque. Trudeau, comme il le raconta à Thérèse, avait apprécié le geste. Trudeau à Thérèse Gouin, 14 février 1946, FT, vol. 48, dossier 17.

apprentissages antérieurs, pour les caser dans les différentes catégories de la pensée politique et juridique moderne[45].

L'enseignement à Harvard, de manière générale, faisait l'apologie de la démocratie libérale et différait grandement de ce que Trudeau avait entendu à Brébeuf. Il reconnaissait le contraste entre les deux climats intellectuels et en était parfois mal à l'aise. Dans les manuels de classe de Samuel Finer, il ne voyait, disait-il, « aucune trace du fanatisme et du sentiment ultradémocratique » qu'il avait parfois retrouvé dans ses cours[46]. De la même manière, il avait certaines réserves quant à l'appui de Friedrich au procès de Nuremberg, affirmant que « le présent procès ne fait que donner une plus grande apparence de légalité à des choses qui pourraient être faites sans cela ». Friedrich avançait que le procès était important même s'il « niait le droit positif », car lorsqu'une nouvelle « communauté » se crée, disait-il, « elle va souvent au-delà des concepts juridiques ». L'argument n'avait pas convaincu Trudeau : « Mais si la communauté émergente a imposé des devoirs aux Allemands, elle a fait de même pour les Alliés. Ne devraient-ils pas être punis pour avoir créé une situation propice à la guerre ? Etc.* » Lui-même était sceptique face à l'approche positiviste et laïque qu'il constatait chez nombre de ses professeurs.

Trudeau n'était pas devenu un démocrate libéral américain, mais il n'était plus non plus le catholique corporatiste du temps de Brébeuf. Son passage à Harvard et le succès qu'avait connu le mouvement démocratique en temps de guerre avaient grandement modifié sa pensée politique. Son passage

* Trudeau fut profondément affecté par la lecture d'un autre livre, *Le jour du jugement* par Max Radin, un professeur de droit en faveur de l'institution de cours de justice internationales pour juger les criminels de guerre. « Loin d'atteindre ses objectifs de justifier en apparence le procès des criminels de guerre », avait avancé Trudeau, « cela soulève d'immenses doutes, si ce n'est sur le plan humanitaire, sûrement sur le plan juridique. Je crois fermement que si l'accusation (hypothétique) s'était rapportée à un crime individuel (un meurtre), le procès aurait dû avoir lieu devant un tribunal ordinaire de l'État où le crime a été commis. Devant un tribunal international, on ne peut que juger des crimes internationaux, (…) par exemple, qui est responsable de la guerre ? Mais seule l'Histoire peut répondre à une telle question. Le refus de la cour d'amener le procès devant les tribunaux allemands sous prétexte que cela prendrait trop de temps est à coup sûr un argument fallacieux. » Trudeau continua d'adhérer à ce point de vue en tant que premier ministre lorsqu'il fit valoir ses arguments contre « la rectification » de l'Histoire en donnant une compensation aux Canadiens japonais et à ceux qui étaient en faveur du procès des criminels de guerre dans les cours canadiennes. FT, vol. 7, dossier 21.

à Harvard lui permit aussi de concentrer son esprit sur l'importance de la règle de droit et de son enchâssement dans une constitution — document qui pouvait être utilisé pour protéger les droits des minorités. Il demeura profondément sceptique quant à la façon que Havard avait de célébrer la tradition britannique. Il avait également conservé un ressentiment nationaliste canadien-français envers l'impact qu'avaient eu les Britanniques sur son peuple.

Un professeur en particulier, William Yandell Elliott, un anglophile, l'avait profondément offensé et sa réaction fut de le défier, se laissant même aller une fois à murmurer « enfant de chienne » en classe. Quand Elliott avait affirmé que Robert Borden passait pour un impérialiste aux yeux des Canadiens français, mais pour un libéral aux yeux des étrangers, et que R. B. Bennett faisait passer le Canada d'abord, Trudeau avait écrit : « Mais tant l'un que l'autre se précipiteraient à la défense de la Grande-Bretagne ! (...) Peut-être voulaient-ils plutôt dire, par Canada d'abord, les poches des Canadiens d'abord. » Il rajoute un point d'exclamation dans l'énoncé de Elliott qui affirme que « le prestige de la G.-B. [venait du fait qu'elle était] le centre des valeurs spirituelles [!] de liberté et de tolérance ». Le cours l'agaçait profondément, tout comme les lectures obligatoires. Sur une page de l'un de ses travaux, il nota : « Il y a quantité de répétitions et de re-répétitions fastidieuses. Mais c'est la façon de faire des Anglais, à ce qu'il semble (...) Style plutôt médiocre ; et de nombreuses et ennuyeuses précautions, entrées en matière, mises en garde, etc. que l'auteur croit sans doute être la marque d'un esprit consciencieux[47]. » Hélas ! pour Trudeau, Elliott lui enseigna par deux fois et c'est à lui qu'il dut soumettre sa dissertation principale. L'un des cours qu'il avait suivis avait un contenu canadien considérable, traitant entre autres de F. R. Scott, de J. B. Brebner et de Stephen Leacock. Trudeau avait été grandement impressionné par Scott lorsque celui-ci avait prononcé une conférence à l'Université de Montréal en 1943 contre la conscription et la violation des libertés civiles au Québec, mais l'étude de cet auteur ne lui avait offert qu'un bref répit dans le sentiment d'irritation générale qu'il avait éprouvé. Elliott avait imposé son propre ouvrage sur l'Empire britannique comme texte à l'étude, même si ce dernier datait de 1932. Trudeau n'avait pas caché son mépris : « Les chapitres ont d'abord été des conférences, semble-t-il, ce qui expliquerait le manque de structure et la faiblesse du style dans l'ensemble du texte (...) Car on pourrait pardonner tout le reste, même un certain humour dédaigneux, si les faits ne remontaient pas à quatorze ans[48]. »

La dissertation principale que Trudeau soumit à Elliott le 20 janvier 1940 avait pour titre « A Theory of Political Violence » (Une théorie de la violence politique). Il l'avait consulté plusieurs fois au sujet de ses sources, de même que Louis Hartz, un nouvel ami, qui allait devenir l'un des principaux théoriciens du libéralisme américain. Hartz, qui était Juif, avait conseillé à Trudeau d'étudier Mussolini, tandis que Elliott lui avait judicieusement recommandé de se familiariser avec Harold Laski, Tolstoï et Gandhi. La dissertation fut rédigée, semble-t-il, dans le but avoué d'offenser Elliott. À titre d'exemple, Trudeau affirma que les rébellions de 1837 n'auraient pas dû être libellées de cette façon, car « les "Canadiens" faisaient preuve d'une trop grande lucidité pour croire que leurs tirs feraient plus que d'effrayer les têtes dirigeantes et les inciter ainsi à faire un peu moins preuve d'injustice ». Il avait également écrit sur la « Rébellion du Nord-Ouest », qu'il décrivait comme un soulèvement qui n'avait visé qu'à « obtenir un peu plus de justice de la part du gouvernement fédéral ». Cela nous rappelle les débats de 1942 et cette manière qu'avait Trudeau de frayer avec les manifestations violentes. Il revient à la forme qu'il avait adoptée dans ses écrits à Brébeuf dans sa dénonciation de la « bourgeoisie libérale », qu'il dit faite d'« amateurs d'expériences par procuration ». Vient ensuite un passage remarquable :

> Je dirai donc peu de choses de [la propagande], sinon que je me sens toujours un peu hypocondriaque lorsque je vois comment une propagande stupide peut amener les gens à un jour jurer quelque chose au nom d'absurdités, et à mourir le lendemain au nom d'absurdités contraires. « La sacrée et insignifiante Charte de l'Atlantique. L'impossibilité et la nécessité de la conscription. Roosevelt pour la paix et pour la guerre aussi. Notre amie la Russie, notre ennemie jurée. Finlande bien-aimée et exécrable, etc. » Là où anciennement les faussetés se transmettaient de bouche à oreille, maintenant qu'elles sont jumelées à de la propagande, chacun dans ce pays peut être amené à changer d'avis plus rapidement qu'il ne change de chemise.

Lorsqu'on lui retourna sa copie, Trudeau écrivit en marge de ce paragraphe : « Probablement la cause de ma note "B"[49] ». Assurément, mais en partie seulement. Il y eut aussi d'autres raisons. La dissertation, excentricités mises à part, montre des faiblesses. Elle est entre autres farcie de remarques méprisantes sur le point de vue anglophile adopté par Elliott et sur l'homme lui-même. Si Elliott était pontifiant, il n'était pas complètement stupide. Ses commentaires sont justifiés: « Il y manque l'analyse systématique et l'application de concepts. » Trop souvent on y préfère lancer des pointes et faire de grandes envolées rhétoriques plutôt que de soutenir le développement de la pensée.

Dans le système de notation excessive de Harvard, un « B » n'augurait rien de bon pour Trudeau juste avant les examens généraux. Ces derniers, s'il les réussissait, lui ouvriraient la porte à des études de doctorat. Il avait obtenu de très bons résultats dans d'autres cours, notamment celui de Merle Fainsod sur la Russie. Comme à son habitude, il releva le défi avec brio. En mai 1946, Trudeau réussit ses examens avec distinction, obtenant son « A.M. », l'abréviation utilisée à Harvard pour désigner le diplôme de maîtrise.

Trudeau n'aima pas Harvard, même s'il reconnut l'expérience et l'éducation qu'il y avait acquises comme valables sur le plan intellectuel. Plusieurs de ses camarades de Harvard l'ont décrit ainsi : « Il se terre (...) dans sa chambre de Perkins Hall [la terne résidence des étudiants de second cycle] (...) travaillant sans relâche pour percer les grands mystères que recèlent les sciences économiques, ainsi que pour lire les textes ardus et rédiger les dissertations (...) que lui imposent ses professeurs[50]. » Contrairement à ce qui fut le cas au cours de ses premières années d'étudiant, il ne participa à aucune activité parascolaire et ne se fit que très peu d'amis. Il était tout de même resté quelques traces de la flamboyance qu'il avait manifestée à Brébeuf: sur l'écriteau de sa porte de chambre, on pouvait lire « Pierre Trudeau, Citizen of the World » (Pierre Trudeau, Citoyen du monde). Il faut dire, par contre, qu'à Harvard le sens de cette expression était très différent de celui qu'il avait pu avoir à Brébeuf. Trudeau affichait maintenant des valeurs de plus en plus cosmopolites, concept que rejetaient bon nombre de ses professeurs dans les années trente. Son regard sur le monde avait changé. À plusieurs égards, Trudeau minimisera plus tard l'influence de Harvard. Dans une interview qu'il accorda au *New Yorker* en 1969, il parla à peine de Harvard, déclarant cependant qu'il avait probablement lu davantage de Dostoïevski, de Stendhal et de Tolstoï que la moyenne des hommes d'État, et moins de Keynes, de Mill et de Marx[51]. Une affirmation absurdement modeste et fausse.

La politique, ou plus exactement le lien entre l'action politique et la pensée politique, le préoccupait à Harvard. Dans sa correspondance avec Thérèse Gouin, il ne parle presque jamais de littérature, mais souvent de politique et, d'une manière obsessive, de lui-même*. Trudeau,

---

* La remarquable correspondance entre Thérèse Gouin et Pierre Trudeau constitue un trésor d'archives et le témoin exceptionnel de la vie de deux jeunes gens extraordinaires, alors qu'ils s'entretiennent de leurs amours, de leur époque, de leurs rêves et de leur avenir. Au moment de leur rupture, Thérèse rendit ses lettres à Pierre, qui lui-même les conserva ensuite dans ses archives personnelles. Madame Gouin Décarie ne s'attendait pas à ce que ces lettres deviennent accessibles aux chercheurs de son vivant. Pierre, lors d'une rencontre dans les années soixante-dix, lui avait promis qu'elles ne le seraient pas. À cette époque, il lui avait dit qu'il avait récemment relu les lettres, et les commentaires sur la guerre qu'il formule dans ses mémoires laissent croire qu'il les a encore relues au début des années quatre-vingt-dix.
La correspondance Gouin-Trudeau faisait partie des archives privées de Trudeau qui ont été transférées à Bibliothèque et Archives Canada. Parce que j'ai bénéficié d'un accès illimité aux documents, j'ai été en mesure de consulter cette correspondance. J'ai immédiatement constaté qu'elle représentait, pour un biographe de Trudeau, la portion la plus importante de tout l'ensemble des archives. Il faut ajouter que Madame Gouin Décarie fut l'une des trois ou quatre personnes les plus influentes dans la vie du jeune Trudeau. Lorsque je l'ai rencontrée pour discuter de ces lettres et de sa relation avec Trudeau, elle a affirmé qu'elle ne se serait jamais attendue à ce que ces lettres soient lues par quiconque, excepté Trudeau, avant son décès. Elle avait toujours refusé de parler de sa relation avec Pierre, sauf avec son époux, qui admirait l'homme. Elle dit que sa réticence tenait en partie de ce qu'elle reflétait l'entente qu'elle avait prise avec Pierre des années auparavant.
Lorsqu'elle eut connaissance que ces lettres se trouvaient maintenant à Bibliothèque et Archives Canada, elle se rendit à Ottawa pour en faire la lecture. Elle souhaite que ces lettres demeurent confidentielles; toutefois, reconnaissant la grande importance que revêt cette correspondance aux yeux d'un biographe, elle m'a aimablement autorisé à utiliser les éléments que j'y ai trouvés. Dès nos premiers échanges, elle a été d'une générosité et d'un accueil extraordinaires, et j'ai immédiatement compris pourquoi Pierre avait été ébloui par cette femme d'une vive intelligence et d'une grande sensibilité. Elle et son époux, le distingué philosophe Vianney Décarie, n'ont pas hésité à parler ouvertement de l'affection qu'ils ont toujours éprouvée à l'endroit de « Pierre ». En riant, ils se sont volontiers remémoré ses mauvais coups, sa complexité et son goût de l'aventure. Il est certain que la « rupture » entre Thérèse et Pierre a d'abord créé une distance entre eux. Cependant, tant Pierre que Thérèse ont reconnu avec le temps que la décision de Thérèse en 1947 avait été la bonne, ce qui ne les empêcha pas de se porter mutuellement une affection profonde. Lorsque la correspondance Gouin-Décarie entrera dans le domaine public, les lecteurs comprendront pourquoi.

comme Camille Corriveau l'avait senti plus tôt, se considérait comme un solitaire et avait de la difficulté à nouer des relations intimes. Consciemment ou non, il avait suivi son conseil et trouvé quelqu'un en qui il pouvait avoir confiance et avec qui partager ses craintes et ses espoirs. Lui et ses amis ne pouvaient s'empêcher de flirter avec les femmes, ce que faisaient tous les jeunes hommes à l'époque. Trudeau lui-même semblait être maintenant particulièrement porté sur la chose, beaucoup à l'image de Clark Gable et de Humphrey Bogart, les vedettes de cinéma de l'heure. Et pourtant, on attachait encore une importance rigoureuse aux convenances. L'épouse de Tip, Andrée, dans une lettre, avait reproché à Trudeau les petits « X » qu'il avait apposés à sa signature pour montrer son affection, car, disait-elle, elle était une femme mariée et il valait mieux garder ces petits baisers pour ses petites amies. D'ailleurs, ajoutait-elle, ils la rendaient mal à l'aise[52].

Isolé à Harvard, Trudeau semblait avoir trouvé en Thérèse Gouin réponse à ses prières. Cette dernière était issue d'une illustre famille d'hommes politiques. Son arrière-grand-père, Honoré Mercier, avait fondé le Parti national et était devenu premier ministre du Québec en 1887, après la campagne nationaliste qui avait suivi la pendaison de Louis Riel. Le gendre de Mercier, Sir Lomer Gouin, le grand-père de Thérèse, avait été élu premier ministre en 1905 et avait dirigé le Québec au cours des difficiles années de guerre ; en 1917, il s'était opposé à la conscription, puis, en 1918, dans un discours éloquent, avait défendu la Confédération lors d'un débat historique sur une résolution de l'Assemblée législative québécoise visant la séparation du Québec. Après sa démission en 1920, il devint ministre dans le cabinet fédéral de Mackenzie King de 1921 à 1924. Son fils, Paul Gouin, créa, dans les années trente, le parti radical de l'Action libérale nationale, si populaire auprès des étudiants de Brébeuf, dont Pierre Trudeau à l'époque. Pierre l'avait entendu prononcer un discours au collège en 1937, dans lequel il avait affirmé, devant les étudiants et les prêtres, qu'il croyait être de son devoir de combattre le communisme. Il avait terminé son discours par ces mots : « Nous sommes les fils de Canadiens héroïques et ne reculerons pas devant les fils de Staline[53]. » L'autre fils de Lomer Gouin, Léon-Mercier Gouin, un avocat montréalais bien en vue et le père de Thérèse, fut nommé au Sénat en 1940 à titre de représentant du Parti libéral. Ses vues contrastaient avec celles de Paul, un opposant à la guerre qui s'associera au Bloc populaire canadien en 1942. Fortunée, brillante, séduisante, étudiant la psychologie à l'université, Thérèse apporta une réponse à la solitude de Pierre. Elle se révéla pour lui une véritable bénédiction tombée du ciel au cours de ses deux années à Cambridge.

Au printemps de 1945, juste au moment où Trudeau commençait à désespérer sérieusement à Harvard, Thérèse répondit à la lettre d'un Pierre déprimé en lui annonçant sa visite à Boston au début du mois de juin à l'occasion d'un voyage d'études. Toujours consciencieux lorsqu'il lui écrivait, il rédigeait parfois de multiples ébauches de ses lettres avant de les lui envoyer. En guise de réponse à sa lettre, il lui dit que, même s'il pouvait lui parler plus franchement qu'à n'importe quelle autre femme, il avait hésité à lui écrire ouvertement pendant plusieurs mois[54]. Cet été-là à Montréal, l'invitation que Pierre lui avait faite au printemps de devenir « une amie » s'était muée en sentiments amoureux. « Pardonnez-moi », écrivit-il le 5 juillet 1945, « d'avoir filé sans gesticuler, mardi soir. Vous dormiez, paraît-il, et pourquoi vous réveiller[55] ? » En septembre, le vouvoiement avait fait place au tutoiement, alors qu'il écrivait de Boston, « cette ville d'étrangers », pour lui demander qu'elle lui envoie une photographie ou une lettre. Il assista même à quelques conférences en psychologie afin de pouvoir lui rendre compte des activités du département de psychologie de Harvard[56]. En septembre de cette année-là, elle célébra son vingt-deuxième anniversaire, tandis que Pierre allait avoir vingt-six ans en octobre.

Commença alors une correspondance d'une remarquable intensité. L'année précédente, Trudeau lui avait écrit le 26 septembre, jour de son anniversaire, en omettant toutefois de souligner l'occasion — par réserve naturelle. Mais en 1945, il lui transmit ses vœux, sachant qu'elle accueillait volontiers « la joie et les soucis de cette étrange construction qui s'appelle Pierre Elliott Trudeau ». Ainsi termina-t-il cette lettre d'amour du début de leur relation[57].

Bientôt leur affection mutuelle s'approfondit, mais Thérèse en paya le prix, elle qui dut écouter Pierre se plaindre amèrement de sa vie à Harvard. Tout allait mal, écrivait-il en octobre : il lui dit qu'il était misanthrope, qu'il détestait les Américains, leur jazz, leurs cigarettes, leurs ascenseurs, que depuis presque trois semaines il essayait d'apprendre la vertu qu'elle lui avait recommandée: la souplesse. « Eh bien, merde, madame! » explosa-t-il. Il lui raconta qu'il habitait une chambre où l'on entendait tous les bruits que faisaient les voisins, les radios dans le hall, les pianos en bas, les ascenseurs à côté, les orchestres du club de nuit, les enfants jouant dans la rue, les gens marchant de long en large en haut, et le tapage des éboueurs[58].

Et il continua: son travail allait « chez le diable ». Dans les restaurants, des femmes insouciantes s'assoyaient près de lui en lui soufflant leur fumée de cigarette au visage, ce qu'il détestait; dans les séminaires, c'était celle des affreuses pipes. « Je t'embrasse », dit-il à la fin de cette très longue lettre de récriminations.

Quelques jours plus tard, à la veille de son anniversaire, il était de meilleure humeur: « Ainsi je suis Pierre, j'ai 26 ans, je passe le quart de siècle, et pour la première fois [un jour d'anniversaire] je reçois ce cadeau extraordinaire et presque effrayant. » L'amour de Thérèse l'avait sauvé de l'atmosphère aride et sans vie dont il était prisonnier[59]. Il ajouta toutefois qu'elle ne lui écrivait pas aussi souvent qu'elle le devrait. Et il y avait la question de la photographie. Il était plutôt étrange, écrivait-il le 15 novembre 1945, de voir presque tout le monde avec une photo de son amie de cœur, sauf lui: « Moi qui suis — prétends-tu — un des amants favoris[60]. » Elle lui répondit en le taquinant, écartant ses doutes, déclarant son amour. Dans leurs lettres, elle devint « Tess »; lui, « mon amour » ou parfois « mon petit enfant ».

Il était exigeant; dans l'une de ses lettres il se plaint qu'elle ne prend pas assez soin de sa santé et qu'elle devrait « faire de l'exercice », éviter de respirer l'air vicié de la rue Sainte-Catherine. Au milieu de ses jérémiades à propos de ses travaux et de l'école, il se vante par ailleurs de ses prouesses physiques, comme lorsqu'il fait remarquer que lui seul, à la piscine de Harvard, est capable de faire le saut de l'ange avec demi-vrille[61].

En dépit de ses doutes à propos de Harvard, il encouragea Tip à y étudier l'architecture auprès de Walter Gropius, un exilé allemand. Tip qui, de toute évidence s'en remettait à son frère aîné, suivit son conseil après s'être marié en juin 1945[62]. Les nombreuses contradictions chez Pierre rendaient parfois Thérèse perplexe, et elle lui reprochait souvent d'être évasif. Leur prudence et leur volonté de suivre les préceptes catholiques formaient un curieux mélange avec la psychologie freudienne que Thérèse étudiait — et que Pierre trouvait intrigante. Préparant leur séjour de Noël ensemble en 1945, il écrivit: « Il serait très doux que nous espérions la Nativité côte à côte. » Il rêvait de pouvoir assister avec elle à la messe de minuit dans le Nord à la campagne, « mais de tels plans supposent peut-être une intimité que nous ne sommes pas en mesure de nous accorder dans les circonstances, hélas[63] ! ». Il avait demandé à sa mère de s'impliquer dans les plans qu'ils formaient ensemble, ce qu'elle avait fait.

Grace fut sans doute trop souvent présente. Trudeau dira plus tard qu'elle était très respecteuse de la liberté de ses enfants et qu'elle était toujours disposée à courir un risque. Elle leur permettait de prendre leurs propres décisions et ne leur imposait pas sa volonté[64]. Pourtant, l'on sent, à la lecture de leur correspondance, combien puissante était sa présence aux yeux de Pierre et à quel point il cherchait son approbation. Clarkson et McCall remarquent avec justesse que Thérèse « paraît digne [de Pierre Trudeau] même aux yeux de sa mère qui, le fait est notoire, regarde de haut les filles que fréquente son fils[65] ». Cette liberté qu'elle accordait comportait ses propres limites. Et Grace pouvait être extrêmement intimidante. Thérèse dit à Pierre qu'elle trouvait Grace formidable. Elle lui parlait souvent au téléphone, dit-elle, mais « devant ta maman, j'ai toujours peur de manifester quelque affection et je ne sais comment lui montrer que je l'aime beaucoup[66] ». Mais ni sa présence ni la notoriété du père de Thérèse (dont les politiques libérales étaient loin de plaire à Trudeau) ne purent mettre un frein à l'évolution de leur amour. Il désirait ardemment être avec elle, et dans une lettre qu'il lui envoie à son retour à Boston, il lui dit qu'il a lu sa lettre, qui l'attendait depuis Noël. Il a trouvé de nouvelles raisons de l'aimer, dit-il, et il en est d'autant plus attristé. Il n'ose pas encore ressortir sa photo, car, poursuit-il, il a encore son visage tout frais dans sa mémoire. Mais il se désespère à penser que dans quelques jours seulement ses souvenirs seront déjà plus lointains, le goût de sa bouche, les battements de son cœur, la chaleur de son corps.

Il termine sa lettre en citant (en anglais) un poème de Walt Whitman:

> Passage vers vous! Passage, passage immédiat! le sang brûle en mes veines!
> Ne sommes-nous pas restés ici comme arbres en terre assez longtemps?
> Fais voile – ne cingle que vers les grands fonds,
> Audacieuse, ô âme, exploratrice, moi avec toi, et toi avec moi[67].

Trudeau souhaitait désespérément la revoir durant les dernières semaines de janvier, mais il était surchargé de travail ; aussi, sa mère avait manifesté le désir qu'il se joigne à elle, à Tip et à Andrée pour un voyage à New York à la fin du mois. Il se trouvait que Thérèse aussi devait abattre beaucoup de travail, mais au sujet de sa thèse, il lui conseilla de cesser de s'en faire autant. Il fallait y voir un moyen, non pas une fin : « Je veux que tu sois femme, Thérèse », implorait-il. « Je ne veux pas que tu sois savante. » Il était aussi jaloux de ses associés à la clinique de psychologie qui avaient le droit de disséquer son âme, qui en connaissaient davantage sur « *ma* Thérèse » que lui, qui discutaient avec elle à propos de sexe, de masturbation et d'autres sujets que ni lui ni elle n'osaient aborder. Il était jaloux de la façon dont elle se livrait à « ces indifférents » alors qu'avec lui qui l'aimait, elle prétendait vouloir le « pacifier » en lui donnant l'assurance qu'il n'était « pas neurotique ». Elle qui, continuait-il dans sa lancée, avait dans son sang celui de la fille d'un sénateur « et du grand Mercier ! Ô honte ! Ô honte ! Ô honte[68] ! ». La tension perceptible dans cet échange — au sujet de sa carrière à elle, de ses ambitions à lui, de la psychologie, de la politique et de la sexualité — venait s'interposer dans l'affection profonde qui unissait Thérèse et Pierre de plus en plus. Une lourdeur qui traduisait bien les contraintes du lieu et de l'époque.

S'il souhaitait ardemment la présence de Thérèse, Trudeau avait malgré tout décidé de poser sa candidature afin d'entrer dans une université européenne à l'automne 1946. Il avait l'intention de suivre ses cours à l'étranger tout en continuant à travailler à une dissertation pour Harvard, même si son superviseur n'avait pas encore été déterminé. En fin de compte, il remporta deux bourses d'étude, l'une du gouvernement du Québec pour aller à Oxford, et l'autre du gouvernement français pour aller étudier à Paris. Avec la fin de la guerre, les plans qu'il mûrissait depuis déjà un bon moment d'aller étudier en Europe se concrétisèrent enfin ; il choisit Paris. La capitale française l'attirait, car, croyait-il avec raison, l'esprit qui y régnait était remarquablement différent de celui de Harvard. Juste avant les examens généraux, il écrivit à Thérèse : « Le système d'enseignement à Harvard est la chose la plus démoralisante qui se puisse imaginer. Tout le monde s'en plaint, et personne ne se révolte. Le corps professoral se recrute presque exclusivement parmi des tyrans ou des mégalomanes : avec le résultat qu'on développe chez l'étudiant un esprit très servile. Presque tous ici suivent tel cours, ou tel autre, parce qu'autrement ils encourraient le déplaisir de tel professeur. On n'étudie pas ce qui est utile à l'esprit, mais ce qui est utile au grade. » S'il concédait que de nombreux professeurs de Harvard étaient brillants, il déplorait le fait que des étudiants tout aussi brillants puissent être si serviles[69]. C'est avec bonheur qu'il apprit que son grand ami Roger Rolland se dirigeait lui aussi vers Paris.

Thérèse et Pierre rêvaient désormais de voyager autour du monde, de transformer le Québec, de vivre ensemble. Dans une lettre, elle lui dit qu'elle serait à Boston pour Pâques en compagnie d'une amie. Elle relate les dernières nouvelles et parle de sa vision d'une vie commune ; sa lettre le ravit « car [il s'exprime ici en anglais] ce n'est pas la lettre de la femme savante, ni celle de la psychologue ou de la mystique, ni même celle de la jeune fille romantique, mais bien celle de la *femme que j'aime* ». Il réussit à dénicher un endroit où loger les deux jeunes femmes pour trente-cinq cents par jour près de Perkins Hall. Mais il la met en garde : si elle s'avise de lui parler de quelque « complication de l'esprit sophistiquée, exagérée, incongrue ou improbable », il n'aurait aucune patience[70]. À Harvard, il la présente à tous, et elle fait « de l'excellente publicité pour le Canada ». Et, de fait, elle honore Harvard de sa présence, qu'il s'agisse du restaurant où ils vont dîner ou de la chambre de Pierre, lorsqu'elle repart. Tous ces élans d'amour laissaient pourtant transparaître quelques problèmes. Il semblait à Pierre qu'une partie de Thérèse lui était inaccessible[71]. Dans ses lettres, il admet avoir été souvent grossier, se plaignant de son superviseur, le père Mailloux, l'apostrophant pendant les repas. Mais il dit aussi : « Thérèse, comprends-moi, je te le demande à genoux et l'œil humide ; et empêche-moi de devenir celui "who loved not wisely, but too well". Je t'aime trop pour t'aimer sagement[72]. »

En mai, après avoir réussi ses examens généraux, Trudeau retarde son retour à Montréal de quelques jours, sa mère ayant décidé de se rendre à Boston. Thérèse et Pierre ne se verraient donc que pendant une semaine en juin. Il devait retourner à Boston pour recevoir son diplôme le 26 juin, tandis qu'elle devait partir en voyage d'études. Bien que leurs deux horaires aient été à la source du problème, il lui dit qu'elle est trop préoccupée par ses études de psychologie[73]. Juste avant qu'il parte pour Harvard pour la remise des diplômes, lui et Thérèse s'étaient rendus à l'assemblée annuelle du Barreau du Québec qui se tenait, par hasard, au Manoir Richelieu, tout près de la résidence d'été des Gouin. Accompagnés de la mère de Thérèse, tous s'étaient rendus au banquet, vêtus de leurs plus beaux atours. Trudeau retourna à Montréal sur sa fameuse Harley-Davidson tard un dimanche soir.

Puis, surprise, après la remise des diplômes, il partit travailler dans les mines d'or Sullivan à Val-d'Or, en Abitibi — l'entreprise dans laquelle Charles Trudeau avait investi après avoir vendu ses garages à l'Imperial Oil. Là, Pierre se terra littéralement pendant un bref moment, pour en émerger avec des histoires de dur labeur qu'il utiliserait quand l'occasion se présenterait, en particulier avec ses fils[74]. Son bordereau de paie indique qu'il commença à travailler le 9 juillet et termina le 2 août : suffisamment de temps pour pleinement vivre l'expérience. « Le travail est dur », écrivit-il à Thérèse en anglais, « les hommes rudes, la nourriture abondante, les nuits froides, les insectes insupportables, et... », ajoute-t-il sur un ton plus intime, « chaque soir mes bras sont vides[75] ». Son salaire était de 5,65 $ pour huit heures de travail, meilleur que celui du temps où il était encore jeune avocat. Ses compagnons mineurs n'étaient probablement pas au courant que la famille Trudeau possédait de nombreuses parts dans la compagnie[76]. Son expérience l'amena à conclure que, malgré l'espoir qu'il avait entretenu d'apprendre à connaître et de comprendre les travailleurs, il n'avait pas réussi à être des leurs : « Je ne suis pas assimilable. Je ne parle pas comme eux, je ne pense pas comme eux. » Leur goût pour l'alcool dérangeait le jeune ascète, mais ce qui le dérangeait encore davantage, dit-il, c'était la distance émotionnelle qui le séparait des autres hommes[77].

Cette brève et solitaire expérience du travail manuel ne semble pas correspondre à l'image du jeune intellectuel qu'il était devenu. Quelle raison l'avait poussé à se terrer dans une mine à l'été de 1946 ? Il ne répondit jamais à cette question, ni alors, ni plus tard. Mais on peut supposer que le but visé était similaire à celui du périple qu'il avait entrepris dans la nature sauvage au cours d'étés précédents. Il était animé d'un profond désir de connaître « l'autre », et dans le monde de l'après-guerre, où les partis ouvriers et socialistes avaient le haut du pavé, le « travailleur » était un « autre », et Trudeau croyait qu'il lui fallait le connaître. Sa déception fut grande lorsque, dans ce cas particulier, il découvrit qu'il était à part.

Cet été-là, avant qu'il parte pour Paris, Thérèse et Pierre parlèrent souvent de mariage et d'aller ensemble à Paris. La mère de Thérèse disait tout bas à l'oreille de sa fille que Pierre était « un homme étrange », mais Thérèse la rassurait. Elle lui disait que même si c'était le cas, cela ne l'empêchait pas de l'aimer à la folie. Il faut ajouter que la mère avait fini par adorer l'admirateur riche et brillant de sa fille, tout étrange qu'il pût être parfois[78]. Pierre tenta d'intéresser Thérèse davantage à la politique et lui donna à lire un livre récent de Harold Laski, acceptant de lire, en échange, un ouvrage sur la psychologie[79]. Pendant qu'il travaillait dans les mines, elle avait voyagé à Gaspé. Somme toute, ils ne s'étaient vus que quelques semaines au cours de cet été qu'ils avaient si longtemps rêvé de passer ensemble.

Trudeau quitta Montréal en septembre et arriva en France le jour de l'anniversaire de naissance de Thérèse. Elle lui avait écrit la veille, en lui demandant où il était : « Aujourd'hui j'ai 22 ans et je t'aime, demain j'aurai 23 ans et je t'aimerai encore[80]. » Il ne lui répondit pas avant le 9 octobre, donnant comme excuse qu'il n'avait pas trouvé de papier et qu'il avait perdu quelques-uns de ses nombreux effets personnels, dont un béret, un parka Grenfell, un smoking, cinq complets, cinq vestons sport, onze chemises de ville, huit chemises sport, quatre chandails, onze caleçons, des skis, sa Harley (précieux bien sur les boulevards de Paris après la guerre), du chocolat, de la confiture, du sucre, du café et des cigarettes pour son oncle, Gordon Elliott, qui était retourné en France après la Libération[81]. Avec autodérision, se moquant aussi des études de psychologie de Thérèse, il affirma que Paris lui avait déjà permis de sortir de sa phase anale. À vrai dire, il avoua s'être égaré parmi les quartiers, arrière-cours, grands boulevards et bistros de Paris[82]. À cette époque, c'était chose courante pour bien des gens.

Peut-être le papier avait-il été, de fait, introuvable. Il y avait encore du rationnement à Paris au début de l'automne 1946, et dans les rues ne circulaient que quelques taxis et de nombreux véhicules militaires. En général, elles étaient toujours désertes, ce qui permettait à un jeune et riche étudiant canadien d'enfourcher sa Harley : « J'ai sillonné Paris à des vitesses qui, en tout autre temps, m'auraient coûté la vie[83]. » Pétain, que Trudeau avait défendu à Harvard, se trouvait en prison, sa sentence de mort pour trahison ayant été commuée en emprisonnement à vie. Charles de Gaulle, président de la France après la Libération, avait démissionné avec fracas en janvier 1946, laissant le pays aux mains d'un gouvernement provisoire troublé, composé de communistes, de socialistes et du groupe de l'aile droite, et dont le socialiste Félix Gouin sera brièvement le président. Peu de temps après l'arrivée de Trudeau, les Français adoptèrent un projet de constitution accordant le droit de vote aux femmes. Lors des élections législatives du 10 novembre, les communistes arrivèrent en tête, mais le dirigeant du pays fut de nouveau choisi parmi les socialistes, malgré leur troisième position, les tenants de la droite et les communistes s'étant affrontés. Dans les grands hôtels, les diplomates et les journalistes bavardèrent jusqu'à tard dans la nuit, tandis que les Alliés tentaient de s'entendre sur la forme que prendrait le monde de l'après-guerre et que les prostituées, à l'extérieur de la conférence de paix, offraient aux délégués l'occasion de vivre une expérience digne « d'une bombe atomique ».

Après la Libération, Paris entra dans une période de grande effervescence. Le choc des idées entre l'Est et l'Ouest, la gauche et la droite, le moderne et le traditionnel se faisait sentir partout le long de la rive gauche, aux tables du Café de Flore ou dans les appartements exigus où s'entassaient les livres et les Picasso. Jean-Paul Sartre, Albert Camus, Simone de Beauvoir, Maurice Merleau-Ponty et d'autres, qui dominaient les débats dans des journaux académiques de l'Occident de l'après-guerre, furent à l'origine de l'un des plus grands moments de la vie intellectuelle du XXe siècle à Paris. Trudeau retrouva une atmosphère familière dans ce mélange de littérature et de philosophie, unique à la France. En tant que catholiques, ils étaient intellectuellement engagés dans une tentative de réconcilier catholicisme, modernisme et communisme, et cela laissa chez lui une empreinte intellectuelle durable. Comme un critique devait plus tard le dire[84], il se trouvait là, à Paris, au moment où la ville vivait « son âge d'or ».

Après un séjour à la Maison du Canada, une résidence d'étudiants universitaires construite en 1926 à l'initiative de citoyens canadiens, Trudeau et Roger Rolland déménagèrent au printemps à l'Hôtel Square, un petit mais charmant hôtel de la rive gauche, rue Saint-Julien-le-Pauvre.

Là, François Hertel, qui avait été autrefois le mentor et le confident de Pierre, les rejoignit rapidement. Ils jouissaient, comme l'hôtel l'annonçait avec raison, de « la plus belle vue » sur la magnifique cathédrale Notre-Dame, et tous appréciaient le fait d'être si proches de tout le bouillonnement intellectuel et social de Saint-Germain-des-Prés. L'église, qui se trouvait sur la rue de l'hôtel, était devenue une église grecque orthodoxe à la fin du XIXe siècle, à l'époque où la laïcité florissait à Paris[85]. Contrairement à sa situation à Harvard, où Trudeau n'avait aucun ami de Montréal, Paris avait attiré sept autres étudiants de Brébeuf, dont Guy Viau, son compagnon d'expédition en canot dans le Bouclier canadien. La plupart d'entre eux, dont Rolland, étudiaient la littérature, mais Trudeau était le seul parmi les anciens étudiants de Brébeuf à avoir opté pour l'étude des sciences politiques à l'École libre des sciences politiques[86]. Se trouvaient là également d'autres Montréalais, notamment Jean Gascon et Jean-Louis Roux, qui guidaient leurs compatriotes dans l'exploration du théâtre expérimental de Paris, tandis qu'un futur ministre du cabinet Trudeau, Jean-Luc Pepin, étudiait également les sciences politiques[87].

Conscient de se trouver dans la ville à un moment marquant de l'évolution artistique, Trudeau conserva les talons des billets des spectacles auxquels il assistait, entre autres *Huis clos* de Jean-Paul Sartre, *L'échange* de Paul Claudel, une représentation privée « Hommage à Jean Cocteau » ainsi que d'autres événements mettant en vedette Walter Damrosch, Arthur Rubinstein, Jascha Heifetz, Leopold Stokowski et Harry James. Il assista aussi au vernissage de la célèbre exposition des automatistes à la Galerie du Luxembourg, à laquelle participaient Paul-Émile Borduas, Jean-Paul Riopelle et d'autres artistes québécois[88].

Ses recherches universitaires étant relativement peu exigeantes, compte tenu de l'objectif limité qu'il s'était donné, soit celui d'acquérir une certaine information contextuelle en vue de sa thèse à Harvard sur le vague mais important sujet des liens entre le communisme et le christianisme, Trudeau pouvait se laisser aller librement à son amour des arts et simplement profiter de Paris. Il avait maintenant retrouvé François Hertel et Roger Rolland, et les trois compagnons s'étaient vite rappelé un vieux tour qu'ils avaient monté à Montréal. Ensemble, ils formaient ce qu'ils appelaient « Les Agonisants » : et pour ce Hertel, Rolland et Trudeau feignaient de se raidir soudainement avant de tomber vers l'avant, prenant soin de retomber sur leurs mains à la toute dernière seconde. Dans les salons et les cafés de Paris, on les voyait soudain tomber raides morts, l'un après l'autre, devant les pauvres Parisiens abasourdis[89]. Trudeau semble percer la caméra sur les clichés pris en France, particulièrement ceux que le service d'information français fit parvenir au Canada. Son regard brillant commence à attirer l'attention sur les photos, et l'on devine clairement, par sa musculature souple, qu'il est en grande forme physique.

Après s'être plongé dans la théorie de la démocratie libérale contemporaine à Harvard, Trudeau, lors de son séjour en France, revint aux sujets qui lui étaient familiers, plus particulièrement la religion. La période de l'après-guerre se révéla un tournant dans le catholicisme français, et la plupart des théologiens français contemporains que Trudeau avait rencontrés jadis à Brébeuf étaient à se réconcilier avec la guerre et ses contrecoups. Dans les salles de conférence et les églises de Paris se préparait le chemin historique qui allait mener à Vatican II, la voie que l'Église catholique prendra pour moderniser sa liturgie, abattre les frontières dans le but de favoriser le dialogue interconfessionnel, et donner un plus grand rôle aux laïcs dans l'Église. Au début de 1947, Trudeau assista à une série de conférences données par Étienne Gilson, le grand philosophe néo-thomiste et, dans les cinq semaines qui suivirent, il rencontra le personnaliste Emmanuel Mounier, le chrétien existentialiste Gabriel Marcel et le jésuite Teilhard de Chardin dont l'idée visionnaire de lier évolution et christianisme a profondément influencé la pensée catholique moderne[90]. À Thérèse, il écrivit pour lui dire qu'il avait rencontré Teilhard, qu'il trouvait « formidable », mais en ajoutant que « Hertel est formidable aussi dans son genre[91] ». C'est toutefois Mounier qui produisit l'impression la plus durable sur Trudeau ; grâce à lui, l'étudiant put faire correspondre ses croyances religieuses avec l'idée qu'il se faisait de l'identité individuelle.

« C'est là [à Paris] », devrait écrire plus tard Trudeau, « que je suis devenu adepte du personnalisme, une philosophie qui réconcilie l'individu avec la société. La personne, (...) c'est l'individu enrichi d'une conscience sociale, intégré à la vie des communautés ambiantes et au contexte économique de son temps. » Même s'il s'était déjà familiarisé avec le personnalisme par l'entremise de Hertel et de Maritain à la fin

Première photographie
de bébé, Pierre et Grace,
sa mère.

Sur le bateau vers l'Europe. De l'avant vers l'arrière : Charles-Émile,
« Tippy », Grace et Pierre.

Grace Elliott Trudeau,
la mère bien-aimée
de Pierre.

Pierre et son frère Tip aimaient déjà les voitures rapides.

Pierre lors de sa dernière année à l'Académie Querbes. Pierre est le quatrième à partir de la droite dans la deuxième rangée. Pierre Vadeboncoeur se tient entre les deux prêtres à gauche.

Photo de la classe de Belles-Lettres à Brébeuf en 1936 : le père Bernier est au centre, dans la première rangée ; Jean de Grandpré est le quatrième à partir de la droite dans la quatrième rangée à partir du fond ; Pierre est le quatrième à partir de la gauche dans la troisième rangée à partir du fond et son visage est détourné de la caméra.

« Pour Pierre ». La photographie que François Hertel, le mentor influent de Brébeuf, envoya au jeune Trudeau.

L'étudiant brillant de Brébeuf arborant l'insigne du collège sur le revers de son veston.

Lançant des boules de neige. Hiver 1935, Montréal.

Pierre alors qu'il est capitaine de l'équipe de crosse, en 1936. Il se tient au centre de la deuxième rangée.

Pierre (derrière) sur la plage d'Old Orchard. Il avait dit à son père que les filles ne l'intéressaient pas!

Pierre et son premier amour, Camille Corriveau, à Old Orchard Beach, dans le Maine.

Camille en 1940. Pierre la trouvait aussi séduisante que Vivien Leigh et Jean Harlow, ses vedettes de cinéma préférées. Mais ce portrait sage l'avait déçu.

Camille et Pierre sur la plage à nouveau. Camille lui donne son premier baiser et c'est elle aussi qui l'initie à Proust.

des années trente et pendant les années quarante, la guerre était venue affecter de manière fondamentale le concept même de personnalisme. Dans des cours qu'il choisit de suivre, ainsi que par l'intermédiaire des conférences et des congrès auxquels il participa à Paris en 1946-1947, Trudeau commença à façonner ce qui deviendrait sa propre approche personnaliste de la religion[92]. Il fut, comme toujours, un élève appliqué et, comme par le passé, il reçut de l'Église la permission de lire certains des livres à l'Index, pourvu qu'il gardât ses lectures pour lui-même. Au cours de ses études, il étudia entre autres auprès de l'historien renommé Pierre Renouvin et du sociologue André Siegfried, auteur de deux œuvres majeures sur le Canada. En mai 1947, il entreprit un pèlerinage d'étude à Chartres et participa à de nombreuses autres conférences sur la pensée religieuse, en compagnie de Hertel[93].

Ses intérêts et ses activités avaient suscité l'attention de Gérard Pelletier, qu'il avait connu à une époque antérieure et qui voyageait maintenant en Europe pour le compte d'un organisme catholique chargé de la gestion d'un fonds destiné aux étudiants victimes de la guerre. En mars, il avait demandé à Trudeau de diriger un séminaire sur la civilisation américaine qui devait se tenir cet été-là à Salzbourg, en Autriche. Il lui avait également demandé de s'impliquer activement dans le mouvement international des jeunes catholiques[94]. Trudeau avait refusé l'invitation ; néanmoins, lui, Pelletier et les autres jeunes étudiants du Québec en France commençaient à contraster par rapport à l'atmosphère intellectuelle qui régnait au Canada en tenant des débats ouverts et passionnés auxquels participaient catholiques, socialistes, existentialistes et communistes, comme on en voyait en France et en Europe de manière générale. Certains de ces étudiants rédigèrent ensemble une lettre de protestation dans laquelle, en termes âpres, ils s'opposaient à l'interdit de présentation, prononcé par le premier ministre Duplessis, du célèbre film français *Les enfants du paradis,* dont le traitement cru de la sexualité offensait l'Église[95]. Un seul journal cependant publia leur lettre. Marcel Rioux, l'un des étudiants canadiens à Paris, se rappelle l'« unanimité négative » qui s'était développée parmi ces jeunes intellectuels à l'époque, tant envers le régime politique qu'envers la position dure et ritualiste du catholicisme au Québec[96]. Ce fut un sentiment négatif qui engendra la passion de l'engagement positif.

Pendant que Trudeau s'évertuait avec succès à trouver des réponses aux problèmes d'identité religieuse et intellectuelle qui l'agitaient intérieurement, son absence créait des difficultés dans sa relation avec Thérèse, des problèmes qui l'amenèrent à chercher de l'aide, car il voulait comprendre les raisons de son comportement. Paradoxalement, Montréal lui semblait loin de Paris, malgré la présence de tous ceux qui, comme Guy Viau et Roger Rolland, faisaient partie de son cercle d'amis à Montréal. À Paris, où la gauche et en particulier les communistes donnaient le ton au mouvement intellectuel de l'après-guerre, Trudeau s'était radicalisé et, comme Emmanuel Mounier, cherchait à découvrir le point de rencontre entre la pensée catholique et l'égalitarisme du communisme. Dans ces circonstances, Trudeau ne fit apparemment que peu usage des lettres de recommandation du sénateur Gouin destinées à des amis parisiens importants et dans lesquelles il décrivait Trudeau « un peu comme un fils adoptif[97] ». Thérèse ressentit très vite que Paris était en train de transformer Pierre et que le flot d'émotions débordantes de ses lettres écrites dans la solitude de sa chambre à Harvard ne coulait plus aussi librement à Paris. Il lui écrit néanmoins le 21 octobre 1946, lettre qu'il commence en disant : « Ce matin, juste avant le réveil, j'ai rêvé que tu entrais dans ma chambre et que pour me réveiller tu m'embrassais chaudement sur la bouche (...) c'était si réel, si beau, si bon[98]. »

Mais ce n'était qu'un rêve. Il écrivait moins souvent qu'elle ne l'aurait espéré ; il lui demandait comment elle pouvait trouver le temps d'écrire aussi souvent. Il s'inquiétait de son emploi du temps trop chargé, car, disait-il, « tu es faible, femme, délicate, précieuse, toute petite (...) Comment peux-tu préparer tes cours, et la thèse, et la conférence, et le cours du soir, et subir la psychoanalyse, et aller à la messe, et faire de la gymnastique, et soigner la petite Lisette[99] ». Mais le lien qui les unissait demeurait très fort : même s'il aimait Paris, disait-il, il l'aimait, elle, encore davantage. Le 6 novembre, il lui écrivit une lettre après avoir vu ses plus récentes photographies : « Ta dernière photo est épatante ; avec tes cheveux en arrière et ta bouche ouverte, tu as un feu, l'air d'une Irlandaise, et je t'aime toujours avec excès[100]. »

Thérèse exprima quelques doutes en retour, l'une de leurs amies, « D. D. » (Andrée Desautels) ayant dit que la femme aux côtés de Pierre se devait d'être une grande femme mince au teint clair, et non une femme au teint foncé et à la silhouette pleine comme Thérèse. Il lui manquait cruellement, mais avec toute la réserve caractéristique des jeunes catholiques du Québec de leur condition, elle lui avait ensuite exprimé tout son amour, se laissant aller à son désir, feignant la timidité mais promettant, s'il avait été auprès d'elle ce soir-là, de le faire défaillir sous l'ardeur de ses baisers. Ainsi, disait-elle, il était beaucoup mieux qu'il ne soit pas là[101]. Comment, après seulement deux mois d'absence, allaient-ils pouvoir supporter une séparation de dix mois ? Mais pour les jeunes catholiques romains conservateurs de cette époque, la révolution sexuelle ne viendrait que bien plus tard. Les fréquentations étaient longues, soumises à des restrictions, et elles stimulaient le désir, tout simplement parce que les rapports sexuels étaient alors une chose inconcevable.

Ils se languissaient l'un de l'autre, mais les travaux et la psychanalyse de Thérèse, qu'elle avait entreprise dans le cadre de sa formation universitaire, continuaient d'être des sujets de discorde. Comme preuve de sa bonne volonté, Pierre alla entendre une conférence de la psychologue Anna Freud, fille de Sigmund Freud, à l'Unesco, et participa à un séminaire sur l'amour et le mariage[102]. Thérèse lui dit — espérant que cela serait de quelque secours — que sa psychanalyse lui avait fait comprendre qu'elle se sentait coupable de lui avoir caché certaines choses. Elle ajouta, et cela n'aida peut-être pas leur relation, qu'elle l'avait fait parce qu'elle ressentait chez lui « une insatiable curiosité » de tout connaître sur elle. Elle n'avait aucun désir de vivre avec Pierre « sous une loi d'échanges et d'obligation », attitude qui, de toute évidence, écartait toute idée de mariage prochain. Ils devaient plutôt entretenir une amitié « essentielle[103] ». Pierre lui répondit au début du mois de décembre en lui disant qu'il n'avait pas été autrement dérangé à l'idée qu'elle pouvait garder pour elle certains éléments de sa psychanalyse. Mais il n'avait pas apprécié sa lettre : « C'est le ton sur lequel tu me dictais tout ça, un ton froid et étrange, un ton de défiance. » Il avoua être possessif, mais ajouta que le fait d'être ensemble impliquait l'échange de leurs pensées, de leurs espoirs et des événements qui faisaient leur vie[104].

Puis, le 10 décembre, Trudeau fut transporté d'urgence à l'hôpital américain de Paris pour y subir une appendicectomie. Son séjour ne lui coûta presque rien, environ le prix d'un séjour dans un hôtel modeste de

Paris à l'époque, mais on manqua d'anesthésiant. L'opération fut douloureuse, et la nourriture, rare. Le 13 décembre, un vendredi, il dut manger de la viande, probablement pour la première fois de sa vie en ce jour réservé au jeûne par les catholiques[105].

De son lit d'hôpital, il écrivit à Thérèse. Il avait réfléchi à leur amour et en était venu à comprendre que la jalousie était un sentiment fatal. Il lui fit ses excuses. Qui plus est, elle devrait maintenant devenir sa fiancée. Couché sur son lit d'hôpital, il avait réalisé que la vie sans elle serait impossible et avait signé « Pauvre Pierre[106] ». À Noël, elle lui envoya un billet tendre, mais il était déjà parti en convalescence à Mégève, dans les Alpes. Là, son humeur changea. Quelques jours plus tard, il lui écrivit en mentionnant à nouveau la lettre qui l'avait irrité. Une fois de plus il remettait en question sa psychanalyse. Une fois de plus il était jaloux, apparemment parce que leur ami commun, Pierre Vadeboncoeur, lui avait fait part de quelques nouvelles qui l'avaient déplu au sujet de ses fréquentations. Il laissait entendre que « André Lussier » était plus qu'un « ami ». Mais cette lettre, restée à l'état de brouillon, ne fut jamais postée. En revanche, dans une lettre qu'il a bel et bien envoyée le 29 décembre, il lui dit ouvertement ce qu'il avait eu l'intention d'écrire : « À la messe ce matin j'ai prié pour nous. Et j'ai eu honte de moi, profondément honte parce que hier je t'avais écrit une lettre dure et qui, je sais, aurait fait mal à ma Katsi [un surnom affectueux pour elle]. » Il lui fit ses excuses, tout en demeurant inquiet au sujet de ses associés, s'enquérant tout particulièrement d'un ami avec lequel elle était allée au concert[107]. Pierre et Thérèse avaient beau avoir convenu d'un commun accord de laisser l'un et l'autre aller à sa guise en compagnie d'autres personnes à des événements sociaux pendant leur séparation, cela n'empêchait pas ces accès de jalousie de se produire[108].

Le ver était dans le fruit. Leurs lettres alternaient entre les débordements d'amour et les récriminations chargées de doute. Le 15 février, elle laissa aller son exaspération, entre autres parce qu'il avait fait entendre qu'il se plaisait en la compagnie d'une blonde. Et effectivement, c'était le cas. Il avait fait la connaissance de Sylvia Priestley, et son agenda révèle qu'il la rencontra souvent ce mois-là. Thérèse appelait Pierre « cette étrange construction », en recommandant qu'il envisage lui-même de suivre une psychanalyse. De fait, il avait déjà entrepris des consultations auprès d'un psychanalyste de Paris. Il lui dit qu'il s'agirait là de sa « dernière concession[109] ».

Ce qui a survécu des consultations, ce sont les notes d'honoraires, qui sont élevées, la durée des consultations, inhabituellement longues selon des psychanalystes à qui j'ai posé la question, et la transcription que fait Trudeau du journal où il consignait ses rêves ainsi que ses propres notes prises lors de séances d'associations libres*. La psychanalyse, dans les années d'après-guerre, se fondait entièrement sur la théorie freudienne, et le psychanalyste de Trudeau, Georges Parcheminey, employait les catégories de Freud pour décrire le processus de la formation de l'identité. Lui-même peu empiriste, Freud croyait néanmoins qu'il fallait qu'une psychanalyse soit menée en une série de plusieurs séances rapprochées les unes des autres, et la psychanalyse de Trudeau refléta cette conviction. Il se rendait trois fois par semaine ou plus à ses rendez-vous, lesquels se prolongeaient parfois pendant plusieurs heures. Heureusement, il avait trouvé un psychanalyste qui combinait à ses fortes doses de freudisme un solide bon sens. Il disait souvent à Trudeau de ne pas se prendre trop au sérieux, ni lui, ni ses problèmes, ni la psychanalyse en tant que science. Trudeau s'attacha au psychiatre de cinquante-neuf ans. Celui-ci vouait une telle admiration à Freud qu'il avait un jour, et avec beaucoup de courage, rendu hommage au Juif viennois pendant l'occupation allemande de Paris, devant les officiers allemands[110].

Les notes relatant les séances de psychanalyse de Pierre Trudeau donnent un cliché représentatif de cette période de sa vie particulière et hautement chargée émotionnellement qui va de février à juin 1947[111]. Elles reflètent ce contexte en particulier dans les nombreuses références

---

* J'ai délibérément choisi de ne lire intégralement ces notes qu'au moment d'être arrivé à cette étape de mon récit de la vie de Trudeau, craignant que cela ne vienne influencer l'écriture des premiers chapitres. Je partageais aussi, je l'avoue, certains des doutes qu'entretenait Trudeau sur le recours exagéré à la psychanalyse freudienne pour comprendre la formation de l'identité. Après les avoir lues, j'en suis venu à la conclusion que ces notes étaient d'une grande valeur, en particulier parce qu'elles confirment ce qu'avaient pressenti à son sujet ses professeurs, ses camarades de classe et certains spécialistes. Mais elles révèlent aussi certains éléments de la vie de Trudeau qui diffèrent légèrement, ou même de manière importante, de ce que Trudeau lui-même a présenté dans ses mémoires ainsi que dans d'autres études faites sur lui. Le document pose tout de même quelques difficultés.

à son meilleur ami du moment, Roger Rolland, et à Hertel, qui habitaient la même chambre d'hôtel. Elles confirment que Rolland aimait jouer des tours pendables et partir en excursion, mais n'en disent pas beaucoup plus à son sujet. Elles fournissent également des preuves à l'appui de la relation étroite qu'entretenait Trudeau avec Hertel, mais confirment aussi ses doutes quant au combat de Hertel contre l'Église. Il y mentionne Pierre Vadeboncoeur (surnommé « le Pott ») à plusieurs reprises, dans le contexte toutefois de son attachement envers un ami qu'il considérait comme merveilleusement excentrique. Malheureusement, une partie du document est illisible, en particulier la partie où Trudeau griffonne l'interprétation que fait son psychiatre de ses rêves et de ses associations libres.

Dans le premier rêve, au cours de la nuit du 11 au 12 février, il se trouve à la mine d'or où il avait travaillé l'été précédent. Un ouvrier lui parle d'un livre nationaliste nouvellement réédité dans une édition de luxe. L'ouvrier explique que de tels ouvrages déplaisent à la direction de la compagnie. Trudeau affirme qu'il achètera l'ouvrage mais non pas dans son édition de luxe. Le docteur fit une interprétation sensée de ce rêve, à savoir que le nationalisme de Trudeau entrait en conflit avec ses ambitions professionnelles. Dans un autre rêve décrivant un discours que prononce Henri Bourassa, Trudeau se trouble lorsqu'une personne qu'il n'avait pas invitée se présente. De la même façon, lorsque quelqu'un lui dit qu'un candidat de la Cooperative Commonwealth Federation a perdu une élection, il répond « tant pis » ; en revanche, lorsqu'on lui dit que ce candidat de la CCF avait été battu dans la circonscription de King, il approuve même si, plus tôt, il avait semblé être d'avis contraire. Ambition, nationalisme et socialisme, de toute évidence se heurtaient. Il était toutefois, et de manière étonnante, très peu question de politique dans ses rêves.

Dans de nombreux rêves, son père est présent de manière très frappante, et il lui témoigne une profonde et tendre affection. C'est le cas lorsqu'il dit : « Papa, de retour d'Europe, avait demandé du gâteau 'frou-frou' mais un Canadien lui apporta une demi-tarte avec crème fouettée. » Dans l'une des séances d'association libre tenues en présence du docteur, il parla de « grande admiration » pour son père mais d'impatience envers certains traits de sa mère. Son frère Tip et sa sœur Suzette faisaient souvent partie de ses rêves, sans autres commentaires particuliers, mais Parcheminey avait dit à Trudeau, qui était d'accord, qu'il enviait leur situation plus établie et spécialement le fait qu'ils étaient mariés. Il arrivait fréquemment au cours des séances que Trudeau parle de sa peur de choisir et du conflit qu'il ressentait entre son désir de faire le tour du monde et celui de se faire une « place ». Il voyait un conflit entre son désir d'être indépendant, qui parfois pouvait conduire à l'agressivité, et la qualité opposée qui consistait à tenir compte de ce que les autres pensaient. Parcheminey lui avait dit que c'était là une réaction à sa timidité — une réaction normale en processus de croissance.

À une autre occasion, Trudeau décrit un rêve dans lequel il marche sur la plage en compagnie de sa mère ; le frère de celle-ci, Gordon, apparaît. Trudeau les laisse et part en compagnie d'une jeune femme « un peu commune » qui lui dit qu'il n'est bon à rien excepté comme skieur — une remarque qui lui fait plaisir. Il prend ensuite un taxi, mais le chauffeur l'agace en parlant anglais. Il refuse de le payer parce qu'il n'a pas mis le compteur. Il conclut de ce rêve qu'il illustre sa dépendance envers son devoir familial, sa possessivité en ce qui a trait à l'argent et son sentiment d'infériorité qu'il manifeste à travers sa réaction aux commentaires sur le ski et son agressivité envers le chauffeur. Employant le vocabulaire de la psychanalyse, il note : « C'est la timidité et l'agressivité. Je n'ai pu, à cause d'empêchements, me manifester pleinement dans la phase génitale. Donc récession vers la phase précédente ou anale. La frustration cause timidité et agressivité. Possessivité ou désir des choses (argent, exploits, réputation, etc.) qui fait [passage illisible] de valeurs : compensation pour génitalité inachevée. » Lorsque Parcheminey prit connaissance de cette interprétation, il mit en garde Trudeau contre une analyse personnelle trop poussée, et lui recommanda d'éviter de faire preuve de tant d'autocritique. Conseil judicieux s'il en est.

Quand Trudeau parla de l'évolution de ses convictions religieuses, Parcheminey expliqua qu'elles avaient constitué une restriction renforcée par le sens du devoir inculqué dans son enfance. Il affirma n'avoir trouvé aucun complexe de castration particulier chez Trudeau qui aurait pu être à l'origine d'un quelconque traumatisme, encore qu'il y ait eu « un certain blocage au seuil de la virilité » ayant entraîné certains mécanismes compensatoires de régression. L'un des premiers rêves de Trudeau le montre quittant ses amis pour monter à bord d'une voiture où sont installées de belles jeunes femmes assises à la place des passagers ; un autre rêve le montre dans une église vêtu d'un maillot de bain ; et dans un autre encore, il trouve un crucifix sur une table et retire le linge qui le couvre. Le psychiatre explique que ces rêves révèlent en quoi sa religion entre en conflit avec son « élan vital », et la manière dont il sublimait ses violents désirs sexuels par l'intermédiaire de ses activités religieuses et intellectuelles aussi bien que par le sport et l'aventure. Parcheminey vit dans l'histoire de la croix l'expression d'une tendance à « asexuer le Christ ». S'il arrivait qu'on mentionne des parties génitales dans ces rêves, elles étaient « une chose sale inacceptable ».

Tous ces propos tourbillonnaient dans la tête de Trudeau. C'est à cette période qu'il reçut une lettre de Thérèse, en retraite et en jeûne pour l'Avent. La psychanalyse, lui disait-elle, pouvait aider une personne à comprendre le moi mais non à changer le moi[112], ce avec quoi Pierre semblait être d'accord : après avoir beaucoup douté de la valeur de la psychanalyse de Thérèse, il semblait maintenant croire que le processus pourrait lui être utile pour se comprendre lui-même.

Malgré ce que cela représentait d'investissement en argent et en temps, Trudeau continua de fréquenter assidûment le cabinet du psychiatre où, comme ses notes l'indiquent, il espère mieux comprendre sa timidité, son agressivité et sa sexualité. Parcheminey et Trudeau abordèrent le sujet de l'homosexualité (que le psychiatre disait pouvoir se guérir, contrairement à la schizophrénie) et assura Trudeau que l'absence de relations sexuelles avec les femmes ne signifiait pas qu'il eût des tendances homosexuelles. Il était d'accord avec Trudeau pour dire qu'il « régressait » souvent à la phase anale, pour employer le vocabulaire freudien, phase dont les aspects caractéristiques sont la timidité, la possessivité et une occasionnelle agressivité. Parcheminey était néanmoins d'avis que la sexualité de Trudeau, même s'il était encore vierge à vingt-sept ans, était « normale ». Il avait réussi à sublimer ses puissants élans sexuels parce qu'il était un catholique croyant et que le mariage, de ce fait, revêtait une importance particulière à ses yeux. Trudeau observa lui-même que l'abstinence et la fidélité conjugale étaient beaucoup moins courantes en France qu'elles ne l'étaient au Québec — même chez les croyants[113].

Après une pause à Pâques, où patient et docteur reconnurent que Trudeau ne souffrait d'aucune névrose, mais que les séances étaient néanmoins utiles, ce dernier entreprit une dernière série de séances de la mi-mai jusqu'au 14 juin, juste avant son départ de la France. Pour cette dernière série de rencontres, Trudeau affirma vouloir se concentrer sur le développement professionnel et personnel, et tant Parcheminey que Trudeau s'entendirent pour dire que l'acquisition d'un meilleur contrôle de son agressivité et de son impétuosité était une chose importante à cet égard. Ces traits résultaient peut-être, de l'opinion du docteur, de sa timidité et de son manque de « visibilité ». Après avoir discuté d'une série de rêves, le psychiatre le rassura en lui disant qu'il existait des moyens de pallier ses difficultés : dans le cas de Trudeau, ce serait le mariage. « Une ou deux années de vie conjugale, où le [passage illisible] vital pourra s'exprimer, où la virilité s'épanouira dans la responsabilité du foyer, contact de la douceur féminine, assouvissement de l'appétit sexuel, etc. »

Après cette discussion, les séances se poursuivirent pendant encore deux semaines au cours desquelles on aborda principalement le sujet du mariage. Trudeau fit un rêve où un ami lui décrivait une union où tout avait mal tourné, et un autre où son père lui racontait la demande en mariage faite à sa mère. Parcheminey dit à Trudeau qu'il était possible que son éducation scolaire et les préceptes hautement moraux de son père, tels qu'ils avaient été vécus à la maison, aient constitué des barrières à une « affirmation du moi ». Toutefois, étape par étape, l'adolescence et l'âge adulte se chargeraient de lui apporter une solution à ses problèmes, en particulier lorsqu'il aurait finalement des rapports sexuels dans le mariage. Et c'est pourquoi, pour mettre un terme aux sentiments d'infériorité et pour manifester pleinement sa virilité comme il le souhaitait, il devait devenir « un homme possédant une femme ». À défaut de quoi il aurait à sublimer sa sexualité.

Parcheminey avisa Trudeau que, pour lui, l'analyse était terminée. « Un ou deux ans après le mariage, il croit que tout sera arrangé », avait-il dit[114].

Les choses n'allaient pas être si simples.

CHAPITRE 4

Le retour

Au cours de l'hiver, Pierre et Thérèse commencèrent à envisager de passer leur vie ensemble. Le sénateur Léon-Mercier Gouin, père de Thérèse, souleva même la question d'une possible carrière journalistique pour Trudeau lors de ses discussions avec quelques éditeurs; et au début du mois de mars, Thérèse vainquit sa timidité en présence de Grace Trudeau, l'accompagnant au concert[1]. Il semblait bien que, comme Parcheminey l'avait dit, tout allait s'arranger. Et parfois on aurait pu le croire.

Thérèse termina sa thèse, obtint son diplôme *summa cum laude* et remportant le premier prix. Pierre rejeta l'invitation tentante de Gérard Pelletier, qui lui avait proposé de diriger une école d'été de Harvard à Salzbourg, ayant fait le projet plutôt de passer l'été avec Thérèse au Québec[2]. Cependant, Pierre était jaloux et le doute s'était emparé de Thérèse. Pierre, à Paris, allait danser; Thérèse, à Montréal, allait au concert. Il souhaitait ardemment sa présence, mais ses lettres se faisaient attendre et les trop nombreuses excuses étaient abjectes. Et s'il se plaignait des nombreuses amitiés qu'entretenait Thérèse, et de ce qu'il appelait ses silences, de son côté sa vie n'était que fêtes, danses, allant même jusqu'à se plaire en la compagnie d'autres femmes au printemps de 1947. « Si je voulais te rendre jalouse », lui écrivait-il en mars, « je te parlerais d'une certaine Américaine, ou bien de Sylvia[*], la fille de l'écrivain anglais [J. B.] Priestley[3]. »

---

[*] Seul Churchill après Priestley fut plus influent à la BBC pendant la guerre. Les émissions de Priestley suscitaient un énorme intérêt auprès de la classe ouvrière britannique. Trudeau avait dit à Thérèse que son père n'approuverait pas le socialisme de Priestley.

Grace Trudeau se rendit à Paris en avril. Mère et fils entreprirent de visiter ensemble la Côte d'Azur, parfois sur la Harley-Davidson, la grande dame d'Outremont assise derrière son casse-cou de fils. Ils assistèrent à un spectacle des Ballets russes au Casino de Monaco pendant le congé de Pâques. Grace resta en France jusqu'au 6 juin, quelques jours seulement avant que Pierre lui-même s'embarque pour le Canada[4].

Dans le morne printemps de Montréal, Thérèse rêvait, elle aussi, qu'elle se trouvait à Paris, marchant main dans la main avec Pierre le long des Champs-Élysées, le soir venu. Ils se laissaient guider par la lumière qui éclairait les fontaines et les monuments, tandis que le parfum des fleurs printanières embaumait l'air. Elle se tournait vers lui, admirant son « clair profil qui se perdait vers les étoiles ». Elle lui disait qu'elle l'aimait et, lui murmurait-elle à l'oreille, « je crois aussi que tu marchais vers l'amour, car ta bouche m'apparut infiniment désirable ». Dans une lettre écrite peu avant Pâques, elle remercia Pierre pour le lapin en chocolat qu'il lui avait envoyé, mais encore davantage pour « le billet d'amour » et, par-dessus tout, pour son « grand amour[5] ». Le 21 mai, il lui écrivit, lui décrivant l'hôtel romantique où il habitait et ajoutant : « Si tu voulais être ma maîtresse, c'est là que nous habiterions, sous les combles, entre des murs poussiéreux. Le lit est bas et raboteux, mais tes bras seraient doux et ta bouche bonne (...) Tous les matins nous irions demander pardon dans un coin perdu de l'église de Notre Dame[6]. » Son désir pour elle ne laisse aucun doute.

Pourtant, les tensions dans leur relation ne manquaient pas. Au cours des séances chez Parcheminey, Trudeau, étonnamment, parlait très peu de Thérèse, ayant par contre des visions d'autres femmes, y compris de l'amie de Thérèse, Andrée Desautels, ou D.D., qui se rendit elle-même à Paris au cours du printemps. Leur correspondance devint plus chargée et, pourtant, moins fréquente, en particulier du côté de Thérèse. Le 16 avril, il rédige une lettre où il la supplie d'écrire plus souvent, mais avant qu'il puisse l'envoyer, une lettre d'elle lui parvient, dans laquelle elle lui dit attendre son retour avec impatience, promettant de l'accueillir, des fleurs sur la tête, lorsqu'il arriverait en juillet à bord de l'*Empress of Canada*. Très vite s'ensuivent de nouvelles disputes au sujet de la psychanalyse ; il proteste vigoureusement contre le fait qu'elle ait révélé en confession qu'elle voyait un psychanalyste, un secret qu'elle aurait dû garder pour elle, lui reproche-t-il amèrement[7]. Le 1er juin 1947, c'est sur un tout autre ton qu'il écrit « Ma Thérèse d'amour, mon enfant bien-aimée, ma folle vierge sage ». Mais le doute persiste. Il affirme que « D.D. » lui avait parlé avec difficulté de Thérèse. Que signifiait le mutisme de D.D.? Pourquoi devait-il apprendre d'autrui qu'elle avait du succès dans ses études? Une semaine plus tard, après avoir fait un mauvais rêve au sujet de Thérèse et un rêve bizarre à propos de « D.D.[8] », il écrit une lettre où il laisse éclater sa colère envers celle qu'il appelle, de manière ambivalente, « Mon amour pas sage[9] ».

> Il faut que je te gronde de tant t'inquiéter, d'être si pleine de peur et d'angoisses. Comme tu l'as demandé, je prie fort pour toi, mais Dieu n'est pas content de toi. Il m'a dit que tu étais un tout petit peu idolâtre, et te voilà bien punie d'adorer la science. Tu joues à Frankenstein et tu te prends à ton jeu. Attention que ton jeu ne te prenne et ne t'égorge.
>
> Mon amour, poursuis ton analyse, poursuis-la sérieusement et sincèrement, mais ne prends pas au tragique ce qu'il suffit de prendre au sérieux. Crois-moi, ce conseil de Péguy t'est précieux. Par amour pour moi, s'il t'en reste un peu, n'essaie pas de trop bien faire. Songe que l'arrivée de cette lettre ne précède même pas la mienne de trois semaines; sois plus docile pendant ces quelques jours qui te restent. Ton âme est en paix, que ton esprit le soit aussi. Ne te débats pas, ne crie pas (ce sont tes expressions), ne cherche pas avec tant de rigidité: tu n'as rien perdu et tu n'es pas perdue. Tu es là contre mon cœur, contre mon corps, je te tiens, mais je ne puis pas tenir ton esprit, qu'il soit plus docile et plus aimant.
>
> Crois-moi, par amour je te demande de me croire, par amour, le peux-tu? ne prends pas ton analyse, ne prends pas Mailloux tant au tragique durant ces quelques jours qui te restent. Tu es si malheureuse que je me hais de n'être pas là. Mais donne-moi seulement encore une demi-lune et j'arriverai. Et en attendant, n'essaie pas à tout prix, coûte que coûte de compléter l'analyse. Il y aura tout l'été et toute l'année prochaine et toute la vie pour faire ce que tu veux, mais tout de suite, demande la permission à Mailloux de t'inquiéter moins, peut-être pourras-tu aller quelques jours à La Malbaie et peut-être voir passer mon bateau au large de la bouée sonore.
>
> Parch [Parcheminey] nous met souvent en garde contre les fausses angoisses, contre les inductions qui ne sont pas scientifiques, contre la

généralisation et la systématisation. Il faut être docile et patient. Il ne faut pas croire aux croquemitaines, et il paraît que les étudiants en psychologie sont tout le contraire.

Ce que le temps a construit laborieusement, il ne faut pas tenter de le jeter à terre sans son aide. Il ne faut surtout pas systématiser. Mon amie, mon amie, mon amour, je voudrais tant que tu sois moins malheureuse.

~~Pierre~~ Moi

P.S. Je quitte Paris le 21 juin ; tu as le temps de m'envoyer un mot si le cœur t'en dit.

Thérèse, je viens de relire et je crains que tu n'écartes toutes mes phrases en croyant à un transfert négatif vis-à-vis de la psychanalyse. Ce n'est pas le sens de mes paroles ; j'aime ta psychanalyse, mais je veux que tu la fasses mieux, plus sagement, plus véritablement, moins caricaturalement. Achève, ou avance « tout doucement ».

La lettre parvint à Montréal juste avant que Pierre y arrivât lui-même, non pas par l'*Empress of Canada* où il devait être accueilli par une Thérèse fleurie, mais par un avion qui atterrit de Paris à 6 heures du matin le 22 juin. Ils se rencontrèrent à nouveau neuf jours plus tard et ce fut le début de la fin de leur relation amoureuse. Des années plus tard, Thérèse raconta que, au printemps de 1947, elle en était venue à la conclusion que « s'ils se marient, Pierre et elle se préparent une désastreuse vie conjugale, "un grand malheur"[10] ». C'est possible. Chose certaine, si ces deux enfants privilégiés et brillants de l'élite francophone s'étaient mariés, leur vie ensemble aurait été bien différente de celle qu'ils ont en fait vécue[11]. Thérèse devint une psychologue éminente[*]. Pierre serait probablement devenu professeur d'université, avocat ou même un riche homme d'affaires. Encore une fois, c'est possible.

[*] Thérèse devint l'une des psychologues les plus connues du Canada, l'auteure de plusieurs ouvrages importants sur la psychologie des enfants et une interprète de la psychologie expérimentale de Jean Piaget. Chercheure et universitaire exceptionnelle, elle fut nommée officier de l'Ordre du Canada en 1977 et fut présidente de plusieurs associations œuvrant dans le domaine de la psychologie.

Ce que nous savons par contre, c'est qu'à l'automne de 1946 et au printemps de 1947 il désirait ardemment épouser Thérèse et que leur relation se détériora à cause de la jalousie de Pierre, de leurs mutuelles ambitions professionnelles et des doutes qu'entretenait Pierre au sujet de la psychanalyse de Thérèse — et de l'exigence qu'il avait qu'elle la termine hâtivement. Nous savons aussi que, pendant longtemps, ils se sont aimés intensément de cette façon particulière qui était propre à leur époque et au lieu où ils vivaient. Leur relation n'était pas charnelle, mais elle était passionnée. Pour cette raison, nous savons que, lorsque Thérèse mit un terme à leur relation amoureuse, la déception que vécut Trudeau l'affligea plus que tout autre événement depuis la mort de son père. Le 10 juillet, il écrivit à Lomer, le frère de Thérèse: « Voilà exactement 24 heures que ta sœur m'a retiré toute raison de vivre. » Il était impossible à l'homme, disait-il, de survivre à de si profondes blessures. Et parce qu'il avait le sentiment que Lomer et lui éprouvaient une certaine empathie l'un pour l'autre, il lui demanda de chercher à savoir si Thérèse pouvait même « supporter ma présence ». Ne pouvaient-ils pas se rencontrer rien qu'une fois encore? Il termine sa lettre en signant « Ton lamentable, etc. Pierre[12] ».

Un frère, bien entendu, est rarement utile dans ces cas-là, mais Pierre tenta tout de même de rencontrer « Tess » à nouveau à la résidence d'été des Gouin à La Malbaie sur le Saint-Laurent. Cependant, Thérèse, au grand désarroi de sa mère, refusa de le voir. Trudeau resta pour la nuit, mais partit le lendemain matin du 27 juillet, sans lui parler. L'année suivante, elle tomba amoureuse d'un ami de Trudeau, le jeune philosophe Vianney Décarie. À la fin du printemps 1948, comme Vianney et Thérèse prenaient leur repas du soir chez Jean-Luc Pepin à Paris, quelqu'un frappa à la porte. C'était Pierre, l'ancien camarade de classe de Jean-Luc, mais il était venu voir Thérèse. Cette fois, ils se parlèrent. Lorsque Thérèse lui annonça qu'elle était maintenant fiancée, il a simplement haussé les épaules. Dans ce cas, dit-il, il irait faire le tour du monde en solitaire[13].

Leurs chemins se croisèrent souvent par la suite. Trudeau conserva les articles de journaux dans lesquels on parlait de la psychologue de plus en plus respectée qu'était devenue Thérèse Décarie[14], et Vianney écrivit des articles dans *Cité libre* — le magazine que Trudeau publia pendant de nombreuses années. En 1968, les Décarie, qui étaient alors tous deux professeurs à l'Université de Montréal, firent circuler une pétition dont le but était de soutenir la candidature de Pierre Trudeau au poste de chef du Parti libéral[15]. On a raconté aussi, et cette histoire fut répétée par Stephen Clarkson et Christina McCall, qu'une fois, Thérèse s'était rendue à Ottawa en visite après que Trudeau fut devenu premier ministre, et qu'elle avait demandé à un membre du personnel du bureau du premier ministre si elle pouvait rencontrer ce dernier et lui présenter ses félicitations. Trudeau n'était pas là, mais elle avait demandé qu'on lui remette une feuille de papier, sur laquelle elle avait écrit *Thérèse* et déposé un baiser, y laissant la marque de son rouge à lèvres, puis placé le feuillet sur le bureau[16].

Madame Gouin Décarie rit lorsqu'on lui parle de cette histoire. Il n'y avait eu ni visite ni rouge à lèvres ; c'était l'œuvre de Roger Rolland, leur ami commun et farceur invétéré, qui, à l'époque, écrivait les discours de Trudeau. Il n'existe qu'une seule note de Thérèse dans les papiers de Trudeau écrite après la fin de leur relation amoureuse. Elle n'est pas datée, mais fut certainement rédigée en 1969, au moment où sa fortune politique commença à décliner après l'élection triomphante de 1968. Elle s'inquiète de ce qui lui arrive, se demande pourquoi il semble toujours en colère, lui dit que ses yeux sont méchants, qu'il a l'air mesquin. Elle le met en garde en lui disant que les gens autour de lui et ceux sur qui il compte ne comprendront pas. Elle termine avec élégance : « Nous pensons bien souvent à toi. Thérèse[17]. » Si le rouge à lèvres n'y est pas, la note ne manque ni d'affection ni de dignité.

Romantique jusqu'au tréfonds de son être, Trudeau éprouva un immense chagrin lorsqu'ils se séparèrent. Il faut bien reconnaître que cette relation semblait le mieux s'épanouir lorsqu'ils se trouvaient loin l'un de l'autre, et qu'elle se heurtait également à bien des restrictions. Il n'empêche que la fin de cette relation fut un moment décisif dans la carrière de Pierre Trudeau. Pendant l'été qu'il passa à Montréal, il sembla voguer à la dérive. Il rencontra quelques vieux amis, y compris certaines femmes. En quête de solitude, il entreprit de parcourir à pied les centaines de kilomètres entre Montréal et le Lac-Saint-Jean, goûtant le charme rustique de la Mauricie avec ses puissants rapides, ses forêts sauvages et ses chutes vertigineuses[18]. Au début du mois d'août, il prit ses premières leçons de pilotage, leçons qu'il suivit à bord d'un avion Curtiss-Reid à raison d'une leçon par jour pendant deux semaines. Le 3 septembre, il vola en solo. Toutefois, il semble qu'il n'ait jamais obtenu son permis permanent, quoique, au début des années cinquante, il s'aventurât à faire du deltaplane.

Au cours des dernières semaines de l'été et au début de l'automne, Trudeau ne sombra pas dans le ressentiment, comme souvent les amoureux éconduits le font. Son emploi du temps était chargé et intéressant. Le 7 juillet, il déjeuna avec son ami Gérard Pelletier et il passa la soirée avec son compagnon révolutionnaire d'antan, François Lessard, ainsi que son épouse. À la mi-août, il se rendit à Toronto en compagnie du chef de la Jeunesse catholique, Claude Ryan, qui allait devenir plus tard son rival et l'un des dirigeants libéraux du Québec. Leur rencontre avait pour but d'établir, l'espéraient-ils, un comité de coordination des différentes associations catholiques canadiennes. Pelletier, l'un des organisateurs principaux, n'avait pu les accompagner, ayant égaré son billet de train. À Toronto, Trudeau rencontra Ted McNichols, qu'il décrivit comme un protestant et un communiste. À l'ordre du jour de cette réunion figura une « discussion ardente sur [la] démocratie et [la] possibilité de concilier vie [démocratique] avec communisme ». Une fois la réunion terminée, il enfourcha sa motocyclette et se dirigea vers le nord, où il rencontra l'une de ses connaissances dont l'amie de cœur lui rappela douloureusement Thérèse. Il passa également une soirée en compagnie de François Hertel, qui était également de retour à Montréal, et rendit visite à l'abbé Groulx. Il s'entretint avec Claude Ryan au nom de Hertel, probablement en vue d'explorer la possibilité que son ancien mentor, qui avait alors quitté l'Ordre des Jésuites sans toutefois s'éloigner de l'Église, puisse trouver du travail auprès des groupes que Ryan organisait.

En septembre, Trudeau quitta Montréal une fois de plus pour étudier à l'étranger, cette fois à la London School of Economics (LSE). Il allait fêter ses vingt-huit ans dans un mois. Il voyagea en première classe à bord de l'*Empress of Canada.* Parmi les passagers se trouvaient Allan Blakeney, futur premier ministre de la Saskatchewan, et Marcel Lambert, qui deviendra plus tard président de la Chambre des communes. Tous deux voyageaient en classe touriste[19]. Il est intéressant de souligner qu'avant son départ, il fit en sorte de bien assurer ses liens avec le Québec.

Le 8 septembre, il alla déjeuner avec Lomer Gouin ; à 15 h 30, il rencontra Gérard Filion qui devint rédacteur en chef du *Devoir* en 1947 ; il rendit ensuite visite au nationaliste conservateur Léopold Richer, avec qui il discuta de la possibilité d'écrire pour le journal *Notre Temps*. Le lendemain, il rencontra Claude Ryan à nouveau et dîna avec Hertel dans la soirée. Hertel fut, durant ce mois, son plus proche compagnon. Il alla déjeuner également avec son camarade de classe Charles Lussier, dont la carrière d'avocat s'annonçait prometteuse, à la résidence de Paul Gouin, l'oncle de Thérèse et ancien politicien libéral radical. Et immédiatement avant son départ, il rencontra au McGill Faculty Club l'éminent poète, professeur de droit et libertaire F. R. Scott[20]. Tout compte fait, l'agenda de Trudeau en cet été de 1947 confirme les principaux intérêts qui l'animaient sur le plan politique et les liens qu'il continua d'entretenir avec les groupes de la Jeunesse catholique (Pelletier et Ryan), avec les libéraux (Gouin), avec les socialistes (Scott), ainsi qu'avec les nationalistes de la vieille garde et plus traditionnels (Groulx, Hertel, Lessard et Richer). Déjà, il préparait son avenir. Il prenait soin de conserver plusieurs options possibles.

De quoi discutait-il au cours de ces réunions ? De ses ambitions professionnelles fort vraisemblablement, de ses études probablement et de politique certainement. On peut se faire une idée de l'humeur de Trudeau à cette époque en lisant la lettre que lui fit parvenir Lomer Gouin à l'automne. Lomer, dont la carrière d'avocat s'amorçait, lui dit qu'il lui faisait penser « un peu à du champagne qui aurait tourné au vinaigre : tu es plein d'effervescence, de jeune courage, mais le goût est amer ». La sainteté n'était pas pour lui, mais il était « mûr » pour la politique, une profession où les saints, apparemment, n'étaient pas légion. Gouin l'encouragea à mettre un terme à ses voyages et à ses études, et à revenir au pays. Il y aurait des élections au printemps et Pierre devrait se présenter, présumément comme candidat libéral[21].

Plus encore que le vide qu'il ressentait, c'est la confusion et la contradiction qui semblent marquer la vie de Trudeau à la fin de 1947. Même si sa thèse de doctorat de Harvard restait inachevée, il entra au programme d'études de doctorat en sciences politiques à la LSE en octobre. Et Londres, se rendit-il compte bientôt, n'était pas Paris. Son groupe d'amis de Brébeuf et de Montréal, intenses et un peu fous, lui manquait. Trudeau resta distant, tout comme il l'avait été à Harvard. Paul Fox, un camarade de classe, et plus tard éminent expert canadien en sciences politiques, se rappelle que Trudeau ressemblait à un « jeune aristocrate en train de faire son tour d'Europe, très intelligent mais plutôt désengagé[22] ». Comme à Brébeuf, Trudeau dissimula délibérément certains aspects de sa personnalité, ne révélant que ce qui semblait convenir aux circonstances. Il était toutefois le résultat de son passé, dont on pouvait clairement déceler les traces. Ces traces, il les suivait parfois de manière intermittente, tandis que certaines autres étaient systématiquement effacées.

L'une des traces de son passé demeura indélébile, et c'est son engagement envers le christianisme catholique romain. Mais la nature même de cet engagement était en mouvance. Pierre pouvait encore rédiger le genre de lettres qui aurait satisfait le plus traditionnel de ses professeurs de Brébeuf. À Pâques en 1947, par exemple, il avait parlé dans une lettre à Thérèse du « Christ de la Passion » qui en était venu à représenter pour lui le caractère fondamentalement humain du Christ. Les derniers jours de la vie du Christ, disait-il, étaient faits d'incertitude, de trahison et de défaite. Il était tel un pauvre pêcheur et c'est à travers cette humble condition qu'il nous avait transmis l'essence de son message. À François Lessard, toujours aussi pieux, il envoie une carte postale ce même jour de Pâques, en terminant sa lettre par « Christ est roi[23] ! ». À Paris, il avait à peine fait attention au mouvement existentialiste et athée des Jean-Paul Sartre, Albert Camus et Simone de Beauvoir. Il n'empêche que Paris avait tôt fait de le délivrer des contraintes imposées par le culte catholique. Il faut noter en particulier ses longues fréquentations avec la psychologie freudienne à l'époque de la publication des premiers travaux de Kinsey, lesquels eurent pour effet de le dégager peu à peu des contraintes religieuses en matière de comportement sexuel[*]. Trudeau manifestait sa foi d'une manière de plus en plus personnelle, cherchant de

[*] Le congrès des jeunes leaders qui s'est tenu à Toronto en août 1947, et auquel participaient Trudeau, Claude Ryan et d'autres, indique que la plupart des jeunes gens canadiens adoptaient une attitude conservatrice dans leurs comportements personnels. Au cours de cette rencontre, on discuta d'un sondage effectué en 1945 auprès de 57 catholiques, dont 56 fréquentaient l'église chaque semaine. Tous ont répondu s'opposer au jeu ; 40 ont dit s'opposer à la consommation d'alcool ; et seulement 26 se sont dits en faveur des « baisers et caresses » entre hommes et femmes célibataires. Tous se sont dit opposés à aller plus loin que le fait de s'embrasser et de se caresser — frontière que Trudeau allait bientôt franchir. FT, vol. 8, dossier 16.

moins en moins à répondre aux exigences des autorités et de la tradition ecclésiastiques. À cet égard, il témoignait de son approche personnaliste de la religion et de ses croyances catholiques mieux définies. Même s'il demeurait croyant, il devenait de plus en plus sceptique face à l'Église catholique du Québec, laquelle, à son avis, ne savait pas tenir compte de la vie contemporaine.

Selon certains critiques, les convictions de Trudeau à cette époque montraient des contradictions. Il y en avait certainement, comme on doit s'y attendre chez un homme de cet âge. À la lecture des documents, toutefois, il est clair qu'elles découlent moins d'une incertitude qu'il aurait pu éprouver que de l'influence qu'exerçaient certaines amitiés et relations anciennes. Il conservait des liens étroits avec le journal *Notre Temps*, dont les opinions étaient de plus en plus conservatrices et nationalistes, et dans lequel il avait investi la somme considérable de 1000 $ en 1945. Le journal avait émergé des décombres du Bloc populaire canadien qui avait brièvement réuni les nationalistes conservateurs et de gauche pendant la guerre. Par la suite, il avait accordé un soutien de plus en plus important au gouvernement provincial conservateur de Maurice Duplessis et à son parti, l'Union nationale[24].

Au printemps de 1947, Trudeau avait écrit à Thérèse pour lui parler de sa colère envers le Canada et de son intention de rédiger un article critique sur son pays. Peu de temps après son arrivée à Londres, il élabora un long article intitulé « Citadelles d'orthodoxie » que *Notre Temps* publia dans son édition d'octobre. Comme le titre le suggère, Trudeau s'attaquait aux « orthodoxies » de la société québécoise contemporaine. Tout en reconnaissant que le conservatisme de la société québécoise avait été essentiel dans sa résistance à l'assimilation, il déplorait la manière dont la religion et le nationalisme étaient devenus de vieilles « orthodoxies » qui étouffaient les citoyens à la recherche de liberté, « sans système ». L'article est étrangement vague et ne fait référence qu'à deux personnes, soit les nationalistes Henri Bourassa et Paul Gouin. Trudeau les liait tous deux aux initiatives « courageuses » du Bloc populaire. Dans l'ensemble, il s'agit d'un article qui manque de clarté, de détails et de force ; il est le reflet d'un esprit en mouvement mais qui ne sait encore dans quelle direction se diriger[25].

Trudeau vécut une autre transformation majeure dans la façon dont il comprenait et envisageait la politique. À Paris, tant ses études que ses expériences de la vie quotidienne l'avaient amené à fouler des sentiers qui se dirigeaient vers l'aile gauche de la politique. À Harvard, il avait participé à quelques rassemblements « socialistes », surtout par curiosité. À Paris, les communistes avaient un cachet de résistance en temps de guerre et véhiculaient la promesse d'un avenir révolutionnaire. Trudeau fut intrigué, en particulier par les tentatives des catholiques français en vue de se réconcilier avec les défis du communisme. L'éminent philosophe Emmanuel Mounier rejeta les derniers vestiges de l'idéologie corporatiste, que le régime de Vichy et la Belgique en temps de guerre avaient discrédités, pour épouser la cause du socialisme chrétien et de l'opposition au rôle du capitalisme américain dans la société d'après-guerre. Dans son magazine *Esprit*, il fait le lien entre le personnalisme et le marxisme, faisant remarquer que tous deux se préoccupaient du problème de l'aliénation au sein de la société industrielle moderne. Il voyait la révolution communiste qui se préparait dans la France d'après-guerre comme un moyen de rajeunir le christianisme lui-même[26].

Ces idées éveillaient la curiosité chez Trudeau. Lorsque, dans l'excitation des rues de Paris, il avait été entraîné dans les mouvements de masse de la gauche, il avait raconté à Thérèse comment les manifestants s'étaient transportés des cafés révolutionnaires de la rive gauche, aux institutions du gouvernement sur la rive droite ; comment il s'était retrouvé entouré par les policiers pour toutefois réussir à s'échapper dans les profondeurs d'une station du métro en faisant « bye-bye » de la main[27]. Plus sérieusement, il écoutait avec beaucoup d'intérêt les propos de Mounier et d'autres catholiques français, qui se tournaient vers le socialisme pour revigorer le christianisme.

Alors qu'il se trouvait encore à Paris, Trudeau avait commencé à dire à des amis que la thèse qu'il rédigerait ne se concentrerait finalement pas sur quelque sujet universitaire pointu, mais serait une contribution majeure au grand débat sur la réconciliation du catholicisme et du communisme. Il passa de longues nuits, en 1947, à débattre avec Gérard Pelletier de la possibilité pour quiconque de réconcilier communisme et foi catholique. Plus tard, et c'était avant la chute du rideau de fer, Pelletier avoua franchement l'attirance que le communisme exerçait dans ces années-là. Son ami français de l'époque, Jean Chesneaux, affirmait que la logique du christianisme imposait à tout chrétien d'être communiste pendant les années d'après-guerre. Trudeau, poursuit Pelletier, était mieux informé et plus rationnel et, pourtant, à cette époque, dans « le monceau de ruines qu'était devenue l'Europe » avec ses « quartiers rasés par les bombes et où Auschwitz et Dachau témoignaient avec horreur de la faillite non seulement du fascisme mais aussi du conservatisme d'avant la guerre, le communisme représentait une tentation ou, à tout le moins, était intrigant pour un jeune catholique pratiquant[28].

Si la London School of Economics n'était pas l'endroit idéal pour l'étude du catholicisme, elle l'était certainement pour tout ce qui concernait le communisme. Bien qu'elle eût accueilli certains des plus éminents penseurs de l'idéologie conservatrice, notamment Friedrich Hayek, dont l'ouvrage *La route de la servitude,* un classique publié en 1944, est une brillante attaque de la planification étatique, l'école s'identifiait à bon droit au Parti travailliste britannique et au socialisme. Sidney Webb, dont les travaux admirables sur l'Union soviétique avaient été rejetés par Trudeau à Harvard, avait fondé la LSE en 1896 dans le but de promouvoir l'éducation « socialiste ». Clement Attlee, premier ministre travailliste de Grande-Bretagne dans l'après-guerre, y avait enseigné, mais c'est Harold Laski, expert en sciences politiques et conseiller du Parti travailliste, qui était le professeur le plus en vue à l'institution au moment de l'arrivée de Trudeau. Laski avait enseigné à l'Université McGill au cours de la Première Guerre mondiale ; il connaissait bien les États-Unis en plus d'être un personnage public soulevant la controverse : à l'amorce de la guerre froide, il ne cessait de faire l'éloge de l'Union soviétique. Il était au surplus un brillant conférencier — Trudeau l'a décrit comme étant un « esprit absolument exceptionnel » — encourageant les débats parmi ses étudiants, qui lui vouaient d'ailleurs une véritable adoration. Ralph Miliband, un expert britannique en science politique marxiste, se rappelle l'époque où Laski arrivait en train pendant la guerre pour donner une conférence à Cambridge :

> L'hiver était rude et les voitures de train n'étaient pas chauffées. Il apparaissait dans son pardessus bleu, coiffé d'un chapeau noir grotesque, les joues bleuies par le froid, claquant des dents, faisant la queue comme nous tous pour une tasse de café, infect mais brûlant. Il montait à la salle de cours, faisait une blague en apercevant les étudiants massés qui

> l'attendaient, s'assoyait, allumait une cigarette, puis entamait sans plus attendre quelque débat qui semait la controverse. La lugubre salle de cours prenait alors vie, et on voyait plus d'un groupe penché sur un problème, tentant de comprendre des concepts. Nous ne nous sentions jamais dépassés par son savoir et ses connaissances; il ne connaissait pas le sens du mot condescendance. Nous ne nous sentions jamais obligés d'être d'accord avec lui, car il aimait trop argumenter pour cela, et il ne se cachait jamais derrière ses années d'expérience[29].

Si la ville de Londres ne plaisait pas beaucoup à Trudeau, il avait en revanche beaucoup d'admiration pour Laski. Celui-ci aura sur le jeune Canadien une influence majeure sur le plan intellectuel et aussi, quoique à un moindre degré, sur le plan personnel. Dix ans après avoir écrit sa pièce antisémite *Dupés*, et cinq ans à peine après sa remise en question de l'immigration juive et sa participation à une bagarre où des vitrines d'établissements juifs avaient été fracassées, il avait maintenant comme mentor un Juif et un socialiste.

Fidèle au protocole que même les socialistes anglais observaient, Laski demanda aux étudiants une lettre sollicitant une première entrevue. Trudeau rencontra Laski dans l'après-midi du 8 octobre, à 15 h 15, entrevue au cours de laquelle il lui demanda d'être son directeur de thèse. Il lui dit également qu'il souhaitait effectuer des recherches sur les liens entre le communisme et le christianisme. Laski, à ce qu'il semble, fut immédiatement impressionné par Trudeau: il accepta de diriger sa thèse et lui donna l'autorisation d'assister à plusieurs de ses séminaires. L'agenda de Trudeau indique qu'il se rendait tous les lundis après-midi au séminaire de Laski intitulé « Démocratie et constitution britannique », d'une durée de trois heures, qu'il allait tous les mardis assister à un autre séminaire intitulé « Le libéralisme » et enfin à un autre qui se donnait tous les jeudis et qui s'intitulait « La révolution[30] ». Trudeau affirma plus tard que, à son départ de Londres, il avait « réalisé la synthèse de tout ce [qu'il avait] appris jusqu'alors en droit, en économie, en sciences et philosophie politiques[31]. » Ce n'était certainement pas le cas à son arrivée, comme l'obscur et prolixe *Citadelles* en témoigne. Harold Laski est devenu pour Trudeau un modèle. L'homme était un intellectuel engagé dont la pensée philosophique et politique avait influencé l'un des principaux mouvements du XXe siècle, soit le mouvement socialiste britannique, tel que l'incarnait le Parti travailliste. Laski et l'expérience du gouvernement travailliste de l'après-guerre constituaient, écrivit-il à un ami, « une excellente formation » qui le rendait impatient de retourner au Canada pour contribuer à sa façon à la politique du pays[32].

L'influence de Laski s'est peut-être fait sentir également d'une autre façon. Laski écrivait une prose superbe et accessible que tous, simples députés travaillistes, syndicalistes et professeurs d'université à Oxford, pouvaient apprécier. Il commence son ouvrage sur l'État par cette perle : « Nous avançons, comme Aristote, que l'État existe pour promouvoir un bon style de vie. Nous insistons pour dire, comme Hobbes, qu'il ne saurait y avoir de civilisation sans la sécurité que sa puissance sur la vie et la mort apporte. Nous sommes d'accord avec Locke que seul un organe commun de prise de décision, auquel les hommes ont consenti, peut nous accorder ces droits à la vie et à la liberté et à la propriété dont l'absence de jouissance paisible nous condamne à une existence misérable[33]. » [traduction libre]

C'est en France que Trudeau avait développé son intérêt quant à une possible réconciliation entre le christianisme et le communisme. Cependant, lorsque le Parti travailliste, sous la direction du ministre des Affaires étrangères Ernest Bevin, se joignit à l'Alliance pour s'opposer à l'Union soviétique, Laski prit une position critique par rapport à son propre parti, étant d'avis qu'il était du meilleur intérêt de celui-ci d'en arriver à un accord par rapport au communisme soviétique. Celui-ci, même corrompu par le pouvoir, représentait l'idéal en matière de justice et d'égalité économique sans lesquelles il ne pouvait y avoir de véritable démocratie. Ces idées influencèrent grandement Trudeau et c'est ainsi qu'il se dégagea rapidement du modèle libéral nord-américain représenté par des hommes tels que Arthur Schlesinger et Lester Pearson. De l'avis de ces deux hommes, le communisme soviétique représentait une menace fondamentale envers les principes de liberté individuelle et la pratique de la démocratie. Les opinions de Laski sur l'Union soviétique ainsi que ses écrits tardifs ont mal vieilli ; en effet, les critiques de l'époque ont dit que son œuvre semblait « très désuète », surtout par son insistance à dire, même après la catastrophe nazie et la démonstration claire de l'existence d'un impérialisme soviétique, que le capitalisme était le plus grand ennemi des libertés humaines[34]. Il n'empêche que les idées de Laski trouvèrent écho auprès de la gauche catholique française, là où le communisme constituait une force politique. Elles trouvèrent aussi écho auprès du jeune Trudeau, qui suivait tous ces débats de très près.

Laski influença également Trudeau dans son intérêt pour le fédéralisme, sujet qui prendra une importance primordiale dans ses écrits tardifs. L'un des plus importants théoriciens du fédéralisme, il avançait, tout comme le ferait plus tard Trudeau, que l'autorité devrait résider là « où elle pouvait le plus sagement s'exercer socialement ». Plus tard, il nuancera ses propos en disant que la primauté devrait revenir au gouvernement central en raison des besoins sociaux plus larges[35]. À cet égard, les syndicats ont l'obligation fondamentale de s'impliquer directement dans l'activité politique, pour les travailleurs en tant qu'individus comme pour la classe ouvrière, dans une démocratie pluraliste. Laski déplorait le fait que les syndicats américains se tiennent à l'écart du processus politique.

Trudeau avait manifesté peu d'intérêt auparavant pour le mouvement ouvrier canadien, qui avait progressé rapidement pendant la guerre. Cependant, en France et maintenant en Grande-Bretagne, il avait sous les yeux un modèle différent, un modèle qu'il croyait pouvoir adapter au contexte politique du Québec. Plus tard, lorsqu'il retourna au Canada, il communiqua immédiatement avec des chefs syndicaux et s'adressa aux dirigeants de la Cooperative Commonwealth Federation (CCF), le parti socialiste du Canada, qui se dirigeait lentement vers une collaboration étroite avec le mouvement ouvrier canadien[36].

L'impact des études de Pierre Trudeau auprès de Laski se fait déjà bien sentir dans un article qu'il rédigea pour *Notre Temps* en novembre 1947. Suivant les traces de son maître, il dit qu'un système juridique doit favoriser « un certain ordre de choses [garantissant] des rapports suffisamment justes pour que la révolution n'éclate pas ». De la même façon, il critique le précédent gouvernement libéral de Joseph-Adélard Godbout de s'être fié sur le gouvernement fédéral pour corriger les abus dans les domaines social et économique, mais d'une manière elle-même abusive du système de distribution des pouvoirs établi dans la Constitution canadienne. L'actuel gouvernement Duplessis, par opposition, avait violé les droits de la population du Québec en refusant d'instaurer des réformes sociales, prétendant que la Constitution l'empêchait d'agir dans ces domaines. Pourtant, Québec avait encore la possibilité d'agir, il n'était pas trop tard, à condition que le Québec rejette l'orthodoxie et que la population manifeste son écœurement face aux élites et à leur rigidité. S'il ne le faisait pas, il n'y aurait pas beaucoup d'espoir « pour cette civilisation chrétienne et française sur [laquelle] nos ancêtres avaient fondé tant d'espoir ». Toutefois, si Trudeau partageait l'opinion de Laski sur l'importance d'un mouvement syndical politisé et actif, il y avait un élément important sur lequel il n'était pas d'accord.

Contrairement à Laski qui était athée, Trudeau s'était impliqué activement au sein des cercles catholiques en Angleterre. Au début du mois de janvier, il avait assisté à une conférence sur l'existentialisme et le personnalisme à laquelle les intellectuels français Emmanuel Mounier et Gabriel Marcel participaient. C'est également à cette époque qu'il commença à étudier les écrits du cardinal Newman et à participer à des groupes de discussion de la Jeunesse catholique. Il joignit les rangs du syndicat des étudiants catholiques et participa à une collecte de livres qui devaient être envoyés à des universités catholiques en Allemagne[37].

Autrement, il ne fraternisa que très peu avec les autres étudiants canadiens qui, pour la plupart, vivaient entassés les uns sur les autres dans des chambres d'étudiants. Lui, par contre, pouvait se permettre de loger dans de meilleurs endroits — il vivait au 48, Leith Manor dans le chic quartier Kensington de Londres —, rencontrait les grands noms de la vie universitaire* et se promenait en motocyclette dans la ville et sur les sentiers étroits de la campagne britannique[38]. Sur sa Harley-Davidson, il parcourut deux mille sept cent soixante-quinze kilomètres sur les routes d'Angleterre et d'Écosse, longeant apparemment la côte aussi souvent que possible, et dormant dans des auberges de jeunesse quand

* Les étudiants d'aujourd'hui ne peuvent qu'envier Trudeau, car il n'est pas fréquent que des étudiants rencontrent les grands noms de la vie universitaire. À Londres, Trudeau rencontra le célèbre socialiste fabien G. D. H. Cole (un « antipapiste ») et Harold Laski, le 8 octobre, peu après son arrivée. Le matin suivant, il rencontra Ritchie Calder, journaliste et politicien de renom. En l'espace de deux mois, il avait assisté à des conférences données par l'intellectuel travailliste Richard Crossman, l'historien Arnold Toynbee et le philosophe Bertrand Russell.

il en avait l'occasion. Parfois, le week-end, il disparaissait pour se rendre à Paris, comme ce fut le cas lorsque son ami, l'extravagant et élégant Roger Rolland, se maria là-bas le 20 mars 1948. Suzette, qui aimait bien potiner, raconta à son frère que madame Rolland lui avait dit avoir été stupéfaite à l'annonce du mariage de son fils, n'ayant aucune idée qu'il s'intéressait aux femmes*. Pierre, garçon d'honneur, était resté muet de saisissement lors du mariage et n'avait pu trouver les mots pour exprimer sa pensée lors de la réception qui suivit la cérémonie[39]. Chose très rare chez lui, mais tout à fait compréhensible étant donné sa récente séparation d'avec Thérèse.

Le printemps apporta incertitude et maladie. En février, il contracta un virus doublé d'une diarrhée qui l'obligea à se rendre à plusieurs reprises au cabinet du médecin dans Harley Street, et même à séjourner au Charing Cross Hospital. Il songea à rentrer chez lui, ce que sa famille l'exhorta à faire, en particulier Suzette qui, comme le font souvent les grandes sœurs, se faisait du souci pour Pierre. Il écrivit à un « monsieur Caron » au sujet d'un poste d'enseignement à l'Université de Montréal, ajoutant dans sa lettre qu'il avait toujours aspiré à joindre les rangs de « la politique active un jour ou l'autre[40] ».

Mais, en même temps, il ressentait toujours l'appel du voyage vers des contrées lointaines et inconnues. Trudeau avait rêvé de faire le tour du monde quand il était à Brébeuf. Il avait séduit Thérèse avec son idée romantique de voyager avec elle partout dans le monde. Il avait aussi établi des contacts avec diverses personnes dans plusieurs pays qui pourraient lui venir en aide au cours de son périple. Il avait rencontré le jeune Jacques Hébert lors d'une assemblée catholique au cours de l'été de 1946, et tous deux s'étaient rapidement liés d'amitié après que Hébert eut régalé Trudeau en lui racontant ses voyages dans des lieux exotiques. Étudiant rebelle tout comme Trudeau, Hébert, qui était de quatre ans son cadet, avait été envoyé par son père étudier l'anglais à l'Île-du-Prince-Édouard après avoir été expulsé d'un collège classique. Il s'était alors mis à voyager, et le récit de ses voyages avait stimulé la

---

* Roger Rolland nie les propos de Suzette, faisant remarquer que sa mère connaissait l'existence de ses nombreuses amies (y compris Thérèse Gouin). Elle avait été contrariée de ne pas avoir rencontré la fiancée de Roger. Lettre de M. Rolland, 7 juin 2006.

curiosité de Trudeau[41]. Après s'être rétabli de sa maladie intestinale, en juin, Trudeau alla voir Harold Laski et lui demanda de lui écrire une lettre de recommandation, lui disant qu'il avait l'intention de terminer sa thèse sur le christianisme et le communisme en voyageant en terre communiste, de même qu'au Moyen-Orient et en Asie, berceaux des grandes religions[42]. Jules Léger, qui deviendrait plus tard gouverneur général du Canada mais qui, pour l'instant, était premier secrétaire du Haut-Commissariat du Canada, à Londres, de même que Paul Beaulieu, attaché culturel canadien à Paris, fournirent à Trudeau des lettres de référence du gouvernement canadien en vue de ses pérégrinations[43].

Il n'avait que vingt-huit ans, mais sa famille s'inquiétait toujours de voir qu'il n'avait pas réussi à «se caser». Suzette s'en était plainte avant même qu'il parte pour Paris en 1946. Elle lui avait écrit qu'elle trouvait qu'il «avait assez étudié pour toute une vie: c'est ce que tes amis et moi disons de toute façon!». Il ne devrait pas, le mettait-elle en garde, s'obliger à remplir chacune des minutes de son existence par des activités étudiées. Au contraire, conseillait-elle, il fallait qu'il apprenne à vivre et à se laisser aller, ou il serait bientôt trop tard. À l'automne 1948, soit plus de deux ans plus tard, Tip faisait le même message à son frère, l'exhortant à mener une vie stable, comme lui et Suzette l'avaient fait plus tôt. Trudeau lui répondit sans détour, reprochant gentiment à son jeune frère de le critiquer:

> Tu as opté pour le mariage, le foyer, la vie sédentaire, le travail aimé et la mesure. Je suis nomade par goût, mais aussi par nécessité, puisque les disciplines livresques m'ont privé de toute une part de la sagesse. Et à mesure que je découvre le monde, je me découvre aussi moi-même: voilà sans doute une grande platitude, mais j'accepte maintenant les platitudes avec le reste[44].

Trudeau souhaitait se dépouiller pour ne garder que l'essentiel. Il utiliserait «les moyens de transport de monsieur et madame Tout-le-monde: la marche à pied sac au dos, la troisième classe des chemins de fer, les cars chinois ou autres et, sur les fleuves ou la mer, les cargos sans luxe». Puis, il entreprendrait une reconstruction, se servant des matériaux les plus solides issus de son éducation et de son expérience, les liant aux piliers stables de son héritage[45].

Trudeau quitta Londres par un beau jour d'été de 1948 et se dirigea vers l'est, déterminé à percer la noirceur qui était tombée sur l'Europe de l'Est. En dépit des lettres de recommandations qu'il avait emportées du Canada, il dut faire face à des douaniers maussades, à des mitraillettes et à des barrières au moment où il traversa les frontières de la Pologne, de la Tchécoslovaquie, de l'Autriche, de la Hongrie, de la Yougoslavie et de la Bulgarie. Les élégantes demeures de l'Empire habsbourgeois étaient recouvertes de suie, et les vestiges de la guerre se voyaient partout. En Pologne, il alla à Auschwitz où, écrivit-il de manière quelque peu inexacte, « cinq millions furent tués par les nazis (1/2 étaient des Juifs) ». Il ne sembla pas se poser de question à ce moment-là quant à la signification d'Auschwitz, mais il avait depuis longtemps abandonné l'attitude antisémite désinvolte de son adolescence[46].

Ce qu'il n'avait pas abandonné, c'était son intense curiosité, son regard bleu perçant examinant tout ce qu'il rencontrait. Toujours aussi mince et musclé, il adaptait parfois son apparence à la mode locale, portant la barbe, bien que clairsemée, au Moyen-Orient et se vêtant à la manière indigène lorsque la chose était de mise. À d'autres moments, il préférait provoquer, portant des culottes courtes à l'américaine là où cela ne s'était jamais vu auparavant. Quand il échoua dans son projet de visiter l'Union soviétique, il traversa la frontière bulgare en compagnie d'un groupe d'étudiants pour entrer en Turquie et atteindre le Moyen-Orient, là où la stabilité avait été ébranlée, d'abord par la guerre, ensuite par la création de l'État d'Israël. En mai 1948, cinq armées arabes avaient attaqué Israël, mais les Israéliens, mieux entraînés, les avaient vaincues et avaient pris la majorité des territoires que les Britanniques tenaient pour la Palestine sous le Mandat de la Société des Nations. Lorsque Trudeau arriva à l'automne 1948, la guerre n'avait pas officiellement pris fin et on y constatait encore beaucoup de tension et de méfiance. Les frontières étaient incertaines et on entendait des coups de feu toute la nuit.

À Amman, en Jordanie, lorsqu'on lui dit que toutes les routes vers Jérusalem avaient été fermées, Trudeau se joignit à un groupe de soldats arabes et entra en Israël par le pont Allenby, se rendant ainsi jusqu'à la vieille ville de Jérusalem. Évitant les tirs de mitraillette, il chercha refuge dans un monastère dominicain. Lorsqu'il quitta l'endroit, toutefois, le jeune homme barbu au teint clair attira l'attention des soldats de la légion arabe et fut vite arrêté et accusé d'espionnage. Il fut brièvement emprisonné dans la tour Antonina, où l'on dit que Ponce Pilate a jugé le Christ. Par chance, un prêtre dominicain qui, comme la plupart des chrétiens arabes, sympathisait probablement avec la cause arabe, convainquit les geôliers que Trudeau n'était qu'un étudiant canadien et non pas un espion juif. Un groupe de soldats arabes le ramenèrent à Amman, sans nul doute convaincus que l'étrange étudiant canadien était bel et bien un espion. En Jordanie, où le gouvernement avait maintenu des liens étroits avec la Grande-Bretagne, le passeport britannique que Trudeau avait eu la sagesse de se procurer en Turquie convainquit les autorités locales de le libérer[47].

Trudeau fit constamment face à de nouvelles aventures et connut toutes sortes de problèmes dans ce Moyen-Orient agité. Depuis la Jordanie, il se rendit en Irak visiter Ur, la ville natale d'Abraham, ainsi que la légendaire Babylone. En descendant du train, il demanda comment se rendre à Ur et fut immédiatement dirigé à la grande ziggourat. Il laissa ses bagages à la gare et alla se promener dans les ruines de la ville, recueillant quelques morceaux de tablettes couvertes d'inscriptions sumériennes, avant de grimper au sommet de la ziggourat. C'est là qu'il rencontra un groupe de brigands. Comme il le raconta dans ses mémoires, il vit très rapidement qu'ils en voulaient à son argent. L'un d'eux lui avait signifié de lui montrer sa montre, et comme il n'en portait pas, Trudeau avait répliqué à son tour de lui montrer son couteau, et l'avait vite ôté de sa ceinture. Mais ils avaient insisté : il lui fallait leur montrer et leur remettre tout ce qu'il possédait.

Trudeau avait alors le couteau dans les mains, et il les persuada de descendre les marches pour discuter. Il fut plus rusé et demeura au sommet, leur criant de venir le chercher. Les brigands furent cloués sur place lorsqu'il se mit à déclamer à voix forte tous les poèmes qu'il savait, à commencer par celui de Cocteau sur le monde antique. Il déversa des octosyllabes et des alexandrins par dizaines, le tout accompagné de grands gestes théâtraux. Ils comprirent vite qu'il s'agissait d'un fou dangereux. Trudeau avait alors commencé à descendre les marches, vociférant toujours. Tandis que les brigands disparaissaient dans le désert, Trudeau réalisa tout à coup que l'étude de la poésie lui avait apporté bien plus qu'il ne l'aurait l'imaginé[48]. Il se trouvait seul à Ur, laquelle était étonnamment bien conservée. Après avoir visité le vaste mausolée, il grimpa les marches de la ziggourat une fois de plus et réfléchit au sens de l'histoire qui se manifestait tout autour de lui. Assurément, écrivit-il à sa mère, certains des plus grands trésors se trouvaient maintenant dans les musées des nombreux conquérants :

> Mais creuser sera toujours l'obsession des archéologues, et le résultat de ce rituel compulsif continuera d'être surtout de la frustration. Sous chaque bosse se cachent peut-être des trésors, mais dans chaque trou également. Rien n'est jamais terminé, même s'il faut creuser encore six pouces plus loin. Et en retirant la terre, ils forment d'autres monticules, et oubliant une pelle çà et là ils donnent matière aux archéologues de dans dix mille ans d'ici, qui concluront que l'homme du xxe siècle n'a pas beaucoup progressé depuis son ancêtre du paléolithique…
>
> Une fois au sommet de la ziggourat, j'aperçus un énorme oiseau noir qui s'envola lentement après avoir déféqué sur une colonne, contre laquelle on avait jadis déposé des offrandes à la déesse de la lune (…) *Vanitas vanitatum, et omnia vanitas.*

Seul, cinq jours après son vingt-neuvième anniversaire de naissance, il vit l'ombre de son corps créée par le soleil brûlant, seule forme humaine là où une grande civilisation avait jadis prospéré[49]. Il ressentit son état mortel.

Muni de son précieux passeport britannique, Trudeau se mit en route pour la légendaire Route de la soie. Elle l'emmena jusqu'en Inde et en Afghanistan. Il éprouvait déjà et depuis toujours une antipathie envers le ministère des Affaires extérieures du Canada dont les représentants, affirmait-il, avaient traité le globe-trotter barbu avec mépris — accueil qui ne ressemblait en rien à celui, amical, que lui avaient réservé les diplomates britanniques. Le 2 décembre, il écrivit à sa mère et à sa sœur en leur disant qu'en Inde les gens du Haut-Commissariat du Canada avaient été pour une fois très gentils[50]. De manière générale toutefois, il recherchait la compagnie des prêtres lorsqu'il avait besoin de conseils et d'un abri, et ceux-ci accueillaient à bras ouverts le jeune ascète qui semblait sorti tout droit du Nouveau

Testament. Chose curieuse, bien qu'il n'ait pris aucun arrangement officiel avec aucun professeur de Harvard pour la supervision de sa future thèse sur le communisme et le christianisme, il prétexta, pour obtenir le droit d'entrer dans des bureaux politiques ou celui de rencontrer des journalistes et des professeurs, effectuer des recherches pour sa thèse de Harvard[51]. Les lettres qu'il écrivit à sa famille lorsqu'il se trouva en Asie brossent donc un remarquable portrait d'un continent en grand bouleversement, et celui d'un jeune homme à la recherche de lui-même.

Bien que Trudeau fût très fier de ne posséder presque rien et d'avoir fait ce voyage avec des moyens extrêmement réduits (800 $, dira-t-il plus tard), il côtoya les puissants aussi bien que les dépossédés et les désespérés lors de son séjour au Moyen-Orient, puis en Inde, en Chine et au Japon, avant de retourner au Canada au printemps de 1949, près d'un an après son départ. Il écrivit plusieurs lettres à sa famille au cours de son voyage. Celles-ci révèlent à la fois l'affection qu'il vouait à sa mère, dont il avait hérité la passion pour les voyages, son excellent sens de l'observation des diverses réalités de l'expérience humaine ainsi que la passion qui le poussait à comprendre les fondements de l'action politique. Ses lettres constituent en elles-mêmes un témoignage important sur les événements qui se déroulaient en Asie à cette époque cruciale de son histoire, alors que l'Empire britannique des Indes parvenait à son terme, que ce pays était violemment divisé et qu'une nouvelle Chine émergeait dans le sang.

Au début du mois de décembre, il écrivit depuis Kaboul après être passé par le Pendjab où il avait visité le Temple d'or d'Amritsar. Là, il découvrit que peu de gens parlaient l'anglais, concluant en cela que les Indiens semblaient se venger envers tous les étrangers de cent cinquante années de domination étrangère. L'impérialisme devint un thème récurrent dans ses lettres à sa famille. Avec son sac à dos comme seul bagage, Trudeau se retrouva en rade dans ce *no man's land* qu'était le territoire situé entre l'Inde et le nouvel État du Pakistan. Il lui aurait fallu parcourir une distance d'une trentaine de kilomètres à pied jusqu'à la frontière pakistanaise, n'eût été d'un « Musulman capitaine de la police du [Pendjab] » qui vint à sa rescousse en le faisant passer en deux temps trois mouvements, à bord d'une voiture privée, à travers les cordons de police. Cette nuit-là, dit-il, il alla au lit après avoir bu un énorme verre de lait de yak et dormit comme un ange. Le lendemain matin, poursuit-il, il avait pris congé de cette famille accueillante, même s'il avait été invité à demeurer plus longtemps; en effet, la femme devait conserver son purdah pendant toute la durée du séjour d'un étranger chez elle, et il ne put supporter l'idée de priver l'homme de son épouse pendant qu'il profitait de leur hospitalité[52].

Trudeau se rendit ensuite à Peshawar dans le nouvel État du Pakistan où se tenait un bazar fascinant, dit-il, pas joli et d'un fouillis indescriptible, mais dont l'atmosphère rappelait celle des villes frontalières, où se côtoyaient des Mongols, des Indiens et des Occidentaux. Il observait la scène alors qu'une troupe d'indigènes descendaient dans la rue avec leurs tambours, de toute évidence en route pour combattre au Cachemire, jouant de leurs instruments et tirant dans les airs. On aurait dit une scène sortie d'un film, raconte Trudeau. Il s'était ensuite promené au hasard, pour se rendre compte le soir venu qu'il s'était perdu dans le dédale des ruelles. Il était trop envoûté pour en être dérangé, sauf peut-être pour la douleur aux yeux que la fumée âcre des alentours lui avait causée, cette sorte de fumée, dit-il, qui venait de la combustion du crottin de vache que l'on utilisait pour la cuisson des aliments. Une fois de plus, la police l'arrêta, mais son passeport britannique lui permit d'être libéré.

Il finit par obtenir d'un diplomate américain qu'il l'emmène pour franchir avec lui la passe de Khyber. C'est là qu'il vit sur les versants des montagnes les plaques commémorant les batailles livrées par les Britanniques longtemps auparavant dans ce grand jeu qu'avait été la conquête de l'Asie. Dans ses lettres, il raconte les histoires de réfugiés fuyant leurs demeures ancestrales pendant que hindous et musulmans s'affrontaient dans la foulée du conflit sanglant qui avait mené à l'indépendance de l'Inde. Après un déjeuner très attendu, très haut dans la passe, où on leur avait servi du miel sauvage, ils s'étaient rendus à Djalalabad, croisant en chemin d'interminables caravanes. Il s'agissait des nomades des terres intérieures, dit-il, qu'il avait cru disparus. Mais il en avait compté des centaines, des milliers, hommes, femmes et enfants confondus, tous faisant route pour le Pakistan par la passe de Khyber. Ils arrivaient de très loin au-delà de Kaboul, où ils s'étaient réfugiés pour fuir le rude climat hivernal. Les nouveau-nés voyageaient avec les poulets sur le dos des chameaux. Trudeau racontait ensuite qu'il pourrait écrire un livre sur ces gens, tant il était impressionné par leurs traits, leur accoutrement, leurs manières, leurs bêtes de somme, leur histoire et leur pensée. Mais pour l'instant, il ne l'écrirait pas, ajoutait-il, sans quoi il ne parviendrait jamais à atteindre Kaboul, la ville sise à mille cinq cents mètres audessus du niveau de la mer. Puis il poursuit sa lettre en disant qu'ils franchirent la dernière passe au coucher du soleil, parmi les montagnes roses et pourpres qui s'étendaient à l'infini, tout un spectacle, avec comme cadre, de chaque côté, des montagnes encore plus hautes, aux sommets enneigés et à l'allure formidable. Puis ils étaient descendus dans la vallée de Kaboul, où l'air froid de l'hiver et l'odeur des feux de bois avaient réveillé bien des désirs en lui. Il n'y avait qu'un seul hôtel dans l'endroit, et malgré le confort rudimentaire de la chambre, il avait bien dormi. Il sentait l'odeur de l'hiver, et l'air des Laurentides, un changement après les six mois d'été qu'il avait vécus en se dirigeant graduellement vers le sud, dans son voyage en Orient, loin de l'Angleterre.

À Kaboul, le temps semblait s'être arrêté. Les bazars étaient toujours là, comme ils l'étaient depuis des siècles, racontait-il, vendant épices, argenterie, soies colorées, vêtements magnifiques, chaussures ouvrées avec art et dotées de pointes recourbées, épais lainages et couvre-chefs astucieux que l'on portait par-dessus le turban, comme on le faisait depuis des centaines d'années. Mais Trudeau voyait bien que le XXe siècle allait entraîner des changements comme nul autre siècle ne l'avait fait auparavant.

Plus tard, au cours du mois de décembre, il retourna en Inde où il s'embarqua sur un bateau pour naviguer à travers les méandres de l'embouchure du Gange. Il passa, dit-il, à travers des jungles luxuriantes où les tigres chassent le daim et la gazelle, nichées entre les rives et de nombreux villages de maisons de paille d'où les indigènes partent pour aller vers les riches prairies faire paître leurs vaches sacrées et leurs buffles d'eau. Au milieu des hindous et de quelques musulmans, Trudeau passa le jour de Noël dans un recueillement pieux, lisant les messes, chantant les hymnes et passant la majeure partie de la journée en grande méditation. C'était, comme il le disait, bon pour « le dedans ». Il rencontra ensuite un prêtre originaire du Québec qui habitait en Inde depuis 1922. Il fut enchanté, dit-il à Suzette, de rencontrer un « petit gars de Montréal[53] ».

« Vous souvenez-vous de la chanson que nous chantions tandis que vous nous accompagniez au piano ? » écrit Trudeau à sa mère depuis Bangkok le 18 janvier 1949. Cette chanson disait entre autres « North to Mandalay... South to Singapore ». Ce fut à cause des Hollandais et de « leur scandaleuse politique impérialiste » en Indonésie que Trudeau dut se rendre au nord à Mandalay et, de là, en Chine. Bangkok attirait Trudeau parce que, croyait-il, c'était le meilleur « poste d'écoute » de la région. En Indochine, aussi, la politique coloniale française « passait un test très critique », quoique Trudeau éprouvât davantage de sympathie pour la politique des Français que pour le style des Britanniques. Il traversa rapidement la Birmanie, où les brigands armés pullulaient. « Je n'ai jamais vu un pays », dit-il à sa mère, « où le chaos, la corruption, le pillage, la contrebande, la révolte et les assassinats politiques sont aussi courants et avec aussi peu d'effets. Il n'y a peut-être aucun gouvernement plus faible dans le monde aujourd'hui ; mais il n'existe pas d'opposition plus divisée et plus erratique, alors le gouvernement se maintient encore. Mais c'est tout ce qu'il fait, il se maintient (...) sans bouger. » Il fut hébergé chez des prêtres, comme cela arrivait souvent, et donna même une conférence à des jeunes filles catholiques dans un couvent[54].

Il arriva ensuite au Siam (qu'on appelle aujourd'hui la Thaïlande), un pays qui le séduisit totalement et où il apprit d'importantes leçons. « Si jamais quelqu'un venait un jour à me demander dans un débat de lui faire la preuve des bienfaits de la Liberté sur l'évolution d'une nation », écrit-il à sa mère le 28 janvier, « je lui suggérerais de vivre au Siam pendant un moment. » Il découvrit dans ce pays la cordialité, la grâce et une vérité fondamentale :

> Pratiquement isolé en Orient, ce pays ignore les vicissitudes de la domination du pouvoir impérialiste (le séjour des Japonais fut trop court pour avoir eu un impact quelconque). Par conséquent, la haine, la méfiance, l'envie et l'arrogance, qui découlent du complexe d'infériorité des colonies, ou d'anciennes colonies, sont totalement absentes des mentalités des Siamois ; à la place, vous trouverez une curiosité bon enfant et un désir sincère de vivre et laisser vivre – au pire, vous pourrez ajouter une dose de condescendance. Parler est une chose superflue ici, et l'on obtient tout avec le sourire et des gestes de la main ; inclinez-vous en joignant les mains devant votre visage et vous serez en paix avec tout le monde.

Et, autre avantage, dit-il, « pourboires, extorsion des touristes, mendicité, cireurs de chaussure, “guides” et autres formes de servilité déguisée n'existent pratiquement pas ici* ». Au Siam, il admirait la façon dont chacun faisait selon son propre désir, là où la population était « hybride, en partie thaï (les Chinois de l'Antiquité), en partie laotienne, en partie indigène (de la même souche ethnique que les Polynésiens) ». Il regretta de ne pas avoir emporté d'appareil photo pour rendre compte de « la splendeur féerique, des couleurs incroyables, de la piété infatigable, des formes inimaginables », même s'il eût été « impossible par des photos de rendre l'ampleur de ce total exotisme ». « Ah », s'exclama-t-il à sa mère, « si je pouvais à cet instant même vous bander les yeux et vous transporter dans une enceinte sacrée, et vous laisser là assise à l'entrée d'une pagode ; vous n'y trouveriez pas une seule forme familière pour vous permettre de juger de la réalité, et vous croiriez que vous êtes en train de rêver[55] ». Pierre était bel et bien devenu le fils de sa mère ; leurs rapports étaient chaleureux, ils étaient à l'aise l'un avec l'autre et l'on sent la satisfaction qui émanait de leurs échanges.

Il visita également l'ancienne capitale du Siam, Chiang-Mai, en compagnie de gens de marque, un petit groupe incluant entre autres un prince et une princesse thaï, l'attaché culturel américain, l'attaché militaire français, de même que quelques juges, banquiers et autres dignitaires. Il avoua avoir partagé son attention entièrement entre « une "pretty fraulein" et une "jolie demoiselle" », bien qu'il eût réussi quand même à s'entretenir avec un certain missionnaire et l'un des « rares communistes », aux fins de sa thèse[56]. De la Thaïlande, il se rendit ensuite en Indochine française, alors engagée dans les premières batailles d'une guerre qui allait durer trente ans. À Saïgon, il constata « la haine, les dissensions et l'inévitable perte d'hommes, d'argent et de sens moral ». Une fois de plus, la jeunesse de France s'y trouvait en uniforme, engagée dans une guerre qui s'en allait « rapidement à la dérive ». On voyait des soldats partout et on ne pouvait se déplacer que par convoi. Les Français tenaient les villes et les principales voies de communication, tandis que les rebelles régnaient dans la campagne. « (…) personne ne respecte les accords de paix, même si d'un côté comme de l'autre des

* Verser un pourboire était une pratique que Trudeau méprisait. Lorsqu'il lui arrivait d'aller au restaurant en compagnie d'autres personnes, certains de ses compagnons laissaient parfois discrètement un peu plus d'argent sur la table au moment de sortir.

hommes meurent, sont blessés, souffrent, et que des atrocités sont commises au nom de principes d'honneur et de morale qui sont difficilement atteignables. » D'un côté, disait-il, il y avait les patriotes, « auxquels s'étaient joints des stalinistes cyniques et des voleurs assoiffés de sang », et de l'autre, « (...) des idéalistes abasourdis jumelés à des impérialistes avides et à de sales voyous ». La politique, conclut Trudeau, était « tombée en disgrâce ».

Il s'arrangea ensuite pour monter à bord d'un autobus en direction du légendaire temple d'Angkor Vat, mais il trouva le trajet si « horrible » que « parfois [il] espérait que le convoi soit attaqué et qu'un certain nombre d'entre nous soient tués, pour faire de la place aux autres ». Heureusement, Angkor se révéla un endroit sûr, grâce à la présence du photographe du magazine *Life*. En effet, les troupes françaises s'étaient assurées de libérer l'endroit des mendiants et des brigands qui se seraient normalement trouvés à proximité. La grandeur et la magnitude du complexe firent dire à Trudeau que le temple représentait « les aspirations confuses d'un constructeur génial, obsédé par le besoin d'accumuler idole par-dessus idole, d'un étage à l'autre et d'un corridor à l'autre, dans une interminable montagne de pierre ». Entourés des soldats français, le photographe et quelques autres personnes visitèrent les ruines à la lumière des torches, écoutant les propos d'un vieux conservateur qui leur raconta l'histoire des divers monuments et comment, entre autres choses, le romancier français et futur ministre de la Culture André Malraux, ce « communiste » qui était venu à Montréal en 1937, et contre qui Trudeau avait manifesté, avait volé certains des artefacts du temple.

Trudeau rentra à Saïgon dans un convoi dont le trajet dura toute la journée. Une fois arrivé, il s'arrangea pour obtenir une invitation dans un club d'élite privé. Il y avait là, profitant de la piscine, des femmes dont « les maillots de bain damaient le pion » de ceux que l'on pouvait voir en France. Dans ce club sportif, Trudeau but l'absinthe défendue et dîna à une table digne d'un roi. Dans la ville même, les habitants s'entassaient les uns sur les autres, tandis que lui-même logeait « dans un dortoir de fortune, suffocant, bruyant et surpeuplé, supportable seulement à cause de la présence d'autres sournois comme moi, soldats de la légion étrangère, etc. ». Il demanda à sa mère de dire à ses amis qu'il leur écrirait bien un jour, mais, conclut-il, « quand je m'installe à l'un des cafés qui longent les trottoirs, on dirait que je n'arrive jamais à faire grand-chose[57] ».

De Saïgon, Trudeau se rendit en Chine, au moment du triomphe de la Longue Marche de Mao. Il y vit, au bord du chaos et à l'aube d'un conflit, une société et un régime politique à l'agonie. De Hong-Kong, ville contrôlée par les Britanniques où il se sentait en sécurité, Trudeau se rendit à Canton, une ville où s'entassaient des types de « tous genres », depuis « ceux qui voulaient s'évader jusqu'aux plus immondes déchets de la terre ». Il partit ensuite pour Shanghaï. Il y trouva partout des réfugiés et des soldats blessés, constatant également que le cours de l'argent changeait d'heure en heure. Il y avait encore là-bas beaucoup de missionnaires, lesquels offraient bien souvent l'hospitalité au jeune voyageur canadien. Le fervent catholique fut également accueilli par la très protestante association YMCA, institution pour laquelle, par la suite, il éprouvera toujours une grande admiration. La route vers Shanghaï fut inoubliable :

> J'ai vu quelque chose de la véritable Chine ; des montagnes aux pics irréguliers, des fleuves larges, des rizières à perte de vue étagées le long des collines ou dans les ravins, des villages pauvres, des hameaux cachés derrière un mur de pierre. J'ai frissonné en voyant le pauvre paysan labourer son champ de riz avec des buffles d'eau, à genoux dans l'eau glacée. J'ai dormi dans un minuscule hôtel chinois et aidé la fille de la maison à faire ses devoirs d'anglais. J'ai pris place sur un tabouret autour de la table ronde, moi et beaucoup d'autres voyageurs affamés, et j'ai appris à réchauffer mes doigts engourdis autour d'une tasse de thé brûlant, et aussi que je pouvais être plus agile si j'utilisais les baguettes. En effet, l'agilité était une qualité essentielle si l'on voulait manger à sa faim, car il n'y avait pas une minute à perdre lorsque tout le monde commençait à se servir dans les bols communs.

Au moment où Trudeau descend de l'autobus bondé pour effectuer la dernière partie de son trajet vers Shanghaï, qu'il fera en train, il décrit les splendeurs d'un printemps qui s'annonce tout autour :

> Une brise tiède souffle dans les trouées des montagnes, et balaie les grandes vallées, transportant le parfum des exquises fleurs de pêcher. Les rizières inondées alternent avec les champs de yu-stai en fleurs, formant un chatoyant carrelage céleste d'argent et d'or pur. Le flot des rivières

larges et des ruisseaux vifs coule à travers les grandes étendues vertes luxuriantes, jeunes pousses de blé sous les ponts de pierre chinois abrupts et pittoresques. Les paysannes dans leurs vêtements amples et bleus se tiennent sur le seuil de leur hutte de boue ou de briques. Les vieillards à la barbe argentée sont vêtus de leur longue robe bleue et fument leur pipe d'argent. Les porteurs d'eau avec leur chapeau de paille conique s'affairent, synchronisant leur démarche aux mouvements de balancier que font leurs charges à chaque bout de leur branche de bambou. Les enfants joufflus semblent aussi larges que hauts dans leurs vêtements rembourrés. Comme avec indifférence, le soleil darde ses rayons bienveillants sur le monde qui scintille. Oui, il fait vraiment bon d'être en vie[58] !

Dans une lettre à Grace datée du 10 mars, il lui dit qu'il rêve d'être de retour à la maison, à temps pour célébrer les trois grands événements du mois suivant: « votre anniversaire de naissance, Pâques et la cabane à sucre ». Mais il reste en Chine et cela le retarde. L'ancienne cité de Hangzhou, la « plus noble cité du monde » selon Marco Polo, l'avait tellement intrigué qu'il décida d'y retourner par une fin d'après-midi. Il s'y rendit par la montagne plutôt que de passer par la vallée. Il faisait nuit lorsqu'il atteignit, après avoir escaladé les pentes de terre trempées par la pluie, un monastère taoïste. Cependant, une fois rendu, il découvrit que l'entrée était verrouillée à double tour :

Je frappai de mes poings sur la porte, parlai dans une langue étrangère avec mes interlocuteurs invisibles à l'intérieur, mais en vain. Ils n'allaient pas risquer de déverrouiller les portes pour laisser entrer quelque malfaiteur par une nuit de tempête. Alors je m'en retournai, démoralisé. Mais c'était sans compter sur la curiosité orientale, et lorsqu'ils entendirent le bruit de mes lourdes bottes alors que je commençais à redescendre la pente escarpée, un moine et plusieurs serviteurs ouvrirent la grille pour jeter un coup d'œil au maraudeur. Sans manquer de culot (mais avec une apparente dignité) je traversai le monastère, apercevant çà et là les moines taoïstes dans leurs robes de soie noire et leurs couvre-chefs de soie, buvant de leur thé, puis je me dirigai vers le temple où je fus guidé par les roulements d'un tambour. Je restai là, protégé par quelques bougies de la noirceur aux effluves d'encens, et comme je regardais à travers les ombres vers les étranges idoles, le roulement du tambour s'accéléra et soudain éclata un gong que l'on frappa à un rythme effréné, et les bruits se mêlèrent aux hurlements du vent et à la pluie tombante. Je restai là comme en transe, les pieds et les mains joints, avec la sensation que d'innombrables yeux me fixaient, osant à peine battre des paupières. Lentement je me rendis compte que mes mains s'étaient mises à trembler, et je m'éveillai en pensant: assez de sottises. Je me hâtai (en marchant, ne jamais courir) à travers les corridors et les cours intérieures jusqu'à la porte du domaine, pour me retrouver dehors, où la nuit pluvieuse mais familière m'attendait.

Après cette inquiétante sortie, Trudeau rencontra, entre autres, le doyen de la faculté de droit de l'université de Hangzhou et discuta « longuement politique avec les professeurs », dont certains avaient fréquenté Harvard ou Londres en des jours anciens et plus favorables. Il se dirigea ensuite vers Shanghaï où, dès son arrivée, il se bagarra « avec une bande de coolies en pousse-pousse ». Il apprit vite à se débrouiller avec la multitude « d'escrocs, de souteneurs, de coolies, de coolies en pousse-pousse, de cireurs de chaussures, d'itinérants, de petits voyous et de casse-pieds » qui grouillaient dans la ville, refusant de parler français ou anglais. Il ne sortait de son silence que pour vociférer quelques « sombres mots en russe », auxquels ils réagissaient immédiatement en s'éloignant furtivement[59].

À Shanghaï, il rechercha une fois de plus la compagnie des prêtres jésuites avec qui il eut « quelques joyeuses rencontres ». Des réfugiés en provenance des batailles qui se livraient à proximité affluaient dans la ville, racontant l'arrivée de l'armée communiste. « J'aurais bien aimé être là pour participer aux attaques et assister aux opérations de plus près », écrivit Trudeau, sans nul doute au grand désespoir de sa famille. Tandis que des centaines de milliers de personnes fuyaient la bataille qui se préparait, l'espace se faisait rare à bord des navires en partance de Shanghaï. Trudeau réussit néanmoins à trouver un billet pour Yokohama, au Japon. Une fois là-bas, le responsable du gouvernement canadien en poste* refusa d'abord de laisser descendre le voyageur barbu, ce

* Il s'agit vraisemblablement de Herbert Norman, qui fut plus tard accusé par les Américains d'être un agent d'influence communiste et poussé au suicide.

qui eut pour effet d'accroître l'animosité qu'il ressentait déjà envers les diplomates canadiens. Une fois relâché, Trudeau demanda à Grace si elle voulait se joindre à lui pour visiter le Japon, comme elle l'avait fait le printemps précédent lorsqu'ils avaient voyagé en Provence et sur la Côte d'Azur en motocyclette. Il semble qu'elle déclina l'invitation et il partit donc pour le Japon à bord d'un navire où s'entassaient de très nombreux réfugiés, la plupart étant des Européens de l'Est fuyant à nouveau la révolution communiste[60].

À l'âge de vingt-neuf ans, Trudeau revint au pays, un retour qu'il appréhendait, rempli d'incertitude et d'ambivalence. Beaucoup plus tard, il écrira dans ses mémoires qu'à son retour « le choc menaçait d'être assez brutal. Il le fut[61] ». Il fait référence ici aux événements politiques qui se déroulaient alors dans la province de Québec, mais il confiera à d'autres les doutes personnels qui l'assaillaient à l'époque. « Mais à quoi correspondait cet esprit d'aventure ? À la solitude ? (...) Je pense que la meilleure réponse serait qu'à la vérité, je parachevais la pédagogie, la maturité de Pierre Trudeau[62]. » Mais avait-il vraiment parachevé sa maturité ? Trudeau savait-il finalement qui il était ?

George Radwanski a spéculé que le voyage, avec ce « goût du risque » et ces « privations » délibérées, reflétait d'une part son ascétisme et, d'autre part, son désir de faire l'expérience de la pauvreté, une « réalité » qui n'avait jamais fait partie de la vie du jeune homme fortuné[63]. Pour Gérard Pelletier, Trudeau avait acquis pendant ses voyages un sens « international » qui manquait à d'autres. Il avait délibérément cherché des idées politiques pouvant être appliquées au Canada et au Québec[64]. La correspondance et les documents de Trudeau viennent éclairer certaines de ces questions et fournissent de nouvelles réponses. Il avait effectivement « raté » la guerre. Et au cours de ses années en politique, il a exprimé certains regrets ; en 1945, il avait dit à Thérèse Gouin qu'il avait été trop perdu dans ses livres vers la fin de la guerre pour comprendre le grand « cataclysme » qui avait frappé le monde autour de lui. On retrouve pourtant peu de traces dans ses écrits de 1948-1949 confirmant qu'il regrettait ne pas avoir combattu durant la guerre. Dans l'édition de la Saint-Valentin de *Notre Temps* en 1948, il fit une critique acerbe des politiques du gouvernement King en temps de guerre, indiquant que ses opinions n'avaient pas changé à ce sujet. Dans cet article, il dressait la liste des innombrables fautes commises par le gouvernement King :

> Gouvernement par décret ; suspension de l'*habeas corpus*. Les incidents Arcand, Houde, Chaloult. Le mensonge Lapointe. La blague de la participation modérée. La farce du bilinguisme et l'avancement dans l'armée ! L'enrôlement volontaire forcé. La lettre Drew et le scandale de Hong-Kong. La manigance du plébiscite, ou : King, roi des fumistes. L'intimidation par la propagande. Le « noui ».

La guerre, dit-il, avait entraîné « la fin des libertés civiles » au Canada et il dénonça vigoureusement l'emprisonnement du leader fasciste Adrien Arcand en temps de guerre. Ce soutien poussa Arcand à écrire une lettre à la mère de Trudeau dans laquelle il n'eut que des éloges pour l'article et demanda l'adresse de son fils[65]. Probablement choquée, Grace ne répondit apparemment pas. Si certaines vieilles récriminations persistèrent, d'autres cependant s'envolèrent tandis que Trudeau achevait ce qu'il nommait, avec justesse, sa « pédagogie ».

Ce qui frappe, c'est la manière délibérée et systématique avec laquelle il exigeait de lui-même la perfection. Cela est attribuable de bon droit aux Jésuites et à l'éducation classique qu'il avait reçue, dont le principal objectif avait été de stimuler l'excellence dans tous les aspects de sa personne. Il était exigeant envers lui-même et très souvent, trop exigeant envers autrui. Quant à son éducation, il avait atteint là sa pleine « maturité » à la troisième décennie de sa vie. Que ce soit sur les marches de la ziggourat à Ur où il avait déclamé à n'en plus finir de la poésie aux brigands, ou dans les rues de Shanghaï où il avait vociféré en russe pour éloigner les voyous, ou dans le bureau de Harold Laski à la LSE où il avait défendu ses opinions, Trudeau avait prouvé qu'il détenait un extraordinaire éventail de connaissances. Il possédait une parfaite maîtrise du français et de l'anglais, était à l'aise en espagnol, connaissait assez l'allemand pour se faire comprendre, et assez bien le latin et le grec pour les lire et les écrire ; de plus, il était au fait des grands courants de la pensée occidentale en littérature, en économie, en sciences politiques et en histoire. Ses écrits de voyage témoignent d'une compréhension approfondie des transformations historiques et sociétales, et sa faculté d'apprendre découlait de l'assiduité dont il avait fait preuve en classe et dans ses études personnelles. Il était doté d'un esprit réceptif et d'une mémoire hors de l'ordinaire, et tout cela formait un profond réservoir dans lequel il puisait comme peu à son époque savaient le faire*.

Mais à quelle fin? À la fin des années quarante, Trudeau n'avait toujours pas d'idée claire quant à ce qu'il voulait faire. Il avait bien du mal à savoir dans quelle direction son érudition et son expérience allaient le mener et quelle forme sa future carrière publique prendrait. Son article paru dans *Notre Temps* illustre les contradictions qui existaient dans sa compréhension de l'avenir du Québec. Ce périodique était une publication conservatrice et nationaliste et l'attaque virulente de Trudeau à l'égard des politiques de Mackenzie King en temps de guerre avait sans nul doute plu à la plupart de ses lecteurs. En même temps, il avait conservé certaines de ses amitiés de l'époque où lui et d'autres, enragés par l'emprisonnement de Camillien Houde pendant la guerre et la trahison sur la question de la conscription, songeaient à la révolution et à la séparation. À deux de ces amis, François et Lise Lessard, il avait envoyé une carte postale de la Mésopotamie le 19 octobre 1948. Faisant vibrer la fibre nationaliste, il avait écrit: « Voici un site qui a connu un peu plus d'histoire que cette île au confluent de l'Outaouais et du Saint-Laurent. Mais qu'est-ce que cinq mille ans! Peut-être que les prochains cinq seront à nous. Mésopotamie, berceau du genre humain; Laurentie,

---

* John Crosbie, qui possédait à la fois le don de l'éloquence propre aux habitants de Terre-Neuve et une excellente éducation, avait pour Trudeau un respect discret qui transcendait leurs profondes divergences politiques. Il écrivit dans ses mémoires que Trudeau était un adversaire digne de ce nom, auquel il était toujours risqué de se mesurer. Mais il était difficile de résister à la tentation de le faire. À une occasion, attaqué sur le sujet de la corruption au sein du gouvernement, Trudeau avait répondu: « *Quad semper, quad ubique, quad ab omnibus.* » Crosbie l'avait interrompu en disant: « Voilà le jésuite en vous qui s'exprime », ce à quoi Trudeau avait répondu que Crosbie n'avait de toute évidence pas compris ce qu'il avait dit. Crosbie avait répliqué par la formule typique des avocats: « *Res ipsa loquitur* », à laquelle Trudeau avait répondu en citant du grec. Un Crosbie frustré n'avait pu que déclamer la devise grecque du collège St. Andrew, l'école privée qu'il avait fréquentée en Ontario. Traduit librement de John Crosbie, avec la collaboration de Geoffrey Stevens, *No Holds Barred: My Life in Politics* (Toronto: McClelland & Stewart, 1997), 236-237.

berceau du Nouveau Monde ! » Et il avait terminé en leur demandant de transmettre ses meilleurs vœux à d'autres amis nationalistes[66]. C'était là une note étrangement discordante pour quelqu'un qui aimait à se dire « citoyen du monde », mais elle venait rappeler à quel point les choses avaient changé depuis que Lessard et Trudeau avaient rêvé de révolution dans les rues de Montréal pendant la guerre. Tout chez lui n'était pas parfaitement accordé.

Certains amis et certains de ses centres d'intérêt restèrent les mêmes, mais Pierre Trudeau avait beaucoup changé pendant son absence du Québec. Son article dans *Notre Temps* alliait de manière malaisée la défense des droits des fascistes et des nationalistes et une prise de position énergique en faveur de la démocratie libérale et populaire, telle que l'on en avait rarement entendu auparavant. Il avançait que les gouvernants croyaient en un gouvernement pour le peuple mais non par le peuple. D'aucuns pourraient affirmer qu'en temps de guerre, les droits démocratiques peuvent être suspendus. « Exactement au contraire, affirmait-il ; s'il est une loi sur laquelle le citoyen a droit de porter jugement, c'est bien celle qui l'expose à la mort. » Le plus important dans cet article était qu'il montrait à l'évidence que Trudeau avait rejeté l'idéologie corporatiste qu'on lui avait enseignée à Brébeuf pour favoriser plutôt la démocratie populaire. De la même façon, il avait rejeté l'approche formaliste du droit en faveur de l'approche positiviste qui émergeait aux États-Unis : c'est-à-dire que le droit devait refléter les transformations au sein de la société, « car le monde en marche engendre sans cesse des nécessités nouvelles[67] ». Parmi ces nécessités applicables au Canada se trouvait celle de favoriser une compréhension plus formelle des droits de l'Homme, des termes que l'on employait de plus en plus couramment dans le monde de l'après-guerre[68]. Ces droits devaient être ancrés dans une société démocratique — « ces valeurs qui ne sont mieux sauvegardées par aucune autre forme de gouvernement » —, société qui respectait le mieux la dignité de la personne humaine.

Même s'il est frappant de constater que l'idéologie dont Trudeau faisait la promotion n'était pas fondée sur la religion, il avait appuyé son argument sur un passage de saint Paul qui dit que chaque être humain a le droit d'obéir à sa propre conscience. L'étude du cardinal Newman avait laissé clairement sa marque, tout comme Emmanuel Mounier et les personnalistes français qui mettaient en évidence le rôle des laïcs catholiques par rapport à celui du clergé. Dans ce cas précis, les divers courants s'étaient rencontrés et avaient formé chez Trudeau un courant plus fort à la suite de ses voyages ; ce courant avait pris de l'ampleur après son retour au Québec et sa décision de confronter le gouvernement conservateur de Maurice Duplessis. S'il était devenu libéral, en revanche, il n'avait certainement pas joint les rangs des libéraux canadiens, dont le parti, à son avis, et parmi d'autres fautes, défendait trop peu les droits des minorités.

Les remarques que formula Trudeau dans sa lettre à sa mère écrite lorsqu'il se trouvait au Siam, au sujet de l'absence de « domination par un pouvoir impérialiste », sont révélatrices, surtout parce qu'elles mettent en lumière sa haine du pouvoir colonial et de l'intimidation des minorités. Les conséquences de l'impérialisme colonial étaient, affirmait-il, « la haine, la méfiance, l'envie et l'arrogance », lesquelles découlaient du « complexe d'infériorité des colonies, ou d'anciennes colonies ». Le colonialisme engendre la méfiance et l'envie, deux sentiments fondamentalement destructeurs. C'était là une leçon que Trudeau, après ses voyages et ses études, avait adaptée aux circonstances canadiennes. En effet, lui et d'autres commencèrent à établir des parallèles entre la colère sourde des Indiens et des Indochinois qui découlait du régime colonial et le ressentiment des Canadiens français. Le massacre de millions de personnes lors de la partition de l'Inde, dont il avait été le témoin direct, avait laissé des traces. La séparation avait entraîné de grandes effusions de sang, et une solution fédérale constituait, de toute évidence, le meilleur choix. Trudeau continua dans ses écrits ultérieurs à se montrer fasciné par le sujet de l'émergence d'anciennes colonies. Cette fascination se refléta également sur son approche de la politique internationale après son élection au poste de premier ministre. Pour lui, la fin des empires coloniaux et la création de nouveaux États constituaient les événements historiques les plus importants de la seconde moitié du XXe siècle.

La plupart des pays que Trudeau visita au cours de ses voyages étaient pauvres, au-delà de ce à quoi il s'était attendu. Sa décision de voyager dépouillé de biens matériels ne découlait qu'en partie seulement de son ascétisme ; elle reflétait également la volonté d'un homme fortuné de partager le mode de vie de ceux qui l'entouraient, et cela sous tous les angles. Tout comme dans le livre de George Orwell intitulé *Dans la dèche à Paris et à Londres,* Trudeau avait lié ses expériences à son éducation, laquelle, tant à Paris qu'à Londres, l'avait éveillé aux philosophies égalitaristes. Dans la France de l'après-guerre, il avait gravité tout naturellement autour de la gauche socialiste et, comme Emmanuel Mounier, il reconnaissait que la plus grande force d'attraction du communisme provenait de ses revendications en matière d'égalité économique. La thèse qu'il voulait présenter avait comme prémisse que le caractère égalitaire du communisme trouvait écho dans les encycliques papales qui, depuis longtemps, déploraient les grandes inégalités matérielles provoquées par le capitalisme industriel moderne.

En Grande-Bretagne, il avait rencontré Laski, figure controversée en raison de sa défense du système soviétique. Ce système avait pour but de créer une égalité économique qui, croyait-il, constituait le fondement d'une véritable démocratie. Laski trouvait des défauts tant au stalinisme qu'à la démocratie américaine de l'après-guerre, dont les forces et le pouvoir d'attraction étaient évidents. Il avait enjoint Trudeau de prendre en considération le fédéralisme, un sujet que Laski avait longtemps étudié et qu'il considérait comme un moyen de garantir un équilibre entre les intérêts des groupes minoritaires et ceux d'un État central actif. Cet équilibre constituerait le moteur le plus puissant pour assurer la justice économique qu'il jugeait essentielle. À son départ de Londres, Trudeau déclara à un ami de Harvard qu'il était « de plus en plus préoccupé par les questions d'autorité, d'obéissance et de fondement de la loi ». Harold Laski avait laissé sa marque[69].

Ce fut également le cas sur la scène politique britannique, où le Parti travailliste travaillait à créer un État providence moderne qui n'existait pas encore au Canada. L'importance du mouvement syndical au sein du Parti travailliste et, dans un sens plus large, dans le rôle qu'il joua afin d'attirer les ouvriers en politique, eut un effet sur la perception de Trudeau quant à la manière dont cette transformation pourrait s'opérer au Québec. Se souvenant sans nul doute des ouvriers des mines d'or d'Abitibi avec lesquels il s'était senti si peu d'affinités en 1946, il se promit de se concentrer davantage sur l'action des syndicats. Il commença à voir le mouvement syndical comme un outil très efficace grâce auquel les ouvriers pouvaient s'exprimer en politique. C'est, écrit-il en 1948,

« [un] devoir de participer aux délibérations du corps politique, d'établir sa conscience en gardienne du bien commun ; et en toutes choses d'être le témoin bruyant de la vérité[70] ». L'homme politique et syndicaliste gallois Aneurin Bevan, que Trudeau en était venu à admirer au cours de son année passée en Grande-Bretagne, aurait approuvé sans réserve.

Arborant une mince barbe, Trudeau rentra à Montréal en mai 1949, son corps mince et musclé bronzé par les ardents rayons du soleil du Moyen-Orient et de l'Asie. Il avait acquis une vaste connaissance de la politique internationale et, par ses études, de l'économie politique contemporaine. C'est sur cette connaissance que s'établirent ses opinions politiques, que l'on pouvait maintenant qualifier de plus laïques, de libérales et d'égalitaires, et qui coexistaient avec une foi catholique romaine renouvelée, voire différente. Le nationalisme et l'histoire l'intéressaient moins ; il se préoccupait davantage de ce qu'il avait commencé à qualifier d'approche politique « efficace » et « rationnelle ». Il avait assurément mûri en ce qui concernait sa « pédagogie » et ses opinions sociales et politiques, même s'il demeurait chez lui un aspect imprévisible et insaisissable.

Avait-il mûri sur le plan affectif ? Il avait dépassé les exagérations prétentieuses qu'il avait affichées au moment de la rédaction de sa dissertation principale à l'intention du méprisé William Yandell Elliott à Harvard. Sa rencontre avec la psychiatrie freudienne semblait lui avoir été utile pour clarifier la nature de ses peurs d'adolescent concernant les femmes et la sexualité et pour raffermir sa croyance dans l'importance de l'individualisme. On retrouve le vocabulaire freudien partout dans ses textes ultérieurs ; et même s'il est impossible d'en être certain, il semble que Trudeau s'était affranchi des contraintes liées aux rapports sexuels en dehors du mariage. Freud, le personnalisme et fort probablement l'impatience avaient apparemment contribué à cet état de choses. En revanche, il acceptait d'autres limites. Le flot de sensiblerie et les constantes crises de colère qui avaient été la marque de Trudeau au début des années quarante, et certainement dans sa correspondance avec Thérèse Gouin, s'étaient tempérés. Même s'il était un superbe polémiste, il acceptait qu'il y ait des limites dans sa manière de dire les choses ; il n'était plus question de fulminer contre les Américains comme il l'avait fait à Harvard ou de se lancer dans des tirades contre les Anglais chaque fois qu'il était en présence de l'Union Jack. En fait, peu de temps après son retour, il écrivit au rédacteur en chef du *Devoir*, Gérard Filion, pour lui dire qu'il refusait de répondre à son appel pour un mouvement républicain et « social ». Le républicanisme, avait déclaré Trudeau, serait une perte de précieux temps politique ; il fallait commencer par une révolution « sociale[71] ».

Trudeau avait changé ; et bien qu'il prétendît que, au Québec, « rien n'avait changé », les choses s'étaient en fait beaucoup transformées*. Il reconnut ces transformations le 19 mai quand il fit l'acquisition d'un tableau de Paul-Émile Borduas au prix de 200 $[72]. Au mois d'août 1948, Borduas, qui était alors professeur à l'École du meuble, avait publié une critique virulente de la société québécoise et de ses principales institutions dans un manifeste intitulé *Refus global*, qu'il avait signé avec quinze autres artistes plus jeunes. Des décennies plus tard, on peut encore percevoir la colère qui émerge du manifeste, dans lequel Borduas attaque une société où l'on condamne ceux qui « osent exprimer haut et net ce que les plus malheu-

---

* Dans ses mémoires politiques, écrites au début des années quatre-vingt-dix, Trudeau fait cet énoncé et ajoute que « le Québec était resté très provincial, dans tous les sens du terme, c'est-à-dire marginal, isolé, en retard sur l'évolution du monde ». Il cite le chansonnier Jacques Normand qui avait prédit que « Quand les Soviets nous auront envahis et occupés, ils rebaptiseront Montréal : ils l'appelleront Rétrograd » (p. 61). Les acteurs du milieu intellectuel tendent aujourd'hui à faire ressortir les forces créatrices de changement qui se faisaient fortement sentir au Québec dans les années quarante. Certains historiens sociaux et économiques mettent en évidence l'impact de la guerre même dans les régions relativement isolées du Québec. Dans *Quelques arpents d'Amérique : Population, économie, famille au Saguenay, 1838-1971* (Montréal : Boréal, 1996), Gérard Bouchard indique que l'on a vu dans la période qui suivit l'année 1941 des changements catégoriques dans les principaux indicateurs que constituent l'utilisation de contraceptifs, l'âge du mariage et, le plus important, le taux d'analphabétisme dont l'augmentation avait été spectaculaire au cours des décennies précédentes (p. 455). Sur le plan de l'histoire intellectuelle, Michael Behiels publia une étude sur le libéralisme et le nationalisme au Québec dans laquelle il fait ressortir l'ampleur des transformations qui s'étaient opérées avant 1949. Sur l'impact de la guerre et de la dépression, il écrit dans *Prelude to Quebec's Quiet Revolution : Liberalism versus Neo-nationalism, 1945-1960* (Montréal et Kingston : McGill-Queen's University Press, 1985) que la croyance en un Québec où rien ne changeait ou ne changerait avait été anéantie sans espoir de retour. En dépit du traitement exhaustif et hautement favorable qu'il fait de lui dans son livre, Trudeau, dans ses mémoires, n'a pas reconnu la teneur de ses propos. Il admit, en revanche, qu'il y avait « tout de même un bouillonnement d'idées qui annonçait déjà très timidement les transformations à venir » (p. 62).

reux d'entre nous étouffent tout bas dans la honte de soi». «Fini l'assassinat massif du présent et du futur à coup redoublé du passé. (...) Au diable le goupillon et la tuque! Mille fois ils extorquèrent ce qu'ils donnèrent jadis.» Le moment était maintenant venu de faire place à la magie, à l'amour, à l'action passionnée et à un monde où il fallait «rompre définitivement avec toutes les habitudes de la société[73]». Borduas déclencha une avalanche de critiques; on condamna le ton employé et son négativisme. Il fut congédié et quitta le Québec dans les quelques années qui suivirent. Cependant, l'artiste, qui avait fait ses débuts comme peintre d'église, avait souligné les transformations fondamentales qui étaient en train de se produire dans la société québécoise. Et c'est ce qu'avait fait Trudeau également en acquérant une toile de Borduas.

Gérard Pelletier n'approuva pas le manifeste de Borduas. De retour au Québec, où il allait entreprendre une carrière de journaliste au *Devoir*, il condamna le document en le qualifiant d'adolescent, ajoutant que «M. Borduas n'est pas un jeune. C'est un homme mûr[74]». Cela n'empêcha pas Pelletier d'être, lui aussi, pris dans l'engrenage des changements soudains que vivait la société québécoise. Lorsque Trudeau retrouva son vieil ami peu de temps après son retour, Pelletier le persuada de se joindre à la cause des ouvriers de l'amiante, en grève depuis la mi-février.

Avant de quitter le Québec en 1944, Trudeau ne s'était pas beaucoup préoccupé de syndicalisme, même si le père de Thérèse avait écrit un important document sur le droit du travail au Québec. Aujourd'hui, les choses étaient différentes et il s'intéressait au rôle potentiel du syndicalisme dans le processus de changement économique et politique. Avant même de revenir au pays, il avait communiqué avec le Congrès du travail canadien, évoquant la possibilité de travailler pour l'organisme à Ottawa. Ses démarches n'ayant rien donné, et toujours incertain quant à son avenir, il avait donc accepté rapidement l'invitation de Gérard Pelletier à se joindre à lui pour se rendre auprès des grévistes de l'amiante, à Asbestos dans les Cantons-de-l'Est.

Cette grève fait partie des événements célèbres de l'histoire du Québec en ce qu'elle a permis d'éclairer les différences de culture et de classe sociale qui avaient alimenté le ressentiment et la dissension dans la province. La très vaste majorité des entreprises appartenaient à des intérêts étrangers et leurs dirigeants ne parlaient que l'anglais. Les mineurs ne faisaient qu'extraire l'amiante du sol, le charger sur des camions et l'expédier ailleurs. Moins de cinq pour cent de cet amiante était traité au Canada. Sur les belles collines des Cantons-de-l'Est d'où il était extrait, on pouvait voir de grands trous béants témoignant du travail des ouvriers. Bien que cette industrie bénéficiât de l'expansion économique de l'après-guerre et que le salaire des ouvriers eût augmenté, ces derniers savaient que les gains se retrouvaient principalement dans les poches des propriétaires étrangers et des cadres d'expression anglaise. En outre, peu à peu, les mineurs se rendirent compte que la matière qu'ils extrayaient du sol chaque jour endommageait irrémédiablement leurs poumons. Tout cela donna du pouvoir à la grève qui éclata lorsque Jean Marchand, secrétaire-trésorier de la Confédération des travailleurs catholiques du Canada (CTCC), rencontra pour la première fois les ouvriers au sujet de leurs griefs en février 1949. D'un mouvement spontané, les ouvriers descendirent dans la rue, leurs casques sur la tête, en compagnie de Marchand, lui-même coiffé d'un béret. La grève, illégale, suscita des réactions passionnées et fut immédiatement objet de controverse.

Trudeau et Pelletier prirent la route dans la vieille Singer britannique de Pelletier et firent le trajet de Montréal jusqu'au site de la grève. En chemin, la police arrêta ce véhicule aux allures suspectes et emmena ses deux occupants au poste de police afin de les interroger. Lorsque l'officier demanda à Trudeau, qui avait pris place sur le siège avant gauche, de lui remettre son permis de conduire, celui-ci répondit sur un ton de défi : « Je n'en ai pas », et cela, même si son permis était dans sa poche. Le policier s'apprêtait à l'arrêter lorsque Pelletier, de son ton calme habituel, demanda aux agents de s'approcher de la voiture. C'est alors qu'ils purent constater que le volant de la Singer se trouvait à droite, comme c'est le cas des voitures britanniques. Après un échange de paroles acérées, les policiers irrités les laissèrent partir.

Une fois arrivé à Asbestos, Trudeau rencontra Jean Marchand, un expert en sciences sociales devenu un brillant organisateur syndical à la manière de l'Américain Walter Reuther. Figure impressionnante sur le plan personnel, à la sombre chevelure rebelle et à la voix forte pouvant aisément porter jusqu'au fond d'une salle de réunion syndicale, Marchand était un orateur qui s'exprimait avec passion et qui savait émouvoir les hommes (et les quelques femmes) qui venaient l'entendre et les stimuler à l'action. Quatre décennies plus tard, Pierre Vadeboncoeur, ami d'enfance de Trudeau, se souvient de Marchand à cette époque : « Il possédait des qualités tout à fait exceptionnelles, dit-il, vive intelligence, jugement sûr, esprit critique, tempérament passionné, sincérité évidente, sans parler d'une éloquence extraordinaire de tribun, comme on n'en rencontre pas plus de deux ou trois par siècle dans un pays[75]. »

Trudeau ne joua qu'un rôle mineur dans la grève. Il accompagna les grévistes dans leurs manifestations et ceux-ci le surnommèrent « saint Joseph » à cause de son couvre-chef à l'orientale, de ses culottes courtes à l'américaine et de la barbe éparse et foncée qu'il arborait toujours. Mais il fit une impression marquée lorsqu'il prononça un discours enflammé, attaquant la police du Québec devant cinq mille mineurs. Jacques Hébert jugea qu'il avait parlé avec émotion et justesse « de démocratie, de justice et de liberté d'une façon qu'ils comprirent[76] ». En revanche, Marchand, qui possédait davantage d'expérience auprès des foules, vit les choses autrement. « Les mineurs ne sont pas des enfants d'école », avait-il dit en guise d'avertissement, « l'écolier peut voler des crayons, mais le mineur, lui, peut voler de la dynamite. J'avais réussi à désamorcer un ou deux jolis petits complots dont les auteurs ne voulaient rien moins que faire sauter le gérant de la mine avec une bonne partie de son personnel. Vous comprenez alors qu'en voyant Trudeau encourager les grévistes à la résistance physique, je me sois inquiété un peu. » Les choses revinrent au calme ; Marchand venait de découvrir un nouveau collègue précieux, et Trudeau venait de découvrir sa voie[77].

À Asbestos, Trudeau, Pelletier et Marchand tissèrent entre eux des liens indéfectibles ; ils le demeurèrent pour le restant de leurs jours. Ils semblaient se comprendre les uns les autres dans leurs forces, leurs intérêts et leurs convictions. Jean Marchand était un organisateur qui voyageait sur les grandes et petites routes du Québec, et que les ouvriers considéraient comme l'un des leurs. Il dormait dans leurs chambres et leur parlait dans les sous-sols d'église où il les galvanisait à mesure que ses émotions s'exprimaient dans une langue enflammée. Il ne suivait jamais aucune note ; ses pensées explosaient soudain dans l'air. Il y allait parfois d'une chanson, comme il l'avait fait un soir dans un café d'Asbestos en chantant *Les lumières de ma ville*, une ballade rendue célèbre cette année-là par la jeune chanteuse québécoise Monique Leyrac dans le film du même nom[78]. Gérard Pelletier n'avait rien d'un chanteur ni d'un orateur, mais il savait écouter, comme le savent les plus grands journalistes. Rapidement, il alimenta la presse de ses articles, lesquels contribuèrent à faire comprendre la cause de Marchand dans les quotidiens.

Au début, Pierre Trudeau était apparu à Pelletier et à Marchand comme différent, mais aussi comme un homme remarquable, un homme qui apportait la profondeur intellectuelle et l'expérience internationale qui faisaient cruellement défaut au mouvement ouvrier québécois dans les années quarante. Le père de Pelletier était chef de gare, celui de Marchand, ouvrier, alors que le père de Trudeau avait été un homme d'affaires millionnaire. Tant Pelletier que Marchand ressentaient du mépris pour les fils de Brébeuf et d'Outremont et leur façon spéciale de s'habiller et de parler, mais lorsqu'ils virent Trudeau s'adresser directement aux ouvriers en leur parlant de justice et de démocratie d'une manière que les ouvriers comprenaient, ils réalisèrent que cet homme possédait les dons et la volonté de s'engager dont ils avaient besoin. Comme Pelletier en fit plus tard la remarque, Trudeau n'afficha « ni sa richesse ni ses muscles. Son intelligence non plus, il n'en [fit] pas étalage. Mais en dépit d'une curieuse timidité dont il ne se départira jamais, et qui le rendait peu loquace au premier abord, il suscitait la curiosité[79] ». D'abord à Asbestos, Trudeau commença à établir des liens entre, d'une part, le personnalisme chrétien qu'il avait découvert à Paris et le socialisme tel que l'avait enseigné Laski dans ses cours et, d'autre part, les besoins de la classe ouvrière du Québec. Les ouvriers incarnèrent pour lui le meilleur espoir d'un Québec qui l'avait déçu à son retour.

Ce que Trudeau trouva là-bas fut, comme il l'expliquera plus tard, un Québec qu'il ne connaissait pas vraiment, celui des travailleurs exploités par leurs patrons, dénoncés par le gouvernement, matraqués par la police, et qui, pourtant, brûlaient toujours d'une flamme militante. C'était, et de bien des façons, un Québec nouveau, fait qu'il reconnut dans le meilleur texte qu'il ait jamais publié — l'introduction et la conclusion d'un ouvrage sur la grève paru en 1956, dont il avait assuré la révision. Même si d'autres grèves avaient eu lieu, écrivit-il, la grève de l'amiante « fut significative parce qu'elle s'est produite alors que nous vivions la fin d'un monde, précisément au moment où nos cadres sociaux – vermoulus parce que faits pour une autre époque – étaient prêts à éclater[80] ».

Trudeau n'oublia pas les salles de réunion enfumées ni les ouvriers dans leurs chemises de flanelle à carreaux, le visage marqué par des années de dur labeur dans des conditions malsaines. À son retour à Montréal, il défendit leur cause contre le gouvernement provincial et les forces policières, lesquelles n'avaient pas hésité à s'introduire dans les foyers des ouvriers, emprisonnant injustement bon nombre d'entre eux et, de manière générale, faisant preuve d'intimidation envers les habitants de leurs villes et de leurs villages. Il ne demanda jamais un sou pour ses services[81].

Mais il reste que la grève avait été menée dans l'illégalité et que les ouvriers avaient fait preuve de violence, détruisant des biens appartenant aux « scabs », ou briseurs de grève, qui les avaient remplacés. C'est l'argument de l'illégalité qui servit de base légitime au gouvernement Duplessis lorsqu'il s'opposa aux grévistes. Cependant, le gouvernement alla beaucoup trop loin, contrevenant impunément à ses propres lois. L'Église catholique fut divisée au sujet de la grève ; les curés se rallièrent à leurs paroissiens, tandis que la plupart des hauts prélats soutenaient le gouvernement, comme d'habitude. Il y eut cependant des exceptions notables. Monseigneur Charbonneau, archevêque de Montréal, milita avec force en faveur de la cause des grévistes, et c'est par dizaines que des camions remplis de nourriture arrivèrent des paroisses ouvrières de Montréal pour nourrir les familles des mineurs. Le soutien vigoureux de Charbonneau à la grève devint le principal facteur en cause dans la décision de Duplessis de « mettre fin aux activités des membres de l'Église qui d'après lui contestaient son autorité et donnaient le mauvais exemple à ses électeurs[82] ». Poussé par les éléments conservateurs de l'Église et par le gouvernement du Québec, le Vatican persuada Charbonneau de démissionner de ses fonctions ecclésiastiques pour des raisons de « maladie ». Il vécut le reste de ses jours à Victoria, en Colombie-Britannique. Pelletier se rendit compte que lui et d'autres qui avaient appuyé les grévistes de manière si forte étaient aussi devenus des « hommes marqués ».

Trudeau s'étant buté contre les portes de l'université désormais fermées pour lui, Jean Marchand lui offrit un emploi au sein du mouvement ouvrier du Québec où il pourrait continuer à combattre Duplessis.

Toutefois, dans l'une de ces décisions surprenantes qui marquèrent la vie de Trudeau, il quitta le Québec, alors même que, dans ses propres mots, la grève avait marqué « une étape dans toute l'histoire religieuse, politique, sociale et économique de la province de Québec[83] ». À la surprise générale de Pelletier et de ses autres amis, Pierre Trudeau partit à Ottawa pour devenir fonctionnaire.

CHAPITRE 5

Le foyer et la nation

La décision de Pierre Trudeau d'aller à Ottawa laissa perplexes certains de ses amis, qui cherchèrent une explication rationnelle pour justifier ce soudain changement de direction. Gérard Pelletier, par exemple, affirma plus tard qu'il ne comprit jamais pourquoi Trudeau était devenu un fonctionnaire fédéral, alors que les défis qui attendaient le Québec étaient si énormes[1]. Au moment de prendre une décision, plusieurs facteurs entrent en jeu, et il s'y mêle des intérêts rationnels et émotionnels, des considérations de la vie privée et de la vie publique. En 1949, Trudeau trouvait difficile de travailler à Montréal et il y avait des raisons profondes à cela. Plusieurs d'entre elles sont évidentes.

Premièrement, il n'avait pas aimé son expérience en tant qu'étudiant à l'Université de Montréal et il envisageait probablement avec peu de plaisir d'y enseigner, même si les autorités politiques et cléricales conservatrices l'avaient autorisé à le faire. Mais après son implication dans la grève de l'amiante, leurs portes s'étaient refermées. Deuxièmement, ses amis avaient été nombreux à se marier, y compris son ami le plus proche de l'époque, Roger Rolland, ainsi que Thérèse, qui avait épousé un autre ami, Vianney Décarie. Troisièmement, son frère ainsi que sa sœur s'étaient mariés, et Suzette vivait maintenant à proximité de sa mère et pourrait veiller sur elle. Il pouvait donc partir en paix, sachant que l'on prendrait soin d'elle. Il faut dire aussi qu'il dut certainement se sentir envahi par la présence continuelle de sa famille et des anciens amis après avoir voyagé en solitaire toute l'année précédente.

Qui plus est, pendant la majeure partie des cinq années que Trudeau avait passées à l'étranger, le monde avait changé. La démocratie libérale, qui avait connu des temps troublés dans les années trente, s'était montrée à la hauteur du défi que représentait le fascisme au cours de la Seconde Guerre mondiale, et les Canadiens entraient maintenant avec impatience dans ce que Henry Luce, du magazine *Time*, avait nommé le « siècle américain ». Dans les carrières et les forêts du Québec, les compagnies américaines avaient étendu leur emprise, et l'Église, l'État ainsi que les citoyens réagissaient à la fois à l'enthousiasme que cela suscitait et aux conséquences de cette emprise. Certains des anciens camarades de classe de Trudeau, dont son plus grand rival à Brébeuf, Jean de Grandpré, se taillaient une place au sein du monde des affaires au Canada, un monde qui changeait rapidement, rompant peu à peu ses liens avec la tradition impérialiste britanno-canadienne pour accueillir le flot de précieux dollars américains accessibles aux Canadiens dans les années d'après-guerre. D'autres camarades de classe, tels que Pierre Vadeboncoeur, entretenaient une méfiance profonde à l'égard des répercussions de l'influence économique et culturelle américaine sur la société québécoise, même si celui-ci reconnaissait que l'avenir qu'ils avaient imaginé sur les bancs des écoles catholiques était indéniablement perdu[2].

À l'extérieur des frontières canadiennes, la guerre froide émergeait dans le conflit entre l'Union soviétique et l'Occident ou, comme cela se disait plus souvent, entre le communisme et la démocratie. En 1949, une nouvelle source d'inquiétude apparut dans les relations internationales quand l'Union soviétique fit exploser une bombe atomique, mettant ainsi fin au monopole des Américains. À cette époque également, peu de temps après que Trudeau eut quitté Shanghaï, l'armée triomphante de Mao Tsé-toung franchit la porte de la Paix céleste de Pékin. À l'élection canadienne de 1949, le chef conservateur George Drew fit campagne au Québec en misant sur une plateforme fortement anticommuniste, ne réussissant toutefois à convaincre que peu de gens que le premier ministre Louis Saint-Laurent adoptait une attitude conciliante envers les communistes. Or tant Saint-Laurent que son populaire ministre des Affaires extérieures, Lester Pearson, s'étaient lancés dans une critique sévère à l'endroit des communistes. En effet, même au plus fort de la

Seconde Guerre mondiale, de nombreux chefs de l'Église catholique du Québec avaient attaqué l'alliance avec l'Union soviétique. Lorsque le cardinal Villeneuve et le premier ministre Joseph-Adélard Godbout avaient demandé que l'on vienne en aide à la Russie après l'attaque de Hitler, le grand nationaliste Henri Bourassa avait exprimé amèrement son insatisfaction: « Comment ne voient-ils pas que, d'ici quelques années, la Russie sera le cauchemar du monde[3] ? » En 1949, pour la plupart des habitants du Canada et du Québec, ce l'était.

Pierre Trudeau, à bien des égards, n'était pas fait pour vivre au Québec au printemps de 1949. Au cours de sa longue absence, lorsqu'il était aux études ou bien dans ses déplacements autour du monde, il avait pris soin de rester en contact avec ses amis et sa famille ainsi qu'avec d'autres personnes dont la correspondance le tenait informé de ce qui se passait au pays. Les articles publiés dans *Notre Temps* reflétaient de toute évidence cet objectif, tout comme un article paru dans *Le Devoir* au moment de son retour: « Cinq minutes avec Pierre Trudeau — Le tour du monde en 580 jours[4] ». Il reprit immédiatement ses anciennes relations, se prononçant sur un large éventail de questions diverses, de façon personnelle et publique. L'échange paru dans *Le Devoir* sur la question du républicanisme attira l'attention de certains membres de l'élite intellectuelle pour qui ce journal nationaliste constituait la principale source d'information quotidienne.

Après la grève de l'amiante, Trudeau et Pelletier discutèrent de la création d'une revue intellectuelle qui suivrait le modèle de la revue *Esprit* fondée par Emmanuel Mounier. À l'invitation de Claude Ryan, qui était maintenant secrétaire général de l'Action catholique canadienne, Trudeau prononça le 20 juin une conférence devant un groupe d'étudiants. L'Occident, regrettait-il, n'était pas assez libre sur le plan économique et faisait preuve d'une attitude trop matérialiste. Le marxisme avait échoué à cause des restrictions imposées aux libertés individuelles, mais il y avait une meilleure solution qui consistait à amalgamer socialisme et christianisme. Il reprenait en ces termes les propos de l'écrivain et diplomate français Paul Claudel, appelant les étudiants à « sentir la société qui nous entoure, la communauté mondiale[5] ». Au moment où aussi bien la presse canadienne que les hommes politiques du pays appelaient haut et fort à la lutte contre le communisme à l'échelle de la planète, les propos que tenait Trudeau reflétaient le doute profond qui l'habitait quant au bien-fondé d'une telle croisade.

La situation du nationalisme au Québec le rendait tout aussi mal à l'aise. Ses propres écrits de la fin des années quarante, personnels ou publiés, montrent des ambiguïtés qui pouvaient plonger les lecteurs dans la confusion quant à ses véritables convictions. Son vieil ami Pierre Vadeboncoeur, avec qui il avait renoué des liens étroits, avait même écrit au *Devoir* le 14 juillet 1949 pour tenter d'éclaircir les propos que Trudeau avait tenus dans sa lettre condamnant l'appel de Gérard Filion à la création d'un nouveau parti politique nationaliste. Avec une considérable arrogance, Vadeboncoeur avait affirmé que tout parti que lui « et Pierre Trudeau » fonderaient n'émergerait pas du berceau nationaliste. « Ce n'est pas à l'esprit nationaliste d'intégrer le social mais à l'esprit social d'intégrer le nationaliste, qui possède aujourd'hui une valeur traditionnelle[6]. »

Trudeau savait que le nationalisme québécois possédait une valeur traditionnelle, conservatrice ; cette valeur, le gouvernement Duplessis s'en faisait le reflet, ne tenant aucunement compte des besoins de la société. Pourtant, le Parti libéral, tant à Québec qu'à Ottawa, ne représentait ni les besoins de la société à l'échelle nationale ni les besoins sociaux des Canadiens d'expression française. Il n'existait aucune contrepartie provinciale de la CCF fédérale, et l'attention que cette dernière portait aux revendications des ouvriers ainsi qu'aux questions d'inégalités économiques ne s'accompagnait pas d'une sensibilité à l'égard du patrimoine québécois et des défis culturels propres à cette période de l'après-guerre. Dans une entrevue qu'il accorda plus tard, Trudeau affirma qu'il n'avait pas cherché à embrasser une carrière dans la politique active dès son retour parce que, en termes très simples, « je n'étais d'accord avec aucun des grands partis ». Il aurait probablement été à son aise au sein d'un parti tel que le Parti travailliste britannique ou le Parti socialiste français, où l'attrait du pouvoir était contrebalancé par un engagement en faveur de programmes sociaux fondés sur l'égalité économique et l'action sociale progressiste. Au Canada, cependant, il ne trouva aucun créneau politique défini grâce auquel il pouvait exprimer ses idées et faire valoir la connaissance de la réalité qu'il avait acquise au cours de ses cinq années d'absence du Québec[7].

Il n'était pas le seul. Pour de nombreux autres Canadiens, y compris le sociologue John Porter, le romancier Norman Levine et l'artiste peintre Paul-Émile Borduas, le Canada demeurait sourd au mouvement créé par la vague progressiste de l'après-guerre, que ce soit dans le domaine des arts ou en politique. En 1949, le Canada était loin d'être la société parfaite que l'idéologie sociale d'après-guerre mettait de l'avant et que la prospérité économique semblait assurer[8]. Les déclarations fracassantes de la campagne électorale de 1944 et de 1945, où l'on promettait un régime d'assurance-maladie à l'échelle nationale ainsi que l'instauration de nouveaux programmes sociaux, étaient tombées dans le vide avec l'avènement du nationalisme conservateur de Maurice Duplessis à Québec et du libéralisme centré sur le commerce des libéraux de Louis Saint-Laurent à Ottawa. Malgré les quelques changements qui avaient eu lieu, pour Trudeau, la société était encore régie au Canada et au Québec selon l'idéologie de l'ancien régime, tout comme c'était le cas de l'Église catholique romaine.

Il n'était donc pas question d'entreprendre une carrière politique en 1949 et Trudeau voyait ses anciens camarades se perdre dans un monde où les vieux souvenirs des débats passés venaient trop souvent jeter un voile sur les perspectives d'avenir. D'autres jeunes intellectuels comme lui partageaient son sentiment d'aliénation et d'incertitude. Lorsque le sociologue Marcel Rioux revint au Québec après son séjour à Paris, il ne put trouver aucun débouché professionnel, acceptant un emploi au Musée national du Canada à Ottawa, ville qui était devenue, selon ses propres termes, le « refuge (...) des opposants au régime [Duplessis] » au Québec[9]. C'était également le cas de Trudeau, qui n'avait pu trouver d'ouverture politique à Montréal, détestait le régime en place à Québec, ne pouvait compter que sur des perspectives d'emplois limitées à titre d'universitaire au Québec et ne voulait pas pratiquer le droit.

Il n'était pas aussitôt revenu, semblait-il, que d'autres se préparaient à partir. Le départ qui bouscula le plus Trudeau et bon nombre de ses amis fut celui de François Hertel. Au printemps de 1949, Hertel entreprit, comme il le dit lui-même, son « exil » en France. Il avait la conviction qu'il était désormais impossible pour ses lecteurs dans ce nouveau monde de réagir à ses enseignements et à ses écrits, et c'est pour cette raison qu'il ressentit « une nécessité et presque un devoir (...) [de] se dédire ou [de] quitter ce milieu[10] ». Grace avait avisé Pierre que son ami était inconsolable. Après un dîner en compagnie de Hertel qui se préparait à quitter la prêtrise et le Canada, elle raconta qu'il lui avait dit retourner dans le nouveau monde parce qu'il était fatigué du vieux monde, déclarant que le vieux monde, contrairement à l'opinion géologique et géographique, c'était l'Amérique. La renaissance culturelle, disait-il à Grace Trudeau, en France en particulier, mais en Europe de manière générale, faisait paraître l'Amérique vieille et décrépite[11]. Pour un intellectuel d'ici, « inquiet de l'avenir de son pays, ce climat idéologique avait de quoi séduire[12] ». Pour Trudeau, par contre, retourner à Paris aurait signifié s'exiler loin de sa famille et de ses amis et, ce qui était encore plus important, s'éloigner de la réalisation de ses ambitions personnelles. Ottawa, par conséquent, constituait un détour qui venait à point nommé*.

Un autre facteur qui entra en ligne de compte dans la décision de Pierre Trudeau d'aller à Ottawa fut sa mère. Si l'intention de Trudeau était de consolider son indépendance nouvellement acquise, il sentit

* À son retour en 1949, Trudeau parla à deux avocats qui travaillaient aux Affaires extérieures, deux francophones en pleine ascension, Marcel Cadieux et Michel Gauvin. Les deux hommes étaient de religion catholique romaine, conservateurs, et s'étaient distingués pendant la guerre, le premier en tant que fonctionnaire et le deuxième en tant qu'officier canadien sur le champ de bataille en Europe de l'Ouest. Ni l'un ni l'autre ne ménagèrent leurs paroles. Cadieux affirma qu'il ferait tout pour empêcher Trudeau, qu'il qualifiait d'iconoclaste et de capricieux, d'entrer au Ministère. Trudeau lui-même se rappela que Cadieux avait été dérangé par sa barbe, qu'il considérait comme inconvenante pour un jeune homme « aux Affaires extérieures en ce temps-là ». Chose intéressante, en 1968, lorsque Trudeau fut élu premier ministre, Cadieux était sous-secrétaire d'État aux Affaires extérieures; Gauvin, qui avait moins à répondre d'accusations, était ambassadeur en Éthiopie. Mais Trudeau ne leur en voulut pas: il donna à Cadieux le poste d'ambassadeur aux États-Unis; celui-ci devint le premier francophone à remplir cette fonction, le poste diplomatique le plus important du Canada. Quant à Gauvin, Trudeau lui confia plusieurs postes privilégiés, dont celui d'ambassadeur en Chine. Entrevue avec Michel Gauvin, mai 1995. On peut se faire une idée des opinions personnelles arrêtées de Cadieux à propos des hommes politiques canadiens dans John Bosher, *The Gaullist Attack on Canada, 1967–1977* (Montréal et Kingston: McGill-Queen's University Press, 1999), dans lequel l'auteur cite abondamment le journal aux positions très virulentes de Cadieux. Entrevue avec Michel Gauvin, avril 1994; entrevue de Pierre Trudeau avec Jean Lépine, 27 avril 1992, FT, vol. 23, dossier 2.

certainement qu'il ne devait pas retourner vivre dans la résidence familiale. Lui et sa mère avaient toujours été exceptionnellement proches. Au printemps de 1947, comme une jeune fille, elle s'était accrochée à lui tandis qu'ils filaient à toute allure sur sa Harley-Davidson le long des routes escarpées près de Monte-Carlo. Sur d'autres photographies, on voit la dame d'âge mûr et son fils adulte prendre du bon temps sur la plage, tout comme lorsqu'elle était jeune mère et lui, jeune enfant. Lorsqu'ils étaient séparés, ils s'écrivaient ou se téléphonaient souvent. Sa maison lui était toujours ouverte. Il y avait parfois quelques malentendus entre eux, mais ils se disaient leurs pensées et leurs impressions et, à l'occasion, se parlaient des décisions qu'ils prenaient. En 1949, lorsque Trudeau revint au pays, Grace accueillit son fils avec soulagement et à bras ouverts, on peut facilement le comprendre. Mais elle savait que son fils était davantage troublé qu'il ne voulait bien l'admettre. Mieux que n'importe qui, elle connaissait les difficultés auxquelles Pierre devait faire face à Montréal ce printemps-là.

« Dès que le courrier arrive, je cours vérifier s'il y a une lettre de toi », avait-elle écrit à Pierre en janvier 1947 pendant son séjour à Paris. Pierre avait été malade, mais il s'était rendu dans les Alpes françaises en convalescence. Elle aimait mieux et de loin son audace, lui avait-elle dit, que les doléances de l'époux de Suzette, Pierre Rouleau, qui avait dû garder le lit après une chirurgie mineure pour des hémorroïdes. Il n'était pas, avait-elle déclaré, « de la trempe des Elliott ! Comme tante Annie avait l'habitude de dire. » Constamment, elle se faisait du souci, se demandant si Pierre avait assez de « menue monnaie » et envoyait régulièrement, avec ses lettres, des livres anglaises ou de précieux dollars américains pour « l'aider ». Comme toutes les mères, elle se souciait de sa santé et de son apparence, comme elle le lui écrivit dans une lettre datée du 17 janvier : « Prends soin de toi — prends les pilules. Et tes cheveux ? Les perds-tu ? Prends garde d'utiliser des savons trop forts. » La question des cheveux devint une préoccupation constante et les photographies de Pierre, à mesure qu'il prenait de l'âge, lui donnaient de bonnes raisons de s'inquiéter. Elle lui envoyait régulièrement des nouvelles de ses amis, anciens et courants. Lors d'une de ses visites à Tip à Harvard, elle rencontra l'ancien amour de Pierre, Camille Corriveau, et raconta à ce dernier que « ses deux petits l'occupent toute la journée ». Et, bien pire, elle n'avait « aucune aide de l'extérieur — elle s'occupe elle-même de toutes les besognes » — comme c'était le cas de la plupart des mères américaines.

Répondant aux lettres de Pierre dans lesquelles il lui parlait de Paris, elle écrivit : « Tu es dans un tourbillon social, comme ta maman, sinon davantage. » Elle avait toujours partagé son enthousiasme pour la manière de faire des Français même si, dans la majorité de leurs goûts respectifs, ils étaient profondément nord-américains. L'une des amies de Grace avait reçu chez elle un invité de France, lequel s'était comporté de manière répréhensible et avait fait un trou dans un précieux tapis persan. « Je ne peux m'empêcher de penser, écrivait Grace, qu'il y a quelque chose de français dans cette façon d'agir, de donner l'impression qu'ils sont vos maîtres et seigneurs. » Si elle ne faisait pas beaucoup confiance aux Français, elle avait une foi inébranlable en son fils. Le 20 février 1947, elle demanda à Pierre ce qu'il pensait de ce monde « à l'envers », où les Britanniques quittaient l'Inde et où « les Juifs de Jérusalem [voulaient] s'en aller et retourner en Allemagne ». Inquiète, elle avait écrit : « Il faudra des gens intelligents et des esprits forts pour élucider l'avenir. Seras-tu de ceux-là[13] ? » Elle était déterminée à ce qu'il le soit, peut-être même encore davantage que Pierre lui-même.

Vers la fin du mois de février 1947, alors que Trudeau était au cœur de sa psychanalyse, Grace se préparait en vue de son voyage en France. « Mon cher grand garçon », écrivait-elle depuis le « Pays de Neige » : « Hourra ! Tu viens me rejoindre, ai-je entendu aujourd'hui — quelle joie — à condition que je n'aie pas l'air complètement lessivée quand je débarquerai du navire. » Mais pour son fils, ce ne fut pas le cas. Lorsqu'elle rencontra Pierre une nouvelle fois en avril, elle lui apporta de grandes quantités de nourriture, puisqu'en France on rationnait encore de manière importante[14]. Elle avait d'abord rendu visite à son frère en Normandie, puis elle était allée rejoindre Pierre, pour ensuite aller se promener sur les routes du sud de la France sur la Harley-Davidson, tandis que les ardents rayons du soleil printanier réchauffaient la Côte d'Azur. Rien n'indique que Pierre lui parla de ses séances de psychanalyse à Paris, et il semble qu'elle ne fut pas au courant de l'intense correspondance entre lui et Thérèse au cours de ces semaines-là. Néanmoins, elle était mère et elle avait certainement deviné que quelque chose n'allait pas.

Lorsqu'elle — tout comme Pierre — rentra à Montréal, Grace apprit que Thérèse, arrière-petite-fille et petite-fille de premiers ministres et nièce d'un géant de la politique, fille de sénateur et, aux yeux de nombreuses grandes familles de la société montréalaise, la partenaire de vie idéale pour son brillant fils, avait pris la décision de ne pas épouser Pierre. Le 16 juillet, elle écrivit à Pierre pour lui faire part de ses réactions de détresse et d'inquiétude à l'annonce de la nouvelle, alors que Pierre se préparait à partir en excursion dans les endroits les plus reculés du Québec.

Mon cher coureur des bois,

Voilà une bonne occasion de t'éloigner et de te libérer des sombres pensées des dernières semaines. Si seulement j'avais pu consoler mon pauvre garçon dans ces moments-là – tu sais qu'un cœur de mère souffre lorsqu'elle constate les situations malheureuses qui souvent surviennent dans le cours de la vie de ses enfants. Ce fut un choc pour moi autant que pour toi. Quand j'ai réalisé la gravité de votre mésentente, surtout que j'avais commencé à m'attacher à la jeune fille – un ajustement qui demande du temps ! Les liens du sang sont les plus forts, comme je dis souvent, tu le sais.

Je continue à croire, cependant, que peut-être d'ici peu de temps tout rentrera dans l'ordre entre vous. Je suis convaincue que la fille doit être malheureuse – il est impossible de croire autrement. Puisqu'elle t'a donné toutes les raisons de croire – ou du moins je l'imagine – que tu étais le seul homme dans sa vie – sois patient – elle aura le temps de repenser à tout cela, et il est certain qu'un de ces jours tu recevras une note où elle te demandera de la rejoindre à mi-chemin – je parle d'expérience, mon cher – et quand les deux parties concernées sont fières et ne veulent pas faire les premiers pas – cela signifie un avenir malheureux pour deux personnes qui s'aiment véritablement. Es-tu bien certain que tu n'es *pas* à blâmer pour avoir négligé de montrer ton affection ? Ou en ayant été brusque ? Je sais que lorsqu'un homme a fait le choix de sa future épouse, il lui est impossible d'accepter ou de comprendre les raisons d'un report ou d'une hésitation apparente du côté de sa fiancée – bien sûr je conjecture qu'il s'est passé des incidents qui peuvent n'avoir rien à voir avec la situation en général. Je suis si désolée pour toi mon cher garçon de ne pouvoir que prier notre bien-aimé Seigneur qu'il t'apporte consolation et qu'il te guide et toujours maman sera là près de toi pour te réconforter comme elle le pourra. Avec tout mon amour, Maman.[15]

C'était là une lettre sensible et merveilleuse d'une mère à son fils troublé.

Pierre Trudeau, comme la plupart des fils, gardait certains aspects de sa vie pour lui-même, mais la majorité du temps il parlait de tout ouvertement à sa mère. Elle l'avait gentiment réprimandé lorsque lui et Roger Rolland avaient joué leurs « tours pendables » à Paris et elle s'était demandé, lorsqu'il était à Londres, si leurs « bagarres de rue » ne lui manquaient pas. Elle se faisait du souci pour lui, s'inquiétant de sa santé et de savoir s'il avait des amis. En novembre 1947, elle lui dit que lorsque les gens lui demandaient de ses nouvelles, elle répondait qu'il profitait à plein de son séjour à Londres, « allant ici et là à des conférences, [à] des congrès aussi bien qu'à des rencontres communistes ». Peut-être, avançait-elle, « [es-tu] plus libre d'aller et de venir, n'ayant pas autant d'amis, ou suis-je dans l'erreur et as-tu un cercle d'amis ? Tu ne parles jamais de personne ». Et pour cause. Grace avait bien évidemment vite réalisé que, à Londres, il n'y avait pas de « cercle d'amis[16] ».

Chaque fois que Trudeau publiait ses articles dans *Notre Temps*, Grace surveillait attentivement les réactions. Certains membres du clergé, lui avait-elle raconté, avaient qualifié l'un de ses articles de « profond et vibrant », tandis qu'elle avait été un peu choquée à l'idée que l'ancien leader fasciste québécois Adrien Arcand ait voulu écrire à Trudeau pour le féliciter de son autre article. Toutefois, et à propos d'un autre de ses articles, elle dit que « le docteur Turgeon a trouvé très drôle de voir que tu dénigrais [le premier ministre Mackenzie] King ». Il était certain, jubilait-elle, que « d'ici à ce que tu deviennes journaliste dans cette ville ton nom sera connu de tous ». Partout où elle allait, elle n'entendait que des éloges au sujet de son fils exceptionnel. Madame Décarie prédisait un brillant avenir à Pierre, « comme nous le pensons tous ! Naturellement — et spécialement moi[17] ».

Elle ne voulait jamais qu'il manquât d'argent et il lui arrivait parfois de transiger sur le marché noir pour l'aider, surtout lorsque des restrictions sur le cours de l'argent canadien furent mises en place en 1947. En février 1948, elle lui offrit de se procurer des fonds à Boston au cas où il viendrait à manquer d'argent pendant ses études à la London School of Economics. Elle s'assurait qu'il avait tout ce qu'il lui fallait pour ses aventures. Plus tard, lorsqu'il se retrouva à court d'argent après un voyage en Afrique, elle lui envoya 500 $ par câble immédiatement; un mois plus tard, toujours sans nouvelles, elle lui envoya 200 $ supplémentaires en lui disant de ne pas « attendre à la dernière minute » la prochaine fois[18]. Il s'agissait de fortes sommes d'argent pour l'époque, équivalant à presque 6000 $ en dollars d'aujourd'hui ; en 1948, on pouvait se procurer un repas digne de ce nom dans un bistro de la rive gauche pour vingt-cinq cents. Lorsqu'il se proposa de visiter la campagne anglaise, elle lui écrivit: « Je vais t'envoyer des chaussettes — celles de l'armée? Aussi des chemises, à manches longues? J'en ai acheté une de couleur kaki, peut-être ne sera-t-elle pas assez épaisse — il vaudrait peut-être mieux en gabardine de coton, je verrai si je peux en trouver, bien que pour les excursions il se peut qu'elle convienne. J'ai aussi acheté un tricot de coton à manches courtes — bleu foncé — que tu pourras utiliser comme sous-vêtement — au lieu de porter un pyjama si tu as froid. » Et elle conclut à sa manière habituelle : « Je pense à toi chaque jour mon cher garçon et je prie le Seigneur pour qu'Il te protège. Avec tout mon amour, que Dieu te bénisse. Maman. Je t'envoie 10 $. » Lorsqu'il lui fit parvenir des saris en provenance de l'Inde, elle les montra fièrement à ses amies. Elle les porta pour Pierre lorsque celui-ci revint au pays, et tous les deux organisèrent ce qu'ils appelèrent un « après-midi à l'orientale ». Elle se chargea également de rassurer certains prêtres que ses articles pouvaient inquiéter, leur disant qu'il était, sans le moindre doute possible, un fervent adepte de la religion catholique romaine[19].

Grace comprenait bien sa passion pour les voyages. Elle lui avait même cité Whitman : « *O farther, farther, farther sail!* », en lui disant qu'elle aussi, tôt dans la vie, avait senti l'appel des terres inconnues. Pourtant, ce fut elle qui lui conseilla de rentrer au pays et d'oublier ses blessures, même si elle savait qu'elles n'étaient pas près de guérir[20]. Elle vit d'un mauvais œil le fait qu'il recommence à présenter à sa famille les femmes qui devenaient ses amies. Elle reçut un jour quelques photographies de la part d'une femme que Pierre avait fréquentée pendant quelque temps à la suite de sa rupture d'avec Thérèse. À cette occasion, Grace écrivit à

Pierre pour lui parler de sa grande histoire d'amour. Comme le sont les mères en général, elle fut injuste à l'endroit de celle qui avait éconduit son fils :

> J'espère sincèrement – et je suis très sérieuse, que tu ne vas pas te donner trop de mal pour elle – j'ai su certaines choses au cours de *l'année écoulée* et ma sympathie pour elle n'est plus du tout la même (…) Peut-être n'aurais-je pas dû en dire autant – mais tu sais ce que ressent une mère lorsqu'elle a le sentiment qu'il lui faut se battre pour le bonheur de ses enfants – et je ne veux pas que tu passes à travers cela encore une fois – la douleur de l'été dernier – nous avons tous été très ébranlés, même si nous n'avons pas beaucoup parlé de l'événement.

Grace ne ménagea pas ses mots et c'est avec quelque inquiétude qu'elle conclut sa lettre en disant : « J'espère que tu ne prendras pas trop mal tout ce que je te dis[21]. »

Ce ne fut pas le cas. Toutefois, les lettres de Grace n'avaient plus cette sensibilité qu'elle avait démontrée dans sa lettre un an auparavant, au moment où elle avait appris la rupture d'avec Thérèse. Adieu les remarques à l'effet que Trudeau avait peut-être été « brusque » ou qu'il n'avait pas toujours su être « affectueux ». Grace, comme toujours, prenait résolument le parti de son fils. Il est fort probable que Trudeau crut que les paroles prononcées par sa mère témoignaient de ce qui se racontait à Montréal sur le sort du couple. Bon nombre de ses anciens amis avaient dû être peinés de voir cette relation intime avec Thérèse se terminer. Dans l'une de ses lettres, Grace réfléchit sur l'avenir de son fils après que ce dernier lui eut raconté qu'il était allé danser « socialement » en Asie. « D'ici à ce que tu reviennes et commences à chercher une “épouse”, bien des comparaisons seront faites — il y a des standards à respecter — mais tu as sans doute un idéal en tête — plus on avance en âge, plus on est difficile — mais je ne pourrai jamais t'accuser d'avoir les manières d'un vieux garçon, qui sont si difficiles à supporter — tu es encore plein de jeunesse et d'enthousiasme, j'en suis sûre[22]. »

Grace Trudeau avait une profonde influence sur son fils, entre autres parce qu'il avait vécu avec elle pendant la majeure partie de sa vie d'adulte. Après s'être installé à Ottawa, il prit l'habitude de revenir tous les week-ends à Montréal en apportant sa lessive. « J'ai remarqué que tu n'avais pas apporté ta serviette cette fois-ci », écrivit-elle en octobre 1950, en lui disant qu'il était mieux de ne pas l'envoyer chez le blanchisseur[23]. Les taux de change n'eurent plus de secrets pour elle tandis qu'elle s'assurait que son fils disposât toujours de l'argent nécessaire pour voyager et pour étudier. À la maison, elle supervisait les repas, un talent que son fils épicurien, qui cultivait l'art de reconnaître un bon vin et qui fréquentait assidûment les restaurants, ne maîtrisa jamais. Plus tard, une amie devait se rappeler que, après plusieurs élégantes sorties au restaurant en sa compagnie, elle s'était rendue à son chalet dans les Laurentides pour lui rendre visite, découvrant là-bas que si un repas n'était pas préparé par une autre personne, celui-ci consistait invariablement en des spaghettis en conserve[24]. Quand il était chez sa mère, c'était Grace ou le personnel de la maison qui le servait.

Sur une note plus positive, ils voyageaient souvent ensemble et, jusque dans les années soixante, continuèrent à aller au concert ou à assister à des vernissages. « Mon cher garcon », écrivit-elle en 1951, « une fois encore nous avons dû nous dire au revoir — après un si beau voyage en Italie — pour moi du moins. Il restera l'un de mes plus beaux souvenirs de vieillesse[25]. » Elle était généreuse, qu'il s'agisse de le soutenir financièrement ou de l'accueillir dans ses états d'âme, et il y avait entre eux une familiarité étonnante. À l'occasion de son trente et unième anniversaire de naissance, par exemple, elle lui envoya une carte sur laquelle figurait une jolie femme. À l'intérieur, on pouvait y lire : « Hourra — c'est l'anniversaire de Pierre — mes meilleurs vœux en cette journée, mon cher garçon. Il faudra que nous célébrions cela pendant le week-end. Avec tout mon amour, Maman. » Puis, sur un bout de papier déposé librement dans la carte, elle avait écrit : « Joyeux anniversaire au meilleur des fils du monde entier. » Après tout, elle avait deux fils. Dans ses périodes de découragement, c'était à Grace que Pierre s'accrochait tel à un roc, à elle qui, mieux que quiconque, savait lui redonner espoir.

Elle aura peut-être aussi été l'écueil sur lequel se sont parfois abîmées ses amours. Thérèse en vint certainement à le croire, même si, comme Madeleine Gobeil, elle admirait la manière dont Trudeau s'adoucissait en présence de Grace, et la dévotion que mère et fils avaient l'un pour l'autre[26]. Chez le psychiatre à Paris, Trudeau décrivait son père

Charles presque comme une figure apollinienne, distante et héroïque, mais tout comme les dieux grecs, indifférent au monde des humains. Grace, en revanche, créait chez Trudeau un certain sentiment d'ambivalence. Il lui demandait son approbation ; et, par sa présence imposante, elle représentait une puissance semblable à celle de l'Église et des conventions sociales contre lesquelles il se débattait parfois d'une manière que d'autres trouvaient incohérente ou qui les laissait perplexes. Même si, en surface, sa mère entretenait souvent de bonnes relations avec les amies de Pierre, ces femmes, à commencer par Camille Corriveau, en étaient venues à constater que premièrement, c'était un être redoutable que l'on pouvait difficilement défier et, deuxièmement, qu'elle avait une influence énorme, peut-être même décisive, sur son fils. À cet égard, il est intéressant de noter que ses lettres à Pierre font souvent état de ses diverses doléances à l'endroit de son gendre. Il est également intéressant de constater que Pierre ne s'engagea dans le mariage qu'une fois parti de la maison maternelle. En fait, il avait attendu qu'elle soit pratiquement invalide, incapable de bien se rendre compte de ce qui se passait autour d'elle.

Dans ses mémoires, Margaret Trudeau a écrit que, aux yeux de son mari, les femmes se classaient en trois catégories : « D'abord ses collègues féminines qui n'étaient que des compagnes de travail et qui accédaient à peine au statut de femmes même si nombre d'entre elles étaient de bonnes amies. Il y avait ensuite les éventuelles petites amies et, dans ce cas, tel Édouard VIII, Pierre affectionnait les actrices et les starlettes, des femmes fascinantes qui se prêtaient admirablement au flirt et aux tête-à-tête à la chandelle. Il y avait enfin son épouse qui, elle, devait dépendre de lui, rester au foyer et être disponible. » Ce dernier rôle, comme elle et d'autres l'ont suggéré, comportait des exigences impossibles à satisfaire et nul ne savait mieux le remplir que la propre mère de Pierre. Henry Kissinger, s'adressant un jour à Richard Nixon, avait dit que la meilleure façon de comprendre Trudeau était de le décrire comme un « fils à maman[27] ».

Très concrètement parlant, c'était vrai, mais Kissinger porte ici un jugement trop facile. Grace Trudeau apporta à son fils timide un sentiment de confiance et la conviction que rien ou presque ne pouvait l'empêcher de réaliser ses ambitions. Il adorait sa mère pour cette façon exceptionnelle qu'elle avait de combiner les aspects ludiques et disciplinés de sa personnalité. Il avait hérité d'elle ces deux qualités, de même que le sens profond de la famille qui avait permis aux enfants de Grace d'abord de traverser l'épreuve du décès de Charles, puis celle des transformations religieuses et sociales au Québec. Elle avait initié son fils à l'art et assuré sa stabilité à mesure qu'il découvrait le monde. Le 11 mai 1948, elle écrivit à Pierre à l'occasion de son trente-troisième anniversaire de mariage:

> Mardi, 11 mai 1915 – jour de notre mariage, ton père et moi – comme c'est étrange que je me sois trouvée à t'écrire justement ce soir – Depuis 13 ans j'aime à penser que je l'ai oublié, ou du moins, que je n'y pense plus – et vous mes trois enfants m'ont aidée à continuer. Quelle bénédiction vous avez été pour moi – que serais-je devenue sans vous – m'occuper de vous lorsque vous étiez jeunes a comblé ma vie et maintenant que vous êtes des adultes et capables de continuer sans moi – j'aime toujours penser que je peux encore vous être utile d'une manière ou d'une autre[28].

Elle l'avait certainement été, et de tant de manières.

L'influence de Grace sur les relations amoureuses de Trudeau s'exerça principalement sous deux angles. De toute évidence, elle représentait le modèle de la maîtresse de maison qu'il valorisait depuis les années quarante, à l'époque de ses disputes avec Thérèse à propos de ses projets de carrière et d'études plus poussées, jusqu'aux années soixante-dix, lorsqu'il s'opposa à la décision de Margaret Trudeau de travailler ou de retourner aux études. Son attitude dérangea non seulement Thérèse et Margaret, mais également les autres femmes qu'il avait songé à épouser. De façon plus subtile et également plus positive, la relation étroite qu'il avait avec sa mère, cette façon qu'ils avaient d'échanger sur un ton badin et affectueux, lui faisait rechercher des femmes qui pouvaient être ses confidentes. Dans les premiers temps à Brébeuf, il avait résolu de se tenir à l'écart de ses camarades de classe, et sa correspondance, même avec ses amis les plus proches, tendait à se faire brève, impersonnelle et étonnamment rare. Discipliné, il dressait et conservait des listes de ses correspondants lorsqu'il s'absentait, et les femmes y figuraient régulièrement au sommet. Par ailleurs, avec ses amis masculins, il avait tendance à écrire sur des questions publiques ou même philosophiques; avec les femmes, il entremêlait ces sujets de discussions intimes où il parlait de ses sentiments personnels et de ses ambitions — tout comme il le faisait avec sa mère.

On retrouve la même impression dans certaines anecdotes, comme dans ses documents personnels. Jacques Hébert, avec qui il avait souvent voyagé, a dit de Trudeau qu'il ne discutait jamais avec lui de religion, une opinion que partage le très catholique Allan MacEachen, son voisin à la Chambre des communes. MacEachen relate également une conversation qu'il eut un jour avec Jean Marchand et dans laquelle ce dernier avait indiqué, à la surprise de MacEachen, que lui et Trudeau ne s'étaient pas parlé depuis plusieurs mois. Marc Lalonde, le plus proche conseiller de Trudeau, a dit au début des années soixante-dix que celui-ci ne lui parla qu'une seule fois d'un sujet personnel, soit la fin de son mariage. Il était, ajouta Lalonde, comme une huître qui ne s'ouvrait qu'avec grande difficulté. Pourtant, avec les femmes, de Camille Corriveau au début des années quarante jusqu'à la célèbre actrice Kim Cattrall à la fin des années quatre-vingt, il mettait souvent son cœur à nu. Cette dernière disait de Trudeau qu'il était un « épicurien ». L'actrice Margot Kidder, avec qui il eut plus tard une liaison, l'a décrit comme « [le] petit garçon le plus gentil et le plus doux que vous puissiez imaginer. Dès lors que vous vous en étiez rendu compte (par exemple lorsqu'il vous présentait avec fierté le dîner de ragoût de porc, de haricots blancs et de bacon qu'il avait fait réchauffer lui-même d'une boîte de conserve ; ou lorsqu'il vous prenait dans ses bras le matin, tout content et guilleret), vous aviez l'impression de connaître un secret que personne d'autre ne savait, et qu'ainsi vous aviez été nommée vestale de cette flamme[29] ».

Pour son camarade de classe de Grandpré en 1940, comme pour Pelletier, Hébert et Lalonde, ses collègues masculins les plus proches qui le côtoyèrent au cours des décennies subséquentes, la personne privée de Trudeau demeura un secret qu'ils ne purent jamais vraiment percer.

Trudeau tint beaucoup des choses secrètes après son arrivée à Ottawa à la fin de l'été 1949. Après avoir brièvement envisagé de travailler au ministère des Affaires extérieures et des Finances, il opta pour le bureau du Conseil privé parce que, écrira-t-il plus tard, « en tant que secrétariat du Conseil des ministres, c'est le centre de décision par excellence et que je voulais observer dans la pratique ce dont je venais d'étudier la théorie ». Son salaire initial fut de 2880 $ annuellement, une somme décente dont on déduisait 5 % aux fins de sa pension, et son bureau se trouvait dans l'antre réservé historiquement aux premiers ministres, c'est-à-dire l'édifice Est de la Colline parlementaire. Il s'agissait d'un édifice de style victorien gothique classique avec, dans les principaux bureaux, de hauts plafonds, d'impressionnantes fenêtres à voûte et d'élégants foyers ; toutefois, les jeunes commis comme Trudeau n'avaient droit qu'à des espaces restreints. L'édifice était malgré tout suffisamment intime pour permettre à Trudeau de côtoyer les « décideurs par excellence », y compris le ministre des Affaires extérieures, Lester Pearson, et le premier ministre Saint-Laurent. À cette époque, par contre, côtoyer n'était pas synonyme de rencontrer. La tradition britannique rigide et hiérarchique avait enveloppé les soi-disant mandarins d'une épaisse cuirasse, et ces derniers possédaient une influence décisive à Ottawa dans les années d'après-guerre. Même si Saint-Laurent était un francophone, il avait apporté le style de la Grande Allée de Québec à Ottawa, qui avait chaleureusement accueilli ses manières presque royales. Son style formait un contraste frappant avec la rude *bonhomie* du premier ministre Maurice Duplessis à Québec. Malgré cette proximité, rien n'indique que Trudeau et Saint-Laurent se soient jamais entretenus ensemble pendant son séjour à Ottawa. Trudeau vouait cependant un grand respect à Saint-Laurent, en particulier parce que, à titre de ministre de la Justice, il avait fait de la Cour suprême l'ultime cour d'appel des Canadiens[30].

En ce milieu de XXe siècle, Ottawa se révélait très différente de Londres ou de Paris. Contrastant avec le West End de Londres, où les grands noms du théâtre se produisaient chaque soir, Ottawa n'offrait que de rares spectacles de théâtre amateur. Les bistros de Paris, avec leur excellent chablis bon marché et leurs mets raffinés, n'étaient également qu'une extravagance lointaine. Les jeunes fonctionnaires apportaient habituellement leur goûter dans un sac, alors que les hauts fonctionnaires prenaient leurs repas à la cafétéria du Château Laurier. De l'autre côté de la rivière, à Hull, on était plus permissif en ce qui concerne l'alcool, mais bien peu de bureaucrates osaient courir le risque d'être associés le moindrement à une vie de bohème. C'est avec justesse que Trudeau décrivit la ville d'Ottawa dans les années cinquante comme « une capitale anglaise » où la langue de Shakespeare était la seule langue de travail.

Des études menées ultérieurement confirment cette opinion ; la Commission royale d'enquête sur le bilinguisme et le biculturalisme fit ressortir que l'embauche de francophones avait en fait diminué de manière importante au sein du ministère des Affaires extérieures après la Seconde Guerre mondiale. L'historien J. L. Granatstein, au sujet des mandarins d'Ottawa de l'époque, n'y va pas de main morte lorsqu'il décrit la « cécité culturelle », qui, dit-il, devrait être considérée comme l'expression inconsciente de la vision anglo-canadienne du Québec, c'est-à-dire une joyeuse terre de paysans, de notaires et de prêtres, par ailleurs légèrement déloyaux. Pauline Vanier, l'épouse du plus haut diplomate canadien francophone de l'époque, raconta à Granatstein que l'on réservait le même traitement aux compatriotes francophones de son époux qu'aux « autochtones ». Les expériences vécues par Trudeau à titre de fonctionnaire sont le reflet même de cette situation : il prenait la plupart du temps son repas du midi en compagnie des francophones à Ottawa, relativement peu nombreux, alors que ses mémorandums étaient presque toujours rédigés en anglais*. À midi, il mangeait le plus souvent avec son vieil ami Marcel Rioux[31]. En revanche, sa dualité culturelle — et de fait son multiculturalisme — s'exprimait sans réserve dans le choix de ses compagnes à Ottawa.

Comme toujours, Trudeau fit preuve d'une extraordinaire assiduité. Au cours des seize premiers mois de son emploi, bien qu'il eût droit à vingt jours de congé, il n'en prit que sept. Son superviseur était Gordon Robertson, un travailleur acharné comme lui, peut-être le meilleur fonctionnaire canadien de sa génération. Robertson, qui n'avait que deux ans de plus que Trudeau, reconnut qu'un jeune francophone instruit représentait un atout précieux dans les relations fédérales-provinciales, et c'est ainsi que Trudeau obtint des

* La baisse du recrutement des francophones après la guerre ramena le pourcentage des francophones engagés dans des ministères à son niveau le plus bas de toute l'histoire canadienne, et cela même si le premier ministre lui-même était francophone. Le Comité interministériel du commerce extérieur, dont Trudeau faisait partie, ne comptait que deux francophones sur vingt-deux membres. Il lui arriva souvent, en sa qualité d'unique membre bilingue, d'occuper le poste de secrétaire au sein de ces divers comités, pour le cas où l'un des membres s'exprimerait en français. FT, vol. 9, dossier 13.

mandats d'importance dans ce domaine. Trudeau, en retour, abordait les détails obscurs de la Constitution canadienne avec un enthousiasme pour le sujet qu'il devait conserver jusqu'à sa mort. Dans un contexte où la correction de la grammaire et du style d'écriture était chose commune, Robertson ne trouvait que rarement à redire du travail de Trudeau. Dans la plupart des cas, il le commentait par des remarques telles que « Merci, très intéressant[32] ».

Trudeau accomplissait un travail remarquable, tant en ce qui concerne la qualité que la quantité, même si certaines de ses tâches n'étaient certainement pas agréables. Il est possible, comme dans ses études de droit, que Trudeau n'ait pas apprécié accomplir des tâches ennuyeuses comme celle de dresser la liste des accords fédéraux-provinciaux, qui s'étalait sur une cinquantaine de pages, mais il s'en acquittait promptement en n'oubliant aucun détail. Au moment de partir enfin en vacances en octobre 1950, il décrivit la manière dont il avait rempli ses principales obligations. Dans le cadre de ses fonctions, il avait eu à traiter de sujets aussi divers que l'aviation civile, les eaux territoriales, la réalisation d'un accord de paix, les prêts aux immigrants et le sous-comité sur le commerce côtier. Il adressa quelques reproches à Norman Robertson, commis au Conseil privé, au sujet de ce dernier projet, mentionnant dans une note écrite en anglais à son superviseur — Gordon Robertson — que ce fonctionnaire plus expérimenté n'avait pas réagi au mémorandum de Trudeau sur le sujet : « Il n'y a aucune urgence, apparemment[33]. »

Pour sa part, Trudeau accomplissait promptement les tâches qu'on lui confiait, qualité qui avait le don d'impressionner et même parfois de surprendre ses supérieurs. Il était clair qu'on ne s'attendait pas, de la part de cet intellectuel à l'esprit vif et aux opinions bien arrêtées, à ce qu'il s'acquitte de tâches aussi ingrates avec autant d'efficacité. Tel un avocat d'expérience, il savait trouver les arguments en faveur d'une cause, même lorsque ses propres opinions sur le sujet étaient différentes. Cet ennemi juré de la conscription et de l'enregistrement en temps de guerre analysa froidement la question de « l'enregistrement national » entre 1940 et 1946, concluant qu'il pourrait être utile pour, dit-il, retrouver des individus séparés au cours d'une évacuation.

Il demanda même à Gordon Robertson s'il était utile de faire un résumé des arguments en faveur et contre le bannissement des communistes*. Son mémorandum reflétait les inquiétudes du gouvernement en ce qui concerne certaines publications en langues étrangères, soit qu'elles étaient souvent communistes par sympathie. Toutefois, dans sa conclusion, il attira l'attention sur l'opinion du premier ministre Saint-Laurent, à savoir que ce serait une erreur de légiférer contre l'opinion. Tout en faisant remarquer l'attitude sévèrement anticommuniste du chef conservateur George Drew, il observa également l'attachement marqué du jeune député de la Saskatchewan John Diefenbaker envers les principes des droits de l'Homme. En bon fonctionnaire, il présenta les divers choix possibles sans manifester aucun parti pris, analysant avec soin les répercussions de chacune des décisions. Il ne faut pas s'étonner que Gordon Robertson lui écrivît ce qui suit: « Votre note faisant état des énoncés du gouvernement et de l'opposition (…) est exactement ce que je voulais et devrait nous être très utile » — utile évidemment au gouvernement libéral de Louis Saint-Laurent[34].

Même si la façon d'écrire que Trudeau employait pour rédiger ses mémorandums correspondait aux attentes de la profession, c'est-à-dire savoir amalgamer une prose claire et une argumentation bien raisonnée, il arrivait parfois que sa puissante fibre indépendante et son humour caustique prissent le dessus, comme lorsqu'il s'exprima au sujet de l'enregistrement national: « N'ayant fait que peu de choses pour empêcher l'homme de ne devenir qu'un simple numéro dans une suite de numéros, nous n'avons pas le droit de nous opposer lorsque le gouvernement institutionnalise cette philosophie par l'entremise de l'enregistrement national. » Lorsqu'il donnait un avis, même s'il mesurait avec soin les termes qu'il employait, il exprimait habituellement ses propres opinions. L'enregistrement national, avançait-il, pouvait être utile en temps de guerre, mais non en temps de paix. Le communisme représentait une menace, cependant la législation en place était suffisante pour le contrer. Il n'y avait qu'un seul sujet — le fédéralisme — sur lequel il transgressait

* Sur les questions relatives à l'Église catholique, par contre, il faisait preuve de moins d'ouverture d'esprit et observait encore certaines restrictions. Le 20 janvier 1950, il écrivit à l'archevêque Vachon d'Ottawa pour lui dire que, en raison de ses obligations professionnelles, il lui était nécessaire de prendre connaissance de certains ouvrages marxistes figurant à l'Index. L'archevêque lui donna sa permission huit jours plus tard. FT, vol. 14, dossier 12.

l'habituelle contrainte bureaucratique pour exprimer ses opinions personnelles[35].

Le passage de Trudeau à Ottawa fit en sorte qu'il s'intéressât vivement à la nature même du fédéralisme, tant sur le plan théorique que sur le plan pratique. Il avait souvent étudié la question dans le cadre de ses études, et ce sont Emmanuel Mounier, Harold Laski et Frank Scott qui ont probablement exercé la plus grande influence sur lui à cet égard, en dépit de leurs approches très différentes. Il reste que, jusqu'à ce qu'il commence à travailler au bureau du Conseil privé, il fallait s'attendre à ce que Trudeau s'entretienne davantage de démocratie ou qu'il aborde les sujets de l'égalité politique ou économique plutôt que de parler de fédéralisme.

C'est lors de son séjour à Ottawa que se confirma sa fascination pour les différentes théories du fédéralisme et ses applications au Canada. Pierre Vadeboncoeur, qui semble avoir été son ami le plus proche à l'époque, décrivit plus tard Trudeau comme celui qui abordait les questions politiques « par leur côté juridique ». François Hertel, de la même façon, dit bien que, pour comprendre Pierre, il fallait comprendre qu'il était essentiellement « un juriste ». Bien qu'il faille reconnaître que les deux hommes exprimaient des opinions radicalement différentes de celles de Trudeau au moment où ils ont fait ces remarques, leurs commentaires sont certainement valides[36]. Une fois à Ottawa, Trudeau fit appel de plus en plus à sa formation juridique et à la conception qu'il se faisait de l'importance du droit, des statuts, de la législation et, implicitement, de l'ordre politique. Les structures juridiques du fédéralisme canadien commencèrent à exercer une véritable fascination sur lui — de la même façon qu'un jeune pianiste découvre le contrepoint et l'harmonie, pour finalement comprendre comment des accords de grande beauté prennent forme. Dans un contexte où, chose étonnante, peu de fonctionnaires avaient fait des études de droit, la formation juridique de Trudeau ainsi que ses études de philosophie lui donnaient un avantage, surtout dans les débats.

Ses années passées à Ottawa lui léguèrent un autre héritage : il s'intéressa beaucoup plus au Canada, à la manière dont le pays fonctionnait et aux écueils potentiels sur lesquels il pouvait se buter. En 1950, il participa à une conférence fédérale-provinciale, prenant une grande quantité de notes lors des discussions sur un possible changement constitutionnel. Il fut également chargé de réviser les documents officiels, le gouvernement tirant ainsi profit de son parfait bilinguisme. À la grande joie de son supérieur, il usa de ses talents d'avocat pour démolir les arguments des provinces. Son opinion au sujet de Maurice Duplessis n'allait pas dans le même sens que celle de ses supérieurs, qui voyaient dans le premier ministre du Québec un être grossier à l'esprit tortueux, animé d'une volonté destructrice au sein des rencontres fédérales-provinciales. À son avis, Duplessis représentait mal sa province en raison de l'étroitesse de ses vues nationalistes et de son incapacité à voir les forces du changement. À la suite d'un échange, Trudeau fit la remarque que l'intervention de Duplessis était « intéressante, mais qu'il faudrait modifier la Cour suprême ». F. R. Scott, alors conseiller au sein du gouvernement CCF de la Saskatchewan, fut celui qui l'impressionna le plus ; il défendit la position selon laquelle le meilleur moyen de dénouer les impasses sur le plan constitutionnel était de commencer d'abord par s'occuper des questions de nature fiscale et de sécurité sociale. Pierre Vadeboncoeur avait exprimé cette même vision lorsqu'il avait parlé au nom de Trudeau l'été précédent dans *Le Devoir*.

Pendant toute la décennie qui suivit, Trudeau développa cette position[37]. Son expérience à Ottawa commençait à le convaincre que les difficultés qu'il observait au Québec pouvaient trouver une solution dans un fédéralisme canadien plus efficace :

> Mais il y a une autre raison pour laquelle la coopération est indispensable à une fédération. Ce que l'on désigne de manière populaire comme le partage des pouvoirs est en réalité un partage de la compétence législative. Et puisque la compétence législative ne correspond pas toujours idéalement aux divisions de compétences administratives, il se trouve que très souvent le gouvernement le plus apte à légiférer sur un sujet donné ne peut être celui qui administrera les lois le plus efficacement. Par conséquent, le pouvoir législatif d'un gouvernement devra s'exercer avec la coopération du pouvoir exécutif ou judiciaire ou autre ; ce qui revient à dire que les gouvernements fédéral et provinciaux, loin de rechercher l'efficacité dans une indépendance totale de leurs sphères d'action, devront s'entendre et se comprendre[38].

Même s'il était de plus en plus persuadé de la nécessité pour le gouvernement fédéral d'instituer des programmes en matières sociale et fiscale,

Trudeau était d'avis que les provinces devaient conserver leur compétence là où leurs responsabilités constitutionnelles étaient évidentes. C'est pourquoi s'il s'opposa avec force à un projet de loi sur la défense civile présenté en 1951. « Les clauses les plus offensantes », dit-il à son superviseur Gordon Robertson, étaient « celles qui semblent être fondées sur une conception fantaisiste du fédéralisme ». Certaines parties du projet de loi donnaient à la clause de l'Acte de l'Amérique du Nord britannique portant sur la paix, l'ordre et le gouvernement une portée beaucoup plus grande que les auteurs ne l'avaient prévu. « Il est ridicule », déclara-t-il, que le gouvernement fédéral « exige d'avoir compétence sur les gouvernements provinciaux *eux-mêmes* ». Une coopération, écrivait-il dans un autre mémorandum, « est indispensable à une fédération », et ni l'un ni l'autre des niveaux de gouvernement ne pouvait agir « dans l'indifférence totale » de l'autre[39]. Sa vision de la fédération était différente de celle de certains responsables du gouvernement canadien qui étaient, dans les années d'après-guerre, fortement centralisateurs. Les opinions qu'il s'était formées découlaient de son passé — et elles auraient des répercussions dans l'avenir.

Si, au cours de sa première année passée à Ottawa, Trudeau fit preuve de réserve et d'un sens élevé du devoir, les restrictions imposées par le gouvernement du Canada à l'endroit de ses fonctionnaires l'irritaient néanmoins. Dans l'ébauche d'une lettre au *Devoir* écrite en mai 1950, il manifeste son impatience, se plaignant que « les fonctionnaires n'ont pas le droit d'avoir des opinions politiques ». Cette lettre ne fut jamais envoyée. Par contre, ses divergences avec le gouvernement Saint-Laurent s'accentuèrent sensiblement lorsque le Canada décida de participer à la guerre de Corée au cours de l'été de 1950, après que les Nord-Coréens eurent envahi le sud du pays et que les Nations Unies, par leur assemblée générale, eurent autorisé une intervention dirigée par les Américains.

Trudeau désapprouvait cette décision et surtout l'intense plaidoyer de Lester B. Pearson en faveur de la participation canadienne. Pearson était d'avis que l'attaque nord-coréenne représentait le même genre de menace à l'endroit de la nouvelle organisation des Nations Unies que l'attaque de l'Abyssinie par l'Italie (l'Éthiopie actuelle) à l'endroit de la Société des Nations en 1935. Au moment même où le Canada annonçait une augmentation de sa participation, Trudeau écrivit en hâte à Jules Léger, qui occupait alors un poste intermédiaire aux Affaires extérieures :

> Mon cher Jules,
>
> Je viens d'entendre le discours à la Chambre de Pearson sur la Corée. Pas une seule pensée originale. Un peu d'histoire courante, beaucoup de propagande. (...) L'Asie se perd. Il est temps que tu sauves au moins l'Europe en initiant la division européenne [des Affaires extérieures] dont tu m'entretenais, cette étude sur le neutralisme[40].

Trudeau était l'un des rares à s'opposer à la politique canadienne en matière d'affaires étrangères à une époque où même la socialiste CCF avait joint les rangs du consensus sur la guerre froide quant à la nécessité de confronter l'Union soviétique en Europe et en Asie. Grace Trudeau fut, elle aussi, emportée par cette ferveur. Voici une lettre qu'elle écrivit à son fils en février 1949 pendant qu'il voyageait dans le monde :

> As-tu des nouvelles fraîches du monde? Que penses-tu du procès du cardinal hongrois Mindszenty? On ne parle que de lui dans le monde entier. On récite des prières dans toutes les églises ; maintenant ce sont les protestants qui sont persécutés, ces Rouges s'infiltrent à un rythme alarmant, et il ne fait aucun doute que nous les Américains de ce continent fermons trop volontiers les yeux, et ne sommes pas assez vigilants pour détecter leurs façons subtiles et douces. Tout le monde répète qu'il y a un grand nombre de communistes au Canada. Seras-tu en mesure de les exterminer avec tout ton savoir[41] ?

Ce fut un cas où Trudeau ne suivit pas les conseils de Grace, non plus qu'il ne partagea ses opinions.

Sur une copie de l'un des discours de Pearson qu'il prononça le 5 décembre 1950 et dans lequel il affirma que le Canada avait fortement recommandé de faire preuve de modération et de se diriger dans le sens d'une stratégie mondiale, Trudeau avait griffonné : « Vraiment pas[42]. » Cinq mois plus tard, il envoya en privé des billets destinés à Douglas LePan et à Pierre Trottier, tous les deux aux Affaires extérieures, dans lesquels il s'attaqua à un autre des discours de Pearson. Dans son billet à LePan, il déplora l'attaque de Pearson à l'endroit des « despotes au Kremlin », faisant remarquer que le cultivé diplomate canadien John Watkins* avait « dépeint la Russie soviétique comme un pays dont la population est fatiguée de la guerre, aime la paix et est naïvement fière de ses institutions démocratiques primitives ; son gouvernement s'engageait principalement à l'amélioration de l'économie civile, et procédait même à une certaine démobilisation ». De la même façon, il avait affirmé que le chef de mission canadien en Chine, Chester Ronning, qui avait des sympathies pour les idées de Mao, avait indiqué que « des progrès étaient réalisés en vue d'une solution au bénéfice du peuple chinois tout entier ». Et à la fin, Trudeau avait conclu (dans un anglais qui laissait quelque peu à désirer) :

> « Ou bien M. Pearson n'est pas familiarisé avec ce genre de rapports, et alors il ne fait pas son travail ; ou bien, s'il est familiarisé, il ne tient pas compte de leur véracité, et alors il est coupable de retenir les services de deux responsables étrangers qui sont de crédules laquais soviétiques, ou bien, s'il admet leur véracité, il préfère encore répandre la croyance que les communistes ont la ferme intention de déclarer la guerre, et alors il sème la confusion auprès du public. Les guerres se combattent avec le courage physique, mais il faut maintenant encore plus de courage pour affirmer ses convictions en toute vérité et justice. Si M. Pearson avait ce courage, n'informerait-il pas le public des faits qui pourraient tendre à ouvrir une voie de compréhension et de sympathie envers un ennemi potentiel ? » [traduction libre]

Et, plein de malice, il avait signé « Camarade Trudeau[43] ».

Dans son billet à Jules Léger dans lequel il se plaignait de Pearson, Trudeau avait recommandé à Léger de lire le plus récent numéro de la revue *Esprit*, certains articles rédigés par Étienne Gilson dans *Le Monde*, ainsi qu'un article de Hubert Beuve-Méry du journal *Le Monde*, lesquels traitaient de la politique de neutralité en Europe. Il ne cacha pas sa dissension par rapport au consensus, et ses collègues commencèrent à gentiment se moquer de ses positions, l'appelant « Citoyen » pour souligner son côté rebelle de gauche.

---

* John Watkins fut plus tard accusé de s'être compromis en raison de sa grande amitié pour un agent soviétique, mais il décéda d'une crise cardiaque au cours d'un long interrogatoire secret mené par la GRC à Montréal.

Même si l'attitude de Trudeau demeura cordiale, il devint bientôt évident que ni ses opinions sur les affaires internationales ni sa personnalité ne convenaient à l'atmosphère puritaine et sérieuse du gouvernement d'Ottawa dirigé par Saint-Laurent. Il continua néanmoins à s'occuper de ses dossiers et ne refusa aucune invitation sociale. « Ce fut très aimable de m'accueillir à dîner chez vous lundi dernier », écrivit-il à Norman Robertson quelques mois plus tard, un 5 juin, en ajoutant « vin excellent[44] ». Au cours de ce dîner, son hôte lui avait remis apparemment un article paru dans *Partisan Review*. Cet article avait été rédigé par Lionel Trilling, professeur d'anglais à l'Université Columbia, lequel avait abandonné ses positions radicales de gauche et son allégeance marxiste au cours des premiers développements de la guerre froide, il y avait peu de temps. De toute évidence, Robertson voulait éloigner le jeune et brillant francophone de la tentation européenne de rester neutre dans une bataille qui se faisait de plus en plus féroce entre l'Ouest et l'Est*. Mais Trudeau resta fermement sur ses positions contre la guerre de Corée et contre le rapide renforcement des troupes de l'Organisation du traité de l'Atlantique Nord en Europe — forces qui comprenaient une importante présence canadienne. Dans les deux cas, il était d'avis que le Canada ne faisait que suivre la politique américaine à l'égard de l'Union soviétique et de la Chine — une politique qu'il jugeait trop intransigeante et agressive.

Même s'il se trouvait un groupe de jeunes francophones talentueux au sein du ministère des Affaires extérieures, ils étaient peu nombreux au

* Il était rare que Trudeau accepte des invitations à dîner principalement parce qu'il passait souvent ses week-ends à Montréal. En revanche, la famille de l'éminent journaliste Blair Fraser, qui connaissait la famille Trudeau par l'entremise d'une connaissance commune, le reçut à dîner plusieurs fois alors qu'il se trouvait à Ottawa. À l'occasion de l'un de ces dîners, il écrivit à son hôtesse pour la remercier avec beaucoup d'élégance. « J'ai passé une soirée des plus agréables à votre résidence jeudi dernier. Non seulement le dîner fut-il excellent, le sherry stimulant et la conversation des plus édifiantes, mais je fus également en mesure de vérifier par l'expérience scientifique une vérité depuis longtemps établie, à savoir que "les Fraser sont très gentils". » Il se dit content d'avoir eu la chance de rencontrer toute la famille et se sentit « privilégié de constater que même le petit Graham [qui deviendra lui aussi l'un des grands journalistes du Canada] a bien voulu nous recevoir après avoir menacé de s'intéresser au tam-tam. » Trudeau à Mme Fraser, n.d. [1950], FT, vol. 9, dossier 12.

bureau du Conseil privé où Trudeau travaillait. Par ailleurs, les femmes qui y travaillaient se comptaient exclusivement parmi les secrétaires. Comme Margaret Trudeau en fit la remarque, Pierre traitait ces femmes d'une manière professionnelle, comme des collègues de travail; celles-ci étaient loin d'être insensibles à son charme et à la courtoisie dont il faisait invariablement preuve, et on peut toujours sentir, lorsqu'elles parlent de lui, l'admiration qu'elles lui vouaient. Il était attentionné, familier et pourtant respectueux, et correct. Lors d'entrevues accordées peu de temps après sa mort, certaines des collègues de Trudeau exprimèrent un attachement mêlé d'une profonde admiration. Parmi les mots fréquemment utilisés se trouvaient « courtois », « attentif », « timide et charmant[45] ». Margaret Trudeau mentionne également une autre catégorie de femmes — les « petites amies », qui étaient souvent des « vedettes » dans les années soixante-dix et quatre-vingt.

Dans les années cinquante, Ottawa ne comptait qu'un petit nombre de vedettes. Cependant, un matin de septembre 1950, Trudeau fut attiré par un article publié à la une du *Ottawa Citizen* qui était illustré d'une photographie en gros plan de Helen Segerstrale. « Votre attention, messieurs », pouvait-on lire en guise d'introduction. « Nous désirons vous présenter la ravissante et talentueuse mademoiselle Helen Segerstrale, âgée de vingt ans. Elle vient tout juste d'arriver de Suède en remplacement d'un poste de préposée à l'ambassade suédoise. » Elle avait fait des études à Lausanne où elle s'était spécialisée en littérature française, et parlait cinq langues. La Suédoise à la chevelure blond foncé et aux traits prononcés serait, proclamait le *Citizen*, « l'antidote suédois à la "déprime de la crise" ». Il est intéressant de noter que Trudeau, un homme de relativement petite stature, très mince, mais très musclé, était attiré par les grandes et ravissantes femmes à la silhouette généreuse. Il conserva des photographies de la plupart des femmes de sa vie et celles-ci correspondent habituellement à cette description. Il découpa l'article de journal, oubliant vite sa « déprime » alors que les troupes canadiennes commençaient leurs préparatifs en vue de la guerre de Corée, et entreprit sa conquête de la nouvelle étoile d'Ottawa[46].

À Noël, Trudeau avait réussi à arranger des présentations et commença sérieusement à tenter de gagner le cœur de Helen. Il ne fait aucun doute que la jeune femme, que Pierre appela Hélène lorsqu'ils devinrent plus intimes, fut immédiatement intriguée par ce fonctionnaire qui n'en avait pas l'air, qui conduisait une Harley-Davidson et une Jaguar, qui savait plonger et nager comme la vedette de cinéma et athlète olympique Johnny Weissmuller, qui s'achetait des complets italiens chers et les portait avec élégance (dans une ville où le grand magasin Eaton établissait la norme en matière de mode) et qui pouvait s'entretenir de la première d'une comédie musicale de Rodgers et Hammerstein à New York aussi bien que de la plus récente représentation de *Huis clos* de Jean-Paul Sartre à Paris*. Dans leur correspondance se mêlaient de joyeuses conversations multilingues (y compris en suédois quelquefois), des mots d'amour qu'ils ne cessaient de se répéter l'un à l'autre, des récits de voyage prévus ou passés ainsi que des réflexions philosophiques.

Pendant l'été qui suivit, le courrier diplomatique livré « en mains propres » à l'édifice Est en provenance de l'ambassade suédoise comprit des missives dont le contenu était loin d'être officiel. On y trouvait des messages du genre « Tu m'as rendue siiiii heureuse (...) tu es la plus merveilleuse personne de tout ce côté du globe (...) non, des deux côtés (même si je ne sais pas encore parler le chinois, il faudra que je vérifie) ». Un autre message disait: « Je me sens comme une petite débutante, amoureuse d'un jeune garçon, qui a besoin d'écrire des choses sentimentales à l'objet de son grand amour. » Elle signait ses lettres « Puss ». Ils se donnaient rendez-vous sur la plage et, après un dîner à la chandelle en tête-à-tête, venaient la tombée du jour et le temps des ébats amoureux. L'engagement catholique de Trudeau à préserver sa chasteté avait disparu quelque part dans les années cinquante, comme ce fut apparemment le cas de bien d'autres catholiques. Néanmoins, il demeura, comme beaucoup d'autres qui mettaient en doute les enseignements officiels, engagé envers l'Église.

Pierre et Helen parlèrent bientôt de vivre ensemble. Grace Trudeau avait appris à bien la connaître au cours des fréquentes visites que Pierre et elle lui rendaient pendant le week-end à Montréal. Elle entreprit de guider Helen sur la voie du mariage en commençant par un point essentiel: sa conversion au catholicisme romain. Comme la plupart des Suédois,

* En février 1950, il acheta deux complets pour la somme de 183 $ et en juin, un veston sport à 35 $ chez Tobia Felli, un tailleur italien de Montréal. Il s'était fait faire un autre complet pour 74 $ en novembre 1949. Un complet chez Eaton, en 1950, coûtait environ 20 $. FT, vol. 9, dossier 5. Avant qu'il démissionne, son salaire avait augmenté à 3696 $, augmentation qui reflétait davantage la hausse du coût de la vie qu'un élan de générosité de la part du gouvernement.

Helen était de confession luthérienne, sans être particulièrement attachée à sa religion. Elle ne vit aucune objection à envisager une telle conversion. Le processus, par contre, se compliqua lorsqu'elle reçut des messages différents de la part des prêtres de la paroisse et des amis de Pierre à Montréal. Elle lui raconta comment elle avait expliqué à sa propre mère que ce n'était pas lui qui lui imposait la foi catholique, mais qu'elle-même trouvait dans le catholicisme une manière de vivre qui l'attirait:

> Au contraire, tu m'as toujours dit à quel point il est important d'être libre, de suivre sa nature, et que la religion est quelque chose qui se vit entre Dieu et nous. Alors je lui ai dit [à sa mère] que l'atmosphère du clergé au Québec n'aurait pu me conduire au catholicisme, au contraire; je lui ai expliqué comment toi et tes amis de *Cité libre*, lors des rencontres, m'aviez fait comprendre les problèmes et les ennuis que les prêtres catholiques peuvent causer. Mais c'est toujours la même chose qui est difficile pour nous, « libres Vikings du Nord » : se sentir humbles et garder la foi précieuse et essentielle, et ne pas tenir compte des imperfections humaines, comme une chose qui n'a rien à voir avec la foi.

Avec l'aide de Pierre, écrivit plusieurs fois Helen dans sa correspondance des mois suivants, elle trouverait l'humilité qui était le fondement de la foi, de l'engagement et du mariage catholiques[47].

Pierre avait maintenant dépassé la trentaine et il était impatient de se marier. Il était toujours aussi exigeant dans ses rapports amoureux, toujours aussi impérieux dans son besoin d'attention et pourtant, farouchement indépendant lorsqu'il s'agissait d'accorder de son temps. Et, pour compliquer les choses, vers la fin de l'été 1951, il avait décidé de quitter son emploi dans la fonction publique, de voyager en Europe et dans d'autres endroits exotiques pour ensuite revenir à Montréal, l'endroit où il comptait maintenant faire carrière. Ottawa, s'était-il rendu compte, n'était pas l'endroit qui convenait pour réaliser ses ambitions, et il avait soif de sa liberté d'antan. Cet automne-là, parmi leurs lettres empreintes d'un amour profond, il s'en trouva de nombreuses où Pierre et Helen se disputaient. Ils continuaient cependant à faire des plans en vue de leur mariage.

Puis, en décembre, Trudeau écrivit à Helen une lettre brusque où il se plaignit de ses « manières ». Déconcertée par sa colère, elle lui envoya cette réponse: « Mon amour, je t'aime, je t'ai aimé et je t'aimerai jusqu'à la fin du monde aussi. Mon amour ne t'est-il pas suffisant? Évidemment non, parce que tu sembles dire que j'exprime mon amour en écrivant mal et peu. » Il lui fit ses excuses et lui demanda de le rencontrer à Gibraltar en janvier 1952, joignant à sa lettre un recueil de poèmes de Rimbaud[48].

Comme Thérèse, Helen en vint à la conclusion que leur relation n'avancerait à rien. Le 26 janvier 1952, elle lui écrivit pour lui dire qu'elle avait pris la décision d'annuler leurs projets de mariage. Il y avait tout simplement de trop nombreuses crises au sein de leur relation, beaucoup trop tourmentée. Il fallait maintenant « envisager les choses comme elles sont ». L'une des difficultés concernait la religion, qui avait été chez elle une préoccupation constante au cours de l'absence de Pierre. L'acte de foi nécessaire pour embrasser la religion catholique se révélait plus difficile à faire que prévu. Son absence n'avait pas rendu son amour plus fort et, de fait, elle avait rencontré quelqu'un peu après le départ de Trudeau au mois d'octobre précédent, quelqu'un probablement de sa connaissance. En une semaine à ses côtés, elle avait éprouvé davantage d'« harmonie et de paix » que tout ce qu'elle avait pu vivre auparavant[49].

Trudeau fut profondément blessé, surtout lorsqu'elle refusa de le rencontrer en Europe au printemps de 1952. Il la supplia de le laisser la voir, l'accusant d'être cruelle et lui promettant de se retirer de sa vie en silence pour toujours si tel était son désir. Plus tard, il l'implora de lui pardonner sa conduite, lui disant qu'il lui était impossible de prendre congé d'elle sans ajouter que sa peine lui permettait de comprendre pleinement l'angoisse insupportable qu'il avait infligée à celle qui l'aimait plus fort que cela semblait humainement possible, celle à qui il pouvait enfin et très humblement demander pardon[50]. Le vieux scénario se répétait[*].

---

[*] Grace Trudeau avait bien aimé Helen, qu'elle aussi appelait « Hélène », et elle tâcha de réconforter Trudeau: « Mon cher garçon, il est inutile de dire ce que je ressens – mon cœur souffre pour toi – Pourquoi, ô pourquoi faut-il que tu souffres autant? Je continuerai de prier pour toi, afin que l'avenir te réserve du bonheur, à toi qui es si bon et si gentil – mais Dieu met durement à l'épreuve ceux qui sont près de Lui. » Dans une lettre qu'elle écrivit un mois plus tard, Grace indiqua que la principale difficulté avait peut-être été une question de croyance religieuse: « Il est toujours nécessaire de bien connaître et d'aplanir nos diverses opinions pendant les années de mariage – encore bien plus les croyances religieuses qui se doivent d'être des principes et des fondations partagées. » Grace à Pierre Trudeau, 24 février et 9 mars 1952, FT, vol. 46, dossier 20. Pendant cette période, Trudeau resta sans écrire à sa mère pendant plusieurs semaines.

Une fois sa décision prise de quitter Ottawa en octobre 1951, Trudeau manifesta ouvertement son irritation à l'égard des restrictions imposées aux fonctionnaires canadiens, tout comme il avait réagi plus tôt contre l'alliance transatlantique de la Grande-Bretagne, des États-Unis et du Canada qui semblait si bien convenir à la politique de Lester B. Pearson en matière d'affaires étrangères. À l'encontre des opinions conventionnelles véhiculées à Ottawa, il opposa celles que proclamait la gauche française catholique dans *Esprit* et *Le Monde* — idées qui favorisaient une approche fondée sur la réconciliation plutôt que sur la confrontation dans le contexte de la guerre froide et qui soutenaient la décolonisation dans des pays tels que l'Indochine où l'incendie qui avait couvé faisait maintenant rage.

Toujours dans ce même esprit de controverse, il avait eu un échange intéressant avec Norman Robertson lorsqu'il lui avait remis le magazine dans lequel Lionel Trilling avait défendu la cause libérale face au communisme soviétique. L'article ne l'avait pas impressionné, dit-il à Robertson, même s'il était d'accord pour dire qu'il s'agissait d'un anachronisme de considérer «le monde ouvrier comme une cause opprimée». Il s'opposa vigoureusement à la description que faisait Trilling de l'idéaliste qu'il voyait comme «quelqu'un qui trouve la vertu uniquement où il n'est pas». Pour Trudeau, une définition beaucoup plus convaincante aurait été «quelqu'un qui trouve plus que la vertu là où il se trouve». Aux propos de Robertson quelque peu arrogants sur le plan intellectuel, Trudeau répondit sur le même ton: «Ces deux sortes d'idéalistes ne conviennent pas au totalitarisme d'un extrême ou d'un autre. Le vrai totalitariste est un idéaliste qui ne trouve la vertu que là où il est, ou un réaliste ou un agnostique* qui feint de le faire pour éviter de subir le destin de l'âne de Buridan.» L'âne de Buridan fait référence à la fable du Moyen Âge selon laquelle un âne mourut de faim parce qu'il ne put

* Robertson était athée, ce dont Trudeau était probablement au courant. Dans la pieuse ville d'Ottawa, Robertson insistait pour que figure dans les données personnelles du recensement le fait qu'il était «athée», une catégorie qui ne faisait pas alors partie du formulaire de recensement canadien. Au sujet de Robertson, voir J. L. Granatstein, A *Man of Influence: Norman A. Robertson and Canadian Statecraft, 1939-1968* (Ottawa: Deneau, 1981).

choisir entre un seau d'eau et un boisseau d'avoine, également attirants. « En passant, continua Trudeau, l'âne ne serait peut-être pas mort de faim s'il y avait eu plus de deux boisseaux entre lesquels choisir. Ce qui me fait penser que si les hommes libres laissent un jour le monde se diviser en deux, ils auront à mourir comme des ânes s'ils veulent éviter de vivre comme des esclaves. Un autre argument en faveur de la troisième force[51] ! » Cette « troisième force » était un concept populaire véhiculé par *Esprit* et *Le Monde* qui voulait que l'Europe, dirigée par la France, s'écarte de la confrontation entre les Soviétiques et les Américains pour mettre sur pied une société social-démocrate alternative. Robertson, lui-même un ancien socialiste, n'avait que peu de patience envers de telles opinions, ce qui ne l'empêcha pas de se séparer en bons termes de Trudeau.

Celui-ci invita Norman Robertson et son épouse Jetty à passer chez lui le samedi soir, puis il rédigea sa lettre de démission, qu'il remit le 28 septembre. La première ébauche de cette lettre commence par « Cher grand homme », qui deviendra plus tard « Cher citoyen », à la mode révolutionnaire. Sa secrétaire lui avait dit qu'il lui fallait faire part de sa démission par écrit, ce qu'il fit. De la lettre se dégage un esprit de sarcasme poli auquel se mêle une certaine gratitude pour l'expérience acquise, qui lui avait permis de mettre en pratique ses vastes connaissances :

> Mon travail au sein du Conseil privé fut pour moi une source de satisfaction constante, et assez fréquemment de bonheur. Quant à mes collègues, je ne peux imaginer un groupe plus sympathique. Je fus toujours conscient de la place prioritaire que vous accordez aux êtres humains par rapport aux institutions, et cela fut en soi une leçon importante (…)
>
> J'ose espérer que l'organisation du gouvernement central ne sera pas trop perturbée par mon départ. Mais peu importe ce qui se produira, si vous ressentez quelque désespoir, vous pourrez vous consoler en sachant que je retournerai probablement au Barreau auquel j'ai un jour si impétueusement remis ma démission.

Il partit d'Ottawa le 6 octobre 1951, prenant cinq jours de congé autorisé, quittant ainsi officiellement son emploi de fonctionnaire le 14 octobre 1951[52].

Alors que Trudeau travaillait encore comme fonctionnaire à Ottawa, il avait été de plus en plus intrigué par les propos qu'il entendait lors de ses discussions avec son ami Gérard Pelletier, qui avait maintenant quitté le journalisme pour œuvrer au sein du mouvement syndical catholique. Au cours de ces discussions, l'idée était venue de fonder un périodique canadien qui s'appellerait *Cité libre*, similaire à la revue *Esprit* publiée par le philosophe français Emmanuel Mounier. Cette revue combinerait foi catholique progressiste et analyse de problèmes sociaux et politiques contemporains, tout comme le faisait *Esprit* en France.

Selon Pelletier, *Cité libre* est née du mouvement de la jeunesse catholique et de sa propre admiration envers Mounier. En 1950, il prit la tête de la publication en raison de l'absence de Trudeau, qui se trouvait à Ottawa, et collabora avec d'autres, notamment le professeur Guy Cormier et le syndicaliste Jean-Paul Geoffroy, à la création d'un périodique qui serait à la fois catholique et dissident. Un autre fondateur de *Cité libre*, le notaire et critique littéraire Maurice Blain, avait noté avec perspicacité les répercussions de la grande dépression et de la Seconde Guerre mondiale sur la génération à l'origine du périodique : « Cette génération sans maîtres est à la recherche d'un humanisme, dit-il, et cherche anxieusement à savoir sur quelle sorte de fondement spirituel cet humanisme devrait être établi[53]. » C'étaient là des questions centrales que Trudeau aussi s'était posées dans les années quarante, même si lui ne l'avait pas fait dans le cadre du mouvement de la jeunesse catholique, mais en tant qu'étudiant à Brébeuf.

Après s'être rendu à Montréal sur sa motocyclette, Trudeau se joignit au groupe pour discuter pendant de longues nuits de la forme du périodique. Ce qui avait convaincu Trudeau de participer à ces échanges avait été l'opinion de Pelletier que *Cité libre* viendrait remettre en question de manière fondamentale le *statu quo* au Québec. Cependant, se rappelle Pelletier, il avait dû convaincre les autres d'accepter Trudeau. D'un côté, disait-il, il était véritablement un novice dans le groupe, qui l'accueillait toujours d'ailleurs à reculons, certains d'entre eux le connaissant à peine. D'un autre côté, poursuivait-il, il avait un intérêt vital envers l'objectif du groupe, qui était de lui permettre, après plusieurs années d'absence, de trouver sa place au sein de sa propre génération, dans un cercle à la portée plus vaste que celui auquel il appartenait.

Ni sa personnalité ni sa fortune* (ou ses références continuelles au cardinal Newman comme source d'inspiration) n'avaient rendu Trudeau très populaire auprès de certains des collègues de Pelletier et ils s'en plaignaient à celui-ci :

> Nous étions quatre ou cinq debout, le verre à la main, au milieu de la grande cuisine. Il passait largement minuit : le jour allait se lever. Nous épiloguions tranquillement sur les propos de la soirée quand tout à coup, ce qui couvait depuis plusieurs mois fit prendre à la conversation un tour inattendu. Ce n'est pas la pensée de Trudeau que mes amis mettaient en cause, mais ses origines, son milieu, ses relations.

Malgré la fascination qu'il exerçait grâce à son intelligence et à sa force, beaucoup trouvaient qu'il était, pour employer les termes de Pelletier, « une influence dérangeante » et, comme Pelletier ajouta avec ironie dans les années quatre-vingt, il devait continuer à l'être pendant toute sa vie[54].

Guy Cormier, rapportant cette même conversation, affirma que lorsque dans la soirée du 14 juillet 1950 on distribua la première édition de *Cité libre* aux personnes présentes réunies dans un chalet de l'île Perrot, le comité de rédaction eut une « discussion courtoise mais très vive » à propos de la participation de Trudeau. L'ancien groupe de la Jeunesse catholique se fit tout particulièrement critique, l'un des membres

---

* En 1992, Ron Graham demanda à Trudeau s'il était vrai que Claude Ryan lui avait demandé un jour de renoncer à sa fortune et s'il avait considéré la possibilité de renoncer à son héritage à Harvard. Il avait démenti la rumeur, ajoutant toutefois qu'à Brébeuf, il avait pris conscience de l'injustice dans laquelle certains étudiants se trouvaient, « effectuant leurs travaux scolaires (...) sur la table de cuisine, à côté de leur mère en train de préparer le repas et du reste de la famille qui grouillait autour, et ainsi de suite. Et il m'a semblé qu'il était un peu injuste que je puisse faire mes travaux seul dans ma chambre ». Citant une histoire d'Antoine de Saint-Exupéry, Trudeau dit qu'un Mozart n'avait pas à être privé d'un piano parce qu'il était pauvre. « Alors, avait-il conclu, je crois qu'il s'agit davantage chez moi de ressentir l'injustice que le fait de me sentir coupable. » Entrevue entre Pierre Trudeau et Ron Graham, 4 mai 1992, FT, vol. 23, dossier 7.

affirmant : « Je ne veux pas voir Trudeau dans l'équipe. Il n'est pas avec notre peuple, ne sera jamais avec notre peuple. » À cette occasion, et à de nombreuses autres par la suite, Pelletier s'était vigoureusement porté à la défense de son ami[55].

Ces propos ne sont pas convaincants, non pas en raison des détails mentionnés au sujet de la discussion, mais parce que la première édition fut prête bien avant la fête nationale des Français de 1950 et aussi parce que la participation de Trudeau à sa réalisation était essentielle. Même s'il est indubitablement vrai que le fait qu'il soit fortuné pouvait causer chez certains quelque hésitation, Trudeau avait probablement tort de croire que sa fortune était la principale raison de leur opposition. Son soutien financier contribuait en fait pour une grande part au succès de la revue. Les membres de la Jeunesse catholique de Pelletier prédominaient, et c'était l'épouse de Pelletier, Alec, et non Trudeau, qui signait le chèque garantissant le financement. Toutefois, Trudeau et ses amis fournirent des ressources et des relations qui s'avérèrent cruciales dans la réussite des débuts. La revue pouvait compter sur le soutien financier de neuf personnes : Réginald Boisvert, Maurice Blain, Guy Cormier, Jean-Paul Geoffroy, Pierre Juneau, Charles Lussier, Pelletier, Roger Rolland et Trudeau. Pelletier et Trudeau fournissaient les plus grandes sommes d'argent, soit 250,32 $, alors que les autres donnaient beaucoup moins. Cormier contribua pour seulement 31,09 $ et Geoffroy, 47,09 $. Trudeau couvrait les dettes lorsque cela était nécessaire et payait régulièrement la contribution de Pierre Vadeboncoeur qui n'avait que très peu de moyens, ainsi que celle de Geoffroy[56]. De façon admirable, il demeurait toujours discret à propos de l'aide financière qu'il pouvait apporter en privé.

Il faut ajouter ici que le carnet d'adresses que Trudeau conservait méticuleusement permettait de trouver des acheteurs pour la revue, qui ne comptait que 225 abonnés à son deuxième numéro. Parmi les noms qui figuraient sur la liste de Trudeau se trouvaient des femmes (dont Jacqueline Côté, qui deviendrait plus tard l'épouse du professeur Blair Neatby, le biographe de Mackenzie King, et sa sœur Suzette), le grand philosophe catholique Étienne Gilson ainsi que Marcel Cadieux, Jean-Louis Delisle, Mario Lavoie, Georges Charpentier et Jean Langlois du ministère des Affaires extérieures. Trudeau avait une portée qui dépassait de beaucoup les possibilités de ses collègues, à la fois par l'étendue de ses moyens financiers et le nombre de ses relations personnelles. Trudeau acheta également trente-trois exemplaires de la revue et les envoya à François Hertel afin qu'il les distribuât en France dans l'espoir de voir augmenter le nombre des lecteurs à l'étranger[57]. Au départ, le prix de l'abonnement avait été fixé à la somme considérable de 2 $, à une époque où l'hebdomadaire populaire *Le Petit Journal* se vendait 10 cents.

Trudeau exerça une présence dominante dès le premier numéro. Et, de manière significative, c'est à travers *Cité libre* que Trudeau commença à se tailler une place parmi ceux de sa génération au Québec. Dans le tout premier numéro paru en juin 1950, Trudeau rendit hommage à trois géants récemment disparus: le leader socialiste français Léon Blum et ses propres mentors intellectuels, Emmanuel Mounier et Harold Laski. « Emmanuel Mounier disparu », voilà les premiers mots de son hommage au fondateur d'*Esprit* dont l'influence se faisait sentir dans chacune des pages du premier numéro de *Cité libre*. Son impact avait été si important que les fondateurs de la revue avaient espéré pouvoir lui remettre le tout premier exemplaire de la nouvelle revue. Les deux autres chroniques nécrologiques avaient davantage de substance et montraient pourquoi Trudeau ne partageait pas les opinions de Lester Pearson et des mandarins d'Ottawa au cours de l'été de 1950, alors que le Canada s'était joint aux États-Unis et aux Nations Unies pour réagir à l'invasion de la Corée du Sud par le Nord communiste.

Il y avait, écrivait Trudeau, deux systèmes qui divisaient dangereusement l'humanité, chacun d'eux étant capable d'annihiler l'autre. Certains, en revanche, avaient « refusé d'être enrégimentés dans l'un ou l'autre des totalitarismes. Et ils ont consacré leur vie à élaborer et à "agir" une doctrine qui postulait la liberté, la justice et la paix. Aussi, comme il était inévitable, ils ont été hystériquement dénoncés et haineusement réprouvés, tant par le camp du marxisme orthodoxe que par le parti du christianisme officiel ». Parmi le « cercle des justes » (de l'expression de Dante pour parler du lien entre la justice éternelle et la justice temporelle) qui continuaient à adhérer aux principes du christianisme et de la dignité humaine, Trudeau constatait avec « étonnement » que « deux marxistes juifs se distinguèrent sans cesse par leur intelligence, par leur vaillance, et par leur infatigable générosité » : Harold Laski et Léon Blum. Laski, écrivit-il, accueillait les chefs d'État et les pauvres étudiants avec une égale simplicité, et son œuvre se perpétuerait, tandis que les êtres humains édifieraient la « cité libre » où ils pourraient vivre dans la tolérance et, plus tard, dans l'amour. C'était pour cette raison, continuait-il, que les capitalistes et les stalinistes étaient les ennemis jurés de l'homme de principes qu'était Laski, et de l'homme admirable qu'était Blum[58]. Et c'était pour cette raison aussi que Trudeau se sentait de moins en moins à l'aise à Ottawa.

Trudeau n'apposa pas sa signature au bas de ces hommages et on peut le comprendre, étant donné son poste au gouvernement. Dans ce même numéro, il écrivit un article de fond dont le titre devint un emblème de son approche en politique, approche qui, l'été précédent, avait manqué de cohérence. Il utilisa de plus en plus l'expression « politique fonctionnelle » au fur et à mesure qu'il manœuvra dans les vifs rapides des transformations politiques au Québec au cours des années cinquante et soixante. Dès le premier numéro de *Cité libre*, Trudeau démontra que son expérience de l'aspect pratique de la politique à Ottawa avait laissé des traces, tout en reconnaissant simultanément le caractère unique de l'expérience catholique vécue au Québec, celle de son passé. Une Église, écrivait-il, « qui fût toujours demeurée dans les catacombes serait une imposture, ainsi en politique on peut rester trop longtemps sous terre ». Le Canada français, semblait-il, se dirigeait peut-être vers une impasse, ses leaders exagérant les dangers d'une assimilation religieuse et linguistique tout en brandissant la menace provenant de prétendus ennemis — « Anglais, juifs, impérialistes, centralisateurs, démons, libres penseurs et que sais-je ». Tandis que nous pourfendons des ennemis imaginaires, prévient-il, « notre langue est devenue si pauvre que nous n'entendons plus à quel point nous la parlons mal », et les membres du clergé découragent les étudiants d'aller à l'étranger de peur que leur foi ne soit mise à l'épreuve.

Un autre passage de cet article devint célèbre comme *credo* politique de Trudeau :

> Nous voulons témoigner du fait chrétien et français en Amérique. Soit. Mais faisons table rase de tout le reste. Il faut soumettre au doute méthodique toutes les catégories politiques que nous a léguées la génération intermédiaire : la stratégie de la résistance n'est plus utile à l'épanouisse-

ment de la Cité. Le temps est venu d'emprunter de l'architecte cette discipline qu'il nomme « fonctionnelle », de jeter aux orties les mille préjugés dont le passé encombre le présent et de bâtir pour l'homme nouveau. Renversons les totems, enfreignons les tabous. Ou mieux, considérons-les comme non avenus. Froidement, soyons intelligents.

Il s'agit, en rétrospective, d'un texte remarquable. Il ne portait aucun préjudice à ses supérieurs d'Ottawa tout en énonçant la définition d'un nouveau programme*. De fait, la critique de Trudeau à l'égard de l'attitude despotique du gouvernement Duplessis à la conférence fédérale-provinciale de janvier 1950 aurait grandement réjoui les hauts fonctionnaires, même si aucun d'entre eux ne figurait sur la liste d'abonnements de *Cité libre*. Lorsqu'on lui présentait des offres concrètes, le Québec restait retranché dans un mutisme obtus. En guise de conclusion, Trudeau avança que le nationalisme du passé et ses liens étroits avec le clergé ne servaient plus désormais les intérêts d'un peuple catholique et français qui devait faire face à un nouveau monde où les vieilles lorgnettes devaient être jetées au rebut[59].

* Un autre article non signé et daté de juin 1951 aurait certainement été mal accueilli par ses supérieurs. Dans cet article, il prend fortement position contre la participation du Canada dans la guerre de Corée. Il déplore, tout comme les diplomates canadiens eux-mêmes l'ont fait, la politique américaine adoptée à l'égard de Formose (Taiwan) ainsi que la décision du général américain Douglas MacArthur de franchir le 38e parallèle et de pénétrer en Corée du Nord. Il va cependant au-delà de ces arguments pour attaquer de manière plus générale les politiques de l'Occident à l'égard de l'Asie et plus particulièrement celle des États-Unis. Partout, affirmait-il, la peur hallucinante du socialisme guidait la politique américaine. Ne peuvent-ils pas comprendre, demandait-il, que leur politique de libre entreprise protège le plus réactionnaire des féodalismes et que la promotion évangélique qu'ils font de la démocratie nie aux opprimés [les Asiatiques] le droit d'utiliser leur liberté nouvelle pour créer un système économique différent du type *the biggest and the best*? « Positions sur la présente guerre », *Cité libre*, mai 1951, 3-11 [Le texte en anglais et en italique apparaît tel quel dans le document original.]. Dans le cas du Canada, il fait remarquer que celui-ci demeure fidèle à sa tradition de défendre le fort contre le faible que, en matière de politique extérieure, il avait suivi, suivait encore et allait toujours suivre. Il ne faut pas s'étonner que le ministère des Affaires extérieures fût souvent pris à partie par le premier ministre Pierre Trudeau en 1968 ou que Lester Pearson se soit si vigoureusement opposé à la révision de la politique étrangère de Trudeau.

L'importance de *Cité libre* pour Trudeau fut énorme. Lorsqu'il quitta Ottawa, il demanda à Jean Marchand s'il y avait un poste pour lui au sein du mouvement syndical, mais il n'occupa aucun emploi permanent[60]. Par l'intermédiaire de *Cité libre*, il établit des relations étroites avec les nouveaux médias émergents, particulièrement avec la télévision, où plusieurs de ses amis, y compris Alec Pelletier et Roger Rolland, s'étaient trouvé un emploi. Même si la liste des abonnés de la revue demeurait courte, son influence auprès de l'élite intellectuelle et politique du Québec était considérable. L'historien conservateur Robert Rumilly mit en garde Maurice Duplessis : « Voilà des gens, à *Cité libre*, qui sont extrêmement dangereux ; ils ont des affiliations internationales avec la revue *Esprit* en France ; ce sont des subversifs et il faut que vous vous en méfiiez. À long terme, c'est très dangereux pour votre régime[61]. » Duplessis écouta ce conseil, excellent, et entreprit de surveiller d'un œil de plus en plus méfiant « les gens de *Cité libre* ».

Plus récemment, certains historiens ont critiqué l'énoncé extrêmement simpliste qui dit que *Cité libre* fut au centre de tous les mouvements d'opposition à Duplessis. Ce ne fut pas le cas. Cependant, pour reprendre les termes de l'ouvrage le plus important sur l'histoire du Québec moderne, « *Cité libre* demeure, malgré son faible tirage, l'un des canaux d'expression et des centres de rassemblement privilégiés du nouveau libéralisme[62] ». La revue se démarquait parce qu'elle défendait deux thèmes prédominants à l'époque, à savoir que le nationalisme traditionaliste était passé de mode et que la réalité socioéconomique du Québec exigeait de nouvelles approches mettant l'accent sur la démocratie et la liberté individuelle. En définissant et en raffinant ces thèmes, Pierre Trudeau allait être appelé à jouer un rôle de premier plan au Québec dans la seconde moitié du siècle.

CHAPITRE 6

Nationalisme et socialisme

Trudeau rentra au Canada pour jouer le rôle dans la vie publique qu'il avait planifié depuis longtemps, et pour lequel il avait consciencieusement étudié à Harvard, ainsi qu'à Paris et à Londres. Il découvrit que sa formation en droit et en sciences sociales valait son pesant d'or lors des débats d'intérêt public au sein du gouvernement national; mais Ottawa était alors bien loin du Québec, province où il souhaitait agir. Plus tard, il confiera: « Je cherchais une façon d'embrayer le changement au Québec ou [de] renouveler un peu les idées, un peu les vieilles habitudes de pensées, un peu les vieilles habitudes de culture. *Cité libre* était une voie, mais pas Ottawa[1]. »

De grands espoirs pour une revue qui comptait un peu moins de 250 abonnés, dont quelques-uns à Ottawa, les copines ou la famille des membres du comité de rédaction et l'ancien prêtre François Hertel qui en vendait des exemplaires à Paris. Cependant, le Québec des années cinquante était toujours soumis à l'Index catholique et la vie intellectuelle des francophones demeurait centrée sur l'Église (qui exerçait une domination sur les collèges et les universités). Les collèges classiques comme Brébeuf avaient créé une élite dont les membres surveillaient de près les activités de leurs pairs. C'est dans ce contexte qu'avaient lieu les débats, contexte que reconnut Trudeau dans son article sur la politique fonctionnelle, paru dans le premier numéro de *Cité libre*. Même s'il en appelait à l'abolition des « totems, » il témoignait tout de même de la culture française et catholique en Amérique du Nord. Selon l'historien Michael Behiels, l'Église demeurait, même dans les années cinquante, l'une des institutions sociales les plus puissantes du Québec, partageant le pouvoir avec les institutions commerciales à prédominance anglophone et les institutions politiques francophones. Par l'intermédiaire de ses administrations paroissiales et diocésaines, dit-il, des établissements d'enseignement de tous niveaux, des organisations ouvrières et agricoles, des institutions de services sociaux, des associations nationales de toutes sortes et de son énorme pouvoir fiscal, l'Église catholique du Québec influençait le comportement social, culturel et politique conscient et inconscient de la très grande majorité des Canadiens français[2].

Dans ce contexte, la revue a presque aussitôt retenu l'attention du clergé, une réaction à laquelle s'attendait bien sûr l'équipe de rédaction. Les deux rédacteurs en chef, Trudeau et Pelletier, partageaient un engagement profond, intellectuel et affectif, pour le catholicisme, mais ils critiquaient l'Église catholique du Québec, car elle prêchait, disaient-ils, une théocratie sociale et une philosophie politique qui avaient engendré une forme corrompue de cléricalisme. Ce cléricalisme avait introduit un dogmatisme religieux et un autoritarisme qui avaient réprimé la liberté de pensée dans la province. De jeunes catholiques comme Trudeau et Pelletier, ravis par l'ouverture d'esprit de l'Église dans la France de l'après-guerre, étaient déterminés à mettre fin à ce cléricalisme, mais leurs efforts devaient s'inscrire dans le cadre précis et strict du catholicisme québécois.

Ainsi, dès le départ, *Cité libre* testa les limites. Aux affaires internationales, on laissait à Trudeau une liberté considérable du fait de sa formation et de ses voyages. Cet avantage lui permit tout de suite d'avoir prééminence dans les réunions bimensuelles du comité de rédaction. Par exemple, son article où il se prononça contre la guerre de Corée rejoignit l'opinion de nombreux personnages influents de l'Église, du journal *Le Devoir* et, si l'on en croyait les sondages, de l'ensemble de la population francophone. Cependant, même si cet article créa de petits remous à Ottawa, il fut à peu près ignoré à Montréal. Les vrais problèmes de la revue commencèrent au moment où l'on s'attaqua à la gloire et au pouvoir de l'Église au Québec[3].

Il n'est pas surprenant qu'en raison de son espièglerie et de son indépendance, Trudeau fût le premier à se retrouver dans le pétrin. Il écrivit un article où il attaqua le cléricalisme, et tout particulièrement l'ingérence de l'Église catholique dans le domaine laïque, où l'opinion du prêtre, avançait-il, ne devait pas compter plus que celle d'autrui. D'un ton moqueur, il fit même allusion au « droit divin des évêques ». Ses amis l'avertirent; il poussait trop loin. Le père Richard Arès, éminent rédacteur en chef du journal jésuite *Relations*, l'informa que Paul-Émile Léger, archevêque de Montréal et frère de Jules, un ami de Trudeau, était très inquiet de l'orthodoxie de *Cité libre* et de Trudeau en particulier. Monseigneur Lussier le fut plus encore, puisque son frère Charles faisait également partie de *Cité libre*[4]. Dans *Relations*, le père Marie d'Anjou publia une dure critique des commentaires de Trudeau et celui-ci s'en étonna, car le prêtre avait été l'un de ses professeurs favoris à Brébeuf. Pendant la période nationaliste extrême des années de guerre, il avait collaboré avec lui à la création d'une cellule révolutionnaire secrète et d'Anjou disait d'ailleurs de Trudeau qu'il était le chef-né du groupe. Quand Trudeau lui demanda pourquoi il avait publié cet article sans d'abord lui en glisser un mot, d'Anjou lui répondit que, d'un point de vue objectif, la critique était méritée. Par contre, il saurait toujours faire la part des choses, disait-il, entre ses erreurs et sa personne. Il considérait que Pierre s'était gravement fourvoyé en énonçant qu'un premier ministre n'avait pas plus de droit divin qu'un évêque. Une vérité dans le cas d'un premier ministre, mais une hérésie lorsqu'on l'appliquait à un évêque. Pierre savait cela, affirmait-il dans sa lettre. Pourquoi, alors, avait-il inutilement et de manière inappropriée joué les téméraires dans un article qui, par ailleurs, était intéressant et impartial ? Peut-être allait-il conclure, poursuivait-il, qu'il se portait à la défense d'une mauvaise cause, celle d'un clergé qui n'avait plus la confiance de Pierre. D'Anjou ajouta que Trudeau ne le connaissait que trop bien — même sous certains aspects de ses expériences religieuses personnelles — pour le soupçonner d'être aveuglément loyal. S'il intervenait ici, c'est qu'il y avait en jeu certains principes qui allaient bien au-delà de la cause de certains membres du clergé (aussi nombreux fussent-ils). Son désespoir, disait-il encore, serait que Trudeau ne reconnaisse pas son point de vue. Mais il ne craignait pas que cela arrive.

Puis, soudainement, il passa à un autre sujet : avait-il donné l'aumône du Carême ? S'il ne l'avait pas fait, accepterait-il de l'aider ? Une fois encore il voulait venir en aide à une mère célibataire, et Pierre savait ce que cela signifiait : ses coffres étaient vides. C'était là une proposition similaire à celle que Pierre lui avait faite trois ou quatre ans auparavant lorsqu'il se trouvait à Londres. Il lui demandait donc de faire une contribution… si ses finances le lui permettaient. Il le remerciait, disant que, si toutefois sa demande arrivait à un mauvais moment, il comprendrait[5].

Malgré sa colère, Trudeau acquiesça à la demande de contribution d'Anjou. Celui-ci le remercia « au nom de la personne qui bénéficie de votre superbe charité » et promit de faire dire une messe pour lui pendant la semaine pascale. Toutefois, il ajouta qu'il s'était entretenu avec l'archevêque Léger, et que ce dernier lui avait manifesté ses craintes à propos de *Cité libre*[6].

Au printemps 1951, l'archevêque convoqua Gérard Pelletier et Trudeau à son bureau. Ce dernier travaillait toujours à Ottawa et il fit un voyage éclair à Montréal pour cette rencontre, qui se déroula finalement à la fin de l'été. Pelletier l'avait préalablement averti que l'archevêque Léger avait fait part de ses inquiétudes à Claude Ryan, personnage important de l'Église catholique et admirateur de Trudeau à l'époque, et qu'elles concernaient *Cité libre*[*]. L'atmosphère était donc tendue lors de la rencontre, qui eut lieu en début de soirée.

L'archevêque avait fait son entrée. On fit les salutations d'usage et on se serra la main, puis plus rien ne fut dit. Il y avait eu un silence embarrassé de part et d'autre. C'était bien mal parti, raconta Pelletier. Pourquoi leur hôte, habituellement si loquace, restait-il assis là à sourire ? se demande-t-il. S'attendait-il à des explications de leur part avant qu'on leur en ait demandé ? Comme Trudeau demeurait muet, Pelletier rassembla son courage et dit :

> « C'est vous, Éminence, qui nous avez convoqués (…) »
>
> Il bougea dans son fauteuil.
>
> « *Invités*, précisa-t-il. Il ne s'agit pas d'une convocation. Je vous ai invités, d'abord pour faire connaissance, ensuite pour attirer votre attention sur certains points (…) de doctrine, soulevés par vos articles. »

---

[*] Ryan déclara avoir dit à Léger que « les gens de *Cité libre* sont des chrétiens, que leurs intentions sont saines » et qu'il les comptait parmi ses amis. Il conseilla à l'archevêque de rencontrer Trudeau et Pelletier avant d'agir, mais rien ne se produisit. Lors d'une rencontre subséquente, Léger demanda à Ryan pourquoi ils ne s'étaient pas présentés. Ryan répondit qu'ils avaient probablement attendu une invitation. Quelque temps après qu'ils se furent entendus sur le déroulement de la rencontre, elle fut organisée. Pelletier à Trudeau, 28 février 1951, FT, vol. 21, dossier 21.

Le coureur de bois pendant une excursion en canot à la baie d'Hudson, en 1941.

Au camp d'entraînement des officiers à Farnham « du 21 juin au 4 juillet » 1942. « Les guerriers commandos de la tente 'sans-zèle'. » Ce cliché révélateur fut pris à l'instant précis où Jean-Baptiste Boulanger et Trudeau discutaient d'un coup qu'ils projetaient de faire. Il est possible que ces soldats « sans zèle » se soient procuré les fusils à la base. De gauche à droite : Charles Lussier (futur directeur du Conseil des Arts du Canada), Gaby Filion (artiste d'importance et pensionnaire chez les Trudeau), Robert Pager, Jean-Baptiste Boulanger (membre des LX avec Trudeau), Trudeau, Jean Gascon (futur Compagnon de l'Ordre du Canada et directeur artistique du Festival de Stratford) et Jacques Lavigne, qui, apparemment, logeait dans une tente voisine.

Un élégant jeune homme de vingt-deux ans, sur le boulevard, mai 1942.

Pierre l'archer, en 1944, l'année suivant l'obtention de son diplôme d'avocat.

Grace et Suzette faisant du ski à Sainte-Adèle, mai 1945.

Pierre et ses amis célébrant la prise d'un orignal, 1946-1947.

Harvard, jeudi soir, 3 janvier, 1946.

Thérèse bien-aimée,

Les chevaliers d'antan saluaient leur Belle avant de chevaucher au combat, et je pitoyable contre-façon ne me sens pas le courage de m'engager dans cette longue et morne étape qui s'ouvre sans t'avoir préalablement adressé un dernier mot.

J'ai pu prendre l'avion ce midi, et ce n'est pas Mozart mais toi que j'ai vue là-haut. Je me suis endormi dans les airs, et j'ai rêvé à toi, non seulement de toi "... Belle, ô Mortels, comme un rêve de Pierre".

Les premières heures dans Cambridge sont très dures. J'ai l'âme égarée, un creux au coeur, et les jambes un peu molles.

Un exemple du style romantique de la correspondance avec Thérèse Gouin, 1946.

Pierre et Thérèse juste avant leurs « fiançailles », au Samovar, un restaurant russe de Montréal, en 1946.

Pierre en convalescence après son appendicectomie, à Mégève, en Suisse, décembre 1946.

Pierre « étudiant » à Paris. Ce cliché et le suivant sont une commande du bureau de l'éducation du gouvernement français ; ils visaient à montrer combien les étudiants canadiens se plaisaient à Paris.

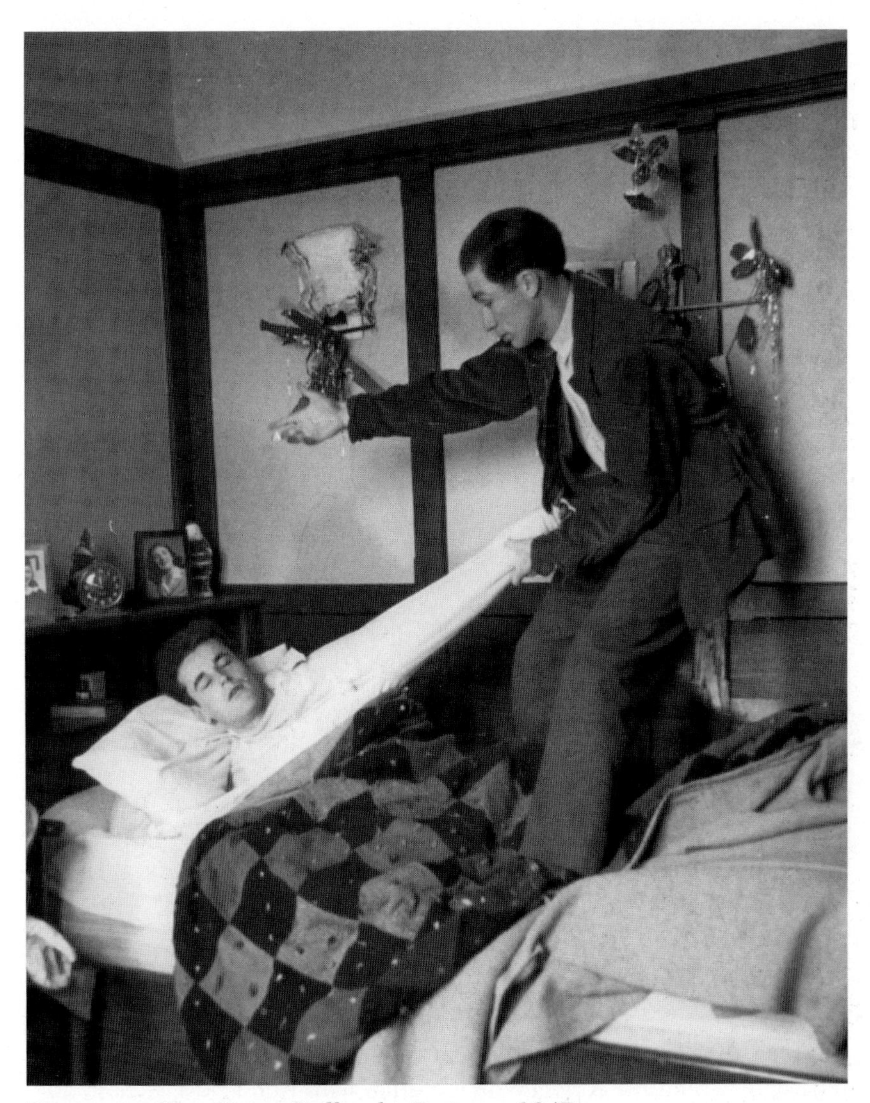

Pierre réveillant Roger Rolland à Paris, en 1947.

Pierre grimpé sur les hauteurs de Paris pendant que les étudiants regardent. Son futur collègue du Cabinet, Jean-Luc Pepin, se tient à l'arrière, apparemment prêt à l'attraper.

Pendant un dîner dans un restaurant de Paris : Pierre, D.D. (Andrée Desautels), Hertel, « chanteuse », Roger Rolland, « chanteur ».

En 1949, Pierre visita le Moyen-Orient et adopta le style vestimentaire de l'endroit.

Pierre demeura souvent chez les prêtres au cours de son périple autour du monde. On le voit ici résistant à leur attention, en 1949.

« Il voyageait en passant d'un pays à l'autre avec son sac à dos comme seul bagage », a dit son frère Charles. Une fois, il fut arrêté par les Arabes, qui l'avaient pris pour un espion israélien.

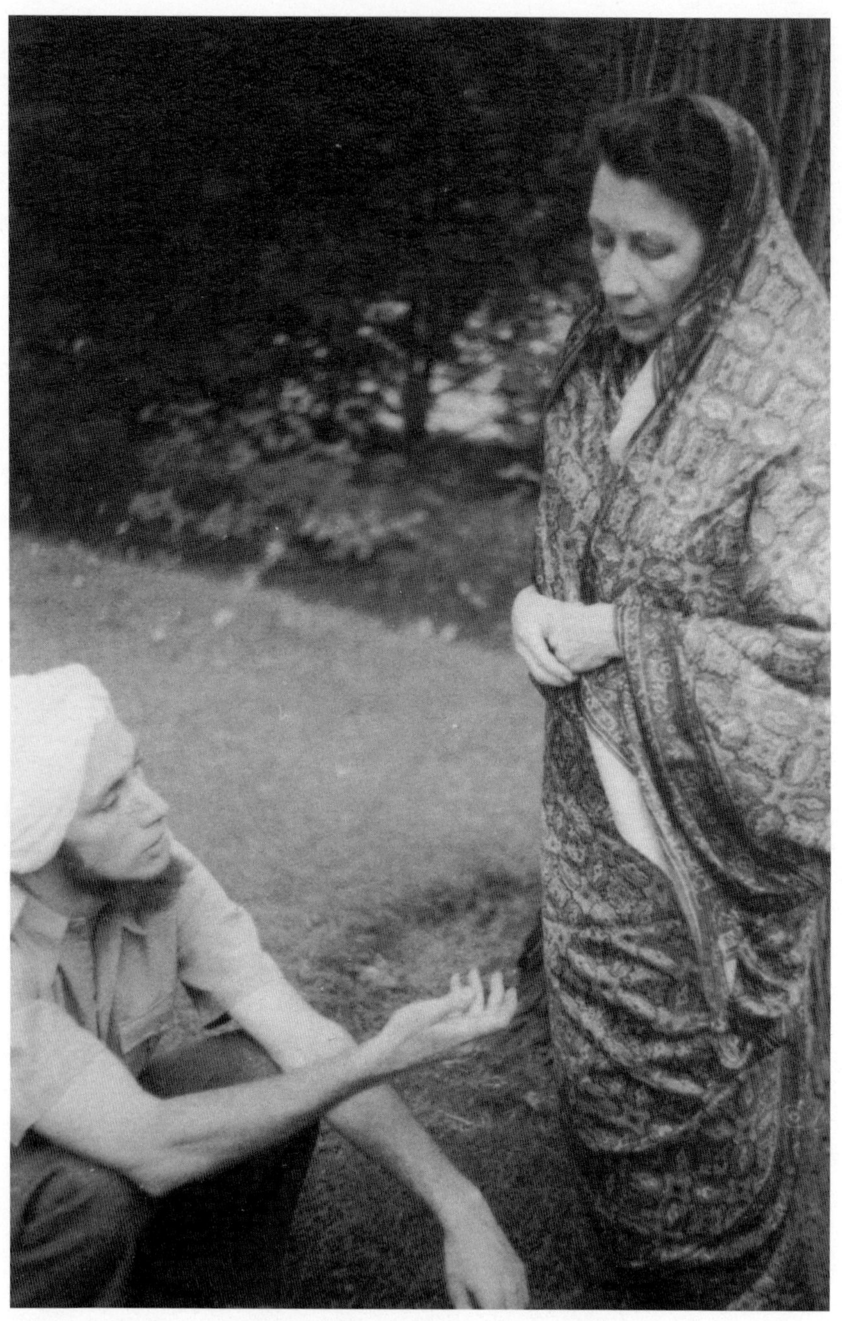

Pierre rapporta de ses voyages un sari pour sa mère. Ceci est, avait-il écrit, leur après-midi à l'orientale, en 1949.

Hélène Segerstrale : Pierre fut d'abord attiré par une photographie d'elle dans le *Ottawa Citizen*.

Pierre et Hélène au Copacabana, « le seul cabaret d'Ottawa », en 1950.

Malaga, en Espagne, 1952. Trudeau en voyage, avec sa rutilante motocyclette.

Durant la discussion, il apparut très clair que Trudeau était *le* coupable, en raison de ses commentaires sur le « droit divin des évêques », mais il ne se rétracta pas. Il affirma même que si *Cité libre* et lui-même étaient condamnés, « nous en appellerions à l'Église universelle, comme c'est notre droit ». En réponse, l'archevêque avait posé sur Trudeau un « curieux regard ». Puis, il passa à un autre point. Pelletier écrira plus tard que pendant « ces quelques secondes » se joua « le sort de *Cité libre*, dans une incroyable atmosphère de querelle médiévale[7] ».

Cependant, le Québec des années cinquante ne vivait plus au Moyen Âge, même si des chevaliers de l'Église et de l'État souhaitaient en conserver les coutumes.

Après avoir fait le tour du monde, Trudeau était rentré au pays en 1949. Il avait découvert alors que le nationalisme québécois, pour lequel il était monté aux barricades quelques années plus tôt, ne stimulait plus son intellect ni n'enflammait son cœur. L'Église catholique du Québec, à laquelle il se sentait intégré auparavant, lui apparaissait désormais en marge des débats qui absorbaient le reste du monde, tel qu'il l'avait constaté en France. Pour lui, il existait une discordance marquante dans sa province. En général, le Québec s'inscrivait dans un cadre prospère nord-américain ; de nouvelles autoroutes étaient construites, les magasins se remplissaient de marchandise, les lignes téléphoniques fonctionnaient et l'électricité aussi. Mais le décalage était toujours présent. Pour Trudeau et ses collègues de *Cité libre*, l'Église représentait non seulement une barrière au progrès, mais aussi à une vie spirituelle plus riche. Au cours de ses voyages, Trudeau vit les frontières changer, et il était de plus en plus convaincu que l'essence même de la liberté, pour un groupe ou un individu, restait le droit de choisir son identité.

Quant à son identité à lui, elle demeurait avant tout catholique et française, et son désir de changement s'exprimait selon ces critères. On le devine d'ailleurs dans sa relation avec Helen Segerstrale pendant ses deux premières années à Ottawa ; il lui écrivait en français, ils s'enfuyaient à Montréal dès qu'ils le pouvaient, et sa foi catholique devint un obstacle entre eux. Afin de conserver une identité distincte, il ne portait pas de lainage de Grande-Bretagne ni ne lisait le *New Yorker* comme ses amis mandarins. Même s'il avait beaucoup appris sur le système politique canadien grâce à son travail, il s'engageait peu envers la politique nationale canadienne, tant sur le plan affectif que sur le plan intellectuel.

Toutefois, au cours des années cinquante, Trudeau se met à apprécier davantage son pays, le Canada ayant le potentiel pour réussir en tant qu'État. Lentement, l'admiration par la raison viendrait à bout de la fidélité du cœur. Durant ces années, il continua à développer cette identité canadienne, qu'il exprimera plus tard avec éloquence en tant qu'auteur et acteur sur la scène politique québécoise et canadienne. Pourtant, son cheminement durant cette période rendit perplexes ses amis les plus intimes, de même que ceux qui tentaient d'étudier sa carrière avec objectivité.

En effet, durant les années cinquante, Trudeau semblait parfois agir sans but précis, presque en dilettante. Les nationalistes conservateurs, ses anciens collègues, tel Daniel Johnson de l'Union nationale, le voyaient comme un dandy, un séducteur riche et peu fiable qui n'apportait rien de sérieux sur l'échiquier politique. Pelletier, lui, avait été à ce point agacé par son éclectisme et ses fréquents voyages dans des pays exotiques qu'il lui avait demandé s'il n'était pas catastrophique d'être né riche. Un autre de ses amis lui avait carrément posé la question : « Qu'est-ce que tu vas faire, Trudeau, quand tu seras grand ? » Thérèse Casgrain, féministe et socialiste la plus connue au Québec qui travaillait alors à ses côtés, manifestait aussi de l'impatience à son endroit, affirmant qu'il se plaisait à « lancer des idées ou des mouvements, pour ensuite s'en désintéresser et se tourner vers autre chose ». Quant aux journalistes, bien qu'impressionnés par sa vive intelligence et l'expression articulée de ses arguments, ils ne manquaient pas de souligner son manque de persévérance et de détermination. Et Maurice Duplessis, pourtant vieil ami de Charlie Trudeau, son père, ne prenait pas au sérieux le fils, qu'il trouvait « paresseux, gâté et subversif[8] ».

Il est vrai que Trudeau était célibataire et jouissait ainsi d'une liberté dont Pelletier, par exemple, était privé, car il était marié et avait des enfants. Quelques-uns de ses autres collègues, même s'ils étaient eux aussi célibataires, avaient des emplois dans les universités, les collèges ou les syndicats catholiques, et ils craignaient de perdre leur situation ou leur salaire en éveillant le courroux du clergé. Trudeau possédait également l'indépendance qu'apportait la fortune. Au début des années cinquante, son actif net n'était pas bien défini, mais le parc Belmont, l'un de ses principaux investissements, prospérait, et les marchés des valeurs mobilières et de l'immobilier l'enrichissaient. La fortune de sa mère était à sa disposition s'il le souhaitait, mais il n'en avait clairement pas besoin. Il retirait assez d'argent de son compte en fiducie et, puisqu'il était l'aîné, il gérait la succession, avec l'aide d'un comptable et de banquiers. À cette époque, les voyageurs devaient obtenir une traite bancaire pour faire de longs séjours à l'étranger. Cette traite ne se donnait pas machinalement, et la plupart des banquiers imposaient des restrictions sur les montants qui pouvaient être retirés. Cependant, Trudeau obtint rapidement des permissions écrites pour retirer des fonds au Canada et la majorité d'entre elles n'imposaient pas de limites.

Pour plusieurs observateurs, Trudeau semblait vivre comme un hédoniste. Gérard Filion du *Devoir* voyait en lui un bohémien, mais un bohémien étrange qui vivait dans la luxueuse maison de sa mère, où cette dernière et des serviteurs voyaient à ses besoins quotidiens. Il portait des vêtements très coûteux, conduisait une Jaguar, puis une Mercedes 300SL décapotable qu'il chérissait, courtisait d'éblouissantes jeunes femmes, et voyageait à l'étranger quand bon lui semblait. Il fréquentait les bars de la rue Crescent et les galeries d'art de la rue Sherbrooke, et quand sa mère devint présidente de la Montreal Symphony Women's Association en 1951, il la rejoignit souvent aux premières loges lors de concerts. Toutefois, avec ses collègues, il semblait parfois indifférent par rapport à l'argent, chose tout à fait normale, puisque la plupart de ses amis d'enfance, sauf Roger Rolland, n'en avaient pas[*].

Mais rien n'empêchait Trudeau de paraître prétentieux quand il le désirait. Jean Fournier, un homme spirituel et charmant qui travaillait aux Affaires étrangères et que Trudeau fréquentait quand il était à Ottawa, se rappelle un soir d'hiver glacial où sa femme et lui avaient insisté pour qu'il ne prenne pas le risque de faire le voyage en moto jusqu'à

[*] Rolland, dont la famille était propriétaire d'une grande entreprise de papier, dira plus tard qu'ils aimaient faire scandale quand ils étaient ensemble, jouant des tours pendables à leurs familles. Toutefois, les lettres de Grace révèlent qu'elle, du moins, aimait les entendre se vanter de leurs frasques.

Montréal. Le lundi suivant, au matin, ils avaient vu arriver Trudeau devant leur maison « au volant d'une voiture américaine flambant neuve ». Leurs jeunes fils avaient gloussé de plaisir lorsque Trudeau était venu les chercher pour les conduire à l'école. Cette anecdote montre non seulement la richesse et l'indépendance de Trudeau, mais aussi la cote remarquable qu'il avait auprès des jeunes, qui l'adoraient pour son espièglerie d'enfant[9].

Les gamins appréciaient également sa générosité. L'épouse de Tip, Andrée, qui adorait Trudeau, le grondait gentiment à propos de la profusion de cadeaux dont il couvrait ses neveux et nièces à Noël ou au retour de destinations exotiques. Un voisin de sa maison de campagne admit que ses cinq jeunes filles avaient souvent entendu des récriminations à propos de l'arrogance ou de la froideur de Pierre, mais ne pouvaient y prêter foi à voir cet homme mûr qui les charmait par ses nombreux tours et écoutait chacune d'entre elles comme s'il n'y avait qu'elle au monde. Tous les témoignages relatant l'interaction entre Trudeau et les enfants sont d'une cohérence absolue[10].

Cependant, les critiques du monde adulte laissaient leur marque. Considéré peu fiable par quelques-uns de ses amis, paresseux et inefficace par ses ennemis, Trudeau lui-même sembla croire, en rétrospective, que les années cinquante furent une décennie perdue. Quand il publia ses mémoires en 1993, il n'accorda que cinq des trois cent soixante-huit pages à la période qui s'étendait entre son départ du Conseil privé en octobre 1951 et l'élection de Jean Lesage en 1960. Il était au courant des commentaires de ses amis, notamment de ceux de Thérèse Casgrain au début des années soixante-dix et de Pelletier dans les années quatre-vingt, mais il ne prit pas la peine de les réfuter, et encore moins ceux — plus cruels — de ses ennemis. Pour lui, la politique semblait un terrain de jeu ; il flirtait avec la Cooperative Commonwealth Federation (CCF), écorchait Louis Saint-Laurent et Duplessis dans les médias et annonçait de temps en temps un projet audacieux pour un nouveau groupement politique. Il n'est pas surprenant que les jolies blondes, les voitures, les vêtements et les voyages aient porté ses amis à se demander si ce jeune homme au talent extraordinaire pouvait réellement être « sérieux ». Mais il l'était.

Les articles et autres écrits de Trudeau démontrent que les années cinquante furent essentielles pour préparer son rôle futur, qu'il allait jouer de façon si spectaculaire au Québec et au Canada. C'est à cette époque, en fait, qu'il devint sérieux et constant. De plus, il réussit à façonner ses pensées d'adolescent sur la vie publique en une réalité d'adulte, ce qui ne fut pas une mince tâche. Dans ses mémoires, il affirma: « On m'a souvent demandé si je n'entretenais pas, dans les années cinquante, des ambitions politiques. J'ai toujours répondu par la négative, ce qui était la vérité[11]. » Une demi-vérité, et uniquement si l'on entretient une vision extrêmement étroite de l'ambition politique, précisément l'élection à une assemblée législative. Mais même en 1952 il envisageait déjà cette carrière politique.

Ses documents personnels révèlent aussi au cours de cette décennie une coupure entre l'image d'une vie bohémienne intense, mais changeante, et sa vie réelle. Plus encore que dans les années quarante, où il passa d'un nationalisme conservateur catholique centré sur le Québec au cosmopolitisme francophone de gauche, la décennie des années cinquante fut pour lui une période de transformations. Il s'ancra profondément dans la vie politique du Québec et acquit des compétences dans le domaine en participant au long combat des intellectuels québécois et des médias libéraux contre le gouvernement de Maurice Duplessis. C'est également à cette époque qu'il rencontra personnellement certains intellectuels du Canada anglais, rencontres qui s'avérèrent décisives par la suite, et qu'il se fit connaître, à une échelle plus large, au public canadien-anglais par l'entremise des médias.

Il y eut bien sûr des moments d'insouciance et de bohème dans la vie de Trudeau dans les années cinquante. Toutefois, il manifesta aussi une grande ambition, de l'assiduité et un effort volontaire de se créer une personnalité publique pour affronter non seulement l'Union nationale de Duplessis, mais également le conformisme indolent du Canada. Même si Trudeau n'avait pas d'emploi à temps plein, il travaillait dur pour les conseils d'arbitrage des ouvriers et sur ses écrits journalistiques qui paraissaient dans *Cité libre*, ainsi que dans *Vrai*, un journal rédigé par son ami le grand voyageur Jacques Hébert. Il écrivait aussi des lettres aux journaux, des récits de voyage pour *Le Devoir*, des attaques contre différentes injustices et des piles de lettres manuscrites à ses amis et à ses ennemis. Il se donnait beaucoup de mal dans ses lettres, révisant maintes fois ses premières versions, toujours à la recherche du mot juste, qu'il finissait d'ordinaire par trouver. Plus tard,

Pelletier racontera comment Trudeau s'acharna sur un petit article pour *Vrai*, qu'il soumit à la dernière minute. De même, il travailla plusieurs années à sa principale réalisation intellectuelle, un essai sur la grève de l'amiante, qu'il révisa lui-même. Quand, enfin, l'ouvrage fut publié en 1956, il eut l'effet d'une bombe dans les éditoriaux, les salles de cours et les chapelles du monde religieux et laïque.

Les livres avaient toujours leur place dans les années cinquante, mais Trudeau réalisa que les nouveaux médias, d'abord la radio, puis la télévision, devenaient essentiels pour façonner le débat public. À la radio, sa répartie facile, sa voix distincte, sa façon directe d'exprimer ses émotions lui attiraient de fréquentes invitations à participer aux débats et aux discussions. Ce qui ne fut pas le cas pour la télévision, car ses apparitions au début le montrèrent sur ses gardes, hésitant, et même médiocre. Bientôt, cependant, il maîtrisa sa façon de se présenter, et ce moyen de communication devint celui où il pouvait le mieux faire passer son message et sa personnalité, bien plus encore que parmi les intellectuels de *Cité libre*. La proportion des ménages québécois qui possédaient un téléviseur passa de 9,7 % en 1953 à 38,6 % en 1955, puis à 79,4 % en 1957 et à 88 % en 1960, soit un nombre plus élevé encore que pour l'ensemble du Canada. Très tôt, le public qui comptait le plus fut celui qui se plantait devant la boîte à images noir et blanc chaque soir dans les maisons du Québec[12]. Le visage de Trudeau devint familier, et sa voix ne manquait jamais d'attirer l'attention au petit écran, à mesure que les antennes de télévision se dressaient à une vitesse folle sur les toits, non seulement de Montréal et de Québec, mais aussi dans les petites villes et les villages de la province. Trudeau s'assura également d'entretenir d'étroites relations avec les producteurs de télévision et les personnalités de l'heure. Alec Pelletier était productrice ; son ancien camarade de chambre Roger Rolland travaillait à Radio-Canada et son collègue Pierre Juneau, de *Cité libre*, à l'Office national du film ; plusieurs autres de ses connaissances avaient un emploi ou d'autres liens dans le domaine. Il cessa donc de chercher un emploi à l'université qui l'aurait placé dans les classes plutôt que dans les salons[13]. Il souhaitait avoir une image publique précise et bien construite, mais il voulait également conserver son indépendance et sa vie privée. Toute sa vie, d'ailleurs, il dut composer avec la tension causée par ces désirs opposés.

Trudeau apprit à jouer avec la caméra. Ses yeux envoûtants, de même que ses dents blanches et ses pommettes saillantes, captaient l'attention des spectateurs, fascinés par son aptitude remarquable à changer d'expression en un clin d'œil, passant du mépris cinglant au sourire attachant, voire timide. Il maîtrisait l'art du débat qu'il avait si bien aiguisé à Brébeuf, mais aussi lors de nombreuses soirées parisiennes, chez Pelletier ou encore « sur la route ». Marshall McLuhan, célèbre analyste des médias canadien qui possédait l'art des constructions idiomatiques, eut tôt fait de remarquer ce nouveau talent grâce à ce moyen de communication très « cool » qu'était la télévision, et il écrivit à Trudeau : « Vous avez une image dans le vent, le masque. » Selon lui, il existait presque un lien mystique entre Trudeau et ce média. « L'histoire de Pierre Trudeau est l'histoire de l'Homme masqué. C'est pourquoi il a commencé à prendre de l'importance à la télévision. »

Les commentaires de McLuhan intriguèrent Trudeau, et le jeune Québécois ambitieux se lia d'amitié avec le professeur, arrivant souvent à l'improviste à sa résidence de Wychwood Park, à Toronto. McLuhan fit un trait d'esprit en disant que « le médium façonnait le message », et à l'ère de l'électronique, la télévision était le moyen de communication idéal pour la politique et les campagnes électorales. Dorénavant, les politiciens se devaient d'avoir du charisme. Il conseilla à Trudeau de ne pas se soucier des contradictions possibles alors qu'il développait ses idées, mais de toujours « sonder » la direction que prenaient ses pensées. Trudeau se souviendra, après la mort de son mentor, que cela l'avait libéré. Selon McLuhan, le Canada, particulièrement le Canada français, était aux prises avec un profond « fossé culturel ». En effet, le Canada français avait sauté dans le XXe siècle sans jamais avoir vécu le XIXe. Comme toutes les sociétés tribales et arriérées, disait-il, le Canada français se sentait parfaitement à l'aise et stimulé par le nouveau monde à l'électricité du XXe siècle[14]. Cette déclaration simplifiait à outrance, mais accentuait et reconnaissait, aussi l'énorme impact que la télévision avait sur le Québec, de même que le lien chaleureux entre Trudeau et la caméra.

L'élément mystique, allié à la chance pure et à une habile préparation, avait fait de la personnalité télévisuelle de Trudeau une image saisissante. Il créa délibérément une aura d'intrigue, d'aventure et d'intelligence brillante autour de lui. Ce dernier trait était facile à manier pour Trudeau, même s'il était tout dans son caractère d'avoir secrètement des doutes*. Le mystère, si important pour le culte de la célébrité au XXe siècle, devint une partie intégrante de son image, que lui et d'autres avaient créée dans les années cinquante. Même si ses collaborateurs furent souvent dérangés par ses voyages, à l'origine, ce sont ces voyages qui lui valurent ses apparitions à la radio ou à la télévision. Et comme le mentionnaient ses détracteurs, il donnait à ses périples une allure de roman.

Par exemple, le 5 mai 1950, à Radio-Canada, le communicateur Jean Sarrazin réalisa un « Portrait de Pierre Trudeau » que Trudeau lui-même corrigea avant la diffusion; l'une de ses corrections fut l'ajout de « Elliott » au titre. Sarrazin commença le portrait en faisant remarquer que « les Canadiens [français] aiment voyager ». Puis, il raconta

---

* En 1954, Trudeau passa un test de Q.I. à l'Université d'Ottawa. Le test Wechsler avait sept catégories, et Trudeau fut évalué en comparaison avec la population francophone d'Ottawa âgée entre 15 et 60 ans. Chose intéressante, ses résultats reflétèrent ceux obtenus à Brébeuf. Au premier rang, il obtint l'excellence pour le raisonnement mathématique et abstrait, et au dernier rang, il obtint une note au-dessus de la moyenne pour les tâches visuelles et motrices. Sa note « moyenne » obtenue pour l'attention et la mémoire à court terme fut sûrement une erreur. Quoi qu'il en soit, son classement général le plaça au plus haut rang (excellent). Maurice Chagnon, Université d'Ottawa, à Pierre Trudeau, février 1954, FT, vol. 14, dossier 37.
Il demanda même à une certaine « Mlle Parsons », qui semble avoir été l'une de ses collègues, d'analyser son écriture. Elle lui dit que son intellect était « extraordinaire », qu'il était « brillant, inquisiteur, certainement au-dessus de la moyenne ». Avec une remarquable perspicacité, elle lui fit cette analyse : « Vous êtes méthodique dans les questions de procédure, précis et fiable (...) Vous donnez peut-être l'apparence de quelqu'un qui ne se soucie pas beaucoup des autres et de leurs actions, ou de ce qui se passe autour de vous, mais vous comprenez intuitivement et observez davantage en cinq minutes que ce que l'individu ordinaire observerait en une journée. » Elle remarqua qu'il était timide, mais qu'il pouvait tout aussi bien être « celui qui mettait de la vie dans n'importe quelle réunion amicale ». Il avait un tempérament colérique et ses propos pouvaient s'avérer mordants. Il semblait être « la plupart du temps, un homme doux, et vous l'êtes probablement, mais vous pouvez certainement être l'opposé quand vous le voulez ». Elle conclut, exprimant peut-être ici une expérience personnelle, que son intérêt pour les femmes était « nul ». Il admirait la beauté, « mais cela ne va pas plus loin, intentionnellement ou naturellement ». Puis, elle termine en lui disant que son « écriture en disait beaucoup plus long sur lui que ce qu'il pouvait laisser paraître ». On peut supposer que ce qui inspira Mlle Parsons dans son analyse, en plus de l'écriture quelconque de Trudeau, ce furent des contacts plus personnels. D. L. Parsons à Trudeau, n.d., *ibid.*

comment Trudeau avait fait le tour du monde sac au dos, arborant une barbe et n'ayant que quelques dollars en poche. Trudeau s'était « [fabriqué] clandestinement des papiers ultra-officiels » qui lui permirent de traverser le rideau de fer. Les plus belles femmes d'Europe se trouvaient à Budapest, où se déroulaient les « nuits voluptueuses du Danube ! ». À mesure que le récit de voyage se poursuivait, telle une prose sans fin, Trudeau devenait un personnage d'après-guerre, à la fois Phileas Fogg et James Bond, n'ayant peur de personne, affrontant le mal, et rencontrant au moment le plus inattendu des femmes superbes. Il raconta, par exemple, comment on lui avait offert un bain, alors qu'il se trouvait en Turquie : « Malheur ! Il ne comprend pas l'écriteau et il entre tout nu du côté des dames (...) Cris et soupirs des belles osmanlis. » Une fois de plus il avait été expulsé du pays.

L'image d'audace et d'impétuosité de ce jeune Canadien se développa ; sac au dos, il avait vu ce qui se cachait « derrière le rideau de fer (...) traversé les guérillas grecques, la guerre de Palestine, les troubles d'Afghanistan, la guerre Inde-Pakistan, la révolution de Birmanie, les hostilités d'Indochine, la guerre civile en Chine. Il a été 10 fois en prison, il a failli être fusillé 3 fois (...) Et pourtant... ». Les derniers mots de l'émission étaient de Trudeau. Il affirmait que, peu importe combien périlleux avait été le voyage, il en avait valu la peine, car il avait pu « voir combien les hommes sont bons, quand on se présente à eux simplement, comme ça, sans prétention[15] ». Cette histoire, bien sûr, ne ressemblait pas vraiment à celle décrite dans les lettres qu'il avait adressées à sa famille, mais somme toute montrait que Pierre Trudeau avait déjà compris de quelle façon il pouvait se construire une personnalité éclatante. Il savait que l'image était tout aussi importante que le contenu.

Une grande partie de cette personnalité s'exprimait par les vêtements, taillés non pas chez Eaton ou Holt Renfrew, mais par un tailleur italien qui travaillait avec les meilleurs tissus importés, parfois même avec de la soie. À l'occasion, il portait même la spectaculaire cape noire de son père. Il achetait quelquefois des accessoires, tels des foulards ou des gants, lors de ses voyages en Europe, où il se procurait également des grands crus inconnus au Québec, même s'il s'abstenait d'en boire. Sur des photographies du début des années cinquante, Gérard Pelletier, Jean Marchand et la plupart des autres ont une cigarette à la main, les cheveux ébouriffés et des vestes un peu de travers. Mais Trudeau fait contraste, avec ses cheveux coupés court, jamais de cigarette (bien qu'il ait essayé de fumer au début des années quarante), habillé de vêtements qui lui allaient à la perfection, même lorsqu'il était en tenue décontractée. Il achetait ce qu'il y avait de mieux, comme le racontera Marc Lalonde, mais il le gardait longtemps; c'était par ses vêtements qu'il affichait son grand sens du style[16].

Certes, il était en forme ; les nombreuses photos de Trudeau en maillot, un maillot d'ailleurs étonnamment coupé un peu trop « sexy » pour l'époque, révèlent un corps d'adolescent mince et musclé. Il s'en préoccupait avec soin, jusqu'à suivre des cours de ballet pour apprendre comment les danseurs contrôlaient leurs mouvements*. De même, il compléta les techniques de boxe que son père lui avait enseignées par le karaté, technique d'autodéfense japonaise. Toutes ces aptitudes acquises lui donnèrent un bouclier, ainsi qu'une confiance en lui-même que les autres confondaient parfois avec de l'arrogance. René Lévesque, par exemple, a dit de Trudeau qu'il avait « un talent inné pour s'attirer les claques en pleine face ». Comme le faisait remarquer Gérard Pelletier, René « se serait soigneusement gardé d'en venir aux mains avec Pierre, (...) car il [Lévesque] était doué pour la boxe comme Mohammed Ali pour la broderie [17] ». Malgré sa stature moyenne, Trudeau était physiquement intimidant**.

À son retour à Montréal, la politique québécoise était vite devenue sa principale préoccupation. Son expérience à Ottawa l'avait rendu amer par rapport à la politique fédérale, bien qu'il fût intéressé par le potentiel qu'il voyait désormais dans le fédéralisme. Il rejetait tout de même le mode de vie terne de la très anglophone capitale, ainsi que le fait que les politiques du Canada en matière de défense et de politique étrangère soient calquées sur celles des États-Unis. Il avait du respect pour Louis Saint-Laurent, mais le premier ministre francophone l'avait déçu, car il avait espéré trouver en lui un autre Laurier tout aussi charismatique, et non pas un « président de conseil d'administration ». Lester Pearson, ministre des Affaires étrangères et homme

---

* Il suivit des cours de ballet avec Sylvia Knelman, qui devint plus tard l'éminente économiste Sylvia Ostry. Conversation avec Sylvia Ostry.

** Quoique la taille de 5 pi 10 po qu'il avait toujours fait inscrire sur ses passeports soit douteuse, les registres de son tailleur indiquent qu'en 1955, à trente-six ans, son tour de cou était assez musclé, soit 15 po, tandis que son tour de poitrine faisait 38 et son tour de taille, seulement 32. FT, vol. 14, dossier 1.

politique le plus populaire auprès des médias, ne l'impressionnait guère. De plus, il détestait le gouvernement de Duplessis et faisait peu de cas de l'opposition libérale à Québec. Il ne pouvait supporter l'anonymat qui sied à un fonctionnaire, en particulier l'exigence de demeurer silencieux sur des questions publiques. De retour chez lui à Montréal et dès lors libre de telles contraintes, il exprimait ses visions de la politique par sa plume, ses apparitions dans les médias et, de manière moins importante, par son adhésion à la CCF. Chez *Cité libre*, la branche de Trudeau devint rapidement celle de la politique et des affaires internationales, domaines qui cadraient bien avec son désir de voyager*.

---

* Trudeau fut très influencé par le désir de trouver un « juste milieu » entre le communisme et le capitalisme. Son expérience acquise dans le monde le rendit sympathique aux mouvements de libération nationale au sein des empires coloniaux, des mouvements que l'Union soviétique disait soutenir et auxquels s'opposaient de nombreux États de l'Ouest. Déjà, à Ottawa, cet intérêt s'était manifesté.
Lors de son tour du monde, en 1949, l'Indochine française, comme on l'appelait alors, l'avait séduit. Il en admirait le peuple et le mélange des cultures française et asiatique. Devenu fonctionnaire, il demanda, le 2 octobre 1950, à deux « messieurs annamites », soit Peter Martin Ngo Dinh Thuc, archevêque de Hué, en Indochine, et son frère Ngo Dinh Diem, de faire appel à Arthur Menzies, spécialiste des affaires étrangères en Asie. Cinq ans plus tard, Ngo Dinh Diem devint le président du Vietnam du Sud, nouvellement indépendant, mais il fut assassiné par la CIA en 1963, au moment même où la guerre du Vietnam entrait dans sa phase la plus sanglante, trois semaines avant l'assassinat du président John Kennedy. Dans le mémorandum des Affaires étrangères sur cette rencontre, il fut noté que Trudeau ne parla pas beaucoup, mais il ne cacha pas son scepticisme dans une note écrite en marge, à propos des « armes américaines » considérées comme une mesure appropriée au défi lancé par le chef du Parti communiste vietnamien, Ho Chi Minh. « Comme faire une vedette de Tchang Kaï-chek ! » écrivit-il. Même s'il croyait profondément à la décolonisation, il savait qu'il serait difficile d'y arriver et que les Américains faisaient souvent preuve de maladresse pour préserver les intérêts capitalistes dans ce processus. Lors de cette rencontre, Diem resta inflexible : la France ne devait plus se battre pour conserver l'Indochine. En effet, il déclara que la culture française, à laquelle les Vietnamiens tenaient beaucoup, devait être préservée par le Canada français, dont les missionnaires étaient grandement respectés en Indochine. Trudeau était d'accord : que ce soit en Algérie ou en Indochine, il s'opposait à l'Empire français, mais était convaincu de la nécessité d'une présence culturelle française sur la scène internationale.
Cette conviction fut, en fin de compte, à la base des efforts que consacrerait plus tard le Canada à la création d'une communauté de pays francophones. Cet incident démontre comment la politique internationale de Trudeau était profondément influencée par son éducation à l'européenne et n'était teintée ni de l'anticommunisme de l'Église catholique ni des soupçons qui entraînèrent les États-Unis en Indochine et dans la guerre du Vietnam. « Visite de Monseigneur Thuc et de M. Ngo-Dinh-Diem », 2 octobre 1950, FT, vol. 10, dossier 11.

Mais le 24 octobre 1951, ses collègues furent mécontents de le voir partir à nouveau, alors qu'il était rentré d'Ottawa depuis seulement quelques semaines. Il voulait consacrer tout l'hiver jusqu'à l'été suivant à un autre grand tour de l'Europe, de l'Afrique et du Moyen-Orient — sans oublier l'Union soviétique.

La décision de Trudeau d'assister, au printemps 1952, à la Conférence internationale sur l'économie à Moscou, et ce, si tôt après son départ du Conseil privé, préoccupa ses anciens collègues d'Ottawa. Comme fonctionnaire au Conseil, on lui avait donné la plus haute habilitation de sécurité et il avait eu accès aux missions diplomatiques top secret. Pendant ce temps, à Washington, le sénateur Joe McCarthy et ses hommes de main chassaient les présumés communistes et, depuis l'affaire d'espionnage Gouzenko de 1945-1946, le Canada était le territoire de chasse de prédilection. Quand Igor Gouzenko, un employé chargé de décrypter les codes secrets pour l'ambassade soviétique à Ottawa, passa à l'Ouest, il révéla l'existence d'un réseau d'espionnage au sein même du gouvernement canadien. Ce fut une période épouvantable de paranoïa et d'effroi. Le diplomate canadien Herbert Norman, qui entretenait des liens avec des communistes asiatiques alors qu'il était étudiant puis professeur à Harvard, était déjà dans la mire de McCarthy, et le directeur du FBI, J. Edgar Hoover, entretenait même des doutes sur Lester Pearson. De plus, Trudeau n'avait jamais caché sa forte opposition aux politiques étrangères américaines.

Au moment où Norman Robertson, employé du Conseil privé, apprit le départ imminent de Trudeau, il se souvint des arguments de cet ancien fonctionnaire contre la guerre de Corée et en faveur d'une réconciliation avec les communistes[18]. Il fut sur ses gardes quand Trudeau partit pour Moscou, alors que l'Union soviétique imposait de plus grandes restrictions à la liberté des diplomates canadiens dans la capitale. Par conséquent, le voyage de Trudeau fut observé avec soin par le ministère des Affaires étrangères pour rassurer les alliés du Canada ; Trudeau avait promis de ne révéler aucun secret.

À la suite d'un premier désaccord avec Robertson, qui ne voulait pas qu'il se rende à cette conférence, Trudeau obtint les papiers nécessaires pour s'afficher comme journaliste du *Devoir.* Les autres membres de la délégation canadienne étaient déjà des personnages connus de la gauche, notamment Morris Miller qui avait été un camarade de Trudeau à Harvard et à la London School of Economics. Au départ de Prague pour Moscou, Trudeau dit aux journalistes (si l'on se fie à un rapport d'un fonctionnaire de l'ambassade canadienne) que la conférence « donnerait l'occasion d'établir des relations économiques et commerciales entre les États capitalistes et les pays à économie planifiée ». Mais ce ne fut pas le cas. Il affirma également que cette conférence avait soulevé un « vif intérêt » au Canada. Encore une fois, c'était faux, sauf peut-être dans l'édifice de l'Est et au Parti communiste du Canada.

Le 31 mars 1952, la *Pravda* annonça l'arrivée à Moscou de Pierre Trudeau, « avocat et conseiller en matière syndicale ». L'ambassade canadienne entra en contact avec lui, et il rencontra le chargé d'affaires, Robert Ford, un poète et probablement le plus rusé diplomate posté à Moscou pendant la guerre froide. Ford voyait cette conférence comme de la propagande et accorda peu d'attention aux membres de la délégation canadienne, sauf à Trudeau. Il écrivit à Ottawa que Trudeau, contrairement aux autres délégués, gardait le contact avec l'ambassade « pour obtenir des conseils et aussi pour nous tenir informés ». Il était « utile » puisqu'il leur donnait des comptes rendus de la conférence. Ford s'était bien vite rendu compte que Trudeau n'était pas l'habituel « sympathisant » de l'Ouest. D'ailleurs, il avait très vite agacé son « guide » russe en lui demandant pourquoi il n'y avait que des portraits de Staline et aucun de Trotski. Les deux hommes semblaient prendre plaisir à se trouver ensemble : Ford reçut Trudeau au caviar à l'ambassade, où ce dernier passa le plus clair de son temps, car il en eut vite assez de cette conférence. Mais Ford le trouvait quand même « intrigant », et se demandait quelle était « sa véritable attitude par rapport à ce pays ».

Ainsi, aux jours les plus sombres de la guerre froide, alors que la folie s'incrustait de plus en plus dans le vieil esprit de Staline, Ford et Trudeau se querellaient sur les causes du communisme soviétique. Dans sa note à Ottawa, Ford relatait que Trudeau était très impressionné par les séances de la conférence qui portaient sur les conditions de vie des Soviétiques. Il avait décrit des conversations avec trois économistes universitaires, conversations qui venaient soutenir sa conviction qu'il était possible de s'associer en toute liberté à Moscou. Trudeau, continua Ford, « déclare que sa position est celle d'un idéaliste neutre et qu'il est possible pour des hommes de bonne volonté de tenter de se comporter comme un groupe du centre qui pourra avec le temps s'agrandir et empêcher les deux extrêmes de s'affronter ». Ce à quoi Ford avait manifesté une forte opposition : « Je veux bien croire que ses sentiments sur le sujet sont sincèrement idéalistes, mais j'ai bien peur qu'il ne comprenne pas que le fait d'être neutre dans le présent conflit semble impliquer inévitablement de se pencher en arrière pour justifier les actions des Russes, d'une part, et de critiquer la position de l'Ouest, et en particulier celle des États-Unis, d'autre part. » Cette tension par rapport à l'idéologie était accompagnée, toujours selon Ford, par « un désir quelque peu enfantin d'épater la galerie », une attitude qui avait peu d'importance à Montréal, mais qui en avait beaucoup dans le Moscou de Staline[*].

---

[*] Dans ses mémoires publiés en 1989, Ford se montra négligent, discret ou trop diplomate à propos de cet incident. Il dit avoir rencontré Trudeau quand il « s'était présenté à l'improviste à Moscou lors d'une mystérieuse conférence économique organisée par les Soviétiques et à laquelle participaient surtout des représentants des organisations du front communiste ». Il dit aussi que Trudeau en avait eu marre de l'hébergement et de la cuisine russes. Chose étrange, si l'on en croit le récit du représentant américain, il conclut son rapport ainsi : « Il n'hésita pas non plus à accompagner mon épouse et moi-même à la messe pascale célébrée dans une chapelle impromptue de l'ambassade américaine. » Robert A. D. Ford, *Our Man in Moscow : A Diplomat's Reflections on the Soviet Union* (Toronto : University of Toronto Press, 1989), 113. Cependant, il fut plus caustique dans une entrevue accordée au professeur Robert Bothwell, le 15 octobre 1987. « Parlons pour parler, dit Ford. Que devrait-on penser d'un premier ministre qui, en 1952, s'était rendu à Moscou pour assister à une conférence d'une organisation du front ? Il avait apprécié la nourriture de l'hôtel Rossiya pendant une semaine avant de venir à l'ambassade pour y prendre des repas destinés aux secours humanitaires – après quoi il mangeait à sa faim et ne partait plus de l'ambassade. Mais jamais aucune explication quant aux raisons qui l'avaient amené. » Puis, il dit au professeur Bothwell qu'à l'ambassade, « il nous aimait bien et nous l'aimions bien ». Il y fut initié au caviar et il mettait toujours en contraste le traitement qu'il avait eu à Moscou et le mauvais traitement qu'il avait subi dans d'autres missions canadiennes. Vraiment, avait dit Ford, Trudeau était « l'une des personnes les plus brillantes et les plus attirantes » qu'il lui avait été donné de rencontrer. Entrevue avec Robert Ford, 15 octobre 1987, Robert Bothwell Papers, University of Toronto Archives.

Trudeau se rendit à la chapelle de l'ambassade américaine pour participer à la messe pascale. Il y rencontra à minuit la femme du chargé américain. Poussé par un désir de provocation, il lui dit que oui, il était catholique, mais aussi communiste, « après quoi il avait commencé à faire l'éloge de l'URSS et à rabrouer les États-Unis ». Du moins, c'est ce que rapporta une dépêche envoyée à Ottawa. Le lendemain, Ford se heurta à la colère d'un diplomate américain : « Je croyais vous avoir entendu dire que Trudeau n'était pas un Rouge ? » Ford nia que Trudeau en fût un, mais l'Américain rapporta la remarque qu'il avait faite à sa femme, et Ford dut lui dire que Trudeau ne faisait que plaisanter. Néanmoins, il avertit Ottawa qu'il était convaincu qu'un rapport « serait renvoyé au Secrétariat d'État pour dire qu'un homme qui, il y avait six mois à peine, tenait un poste de confidentialité au Conseil privé, se trouvait maintenant à Moscou (...) et avait ouvertement énoncé qu'il était communiste ».

Ce n'était pas la première fois que Trudeau savait qu'il avait dépassé les bornes. Il écrivit de sa main une lettre à Norman Robertson, qui fut envoyée à différentes personnes aux Affaires étrangères, dans laquelle il dit avoir « suivi à moitié » son conseil de ne pas se rendre en se procurant des papiers de presse. Déclarant qu'il tenait « peu d'hommes en si haute estime » que Robertson, il justifia sa décision de participer à la Conférence de Moscou par son grand désir de voyager. Puis, de façon mielleuse, il conclut : « J'ose espérer que votre épouse et vos filles se portent bien en cette saison printanière, et que vous-même vous plaisez au Bureau du Conseil privé et y trouvez toute la stimulation voulue, autant que j'ai toujours su m'y plaire moi-même. » Bien sûr[19].

Par la suite, on refusa à Trudeau un visa pour un voyage en Chine en passant par Tachkent, mais il obtint la permission de visiter Tbilissi, en Géorgie, après avoir obtenu quelques roubles en surplus de l'économiste britannique Alex Cairncross. Quand il arriva à la gare, il fit la rencontre d'une belle jeune femme qui lui parla dans un anglais impeccable, et avec qui il partagea son compartiment mixte pendant les trois jours du trajet. Bien sûr, il s'agissait d'une espionne, mais elle était la bienvenue. Trudeau écrira un jour que, pour connaître un pays, il suffisait de faire un long voyage en train...

Loin de Moscou, les Soviétiques devenaient « simples et fraternels, ils se promènent tout le jour en pyjamas ; échangent des quolibets avec les camelots des gares, avant d'acheter leur poulet rôti, et le mauvais vin du pays ; ils se fichent de la propagande débitée à cœur de jour par la radio du bord, mais accourent dès qu'on y annonce les résultats de football. Bref on y retrouve une société normale, avec l'échantillonnage normal de tricheurs, d'ivrognes, de mendiants et de femmes légères. Un peuple humain, quoi[20] ! » Il visita la tombe de la mère de Staline, où son interprète versa des larmes. Il retourna ensuite à Moscou et tenta de partir pour Leningrad, mais ses activités, notamment celle de lancer des boules de neige sur des monuments soviétiques, avaient attiré l'attention des autorités. Très tôt un matin, on frappa violemment à sa porte et des « policiers baraqués » entrèrent en lui disant de s'en aller, après quoi ils ramassèrent ses affaires et l'escortèrent jusqu'à son avion. Leningrad attendrait[21].

À son retour au Canada, le 23 juillet 1952, Trudeau déclara publiquement ce qu'il avait dit à Ford en privé : « J'estimais que les peuples doivent employer tous les moyens pour mieux se connaître. Car c'est précisément la peur de l'inconnu de part et d'autre qui est à la base de cette haine pathologique qui nous rapproche implacablement de la troisième et dernière guerre mondiale. J'allais donc pouvoir enfin jeter un peu de lumière sur cet inconnu (...)[22]. » Et dans une autre émission, il nia que la police secrète eût été effroyable. Il raconta qu'un membre du Parti bolchévique avait fait une blague sur les miliciens qui, selon lui, étaient trop occupés à échanger des saluts entre eux « pour avoir le temps de terroriser la population ». Trudeau ridiculisa également les Occidentaux qui le croyaient « suivi » sans relâche quand il était en Union soviétique[23].

Son rapport souleva rapidement la critique, notamment celle du père Léopold Braun. Ce prêtre était à Moscou pendant les purges et les famines des années trente, et il ne se gêna pas pour condamner les articles de Trudeau dans *Le Devoir* ou dans d'autres publications catholiques comme des écrits d'une naïveté désespérante, dénotant un grand manque d'information et même dangereux. Trudeau réagit avec une surprenante vigueur. Il dit à André Laurendeau du *Devoir* que le père Braun était « un imbécile » et exigea un droit de réplique. Si *Le Devoir* ne lui accordait pas une demi-page, avait-il menacé, il achèterait lui-même l'espace[24]. Braun fit remarquer qu'il avait vécu en Union soviétique, qu'il avait subi les persécutions infligées aux membres de l'Église catholique et vu certains d'entre eux disparaître dans le Goulag[25].

La réponse de Trudeau fut vive, et son ton beaucoup trop dur. Le rédacteur en chef du *Droit* lui dit que, même si Braun était dans l'erreur, il se devait d'étudier la question sérieusement, et non d'une manière dédaigneuse et grossière. Dans la revue *Nos Cours*, lieu de confrontation entre Braun et Trudeau, le rédacteur en chef, J.-B. Desrosiers, se rangea du côté de Braun en disant à Trudeau qu'il était le seul à blâmer pour les torts causés à sa réputation. Encore une fois, Trudeau exigea le droit de se défendre et pressentit l'archevêque Paul-Émile Léger (qui serait bientôt cardinal) pour obtenir son aide, bien que ses articles dans *Cité libre*, en plus de son voyage en terre soviétique, aient contrarié les autorités catholiques. D'autres, notamment l'économiste respecté Esdras Minville de l'Université de Montréal, affirmèrent que l'attaque de Braun était une affaire « sérieuse ». Dans un geste quasi désespéré, Trudeau écrivit à un certain père Florent, un prêtre avec qui il avait eu de bonnes discussions à propos de l'Union soviétique à Paris, en 1947. Il joignit à sa lettre ses échanges avec Braun. Il dit au prêtre que sa réputation avait été entachée au Québec et il lui demanda de lui déclarer ouvertement son appui. Ce serait, avait déclaré Trudeau, « un acte de charité et de justice[26] ».

Puis, Braun dépassa les bornes et qualifia Trudeau de porte-parole stalinien, ce qui était totalement faux. La réaction de Trudeau traduisit sa grande opposition aux ecclésiastiques qui utilisaient leur position pour se prononcer sur la politique et elle fut cohérente avec ses écrits de cette période. Cependant, Trudeau balaya trop facilement du revers de la main les descriptions faites par Braun des atrocités staliniennes. Soljenitsyne, Khrouchtchev, d'autres spécialistes du régime soviétique et l'Histoire elle-même révélèrent l'atrocité des crimes commis par Staline. Écœuré par les excès du sénateur Joe McCarthy de même que par l'exloitation de l'anticommunisme à laquelle se livrait le gouvernement Duplessis pour lutter contre ses adversaires, Trudeau trouva du mérite dans les rues de Moscou. Dans un rapport de son séjour publié dans *Le Quartier latin* de l'Université de Montréal, il s'autorisa à se faire appeler « camarade Trudeau ».

Ses articles et ses associations avec les nombreux « sympathisants » captèrent bientôt l'attention de plusieurs services de renseignements et de leurs collègues des médias[27]. En mars 1954, Trudeau se vit refuser l'entrée aux États-Unis, tout comme d'autres individus d'importance à l'époque, tels que Graham Greene et Charlie Chaplin. Pour résoudre le problème, il dut réagir très vite. En réponse aux questions sur sa visite à Moscou, il répondit qu'il avait assisté à la Conférence afin de savoir si le commerce international pouvait franchir le rideau de fer. Le 9 mars, il apprit qu'il serait temporairement exclu, car son entrée pouvait « porter préjudice aux intérêts des États-Unis ». Toutefois, après un rappel aux représentants consulaires américains, la décision fut vite infirmée. Il lui fut permis de traverser les États-Unis pour se rendre à une conférence du Commonwealth au Pakistan, à l'invitation de l'Institut canadien des affaires internationales. Mais son voyage à Moscou, ses commentaires favorables à l'Union soviétique et ses autres voyages de l'autre côté du rideau de fer et en Chine en firent une cible pour des groupes franchement anticommunistes comme le Service canadien du renseignement. À partir de cet instant, il provoqua aussi le courroux de féroces journalistes et auteurs nationalistes, comme Robert Rumilly au Québec, un partisan de Duplessis, ainsi que du militant anticommuniste Lubor Zink, qui s'exprima dans le conservateur *Toronto Telegram*.

Une lecture plus approfondie des nombreux rapports de Trudeau sur sa visite démontre qu'il était sceptique à propos du système soviétique et de ses réalisations, et qu'il adhérait aux valeurs démocratiques de l'Ouest. Malheureusement, le plaisir qu'il éprouvait à choquer et à donner de la « couleur » aux choses capta souvent l'attention de ses lecteurs, mais déforma aussi ses propos. Comme toujours, il s'amusait à soulever la controverse, et si on l'y poussait, il défendait ses opinions avec passion. Il reste que les parties analytiques de ses récits de voyage offraient un point de vue plus subtil, plus équilibré. Par exemple, il attira probablement l'attention de l'auditoire étudiant de l'Université de Montréal quand il vanta les mérites du système d'éducation soviétique et, chose curieuse, de l'architecture soviétique. Néanmoins, il ne se gênait pas pour critiquer avec vigueur le « capitalisme d'État » créé par les communistes soviétiques, et il mit en contraste le contrôle des partis politiques et des syndicats en Occident par le prolétariat, et le système clos de l'Union soviétique[28]. Malgré son éloge généreux du ballet du Bolchoï et de l'appui du régime aux arts, il admettait que ce gouvernement apportait son appui à « l'extérieur » de l'expression artistique, mais en opprimait l'esprit intérieur. Les compositeurs Chostakovitch et Khatchatourian, notamment, en furent réduits à composer de simples mélodies, et Eisenstein, brillant réalisateur, fut tout simplement mis de côté. « Peut-être, écrivit-il, n'est-il pas avisé en URSS de jeter un regard intérieur. Il y a un panneau à la frontière du monde de l'esprit où il est indiqué : Défense d'entrer. »

Trudeau avoua à l'une de ses connaissances communistes soviétiques qu'il ne devait pas être surpris si l'Église catholique s'opposait au communisme. Lui-même était contre un système antireligieux. S'il trouvait ridicule les affirmations extrêmes du « camp antisoviétique », c'est-à-dire de Rumilly et de Zink, qui disaient que les grands auteurs russes avaient été bannis des écoles (Trudeau affirma avoir vu des œuvres de Dostoïevski dans les bibliothèques), il commenta dans ses écrits le vide qui se trouvait au centre du système, vide dans lequel aussi bien le brillant compositeur russe Stravinski et le grand peintre Chagall que Maynard Keynes et Alfred Marshall devenaient des inconnus. Il disait aussi qu'il n'y avait aucun doute dans son esprit que l'ouvrier avait, « de fait, plus d'importance et beaucoup plus d'influences en nos pays démocratiques qu'en URSS ».

La description qui démontrait le mieux le point de vue de Trudeau fut celle d'une soirée dans un restaurant très fréquenté de Moscou, où il fit la rencontre de trois Russes. Ils l'avaient tout de suite reconnu comme un étranger. Deux des trois lui adressèrent la parole, puis ils partirent. Le troisième, silencieux, resta là sans bouger pendant un moment. Puis, avec une voix qui n'avait pas tremblé malgré le danger, ce parfait étranger lui annonça qu'il n'était ni bolchévique ni communiste, mais un démocrate. Cet aveu eut l'effet d'un choc électrique : il semblait avoir avoué une vérité qui était demeurée longtemps cachée dans son cœur, puisqu'il s'était levé d'un bond et était sorti précipitamment comme un visionnaire. Si cet homme était un poète, s'était dit Trudeau, ce soir-là il écrirait son plus beau poème, car il venait de libérer son inspiration. En Russie, comme au Canada, Trudeau savait que la liberté était le bien personnel le plus précieux que l'on puisse posséder[29]. Ces mots n'étaient pas ceux d'un sympathisant dupé.

Les voyages de Trudeau furent essentiels pour ses plus grands projets lors de ces années tumultueuses, et reflétèrent ses ambitions comme ses doutes. Tout d'abord, il croyait à juste titre que ses voyages, particulièrement vers des contrées lointaines où les conditions étaient parfois éprouvantes, lui avaient apporté des ressources intellectuelles dans lesquelles il pouvait puiser pour faire l'analyse de sa propre société. À plusieurs égards, il rejoignait d'autres intellectuels des premières années de cette décennie qui accueillaient la télévision comme un outil d'intégration du Québec au sein de l'Amérique du Nord[30]. S'il approuvait l'assimilation à une société plus « efficace » et « moderne », Trudeau admettait en revanche que les Québécois francophones devaient s'ouvrir sur le monde, en dehors du contexte nord-américain. De façon plus précise, ils devaient étendre leur expérience dans le contexte de ce « vent de changement » qui, dans les décennies d'après-guerre, balayait les vieux empires coloniaux.

Même si, plus tard, il acquit la réputation de ne pas porter attention au rôle du Canada dans le monde, ses articles et ses apparitions dans les médias en ce temps-là étaient plus centrés sur des questions internationales que nationales. Il avait également pris conscience de l'ascension au rang de vedette de René Lévesque grâce à l'émission de télévision *Point de mire*, émission où l'irrépressible Lévesque, dans un nuage de fumée de cigarette, avec des gestes vifs, initiait les spectateurs au flot des changements mondiaux qui étaient en train de se produire. Le très perspicace Gérard Pelletier, qui connaissait bien Lévesque, puisque son épouse travaillait également à Radio-Canada, se rappelle que lorsque Lévesque et Trudeau se rencontraient, ce dernier lançait un regard moqueur ou sceptique à Lévesque quand il démarrait subitement dans « une des longues tirades qui lui étaient familières, truffées de jugements rapides, brillants, profonds ou superficiels[31] ». Trudeau était convaincu que son analyse de la question internationale avait une profondeur qui manquait au fil de la pensée de Lévesque. Cependant, les deux savaient que les événements qui se produisaient en dehors du Québec avaient maintenant, plus que jamais, leur importance.

En second lieu, Trudeau était conscient de tenir un avantage dans les débats qui animaient les discussions des intellectuels du Québec, en raison d'une éducation qui s'étendait sur plusieurs domaines, soutenue désormais par des strates d'exotisme et d'anecdotes curieuses qu'il avait grappillées au gré de ses voyages. La ravissante Russe dans le train vers

Tbilissi, le mystérieux et noir monastère sur une colline de Chine, les bandits de la ziggourat d'Ur, tout cela alimentait ce tableau coloré dont les auditeurs et les téléspectateurs se souviendraient. Ses articles et ses présentations à Radio-Canada étaient bourrés d'histoires pour illustrer ses arguments, et comme l'indiquaient les émissions radiodiffusées sur son tour du monde, il n'hésitait pas à embellir ses récits pour obtenir un effet spectaculaire. Avec une perspicacité tout à fait remarquable, Jim Coutts, longtemps premier secrétaire de Trudeau, écrivit un article dans lequel il montra que, contrairement à l'opinion générale, Trudeau « ne faisait ni ne disait que peu de choses publiquement qui n'avaient été préalablement étudiées[32] ». Sa présence et son charisme étaient soigneusement construits et le pilier essentiel de cette construction était son « cosmopolistisme ». Parfois, il dépassait les bornes, peut-être en raison du sentiment de sécurité que lui procuraient son aisance financière et son indépendance. Gérard Filion, directeur du journal *Le Devoir*, croyait qu'il arrivait quelquefois à Trudeau de nuire à sa propre cause plutôt que de la favoriser, et Filion refusa quelques fois de publier ses lettres, même s'il avait visité Moscou lui-même peu après Trudeau et qu'il était lui aussi en faveur de la réconciliation entre l'Est et l'Ouest.

Troisièmement, le cosmopolitisme de Trudeau traduisait le malaise qu'il ressentait à propos du Québec et du Canada au début des années cinquante. Il était plus sûr de ses convictions dans le domaine des relations internationales qu'en ce qui concernait la politique nationale du Québec et du Canada. En outre, son retour au pays ne se fit pas sans heurt. Sa relation amoureuse avec Helen prit soudainement fin, même s'il essaya de rallumer la flamme pendant son séjour en Europe au printemps 1952. Puis, à la fin de l'été, il lui dit qu'il n'avait pas d'emploi permanent à Montréal. Tip, architecte méticuleux mais pas très prospère, se préparait à quitter le pays pour s'installer en Europe, et si les choses ne s'amélioraient pas au Québec, il le suivrait. « As-tu quitté le Canada ? » lui demanda-t-elle le 18 décembre 1952, ou avait-il finalement décidé de se consacrer aux « problèmes sociaux du Québec » ? Trudeau était d'humeur grognonne[33]. Les choses ne s'amélioraient pas au Québec, avait-il répondu, surtout pour ceux qui s'occupaient des « causes sociales ».

Le 16 juillet 1952, précisément une semaine avant que Trudeau rentre au Canada, le gouvernement de Duplessis avait été réélu, même si les libéraux et leur nouveau chef Georges-Émile Lapalme s'étaient trouvés au début de la campagne, en tête des sondages[34]. Comme toujours, Duplessis fit une brillante campagne, encore qu'il jouât souvent le démagogue. Son biographe, Conrad Black, décrivit le chaos du jour de l'élection, quand le maire de Québec demanda l'intervention du Royal 22e Régiment pour protéger de la cohue le vainqueur libéral à Lévis, de même que pour prévenir l'assaut des salles de réunion du Parti libéral à Montréal par une bande d'hommes armés de « bouteilles, de morceaux de briques et de revolvers ». Entre autres, des voyous jetèrent par la fenêtre du premier étage un travailleur de campagne libérale et un constable de la police[35]. Plus tard, dans une émission sur l'élection, Trudeau déclara que la démocratie était une forme de gouvernement qui fonctionnait bien quand tous les gens se mettaient d'accord pour compter les têtes et non pour les briser. Dans *Cité libre*, il donna cet avertissement :

> Il faut expliquer notre immoralisme profond. Car enfin, nous prétendons être un peuple chrétien. Nous adhérons à une éthique où les devoirs vis-à-vis de la société et du prochain sont rigoureusement définis. Nous ne manquons pas de respect envers l'autorité civile et nous vivons habituellement dans un climat d'obéissance aux lois. Nous punissons la trahison et l'assaut au nom du bien commun et de la loi naturelle ; nous expliquons le communisme par un fléchissement dans la foi ; nous considérons la guerre comme la rançon du péché.

Alors que « nous entretenons sur l'ordre social des conceptions orientées par la théologie catholique », continuait Trudeau, il se trouvait une exception : dans nos relations avec l'État, « nous sommes passablement immoraux ; nous corrompons les fonctionnaires, nous usons de chantage avec les députés, nous pressurons les tribunaux, nous fraudons le fisc, nous clignons obligeamment de l'œil "au profit de nos œuvres". Et en matière électorale, notre immoralisme devient véritablement scabreux. Tel paysan, qui aurait honte d'entrer au lupanar, à chaque élection vend sa conscience (...). » Visant peut-être sa propre expérience de la décennie précédente, il écrivit : « Sans rien préjuger de l'avenir, il faut reconnaître que les catholiques, en tant que collectivité, ont rarement été des piliers de la démocratie — je le dis à notre grande honte. (...) dans les pays à grande majorité catholique (...)

souvent ils n'échappent à l'anarchie que par l'autoritarisme. » Il continua en abordant un thème qu'il développerait de façon constante dans les années à venir: les sociétés pluralistes ne se tournaient pas vers l'autoritarisme, mais il y avait un danger, soit qu'elles consacrent une trop grande part des ressources de la société civile « à la poursuite du bien particulier catholique ». Le résultat de cette quête était un nationalisme étroit qui avait engendré l'immoralité et qui minait le grand « bien public[36] ». Trudeau avait fait bien du chemin sur le sentier libéral démocrate depuis les nuits de 1942.

En dépit de ces convictions, Trudeau ne s'était pas précipité pour rentrer d'Europe et travailler à l'imminente campagne électorale. Son absence montra la faiblesse des intellectuels opposés à Maurice Duplessis et du mouvement ouvrier du Québec, qui n'avait pas réussi à se bâtir un avenir politique après la grève de l'amiante. Gérard Pelletier, Jean Marchand et d'autres avaient brièvement envisagé d'appuyer des candidats dans les circonscriptions de la classe ouvrière en 1952, une politique qui viendrait rompre avec la traditionnelle neutralité adoptée par la Confédération des travailleurs catholiques du Canada (CTCC), et en même temps d'envoyer le message « punissons nos ennemis, récompensons nos amis ». À cet effet, Pelletier écrivit à Trudeau et lui demanda s'il ne considérerait pas la possibilité de poser sa candidature pour le Parti ouvrier. Trudeau répondit de Paris le 16 mars 1952. Oui, disait-il, « [cela] me séduirait parce que de ma vie je ne me suis jamais trouvé dans un état d'aussi grande disponibilité physique et morale; parce que je suis prêt aux pires bêtises; parce que, somme toute, je suis actuellement plutôt pitoyable ». Peut-être se remettait-il encore du rejet d'Helen? Quelle que fût la raison, il dit à Pelletier qu'il avait l'intention de « végéter et [d']écrire au soleil de Sicile », mais qu'il pourrait songer à se présenter si l'on répondait à certaines de ses exigences. Celles-ci étaient impossibles mais justes: une telle campagne « ouvrière » avait besoin d'organisation, d'argent, d'une tribune et de « l'entier appui des forces syndicales ». Toutefois, les syndicats étaient divisés; il n'y avait pas de tribune et aucun autre candidat n'avait été sélectionné. Avec sagesse, Trudeau déclina l'offre. Mais il restait intrigué et, fait révélateur, demanda si sa candidature excluait « la possibilité que je devienne "aviseur technique" de la CTCC (la job que Marchand m'offrait jadis)[37] ».

Bien sûr, Trudeau n'occupa jamais ce poste, mais l'année suivante, il s'impliqua directement dans le mouvement ouvrier. Dans un sens plus large, son attention bascula de la politique internationale, pourtant le sujet de la plupart de ses écrits depuis 1949, vers la politique nationale. Avec fierté, il avait mentionné à Helen, à l'été 1952, qu'on lui avait demandé de prononcer un discours à la prestigieuse conférence annuelle du Couchiching Institute on Public Affairs, à propos de « l'adéquation de la politique étrangère canadienne ». Bien évidemment, il ne la trouva pas adéquate.

Sa confiance en lui-même lors de ce discours et la cohérence de ses convictions furent saisissantes. Outre quelques révisions liées à l'actualité, les idées qu'il exprima cet été-là sur les rives du lac Simcoe marqueront ses opinions tout au long de sa vie. Il ne se gêna pas pour critiquer publiquement et de manière cinglante Lester Pearson, qui semblait croire que le rôle de la politique canadienne était celui d'interprète « pour Londres à Washington et vice-versa, comme s'ils avaient besoin d'un ignoble porte-parole ». Pour étayer son dire, il fit allusion à un discours que Pearson avait prononcé à New York, où il avait dit que le Royaume-Uni et les États-Unis étaient les tuteurs du Canada. Il trouvait que Pearson sonnait comme un Albanais qui prend la parole à Moscou. Il était d'accord avec Pearson pour dire que la politique étrangère devrait suivre les « institutions et l'idéologie politiques anglo-saxonnes » du pays, mais il maintenait qu'elle devait également refléter notre « dualité ethnique et linguistique », et que le Canada était un pays jeune, petit, mais aussi doté d'une puissance économique. Cependant, l'« anglo-saxonnisme » « couvrait » tout le reste. Il n'existait aucune opinion publique canadienne indépendante. Ottawa ne lisait et n'écoutait que ce qui était américain, ainsi que, à moindre échelle, les nouvelles britanniques. Pourquoi ne pas lire *Le Monde* ou même le *Herald Tribune* (édition internationale du *New York Times)* de Paris ? Selon lui, le Canada devait présenter des positions publiques qui traduisent vraiment sa dualité ethnique et linguistique, et devait créer un service extérieur pouvant « élaborer » de véritables politiques canadiennes dans tous les secteurs qui ne faisaient pas partie d'un « axe déterminé É.-U.–R.-U. » Comment pouvait-on y arriver, disait-il, quand « nous n'avions pas formulé de théorie politique sur le Canada lui-même » et que le Québec n'était pas intégré à la sphère canadienne sur l'échiquier mondial[38] ?

Les voyages de Trudeau se firent plus rares et perdirent quelque peu de leur ardeur, malgré une longue émission de radio sur les « Techniques du voyage » où il affirma qu'il ne voyageait pas pour ramener des détails sur les restaurants trois étoiles ou, tout comme les diplomates, sur des rencontres avec la royauté ou les présidents, mais bien pour découvrir la richesse de l'humanité. Pour ce faire, il devait se mêler à la population, voyager léger et laisser de côté ses grands airs et son luxe. Alors seulement il pouvait rencontrer les saints, les philosophes errants, les poètes et les vauriens, tous membres de la même fraternité humaine[39].

À l'automne 1952, il réalisa que ses aventures en Palestine et à Moscou étaient plus riches que ses expériences récentes au Québec et dans le reste du Canada. S'il avait l'intention d'atteindre ses objectifs dans une vie publique au Canada, il devait changer de direction.

Alors, il se mit à clarifier son programme politique national. En ses termes, il définit trois actions précises à entreprendre : un engagement plus fort dans le mouvement des syndicats ouvriers au Québec, une plus grande activité politique et une interaction avec les intellectuels du Canada anglais qui « s'éveillaient » au Québec et qui partageaient avec Trudeau bon nombre de ses idées politiques à propos des libertés civiles et des dangers d'un capitalisme sans retenue.

Les liens qu'entretenait Trudeau avec des intellectuels anglophones, notamment son amitié croissante avec F. R. Scott, professeur de droit à l'Université McGill, militant de la CCF et poète renommé, furent sans doute un important facteur qui le poussa à s'identifier davantage à la pensée libérale démocrate, plus particulièrement celle exprimée dans la tradition socialiste du Canada anglais[40]. Cependant, Trudeau restait indépendant, faisant découler son approche de la politique intérieure de diverses influences qui allaient du personnalisme du *Monde* à Maynard Keynes et à Paul Claudel. Ces courants variés se reflétaient dans le cadre de sa participation à *Cité libre* ; de même, son expérience d'enseigner aux travailleurs dans les villes minières et les usines québécoises durant les années cinquante l'influença grandement. Comme l'indique son allocution à la conférence du Couchiching, Trudeau connaissait et admirait à bien des égards la tradition politique anglo-saxonne, mais il entretenait de sérieux doutes sur la manière dont elle avait évolué dans les anciennes colonies britanniques de l'Amérique du Nord.

Pendant ses longues absences en Europe, en Afrique ou en Asie, Trudeau était demeuré en contact avec ses collègues de *Cité libre*, et il s'ennuyait de ces longues soirées où tous s'amenaient avec leur femme ou leur copine et leurs manuscrits afin d'obéir, comme le disait si bien l'un des membres du groupe, Jean Le Moyne, à « aucun ordre du jour mais seulement au désordre de la nuit[41] ». Il réalisa qu'il devait plonger plus à fond dans la vie de sa ville et de sa province, sinon il risquait de perdre cette influence qu'il avait déjà acquise, grâce à son intellect et à son imagination, au cours des premières réunions tenues dans la maison de pierre de Gérard Pelletier, près du lac des Deux Montagnes. Au Québec, l'élection de 1952, celle qu'il avait si bien manquée, avait soulevé de la dissension et une grande opposition à Maurice Duplessis parmi les intellectuels et les membres de professions libérales de Montréal. *Le Devoir*, qui, de manière générale, avait donné son appui à Duplessis en 1948, s'opposait maintenant au gouvernement et critiqua encore plus farouchement le parti au pouvoir après l'élection de 1952. Un point de convergence : le renvoi de l'archevêque réformiste de Montréal, Joseph Charbonneau (qui, en fait, possédait quelques actions dans *Le Devoir*), et son remplacement par Paul-Émile Léger. Le nouveau prélat tenta « de raffermir le contrôle de l'Église sur les fidèles, de stimuler la foi religieuse et de résister au matérialisme croissant de la société montréalaise[42] ». Toutefois, les écoles, les hôpitaux et les services sociaux qui avaient été sous l'emprise de l'Église pendant si longtemps se trouvaient submergés par les besoins matériels et spirituels de ce flot de travailleurs qui s'étaient rués vers les usines et les ateliers de Montréal après la guerre. D'ailleurs, la population de la métropole était passée de 1 139 921 en 1941 à 1 620 758 en 1956. L'influence catholique dans la ville de Québec était plus faible que dans les régions, où l'Union nationale de Duplessis exerçait toujours son emprise.

La tension montait. À l'automne 1952, une grève des travailleurs du textile à Louiseville déclencha violence et effusions de sang, et nécessita l'intervention des policiers. Duplessis déclara que la réponse du gouvernement était justifiée, en argumentant que la société reposait sur deux piliers — l'autorité religieuse et l'autorité civile — qui ne devaient pas être ébranlés. Si l'un était en péril, l'autre en souffrirait. Dans les pages du *Devoir*, André Laurendeau en était déjà venu à la conclusion que le gouvernement ne défendait plus les intérêts du public, et qu'aux yeux des travailleurs, il n'était vu que « comme un allié de l'employeur ». La nièce de Laurendeau se souviendra plus tard qu'elle eut l'impression que « le salon des Laurendeau était le quartier général des combattants de la gauche », réunissant leurs forces pour battre Duplessis[43]. Le syndicat catholique CTCC organisa une rencontre juste avant Noël 1952 pour discuter d'une grève générale, mais il s'agissait plutôt d'une confession de sa faiblesse que de sa force. La CTCC n'était l'organisation que d'une partie des ouvriers au Québec, alors que la Fédération des unions industrielles du Québec (FUIQ) et la Fédération provinciale du travail du Québec (FPTQ) rivalisaient pour obtenir l'adhésion de membres et le pouvoir. Même si la CTCC s'était développée plus rapidement que tout autre syndicat, elle n'obtenait pas le même appui financier du syndicalisme universel que ses rivaux. Cette faiblesse économique fut l'un des facteurs qui menèrent la CTCC à prendre la décision de ne pas se lancer directement en politique.

En décembre de la même année, Trudeau attaqua le gouvernement dans *Cité libre*, déclarant que les travailleurs du Québec nettoieraient le système politique, puisque les vieux partis n'offraient aucune possibilité de changement[44]. Très tôt l'année suivante, dans une émission à Radio-Canada, il expliqua ses convictions en plus amples détails. Il affirma que dans une démocratie, un corps policier ne devait pas avoir l'autorisation de s'en prendre aux familles des membres du syndicat, de faire sauter un autobus ou de briser une grève légale. Mais une grève générale n'était pas non plus la solution. Les réponses apportées par quelques religieux bien intentionnés étaient tout aussi inefficaces, que ce soit une envolée de prières ou une dictature quasi fasciste qui s'en prendrait à des propriétaires d'usines. Il déclara que ces réponses trahissaient l'illettrisme politique des Canadiens français. En effet, il était notoire, selon lui, que les Canadiens anglais possédaient des réflexes politiques plus justes que ceux des Canadiens français. Mais cette supériorité n'était pas arrivée par hasard, disait-il, elle dérivait d'une instruction civique continue, prodiguée à l'école comme dans la vie quotidienne, et que mettaient en pratique les Canadiens anglais qui réfléchissaient, écrivaient et discutaient d'affaires sociales. Il affirma que le Québec devait d'abord choisir la démocratie, et qu'un bien commun s'ensuivrait. Sinon, une haine des « règles » naîtrait, la désobéissance civile s'éveillerait, puis engendrerait la violence, faisant paraître le « massacre » des travailleurs du textile de Louiseville comme une simple partie de plaisir[45].

Sous certains angles, les opinions de Trudeau étaient naïves, mais ses railleries sur l'excellence de la démocratie canadienne-anglaise étaient de la provocation délibérée. Néanmoins, il s'emballait de plus en plus à propos du Québec et de son avenir, ainsi que de sa participation aux débats qui tournaient autour des changements qui se produisaient. André Malavoy, autre participant à ces débats, se souvient des « stupéfiants » affrontements intellectuels dans les années cinquante :

> Tout bon observateur pouvait prévoir des changements imminents, un bouleversement même, dans la structure politique, le mode de vie, la mentalité. Les intellectuels engagés en majeure partie se trouvaient liés à la politique, ainsi qu'il en est dans toute période prérévolutionnaire. À vrai dire, ceux qui comptaient n'étaient pas très nombreux ; guère plus de deux cents peut-être et presque tous se connaissaient, se fréquentaient.

Mais comme c'était riche tout ça, disait-il, ces rencontres, ces longues nuits de discussion, ces projets et ces rêves[46].

Emmanuel Mounier, catholique français, personnaliste et créateur d'*Esprit*, avait enseigné à Trudeau « à voir, à juger, à agir ». Le temps était venu d'agir.

Cet été-là, Trudeau commença à rencontrer directement les travailleurs pour la première fois depuis sa brève apparition aux mines Sullivan en Abitibi quelque sept ans plut tôt et son incursion à Asbestos en 1949. Après tout, le groupe de *Cité libre* et lui-même s'étaient mis d'accord pour dire que, en principe, les travailleurs représentaient le meilleur espoir pour renverser le régime de Duplessis par des moyens démocratiques et donner ainsi naissance à un État québécois moderne et laïque, dont les dirigeants seraient de jeunes intellectuels francophones comme eux. Trudeau s'était bien préparé à agir au moment où les principaux joueurs monteraient sur les tribunes publiques. Sa formation en droit et en économie lui apporta les outils nécessaires pour anéantir nombre des arguments du gouvernement de Duplessis et des nationalistes conservateurs, et il le fit avec des coups d'épée souvent vifs et profonds.

Deux événements affectèrent profondément les activités de Trudeau au milieu des années cinquante et vinrent préciser ses opinions sur la place du Québec dans le Canada, de même que sur sa propre place dans la vie intellectuelle québécoise et canadienne. Le premier événement fut la décision de l'Ontario d'accepter un accord de location de domaine fiscal avec le gouvernement fédéral, brisant de ce fait l'alliance entre les deux plus grandes provinces canadiennes contre le centralisme autoritaire du fédéral. Cette décision prit Duplessis par surprise et le força, ainsi que ses rivaux, à examiner non seulement les sources de recettes de la province, mais aussi la réaction du Québec à la présence de plus en plus forte du gouvernement fédéral dans la vie sociale et économique des Canadiens. En février 1953, quand Maurice Duplessis institua une commission d'enquête parlementaire sur les relations fédérales-provinciales, présidée par le juge Thomas Tremblay, on demanda à Trudeau de rédiger la première version du mémoire de la Féderation des unions industrielles du Québec pour cette commission. Le second événement fut la décision de Pelletier, en 1954, de confier à son ami la révision longtemps reportée d'un livre sur la grève de l'amiante. Cette tâche donna à Trudeau un rôle de dirigeant au sein d'un groupe d'intellectuels respectés et, plus important encore, l'occasion de rédiger l'introduction et la conclusion de cet ouvrage. Le destin en avait ainsi décidé.

Trudeau se plaignit plus tard du fait qu'on ne croyait pas autour de lui qu'il avait « travaillé » durant les années cinquante. Ces commentaires l'avaient mis en colère : « Mais, vous savez, avait-il répliqué, je travaillais bougrement fort, à écrire des articles, à préparer mes dossiers en vue de procédures de conciliation ou à administrer la succession de mon père, chose qui n'intéressait ni mon frère ni ma sœur, à recevoir des clients ou à rendre visite à des groupements ouvriers[47]. » Ses récriminations étaient justifiées, car dans ses documents personnels, on retrouve des exemples d'arbitrages où il avait pris le parti des ouvriers. Il avait pris soin de préparer des notes pour ses visites estivales au sein de la classe ouvrière. Il fit des exposés et organisa des discussions avec des travailleurs dans des sous-sols d'églises ou dans les lieux de réunion syndicale. Il pouvait passer une semaine ou un long week-end à prolonger des séries de présentations lors de séances éducatives. Il rédigea et reformula également le contenu de nombreuses émissions, de réunions et d'articles. La création du journal *Vrai* par son ami Jacques Hébert amena d'autres échéances. Son horaire était chargé de sorte que, lorsqu'il voyageait, il traînait son travail avec lui.

Trudeau enfourchait sa moto pour se rendre dans des écoles de métiers, portait des chemises à col ouvert sous son blouson de cuir et avait l'air d'un véritable instituteur de campagne. Il expliquait de façon classique le fonctionnement du système économique, tout en prenant soin de porter attention à la place du travailleur et du syndicat. Bien qu'il fût membre de la CCF, ses conférences n'étaient pas centrées uniquement sur l'idéologie, et il acceptait l'idée que les propriétaires devaient faire des profits. Il était, bien sûr, propriétaire lui-même et se souciait des profits générés par les actions que possédait sa famille dans le parc Belmont à Montréal. Même lorsqu'il parlait de syndicalisme, il ne mentionnait pas la nationalisation, sujet qui dominait à l'époque les congrès du Parti travailliste britannique. Lors d'un cours donné dans une école de métallurgie en janvier 1954, Trudeau présenta avec soin les principes de l'économie keynésienne sans jamais mentionner Keynes : les excédents budgétaires en périodes d'inflation compensaient le déficit en périodes de chômage, assurant ainsi à long terme la prospérité du pays. Il fut payé 25 $ pour ce cours, mais il renvoya le chèque, peut-être pour surprendre les organisateurs qui avaient sûrement dû entendre des histoires sur Trudeau et son rapport à l'argent[48]. Dans un autre cours, en 1956, il parla de politique plutôt que d'économie, même si celle-ci s'insinua dans son discours lorsqu'il parla des devoirs et des compétences respectives des gouvernements fédéral et provincial.

Le travail de Trudeau pour la commission parlementaire sur les relations fédérales-provinciales de Tremblay fit de lui un personnage important au Québec et au Canada et un expert reconnu des questions constitutionnelles et de partage des pouvoirs. Pour écrire le mémoire de la Fédération des unions industrielles du Québec, il travailla étroitement pour le Congrès du travail du Canada et son directeur de recherche, Eugene Forsey, charmant et influent historien du monde ouvrier. Au moment de rédiger ce mémoire, le débat sur l'économie du fédéralisme canadien avait déjà été soulevé par la publication de l'ouvrage *Le fédéralisme canadien : Évolutions et problèmes*, de Maurice Lamontagne. Son message, qui provenait de la plume d'un éminent économiste du Québec, avait suscité un appui enthousiaste à Ottawa, mais les nationalistes québécois l'avaient dénoncé. Ayant accepté l'argument keynésien présenté par Trudeau aux travailleurs, Lamontagne soutenait que seul un gouvernement central pouvait s'assurer de la prospérité et de la sécurité économique nées des politiques d'après-guerre. Dans cette optique, il concluait que seule une plus complète intégration dans la société canadienne pouvait assurer au Québec les ressources fiscales nécessaires pour moderniser sa société et apporter une sécurité économique aux Canadiens français[49]. Trudeau ne connaissait pas Lamontagne, l'un des fondateurs, avec le père Georges-Henri Lévesque, de la faculté des sciences sociales de l'Université Laval (qui irritait encore plus Duplessis que *Cité libre*), mais il reconnut chez Lamontagne une parenté d'opinions[50], parenté qui n'échappa ni à Duplessis, ni aux nationalistes traditionnels du Québec. La bataille était entamée autour de la commission Tremblay.

À l'instar de Trudeau, Lamontagne y alla d'une approche fonctionnelle, basée sur les nouvelles sciences sociales et sur une meilleure compréhension des niveaux économiques, afin que les spécialistes puissent les utiliser pour garantir la croissance économique et l'égalité. *Le Devoir*, si critique envers Duplessis dans plusieurs domaines, rejeta néanmoins les déclarations de Lamontagne, affirmant qu'un « État bien-être inspiré des politiques d'Ottawa résulterait en un véritable cauchemar bureaucratique et technocratique fait de statistiques, de rapports et de programmes, tous incompatibles avec les réalités socioéconomiques complexes et en constante évolution, tant à l'échelle locale que régionale. L'État bien-être d'Ottawa mènerait à l'enrégimentement de tous, rendant la population dépendante d'une bureaucratie lointaine, "qui ne serait pas empressée de naître, de grandir, d'étudier, de travailler, de souffrir, de vieillir et de mourir"[51] ». Pour Trudeau, cette attaque envers Lamontagne allait trop loin ; cependant, malgré une similarité de langage et d'approche, il n'était pas en accord sur tout avec celui-ci. Il basait son opinion sur sa propre expérience à Ottawa, où il en était venu à croire que le gouvernement libéral de Saint-Laurent était trop négligent quand venait le temps de fouler les terrains provinciaux. Cette expérience et le fait d'être reconnu comme économiste donnèrent du poids à ses paroles.

Quand la Fédération des unions industrielles du Québec présenta son mémoire à la commission Tremblay en mars 1954, celui-ci suscita un intérêt immédiat en raison de son contenu, mais aussi de sa prose limpide et quelquefois éloquente. En substance, il disait ceci : la Fédération est faite d'hommes et de femmes qui dépensent tout leur salaire et toute leur énergie à assurer leur sécurité matérielle et celle de leur famille. Ils savent qu'ils sont influencés davantage par le besoin impérieux de gagner leur pain quotidien que par les garanties constitutionnelles de leur évolution religieuse, culturelle et politique, car il faut vivre avant que de philosopher. La survie de la langue et de la culture française dans cette ère industrielle dépend non pas de la loi ni des congrès littéraires, mais plutôt des efforts acharnés que l'on doit à la classe ouvrière. Le texte de Trudeau poursuivait avec une analyse détaillée de la condition économique de la classe ouvrière québécoise, de même que de l'infériorité économique des travailleurs du Québec par rapport à leurs homologues ontariens.

Cette analyse, sinon cette approche, reflétait en gros celle de Lamontagne, mais certaines différences apparaissaient dans les détails. Trudeau croyait que le gouvernement fédéral devait posséder les pouvoirs suffisants pour assurer la stabilité et la croissance économiques, mais que cela ne nécessitait pas (comme le recommandait Lamontagne) le remplacement des accords sur la location des domaines fiscaux par des subsides. La faiblesse de la législation du travail au Québec ne justifiait pas non plus un amendement à la Constitution pour en transférer le pouvoir au gouvernement fédéral. Il disait que dans une fédération, un tel pouvoir appartenait d'ordinaire à l'échelon régional. Une plus grande coopération entre paliers de compétence était essentielle, mais chacun se devait de respecter des frontières raisonnables. Au lieu de réduire ou d'éliminer des secteurs relevant des provinces, les provinces elles-mêmes devaient s'assurer d'avoir les revenus nécessaires pour s'acquitter de leurs responsabilités. En fait, disait-il, l'unité d'une société politique dépendait de la volonté d'assurer un minimum vital à tous les membres de cette société, où qu'ils vivent.

Le rôle du gouvernement fédéral était clair : il avait la responsabilité de la stabilité économique. Mais en même temps, et Trudeau insistait sur ce point, les gouvernements provinciaux devaient avoir le pouvoir de taxation nécessaire et la responsabilité de l'éducation et de la famille, des secteurs de compétence strictement provinciale. Le gouvernement fédéral devait mettre fin aux subventions aux universités et aux allocations directes aux familles et les fonds devaient revenir aussitôt aux provinces[52].

Eugene Forsey, directeur de recherche pour le Congrès du travail du Canada, avait gribouillé de grands points d'interrogation sur l'extrait d'une version que Trudeau lui avait envoyée. Ce dernier était toujours imprévisible. Quand les nombreux réformateurs du Québec, notamment les professeurs et les administrateurs des collèges, ridiculisèrent le refus de Duplessis d'accepter des subventions du gouvernement fédéral aux universités, Trudeau prit son parti, une position qui aurait d'importantes répercussions. Son attitude en étonna plus d'un, mais elle renvoyait à ses convictions de plus en plus précises sur le fédéralisme canadien et à sa méfiance à propos d'Ottawa. Il se demandait pourquoi les Québécois ou les autres Canadiens devaient s'en remettre entièrement « pour l'avenir du fédéralisme canadien, au savoir-faire des économistes fédéraux ». D'autres traces de son scepticisme envers Ottawa durant les années cinquante se manifestèrent dans un article de *Cité libre* ; il y attaquait, en plus d'André Laurendeau et des nationalistes traditionnels, le refus d'Ottawa de considérer la déduction fiscale des impôts payés au Québec sur les impôts payés au fédéral : le gouvernement fédéral, disait-il, et ses fonctionnaires futés s'accommodaient trop aisément d'un système qui, au moins jusqu'en 1954, fraudait ni plus ni moins les contribuables québécois[53].

Au milieu des années cinquante, Trudeau était devenu un observateur vigilant du fédéralisme canadien et un défenseur des droits provinciaux. Mais en même temps, il demeurait un réformateur social qui croyait en la responsabilité du gouvernement fédéral en matière de croissance et de stabilité économique, ainsi que de promotion de l'égalité au sein des peuples et des nations. Il n'est donc pas surprenant qu'il ait attiré l'attention des Canadiens anglais, qui voyaient en lui un adversaire parfaitement bilingue et bien articulé au gouvernement « réactionnaire » de Duplessis au Québec. Par l'entremise de son ami Frank Scott, Trudeau rencontra les principaux intellectuels de la CCF, de même que Eugene Forsey et d'autres alliés au Congrès du travail du Canada. Ces Canadiens anglais reconnurent immédiatement son utilité politique. Trudeau ne croyait pas en une révision majeure de la Constitution et ne dénigrait pas l'influence des institutions britanniques dans l'évolution des habitudes démocratiques. Ses manières avaient le don de rendre furieux les nationalistes conservateurs du Québec, tel l'historien Robert Rumilly, qui l'estampilla comme un Canadien français qui allait à Toronto pour lancer des injures aux Canadiens français, en anglais, devant les Anglais, dit-il, et cela lui valait les louanges de ceux qui le considéraient comme un grand esprit, un génie. Cette sévère description des arguments de Trudeau par Rumilly ne les déformait pas pour autant: Trudeau croyait que les Canadiens français avaient bêtement subordonné leur politique et leur économie à la défense de leur appartenance ethnique. De plus, leur catholicisme résistant les avait rendus trop respectueux de la hiérarchie, et il en résultait ainsi une attitude qui, selon lui, « combine superstition politique et conservatisme social[54] ».

Rumilly, partisan de Duplessis au Canada et monarchiste en France[55], ne voyait en Trudeau qu'un gauchiste, même s'il ne niait pas la sincérité de ses croyances catholiques. Les écrits de Trudeau, qui reflétaient la tradition sociale progressiste du personnalisme catholique, puisaient de plus en plus dans les sciences sociales contemporaines qui continuaient de se développer aux États-Unis et, à plus petite échelle, en Grande-Bretagne. Pour cette raison, ses paroles et les sources auxquelles il puisait résonnaient dans le Canada anglais. Cependant, les sciences sociales anglo-américaines seules n'expliquaient pas le caractère de ses analyses et de son discours vers le milieu des années cinquante.

Après sa rencontre avec l'archevêque Léger, les reproches du père d'Anjou et ses nombreuses querelles avec des membres du clergé, Trudeau était encore plus déterminé à faire chanceler l'Église catholique du Québec. Sa plume devint visiblement plus laïque; sa détermination à défier le conservatisme religieux, plus marquée; son enthousiasme à se dire anticlérical, beaucoup plus grand. Il perdit tout intérêt pour les débats au sein de l'Église et s'appliqua à argumenter contre cette Église. Sylvia Ostry, une intellectuelle remarquable, jeune économiste à l'époque, se souvient comment Trudeau pouvait s'animer et devenir émotif quand il discutait avec elle dans les cafés de la présence oppressante de l'Église au Québec[56]. Quand il fut mis sur la sellette dans *L'Action catholique* pour avoir dit que les ecclésiastiques devraient se retirer complètement de la politique, il argumenta de nouveau, mais de façon plus élaborée, dans les numéros suivants du *Devoir*[57]. Il devint petit à petit une personnalité publique, tout comme ses collègues de *Cité libre*. Il raffolait des débats sur des sujets tels que « Le Canada a-t-il besoin d'autres partis politiques? » (Trudeau craignait un nouveau parti nationaliste qui serait conservateur) ; « Le Canada a-t-il besoin de forces armées plus puissantes ? » (Non, selon Trudeau, qui montrait du doigt la « futilité d'une bonne partie de nos efforts militaires ») ou encore « Les Canadiens ont-ils besoin d'une carte d'identité ? » (Trudeau s'y opposait fermement.) Trudeau attisa la colère de Duplessis lorsque, dans le cadre de l'émission de télévision *Idées en marche*, il manifesta son appui à la déclaration de Louis Saint-Laurent, qui disait que le Québec n'était pas une province « différente au point de vue constitutionnel ». Tout comme la télévision, Pierre Trudeau captait de plus en plus l'attention[58].

À cette époque-là, il avait une nouvelle détermination et prenait une tout autre direction. Quand il partit en voyage en 1954, il apporta avec lui une longue liste d'amis à qui il écrirait, et parmi eux se trouvaient de nombreuses femmes. Le désespoir qu'il avait manifesté à Pelletier à propos de lui-même et de l'avenir, et auparavant à Helen Segerstrale, s'était envolé. En août 1955, il écrivit à Helen, qui s'était depuis mariée et vivait en Europe. Son ton était ostensiblement différent lorsqu'il lui dit qu'il avait fait ce que l'on attendait de lui, pratiquant le droit auprès des syndicats canadiens, mais aussi écrivant et faisant de la radio et de la télévision. Tout cela le satisfaisait pleinement, disait-il, surtout parce qu'il savait qu'il pouvait assouvir son goût des voyages de temps en temps[59].

Pierre Trudeau était enfin chez lui.

CHAPITRE 7

À la veille de la révolution

La grève de l'amiante qui eut lieu dans les Cantons-de-l'Est en 1949 fut une étape décisive dans l'histoire du Québec — et dans la vie de Pierre Trudeau. La grève permit en fait à Trudeau de se définir, davantage qu'elle ne modifia la situation de la province. La victoire des syndicats catholiques, obtenue par la négociation, fut surprenante, mais elle s'avéra peu efficace pour la suite des choses. Le régime de Duplessis ne s'effondra pas, et l'Église catholique conserva son emprise. Trudeau découvrit rapidement qu'il ne pouvait pas obtenir de poste à l'Université de Montréal mais, au moins, il était indépendant, grâce à son héritage et à sa propre volonté. Il resta déterminé à tirer profit de l'expérience que représentait la grève.

Les syndicats internationaux, qui avaient appuyé vigoureusement la grève, cherchèrent un moyen d'en profiter. Quelques-uns des leaders de la grève, y compris Gérard Pelletier, Jean Marchand et les militants du Congrès canadien du travail (CCT), estimèrent qu'il fallait écrire un livre retraçant les diverses expériences vécues par les grévistes, leurs sympathisants cléricaux et intellectuels et les syndicats — qui, pour la première fois, avaient fait preuve d'une exceptionnelle détermination en affrontant le gouvernement Duplessis et les multinationales du domaine minier. Deux ans plus tard, Recherches sociales, un groupe financé par le Congrès canadien du travail afin de promouvoir le socialisme chez les francophones, reçut le mandat de publier un ouvrage qui analyserait de quelle façon la grève avait constitué « un tournant dans l'histoire sociale du Québec » et qui permettrait de tirer « des leçons cruelles ou réconfortantes (...) qui exigeaient d'être portées à la connaissance du grand public[1] ». Professeur de droit à l'université McGill et militant socialiste, F. R. Scott dirigeait le projet et Gérard Pelletier fut nommé rédacteur en chef. Lorsque l'emploi du temps de Pelletier devint trop chargé, son codirecteur chez *Cité libre*, Pierre Trudeau, prit la relève. Trudeau n'avait jusqu'alors jamais édité de livre, pas plus qu'il n'avait encore rédigé d'essai analytique quelque peu consistant, du type requis dans ce cas-là pour l'introduction et la conclusion du livre. Le projet recelait un important potentiel mais s'avérerait un défi.

À cette époque, Trudeau avait trente-deux ans. Il arbitrait des conflits de travail, faisait de la recherche pour le mémoire de la Fédération des unions industrielles du Québec (FUIQ) qui serait présenté à la commission Tremblay sur les relations fédérales-provinciales, écrivait des articles pour *Cité libre* et des journaux divers, enseignait aux travailleurs l'été, pour un salaire minime ou pour rien du tout, et, bien entendu, voyageait[*]. La plupart des auteurs qui avaient accepté d'écrire les autres articles pour le livre sur la grève de l'amiante travaillaient étroitement avec le mouvement ouvrier : Maurice Sauvé était conseiller technique pour la Confédération des travailleurs catholiques du Canada (CTCC), Pelletier était rédacteur en chef du journal *Le Travail* de la CTCC et y était directeur des relations publiques, Jean Gérin-Lajoie travaillait pour les United Steel Workers ; et Charles

[*] Malheureusement, Trudeau ne conserva aucun carnet détaillé dans les années cinquante, comme il l'avait fait pour ses voyages précédents. Néanmoins, ses brèves notes montrent qu'il utilisa les occasions de voyage pour parfaire ses opinions politiques. En Europe, à l'automne 1951, la leçon qu'il tire de son étude des différents systèmes de parti est que les bureaucrates devraient être plus efficaces, et il conclut que le plus grand besoin du Québec est une fonction publique autonome et compétente. Il conserva toutefois une liste complète de ses voyages prolongés effectués en 1951-1952, qu'il subdivisa en neuf différentes catégories fascinantes : villes, architecture, aventure, caractéristiques nationales, théâtre, musique, arts, antiquités, et paysages. La catégorie « architecture » contient peu d'éléments, mais ils sont particuliers : l'élégante Villa d'Este en Italie et les œuvres de Le Corbusier à Moscou et à Paris. Les éléments sur la musique sont plus intéressants : *Der Rosenkavalier* à l'Opéra de Berlin, Pablo Casals au Prado, un ensemble soudanais dans le désert de Khartoum, et des tambours pygmés au Congo. La catégorie « aventure » est caractéristique et amusante : il dort à la belle étoile dans la forêt équatoriale parmi les babouins enragés, il traque l'éléphant et le buffle, il participe à des émeutes au Caire, il nage dans le Bosphore, il contredit le Politbureau. Voyages 1951-1952, FT, vol. 12, dossier 14.

Lussier, tout comme Trudeau, pratiquait le droit du travail. Parmi les autres auteurs on comptait le père Gérard Dion de l'Université Laval, rédacteur en chef de la revue *Relations industrielles*, Réginald Boisvert, un auteur se spécialisant dans les dramatiques télévisées mettant en vedette la classe ouvrière, et le brillant jeune sociologue de l'Université Laval Fernand Dumont, qui avait accepté d'explorer les forces historiques « derrière le conflit de l'amiante[2] ». F. R. Scott écrirait l'avant-propos. Scott, un travailleur discipliné, fut bientôt réduit au désespoir lorsqu'il constata que l'éditeur et les auteurs manquaient continuellement leurs échéances[3]. Il y eut un autre retard à l'automne 1955, lorsque Trudeau tenta, en vain — avec l'aide de l'écrivaine Anne Hébert, pour qui il avait eu le béguin mais qui ne partageait pas ses sentiments —, de trouver un éditeur français. À son grand malheur, Trudeau s'aperçut que le Québec contemporain ne suscitait que peu d'intérêt à Paris[4].

La publication du livre fut une nouvelle fois retardée en raison du départ de Trudeau pour l'Europe à l'hiver de 1955-1956, mais il essaya, avec l'aide de l'expert en sciences sociales Jean-Charles Falardeau, de rassembler les différentes parties de l'ouvrage pendant son voyage. Les manuscrits se firent attendre, et les promesses ne furent pas tenues. Falardeau lui-même s'excusa bassement dans une lettre qu'il écrivit à Pierre juste avant Noël : il comprenait, disait-il, et Frank [Scott] comprenait, et Gérard [Pelletier] comprenait son impatience, et même le ton de dégoût qu'il avait manifesté quelque temps auparavant. Il [Trudeau] avait rempli ses obligations ; il avait terminé la révision du livre et s'était occupé rapidement de toutes les tâches fastidieuses ; avec raison, il en avait eu assez à l'été. Falardeau fut stupéfié que Trudeau, dans ces circonstances et en dépit de tout, dit-il, soit resté si patient. Lorsqu'une chose importait, Trudeau pouvait certainement être patient[5].

Enfin, en 1956, le texte complet fut prêt, et c'est *Cité libre* qui le publia. Trudeau écrivit deux essais importants pour l'ouvrage : une longue introduction décrivant les contextes social, économique et culturel entourant la grève, et un épilogue concernant les répercussions de celle-ci sur les événements survenus au Québec après 1949. Polémiques, éloquents et empreints de colère, ces textes demeurent ses meilleurs écrits analytiques. À travers le prisme de la grève de l'amiante, Trudeau mit en lumière la réalité calamiteuse du Québec du XXe siècle, une époque de « silences serviles et hébétés » au cours de laquelle la doctrine sociale de l'Église fut « invoquée au Canada français à l'appui de l'autoritarisme et de la xénophobie » jusqu'à ce qu'à Asbestos, en 1949, les « cadres sociaux (...) vermoulus parce que faits pour une autre époque » se désagrègent finalement[6]. Les nombreuses ébauches et nombreux retards confirment que Trudeau prit soin de choisir ses mots et autres propos incendiaires. Ce qui distingue ces textes d'autres écrits de Trudeau, c'est la recherche détaillée qu'il y apporta, en particulier sur l'histoire économique du Québec, et la présentation d'un grand nombre de faits soutenant son argumentation. En termes propres aux sciences sociales, il chercha à réorganiser les « faits » inscrits dans l'expérience historique du Québec et à établir ensuite de nouvelles normes de comportement dans cette société. Quoique presque tous les arguments apportés fussent déjà apparus dans les écrits antérieurs de Trudeau, ils étaient présentés cette fois de manière plus claire et plus logique, dans une brillante tentative pour convaincre « une génération entière [qui] hésite au bord de l'engagement » de mettre à bas les icônes surannées et « d'interroger l'avenir avec ses riches alternatives[7] ».

Trudeau organisa méticuleusement son introduction, en débutant par les « faits » suivis des « idées », puis des « institutions ». Les faits établissaient que le Québec avait bénéficié de l'industrialisation et de la modernisation, bien que les retombées de cette richesse n'aient pas été aussi profitables à la population francophone qu'aux autres parce qu'elle avait combattu la modernisation « corps et âme ». Les idées avaient eu leur importance : « Mais au Québec, durant la première moitié du XXe siècle, notre pensée sociale fut tellement idéaliste, (...) tellement étrangère aux faits, (...) qu'elle ne réussit à peu près jamais à prendre corps dans des institutions dynamiques et vivantes. » Le nationalisme était devenu un moyen de défense qui avait donné de l'importance aux forces adverses au progrès : la langue française, le catholicisme, l'autoritarisme, l'idéalisme, le mode de vie rural, et, plus tard, le retour à la terre. Alors que les Canadiens français faisaient face à une Amérique du Nord matérialiste, commerciale et de plus en plus démocratique, le nationalisme devint une école de pensée rejetant le présent au profit d'un passé imaginaire[8].

Les institutions propres à un État moderne étaient soit entravées, soit mort-nées au Québec, poursuivait-il, principalement à cause de la prédominance de l'Église catholique romaine et de sa doctrine conservatrice et nationaliste. Les syndicats ouvriers étaient faibles, la presse servile, et les partis politiques corrompus. La faute en revenait aux dirigeants et non au peuple, car l'Église n'avait jamais encouragé l'éducation politique des masses. Les citoyens qui, après la messe dominicale, tenaient d'édifiants discours sur l'intérêt commun de la société, vendaient leur vote pour une bouteille de whisky la journée des élections. Cependant, ces mêmes dirigeants se refusaient simplement « à toute action politique susceptible d'opérer des réformes économiques » parce que « les réformes des économistes libéraux étaient proposées par des "Anglais", et que les réformes socialistes l'étaient par des "matérialistes" ». Au lieu de quoi, ils poursuivaient le rêve chimérique d'un retour à la terre et du corporatisme, une philosophie économique « qui avait l'avantage de ne présupposer de [leur] part aucune réflexion critique ». L'Église et l'État alliaient leur voix pour exclure ou condamner ceux qui remettaient en question ce consensus, que ce soient les communistes, la Cooperative Commonwealth Federation (CCF), la gauche, ou les Anglais. Les universités, sous la férule du clergé, évitaient non seulement la réflexion critique, mais également la technologie moderne et les sciences sociales. De cet échec collectif découlait l'importance de la grève de l'amiante qui prenait « figure de bouleversement[9] ».

Trudeau attaqua de façon virulente les principaux représentants du nationalisme et de la doctrine sociale catholique au Québec. Il accusa l'érudit père jésuite Richard Arès et l'économiste Esdras Minville d'ignorer les sciences sociales modernes et le monde contemporain lui-même. Il associa l'abbé Groulx à l'autoritarisme et à la xénophobie. Il accusa André Laurendeau de craindre toute réforme mise de l'avant par le gouvernement fédéral parce qu'elle représentait une menace à la « moralité catholique » et au rêve du corporatisme, au sein duquel l'individualisme disparaîtrait et les élites seraient organisées pour gérer la société. Il critiqua François-Albert Angers, conservateur et économiste nationaliste, pour son adhésion au corporatisme, son opposition à l'interventionnisme de l'État, et sa condamnation du socialisme. Il attaqua divers chefs de l'Église en raison de leur opposition au socialisme et à la CCF, parmi lesquels le père Georges-Henri Lévesque, bien qu'il admît que Lévesque eût récemment démontré une attitude plus libérale en tant que doyen de l'École des sciences sociales de l'Université Laval. Et il condamna même François Hertel, son ami et mentor d'autrefois, pour l'écriture d'un article publié en 1945 dans lequel il s'exprimait avec nostalgie sur la nécessité du corporatisme[10].

Quoique Maurice Duplessis demeurât sa cible principale, peu de gens échappèrent aux attaques incessantes de Trudeau. Paul Gouin, l'oncle de Thérèse, reçut des éloges pour avoir fondé l'Action libérale nationale dans les années trente, mais fut néanmoins critiqué pour s'être allié à Duplessis. L'exil de l'évêque Charbonneau à Victoria devint un symbole du caractère oppressif de l'Église et de son aversion pour la liberté de parole. À contrecœur, Trudeau donna crédit à l'Église pour ses efforts au sein des associations caritatives, des organisations d'assistance sociale et des agences d'adoption, mais de toute façon, concluait-il, « l'esprit et le cœur [de l'Église] étaient ailleurs, et regrettaient encore l'âge d'or où un petit peuple rural se blottissait contre son pasteur[11] ». Évidemment, Jean-Charles Falardeau et Frank Scott s'inquiétèrent de l'impact qu'auraient les commentaires de Trudeau sur ces individus*.

Le texte de Trudeau constitue une analyse sociale et politique mordante et souvent amère qui révèle plus clairement que jamais ses convictions. Trudeau y définit les grandes lignes de ce qu'il appellerait plus tard la « société juste », une société où la protection des droits assure une participation démocratique au développement de la politique publique. Il était farouchement antinationaliste — non seulement opposé au nationalisme conservateur du Québec, mais se méfiant d'une doctrine qui fermait ses portes aux idées, aux gens et aux biens matériels. En raison des liens que

* Falardeau écrivit une longue lettre à Scott dans laquelle il dit avoir demandé à Trudeau de faire référence au père Lévesque et à l'École des sciences sociales de Laval de manière plus juste et historiquement objective, et de calmer le ton de ses affirmations concernant des gens comme M. Minville, etc. Scott et Falardeau valorisaient tous deux une extrême rigueur du point de vue éditorial, compte tenu des difficultés qu'ils avaient éprouvées dans leurs recherches d'un éditeur et parce qu'ils s'attendaient à ce que le livre soit sévèrement critiqué. Quand il fut enfin terminé, Falardeau écrivit à Trudeau pour lui dire qu'ils apprendraient d'importantes leçons de toute cette affaire : « C'est tout un autre livre qu'il faudrait. » Falardeau à Scott, 7 septembre 1955, et Falardeau à Trudeau, 27 juillet 1955 et 13 avril 1956, FT, vol. 23, dossier 16.

l'Église entretenait avec le nationalisme conservateur du Québec et de son opposition au « progrès », il était d'avis que celle-ci devait se retirer du domaine socioéconomique et confiner son action aux questions d'ordre spirituel, où sa présence était entièrement justifiée.

Trudeau apparaît ici comme un véritable « modernisateur », ayant la conviction que les besoins matériels avaient leur importance dans une société démocratique et que la science sociale contemporaine ainsi que l'économie keynésienne étaient essentielles à l'obtention d'un bon niveau de vie. Il apparaît aussi comme un socialiste coulé dans le moule du Canada britannique. Son texte identifiait la CCF comme une « grande occasion manquée ». Même si on affirma plus tard que Trudeau ne fut jamais un homme de parti, cette œuvre laisse clairement voir que l'organisme reflétait intimement ses opinions, tout comme les reçus pour paiement de droits à la CCF en 1955 démontrent sa participation aux campagnes de la CCF*. En l'occurrence, lors d'un congrès organisé par *Le Devoir* en février 1955, Trudeau — vêtu d'un élégant complet avec cravate et mouchoir posé à la perfection — scandalisa son auditoire en prônant ardemment le socialisme pour le Québec. « Monsieur Elliot-Trudeau », comme le quotidien l'avait incorrectement nommé, reprochait au *Devoir* de ne posséder aucune philosophie économique, affirme en substance le journal. Une sorte de schizophrénie, déclara-t-il, s'était emparée des rédacteurs du *Devoir* en cette matière[12].

Tout comme nombre de ses leaders, Trudeau croyait que le plus grand espoir pour l'avenir de la CCF résidait dans le mouvement syndical dont les avancées des années quarante ne s'étaient pas poursuivies dans les années cinquante, époque de la guerre froide. Il rejetait le « messianisme prolétarien » de la gauche communiste, mais il croyait que le socialisme démocratique de l'Europe de l'Ouest pouvait constituer une option. Il terminait ainsi l'épilogue du livre : « Le seul véhicule puissant de renouveau c'est l'industrialisation ; et nous voyons aussi que ce véhi-

* De même que les commentaires de Thérèse Casgrain, militante à la CCF, qui écrivit au premier ministre de la Saskatchewan, Tommy Douglas, le 16 avril 1955, lui demandant si Pierre Trudeau, qu'il avait rencontré et qui était l'un des jeunes Canadiens les plus prometteurs, dit-elle, pouvait assister à la conférence fédérale-provinciale en compagnie de la délégation de la Saskatchewan. Fonds Douglas, vol. 671, coll. 33.1, Archives de la Saskatchewan.

cule ne nous porte vers la liberté et la justice que quand il est soumis à la force d'un syndicalisme éclairé et puissant. » En guise de conclusion, Trudeau tournait son regard au-delà des frontières du Québec et décrivait avec bienveillance l'Amérique du Nord et le Canada anglais. Le Québec, disait-il, ne pouvait arrêter le monde de tourner et demeurer en vase clos, tout comme « les catholiques et nationalistes Espagne, Mexique, Argentine » ont appris qu'une « révolution sanglante » pouvait renverser « des superstructures démodées ». Heureusement, « nous », le peuple catholique français du Québec, « avons ici la soupape d'une économie continentale, et celle d'une constitution fédérale, où prédominent le pragmatisme, le laïcisme et le sens du devenir[13] ». Pour la toute première fois, Trudeau avait clairement énoncé les mérites du Canada pour lui-même et pour sa province.

Sous-jacente à la clarté de la vision, par-delà la rhétorique du débat et l'abondance de preuves statistiques, les articles de Trudeau exprimaient une profonde colère. Il n'est pas surprenant qu'en retour ils aient suscité aussi de la colère et qu'ils continuent d'en susciter alors que des historiens modernes réexaminent les événements importants survenus au Québec au cours des années cinquante et soixante. À cette époque, dans *L'Action nationale*, François-Albert Angers consacra six articles aux attaques de Trudeau contre le nationalisme et à sa promotion du socialisme, craignant que cela puisse mener à l'homogénéisation avec le Canada anglais. Trudeau fut davantage troublé par la réplique du père Jacques Cousineau, un jésuite éminemment respecté qui avait agi comme médiateur lors de la grève de 1949 et que l'on considérait comme un partisan des droits des syndicats et des travailleurs. Cousineau fit remarquer le rôle qu'avaient joué les syndicats de confession catholique lors de la grève et l'activité de plusieurs membres importants au sein de l'Église lors de sa médiation et de sa résolution — ce dont Trudeau n'avait pas tenu compte. Ce n'était que de la critique, mais Cousineau dépassa les bornes en prétendant que Trudeau ne se faisait que l'écho des opinions de la CCF et de son chapitre québécois, le Parti social-démocratique (PSD). Le père Arès, rédacteur en chef de la revue jésuite *Relations*, qui fut fréquemment pris à partie dans l'article, refusa de publier la réponse de Trudeau ou même sa lettre au rédacteur. Si cela déçut Trudeau, il ne fut pas surpris du désaveu de ses anciens mentors jésuites à l'endroit de leur ancien étudiant émérite.

Trudeau s'attendait à ce que le néo-nationaliste André Laurendeau, dont il avait fait la connaissance dans les années trente, avec qui il avait lutté contre la conscription et la politique militaire canadienne dans les années quarante, et avec lequel il avait débattu dans la presse et à la télévision dans les années cinquante, l'attaque dans les pages du *Devoir* pour ses opinions. Laurendeau le fit, mais avec retenue. Tout en convenant que le nationalisme conservateur du gouvernement Duplessis et la pensée sociale de l'Église constituaient des obstacles aux réformes sociales et à tout changement important, il estimait que Trudeau simplifiait à outrance les faits et ignorait les défis véritables auxquels devait faire face, pour assurer sa survie, un peuple d'expression française dans l'Amérique du Nord moderne. Toutefois, il estimait que le texte de Trudeau constituait une brillante et évocatrice ode à la liberté : par ses arguments, ses idées et sa prose, il présentait « une personnalité remarquable » à la vie publique québécoise[14]. Cependant, Laurendeau reprocha à son collègue sa colère et les attaques personnelles qu'il lançait à l'endroit de ceux qui avaient livré les mêmes batailles que lui, et essuyé les mêmes revers. À tout le moins, disait-il, Trudeau s'était montré impoli, en particulier envers bon nombre de ses anciens mentors et professeurs.

Si les textes de Trudeau sur la grève de l'amiante ont marqué l'histoire intellectuelle du Québec, ils ont également balisé de manière décisive son propre cheminement intellectuel. En les lisant, nous pouvons sentir que Trudeau, l'étudiant qui chérissait farouchement son individualité, l'adolescent que l'autorité irritait, et le jeune amant qui rêvait d'un refuge contre la mainmise étouffante de la moralité catholique, a le sentiment de s'être enfin libéré. Son passé est devenu un pays autre, un pays qu'il a en grande partie abandonné et dont les monuments ne lui inspirent plus d'égards. Toutes ces longues journées et ces longues nuits passées au collège Brébeuf à se plonger dans les textes du chanoine Groulx et dans diverses encycliques papales lui apparaissent maintenant comme du temps perdu. Son interprétation des changements historiques se concentre principalement en des termes proches du marxisme sur les forces économiques et rejette le rôle de la pensée sociale qui, au Québec, ne reflète pas la réalité[15]. Comme plusieurs de ses collègues de *Cité libre*, il considère que ses années d'études ont été employées inutilement, car l'enseignement qu'il a reçu ne colle aucunement à la vie réelle des travailleurs ou aux besoins contemporains du Québec*.

Le jeune catholique anticommuniste, idéaliste mais traditionnel, qui avait manifesté contre Malraux, qui avait soutenu Pétain et qui avait probablement lancé des pierres dans les vitrines de boutiques tenues par des Juifs était devenu, dans la jeune trentaine, un socialiste qui se servait de la dialectique marxiste pour comprendre les changements économiques et qui, de façon notoire, professait que les prêtres ne détenaient pas plus de droit divin qu'un premier ministre ou qui que ce soit d'autre. Tout juste une décennie plut tôt, Trudeau avait vigoureusement soutenu les opinions nationalistes du Bloc populaire canadien, financé le journal nationaliste conservateur *Notre Temps*, et son nom revenait même lorsque certains nationalistes songeaient à un leader pour un mouvement indépendantiste. Ainsi, au milieu des années quarante, il se consacrait à la pensée catholique et nationaliste, François Hertel était un proche compagnon, et l'abbé Groulx, un conseiller qu'il admirait. Au milieu des années cinquante, il élaborait ses propres opinions et rompait avec ses racines : il admonesta son mentor Hertel, attaqua son ami Arès et ridiculisa François-Albert Angers, celui-là même qui l'avait soutenu contre le père Braun après son périple en Union soviétique.

Le séjour de Trudeau à Ottawa fit naître en lui du ressentiment en ce qui concerne le statut de citoyen de deuxième ordre propre aux Canadiens d'expression française au sein de la fonction publique canadienne. Les années cinquante passées à Montréal lui procurèrent cependant une formation pratique qui fit de lui un féroce adversaire du gouvernement conservateur et nationaliste de Duplessis et un critique plein de ressentiment envers l'Église qui avait tenté de le faire taire, lui et ses collègues. Par ses liens avec Frank Scott, la CCF, le mouvement canadien du

* Gérard Pelletier demanda à Jean Marchand, qui avait étudié à l'Université Laval, où le père Lévesque établissait l'École des sciences sociales, ce qu'il avait appris à l'université. Sa réponse fut des plus laconiques : « Rien. » Pour sa part, Pelletier qualifia son éducation universitaire de « pâles études ». Gérard Pelletier, *Les années d'impatience (1983)*, p. 110.

travail, et sa participation au sein de l'Institut canadien des affaires internationales (grâce auquel il avait pu participer à deux conférences internationales en Afrique et en Asie), Trudeau put établir des relations avec des Canadiens anglais qui portaient un grand respect à ses études faites à Harvard et à la London School of Economics[16]. Comme il avait une grande facilité à s'exprimer en anglais — il était même parfois fort éloquent dans cette langue — et qu'il aimait les voyages à l'étranger. Il était souvent invité à donner des conférences ou à participer à des émissions diffusées au Canada anglais. Sa belle apparence, l'élégance parfois fantaisiste de ses goûts vestimentaires et ses opinions imprévisibles avaient fait de lui l'une des figures les mieux connues des cercles culturels et intellectuels de Montréal, et la télévision permettait de le faire connaître — et de faire connaître ses idées — à un plus vaste auditoire. Alors que certaines choses évoluaient, certaines autres demeuraient inchangées. Il restait difficile à cerner, mystérieux aux yeux de ceux qui l'entouraient. Et il poursuivait ses ambitions pour la vie publique, quoique son but précis demeurât encore nébuleux.

Le livre *La grève de l'amiante* parut à l'automne historique de 1956, au moment où la France, le Royaume-Uni et Israël conspiraient pour attaquer l'Égypte, amenant le monde à deux doigts de la guerre. Les troupes soviétiques, pendant ce temps, écrasaient l'insurrection hongroise et montraient à la face du monde le brutal mépris du bloc communiste à l'égard des droits démocratiques et individuels. En France et ailleurs, les intellectuels communistes abandonnaient le Parti communiste tout en restant désabusés devant l'Ouest en raison de la conspiration des gouvernements français, britannique et italien afin d'écraser le nationalisme arabe. En 1957, les États-Unis, l'Union soviétique et le Royaume-Uni, qui s'accrochait désespérément à son statut de grande puissance, avaient testé la bombe à hydrogène ; ils étaient en mesure de détruire l'humanité en quelques minutes. Les Soviétiques avaient testé un missile balistique à longue portée impossible à intercepter, et le président Nikita Khrouchtchev avait admis les crimes du passé soviétique.

Au Canada, le gouvernement libéral sentait le vent de changement en matière de politique internationale et le premier ministre Louis Saint-Laurent avait condamné la collusion entre Français et Britanniques, déclarant que l'ère des *supermen* était révolue. Même si ses remarques offensèrent nombre de Canadiens anglais, ceux-ci s'accordaient sur un point important : les vieux empires coloniaux s'écroulaient à un rythme accéléré. À Bandung, en Indonésie, en 1955, le premier ministre Jawaharlal Nehru et d'autres leaders de nouveaux États ou d'États émergents avaient déclaré leur neutralité dans la guerre froide. « Mes sœurs et mes frères », avait déclaré le président de l'Indonésie Achmed Sukarno, « comme nous vivons dans un monde extraordinaire !(...) Nations et États se sont réveillés d'un sommeil qui durait depuis des siècles (...) Nous, les peuples d'Asie et d'Afrique, qui comptons pour plus de la moitié des habitants de la planète, pouvons mobiliser ce que j'ai appelé la "violence morale des nations" en faveur de la paix[17] ».

Trudeau admit rapidement la justice de cette cause. Ses voyages l'avaient rendu méfiant vis-à-vis des frontières — des dangers qu'elles provoquaient et des dommages qu'elles causaient aux populations qui vivaient à proximité. Il s'inquiétait du nationalisme dans les pays émergents aussi bien qu'au Canada. En 1957, il se joignit à un groupe du Commonwealth sous les auspices de l'Entraide universitaire mondiale qui voyageait au Ghana, le premier pays du Commonwealth à avoir accédé à l'indépendance. S'il se réjouissait de cette libération, il se préoccupait de l'avenir des habitants du pays. Au cours de discussions, il défendit l'idée que « la culture n'est possible que si le peuple est capable de se doter des instruments de gouvernement[18] ». Il s'inquiétait toujours de la faiblesse de ces instruments dans le monde en émergence. Et il avait raison.

Ce déferlement d'événements stimula Trudeau et d'autres comme lui au Québec. Les tenants du nationalisme conservateur de Duplessis et les chefs de l'Église catholique romaine étaient de plus en plus amenés à se défendre, alors que Trudeau et ses collègues prenaient fait et cause pour les idées formulées dans la Déclaration universelle des droits de l'Homme de 1948 aux Nations Unies. Ces principes, en retour, influencèrent une série de décisions juridiques importantes au Canada dans les années cinquante. Trudeau, en tant qu'avocat, se mit à travailler en étroite collaboration avec l'Association canadienne des libertés civiles et tout particulièrement avec F. R. Scott, et à faire la promotion des droits individuels. En 1957, la Cour suprême du Canada invalida finalement la fameuse Loi du cadenas de Duplessis datant de 1937, qui permettait à l'État de « cadenasser » tout établissement où il estimait que des activités « communistes ou bolcheviques » se tenaient. Scott était l'avocat principal dans cette cause de même que dans la cause de Roncarelli pour lequel Duplessis, en 1946, avait refusé d'émettre un permis d'alcool (Roncarelli possédait une taverne) parce que celui-ci avait payé la caution de témoins de Jéhovah qui insistaient pour faire valoir leurs droits à la liberté de parole. Roncarelli avait poursuivi Duplessis et la cause avait fait son chemin devant les tribunaux et tout au long des élections de 1952 et de 1956, où Duplessis en avait fait bon usage.

> Les libéraux n'allaient pas prendre parti pour les témoins pas plus qu'ils n'étaient prêts à se déclarer partisans de la cause communiste. Duplessis était donc libre de se faire passer pour le protecteur (...) indispensable de la démocratie et de la chrétienté (...) contre des ennemis qui semblaient ne pas avoir de porte-parole. Tout cela ressemblait à une partie de chasse ; il fallait avoir l'esprit d'un sportif. Duplessis jouait le rôle du grand Nemrod chassant les rongeurs subversifs et le fédéral était le garde-chasse qui venait contrecarrer ses plans[19].

Les libéraux étaient demeurés muets lorsque Duplessis, en 1953, avait fait passer une loi ridicule qui autorisait le gouvernement provincial à interdire tout mouvement religieux qui publierait « des attaques abusives ou injurieuses » contre les religions établies. Une telle législation horrifiait et embarrassait Trudeau. En 1959, le « garde-chasse fédéral » — la Cour suprême du Canada — rendit finalement sa décision en faveur de Scott et de Roncarelli contre Duplessis, auquel on ordonna de payer 46 132 $ en dommages. Ce qu'il fit — l'argent ne provenait pas de sa propre poche mais plutôt de fonds avancés par l'Union nationale.

Même si les historiens ont considéré d'abord les années cinquante comme un « retour à la normale », tout comme les années vingt l'avaient été, lorsqu'on observe de plus près, on peut constater qu'une dynamique de changement était en train d'émerger en des endroits inattendus : des banlieues et des faubourgs, des cafés et de la musique country. Tout comme Jean Marchand avait chanté *Lumières sur ma ville* de Monique Leyrac pendant la grève de l'amiante, dans les années cinquante Félix Leclerc se bâtissait une réputation internationale avec ses chansons racontant la vie des Québécois. Alors que se développait une culture musicale populaire au

Québec, le blues et le rock d'Elvis Presley, de Bill Haley ainsi que les premiers accords Motown jouaient de plus en plus dans les Impalas déambulant rue Sainte-Catherine. Trudeau chérissait Leclerc, Leyrac et d'autres chansonniers, mais considérait le rock comme un étrange dialecte, même si, sur les pistes de danse à la fin des années cinquante, le jeune homme ne se laissait pas prier pour suivre le rythme. Puis, lorsque sa mère mit de l'ordre dans les avoirs fonciers des Trudeau, elle proposa à Pierre de prendre un pied-à-terre au 518 de la rue Sherbrooke Ouest, au cœur du nouveau district de la vie nocturne. Même s'il conserva son adresse à la maison d'Outremont où sa mère habitait, le pied-à-terre du centre-ville le rapprocha de l'effervescence nouvelle des rues de Montréal à l'aube des années soixante. Il lui conféra également une indépendance, au moment même où s'intensifiaient son attirance et son intérêt pour les femmes.

Madeleine Perron, en l'occurrence, écrivit une note faisant l'éloge de *Cité libre*, mais surtout de son rédacteur en chef. Dans cette note, elle lui demanda s'il avait le temps, entre « deux conquêtes », de lui envoyer un exemplaire du dernier numéro. Elle termina son message en transmettant son admiration à l'auteur, ses hommages et respect au prince, et un gros bec à Pierre. Doris Lussier, qui devenait un comédien de plus en plus populaire dans la nouvelle émission de télévision vedette *La famille Plouffe*, diffusée aussi en anglais sous le titre de *The Plouffe Family*, l'appuya dans son attaque du cléricalisme dans *Cité libre*, terminant son message en souhaitant longue vie à sa liberté. Il n'avait pas son pareil, il était comme un dieu grec, disait-il. Lionel Tiger, professeur à McGill qui aimait bien aussi la vie nocturne de Montréal, chargea Trudeau de transmettre ses hommages à la femme exquise avec qui il le voyait parfois avoir du bon temps.

Tiger fait probablement référence ici à Carroll Guérin, une artiste et à l'occasion mannequin, qui était, à n'en pas douter, d'une beauté exquise, et l'une des compagnes les plus assidues de Trudeau vers la fin des années cinquante. Par son élégance, sa manière de s'habiller et son apparence, elle ressemblait de manière frappante à Grace Kelly, l'actrice américaine qui avait épousé le prince Rainier de Monaco et faisait la une des journaux à sensation de l'époque. Et effectivement, Trudeau faisait des conquêtes, comme un dieu grec, ou comme le prince Rainier. Lorsqu'une étudiante, alors qu'il se trouvait en Angleterre, ne répondit pas à ses appels, il lui écrivit cette note :

> Peut-être suis-je en train d'avoir l'air ridicule, tel un coureur gentleman à la recherche de la femme idéale. (...) Il n'empêche que pour un bref moment, le printemps est plein de promesses et comme je repars en France bientôt, je me risque encore une fois, quitte à essuyer un autre « peut-être ». Je vous invite donc à prendre le thé, ou à dîner avec moi, ou à m'accompagner au théâtre ou au cinéma ou au concert, ce mercredi 26. Si vous vouliez bien daigner accepter ou refuser mon invitation, j'attendrai votre appel au Dominions Hotel. (...) Sinon je vous attendrai à la porte de l'Academy, 65 rue Gower, entre 17 h 15 et 17 h 45 mercredi.

Hélas, nous ne savons pas si elle se présenta. Mais beaucoup d'autres acceptèrent l'invitation[20].

À une époque marquée par les conventions, Trudeau était différent, et sa différence plaisait. En sa qualité d'avocat, il joua un rôle majeur dans la lutte contre l'orthodoxie durant les années cinquante, à mesure que les tribunaux faisaient tomber les barrières de préjugés qui s'étaient érigées autour des clubs privés et des groupes sociaux. Cette vague de causes impliquant les droits civils au cours de cette décennie réveilla les instincts judiciaires de Trudeau, rappelant son indignation des années quarante lors de l'emprisonnement de Camillien Houde et d'Adrien Arcand. En 1954, l'extraordinaire décision de la Cour suprême américaine relativement à la ségrégation raciale dans les écoles haussa la mise pour les Canadiens qui, du haut de leurs certitudes, avaient auparavant critiqué les Américains alors même qu'ils fermaient les yeux sur la ségrégation envers les Juifs régnant dans les écoles ou les clubs et les universités de Halifax et du sud de l'Ontario[*].

Vrai devint le fer de lance de ceux dont les droits avaient été bafoués ou restreints, que ce soit des témoins de Jéhovah, des malades mentaux ou Wilbert Coffin, un guide en régions inexplorées qui, selon Jacques Hébert,

[*] Dans son étude sur les races et la justice canadienne, James Walker a clairement démontré que le Québec n'était pas déphasé par rapport aux autres administrations canadiennes quant à la restriction des droits des Asiatiques, des Juifs et des Noirs. En 1954, alors que le gouvernement fédéral révisait la *Loi sur l'immigration*, le ministre des Finances Walter Harris expliqua que les origines ethniques de la population canadienne seraient maintenues dans un équilibre raisonnable. De cette façon, disait-il, on éviterait l'afflux de personnes dont la vision des choses

le rédacteur en chef de *Vrai*, avait été condamné à tort pour le meurtre de trois chasseurs américains. Dans ces campagnes, Trudeau se joignit à Hébert, un ami proche, et écrivit pour lui de longs articles qui expliquaient les origines de la démocratie et de la liberté. Lorsque Duplessis annonça la tenue d'élections le 20 juin 1956, Trudeau décida de rester au Québec ce printemps-là et il participa activement à la campagne — activement, mais pas au sein du Parti libéral. Le Parti libéral ne constituait pas encore une option acceptable, bien que son chef, Georges-Émile Lapalme, l'eût restructuré et eût recherché des candidats de plus grande valeur. Mais les coffres du parti étaient à sec, alors que l'argent qui coulait à flots à l'Union nationale était versé sans vergogne à des journaux favorables au parti, ou utilisé pour acheter des cadeaux aux électeurs et pour récompenser les circonscriptions qui avaient élu ses candidats. La victoire décisive de Duplessis sembla confirmer le fait que, au Québec, il était possible d'acheter une élection. Pour celle-ci, le premier ministre de soixante-six ans, quatre fois reporté au pouvoir, avait fait face à une coalition d'adversaires qui allait des syndicats de travailleurs jusqu'au mouvement du Crédit social. Il était parvenu néanmoins à occuper les manchettes des journaux, notamment dans les régions rurales qu'il affectionnait particulièrement, avec des attaques incendiaires, affirmant que le gouvernement fédéral, et plus particulièrement le ministre Jean Lesage, était intervenu pour importer au Québec « des œufs communistes » en provenance de la Pologne. Avant que les libéraux aient pu s'en remettre, l'Union nationale « avait déjà alerté toute la province en distribuant des brochures et en faisant paraître des annonces dans les journaux, évoquant l'arrivée imminente d'une flotte communiste arborant le drapeau rouge orné du marteau et de la faucille, ce qui allait forcer les Québécois sans méfiance à consommer au petit déjeuner les œufs qu'avait fait venir le gouvernement fédéral[21] ».

---

différait substantiellement de celui du Canadien moyen, respectable et qui vit dans la crainte de Dieu. Le *Globe and Mail* estima que Harris était allé trop loin, mais, de manière révélatrice, il exprima faiblement son désaccord : de qui nous protège-t-on, demandait-il, des Arabes, des Zoulous, de qui d'autre encore ? Personne n'a proposé sérieusement d'accepter des immigrants d'aucune autre partie du monde que l'Europe occidentale. Cité dans James Walker, *« Race », Rights and the Law in the Supreme Court of Canada* (Waterloo : Wilfrid Laurier Press, 1997), p. 248.

Pendant ce temps, la CCF avait changé de nom pour devenir le Parti social démocratique (PSD) sous la gouverne d'une amie de Trudeau, Thérèse Casgrain — la fille d'un courtier en Bourse et millionnaire canadien-français, et elle-même une femme remarquable et d'une grande beauté —, qui avait dirigé la campagne en faveur du droit de vote des femmes au Québec pendant plusieurs années. Grace Trudeau annonça le changement de nom à Trudeau à la fin de l'été 1955, alors qu'il se trouvait en Europe, au volant de sa Jaguar. « Savais-tu que la CCF venait de changer de nom ? Madame Casgrain est passée à la télévision la semaine dernière pour donner *son opinion* — comme elle me l'a fait remarquer aujourd'hui au téléphone — mais le changement de nom du parti n'était sans doute pas l'unique raison de son appel. » En octobre, elle lui apprenait également que « madame Casgrain » lui avait téléphoné pour discuter d'un article sur elle paru dans *Le Devoir.* Dans l'ensemble, elle l'avait aimé, sauf pour un commentaire sur sa silhouette, qualifiée de « taille haute *et robuste* ». De l'avis de Grace, le cliché qui accompagnait l'article démentait l'utilisation de l'adjectif « robuste[22] ». Trudeau avait appuyé Thérèse Casgrain dans cette entreprise bizarre de repositionner le parti, mais, une fois dans l'isoloir du bureau de scrutin d'Outremont, nous ne savons pas s'il vota pour Lapalme (qui représentait les libéraux dans la circonscription et qui l'emporta par une écrasante majorité) ou s'il fut l'une des 726 âmes qui votèrent pour le candidat du PSD (qui finit dernier, derrière les communistes).

Nous savons par contre que Trudeau se joignit à plusieurs autres personnalités de la gauche, parmi lesquelles figurait René Lévesque, dans la rédaction d'une lettre au *Devoir* fustigeant le Parti libéral pour avoir lancé des attaques « nationalistes » fallacieuses contre le PSD, l'accusant d'être centralisateur et contrôlé par des Canadiens anglais[23]. Au total, le PSD n'obtint que 0,6 % des votes, alors que Duplessis triomphait avec 51,8 % et soixante-treize sièges, des chiffres légèrement supérieurs à ceux qu'il avait obtenus en 1952[24]. Ce fut une terrible défaite pour les libéraux, qui ne remportèrent que vingt sièges, trois de moins qu'aux dernières élections, avec 45 % des votes. Ces résultats mettaient en évidence l'inefficacité de l'opposition et l'iniquité du système électoral.

Que signifiait le triomphe de Duplessis ? Est-ce que tous ces articles soigneusement écrits, ces brillantes analyses sur l'inévitable libération du Québec d'un passé sous la férule de l'autoritarisme et des curés, et l'opposition engagée de tant des meilleurs esprits issus des universités, de la presse et des médias avaient compté pour si peu ? Comment cela avait-il pu se produire ? Dans son premier article à *Cité libre* en 1950, Trudeau avait demandé à ceux qui s'opposaient au régime en vigueur au Québec de faire preuve d'une « intelligence froide ». Peut-être ne l'avaient-ils pas fait.

Les résultats de l'élection, mais également le refus de libéraux d'intégrer le programme de *Cité libre* à leur plateforme électorale, laissent supposer que Trudeau et ses collègues semaient beaucoup de graines dans un terrain très peu fertile. *Cité libre* occupe une place privilégiée dans l'histoire, du fait que ses dirigeants devinrent ultérieurement des personnalités éminentes au Québec et dans la vie publique canadienne. À ce moment cependant, le journal ne faisait qu'exaspérer Duplessis et, en règle générale, on s'en préoccupait peu. Il ne s'imposait pas en tant que lecture incontournable auprès des politiciens et des fonctionnaires de Québec[25]. De plus, sa portée était étonnamment restreinte et sa publication, irrégulière. Au cours des quatre dernières années de pouvoir de Duplessis, de 1956 à 1959, *Cité libre* publia, à intervalles irréguliers, un grand total de neuf numéros. Le registre des abonnements n'était pas plus impressionnant. En février 1954, *Cité libre* ne comptait que 444 abonnés, desquels 115 n'avaient pas acquitté leur paiement ou ne pouvaient être retracés. Le reste des exemplaires était vendu par les dirigeants de la revue ou dans les librairies. Pour l'année 1957-1958, le tirage s'élevait à 1500 exemplaires, comparativement à 15 000 pour *Relations*, qui était contrôlée par les Jésuites, et à plus de 2000 pour *L'Action nationale*.

De plus, la portée de *Cité libre* et le profil des abonnés au milieu des années cinquante étaient décevants. La publication ne comptait que six abonnements provenant de la France et quelques autres hors de la province de Québec ou d'Ottawa. Les grandes aspirations d'une revue qui offrirait un complément ou même ferait compétition à la socialiste et politiquement influente revue *Esprit* avaient été abandonnées. Les Français, comme cela se produisait trop souvent, n'avaient pas accepté la main chaleureusement tendue des « citélibristes » et, à la fin des années cinquante, Trudeau, Pelletier, et d'autres maugréaient contre *Esprit* et son ignorance du Québec. Les membres de l'équipe éditoriale du journal devaient constamment rappeler à leurs amis de renouveler leur abonnement; ils apportaient des exemplaires aux conférences et soutiraient quelques dollars à ceux qui en avaient les moyens. Trudeau envoya des lettres ironiques à certains amis, leur faisant savoir que, s'ils étaient vraiment sans le sou, ils n'avaient pas à s'acquitter des 2$ de frais d'abonnement; si tel n'était pas le cas, ils devraient payer. Pierre Vadeboncoeur, dont la contribution fut initialement payée par Trudeau, compensait en vendant avec enthousiasme des exemplaires partout où il allait. Pour Guy Cormier, déménagé au Nouveau-Brunswick, la pression d'avoir à vendre et à financer personnellement la publication fut trop grande et il tenta de démissionner en 1958. Maurice Blain essaya lui aussi de s'esquiver. Finalement, en 1960, après la chute de Duplessis, la revue fut réorganisée sous la direction de Jacques Hébert, adéquatement financée, et se mit soudainement à prospérer. Ironiquement, ses meilleurs jours étaient derrière elle[26].

Il est facile de tourner en ridicule un groupe d'intellectuels discutant entre eux, partageant de longs dîners et de longs débats arrosés de vin dans des salons ou des sous-sols meublés de canapés en cuir craquelé, leurs petites amies ou leurs épouses demeurant silencieuses ou servant à boire, et les hommes questionnant sans relâche les nouvelles recrues et se disputant sur l'emplacement des virgules*. Mais malgré la rareté de ses parutions et ses limites, Trudeau, lui, attachait une énorme importance à *Cité libre* à cette époque — de même que par la suite. Il n'occupait

* L'écrivain Jean Le Moyne fut invité à une réunion avec dix-huit participants au sous-sol de Charles Lussier. « Je pouvais voir, dans la faible lumière, une petite bouteille de vin à chacune de ses extrémités et un dominicain, homme à la fois austère et paternaliste, qui avait pris place au centre. (…) Le débat était extrêmement élevé, mais tellement sérieux et pontifiant que j'eus envie de m'enfuir. Nos réunions [à *La Relève*] étaient très différentes. Elles se déroulaient autour d'un fantastique repas et étaient entrecoupées de rires et de discussions littéraires. À la fin de la soirée, nous nous retrouvions tous sous la table, grisés par le bon vin et les grands idéaux. J'étais en train de penser à tout ça [à ce contraste] quand le dominicain me demanda subitement d'où je venais et je lui répondis: « De sous la table, mon père. » Évidemment, personne ne put comprendre l'allusion, mais s'ils l'avaient comprise, je n'ai pas l'impression qu'elle les aurait fait rire. » Jean Le Moyne, cité dans Stephen Clarkson et Christina McCall, *Trudeau*, vol. 1: *L'homme, l'utopie, l'histoire* (Montréal: Boréal, 1990).

aucun poste à l'université, ne signait aucune chronique régulière dans quelque journal, n'était affilié à aucun parti politique d'importance, ne siégeait à aucun conseil d'administration d'entreprise et, contrairement à René Lévesque qui animait son émission de télévision, il n'apparaissait que sporadiquement à l'antenne de ce prodigieux nouveau média.

Trudeau semblait mal accepter la célébrité de Lévesque, particulièrement lorsque celui-ci devint la sensationnelle nouvelle voix d'expression française à la télévision, après sa captivante couverture de la guerre de Corée. L'anecdote relatant leur première rencontre dans une cafétéria de la Société Radio-Canada est révélatrice. « Salut, les gars ! » lança Lévesque à Trudeau et Pelletier, attablés pour planifier la sortie du prochain numéro de *Cité libre.* Mais avant que Lévesque ait pu s'asseoir, Trudeau avait répliqué : « Dis donc, Lévesque, tu parles drôlement bien, toi, mais je commence à me demander si tu sais écrire. » Lévesque n'avait pas livré quelque article qu'il s'était engagé à écrire. « Écrire… écrire… faudrait d'abord avoir le temps… (…) », avait répondu Lévesque du tac au tac. Mais Trudeau ne s'était pas laissé infléchir. « C'est beau la télévision, mais c'est pas sérieux, tu le sais bien. (…) Tandis que si tu savais écrire, avec un petit effort, des fois… » « Si c'est ça que tu penses, avait éclaté Lévesque, veux-tu bien aller te faire voir ailleurs, maudit intellectuel à la manque[27] ! » Et à cette époque il y avait un ailleurs meilleur, et c'était *Cité libre.*

Bien que les abonnés fussent peu nombreux, ils parlaient beaucoup, et finalement leur importance se fit sentir. Frank Scott félicita les rédacteurs pour leur premier numéro, dans lequel il trouva que l'esprit socialiste était présent même s'il était bien dissimulé. Le sénateur Charles « Chubby » Power, ministre influent de Québec au sein du gouvernement King, écrivit à Trudeau en 1953 pour le féliciter de la parution de sa revue, mais, chose intéressante, il différait d'opinion quant à sa critique véhémente du nationalisme québécois. Le père Georges-Henri Lévesque prit connaissance des idées de Trudeau dans *Cité libre,* tout comme le firent de jeunes étudiants qui, plus tard, feraient leur marque dans l'histoire intellectuelle et politique du Québec. Pelletier se plaignit que, même si le journal avait un énorme impact dans les collèges religieux, cette influence ne se traduisait que par deux ou trois abonnements parce que des exemplaires en lambeaux et des copies clandestines circulaient presque de la même façon que les croustillantes cartes postales françaises. L'auteur Roch Carrier mentionna un jour que, alors qu'un jeune prêtre le questionnait à propos de *Cité libre*, il réalisa rapidement que ce n'était pas pour le réprimander mais bien pour découvrir ce que la publication sensationnelle mais interdite avait dit dernièrement[28]. Comme les revues et les journaux catholiques refusaient de faire paraître les réponses de Trudeau aux critiques de ses écrits, *Cité libre* lui fournissait une tribune pour le faire.

Les lecteurs incluaient Guy Favreau et Lucien Cardin, qui deviendraient tous deux ministres de la Justice dans le cabinet Pearson ; Eugene Forsey, directeur de recherche au Congrès canadien du travail ; nombre de diplomates canadiens, parmi lesquels figuraient Jean Chapdelaine, Pierre Trottier et Marcel Cadieux, qui serait le premier sous-secrétaire aux Affaires étrangères de Trudeau. Lisaient également la revue Daniel Johnson, politicien de l'Union nationale, l'éminent journaliste Blair Fraser, le poète Earle Birney, le brillant jeune philosophe Charles Taylor et le renommé philosophe politique canadien C. B. Macpherson. En sa qualité de rédacteur en chef, Trudeau traitait personnellement les articles soumis par les auteurs et avait le privilège de travailler étroitement avec certains des plus admirables esprits québécois, dont le politicologue Léon Dion, le sociologue Guy Rocher et l'essayiste Jean Le Moyne (qu'il allait nommer rédacteur de ses discours en français lorsqu'il deviendrait premier ministre). Les relations qu'il noua en tant que rédacteur en chef perdurèrent et s'avérèrent importantes[29].

Cependant, les critiques à l'endroit du journal étaient amèrement ressenties. Le résultat des élections de 1956 mit en évidence l'inefficacité politique non seulement de *Cité libre*, mais aussi des autres critiques du gouvernement Duplessis. On était profondément déçu de la performance des libéraux du Québec ; et, chose inquiétante, leur contrepartie à Ottawa commençait également à battre de l'aile. Saint-Laurent s'affaissait dans son siège à la Chambre des communes pendant que l'opposition attaquait férocement l'arrogance de son gouvernement. Le poids des années l'ayant rattrapé, Saint-Laurent semblait incapable de réagir de manière imaginative aux défis posés par le Canada et le Québec. Le gouvernement allait à la dérive et, en 1957, il fut défait par les conservateurs de John Diefenbaker. Ceux-ci ne recueillirent pas la majorité du suffrage de la population, car le Québec demeura en très grande partie loyal aux libéraux et à Saint-Laurent; toutefois, ils remportèrent la majorité des sièges et formèrent le gouvernement le 21 juin 1957. Diefenbaker, qui était unilingue, ne fit élire que neuf candidats au Québec, mais parvint à prendre le pouvoir en suivant une stratégie électorale qui ignorait cette province. Saint-Laurent démissionna peu après, et Pearson, inévitablement, lui succéda. À Montréal, Jean Drapeau, qui avait été élu maire en misant sur un programme de réformes en 1954, perdit son poste en 1957. Pour les réformistes, ce fut une défaite amère et une année misérable.

Ce brusque changement dans le paysage politique déstabilisa Trudeau et ses collègues. Alors, à l'été 1956, il organisa le Rassemblement, un regroupement d'intellectuels, de professionnels et de dirigeants du mouvement ouvrier, avec pour but spécifique de promouvoir la démocratie. Refusant de s'allier à quelque parti que ce soit, il annonça qu'il travaillerait plutôt à promouvoir des avenues progressistes du côté de la politique québécoise. Trudeau avait toujours eu de l'admiration pour les mouvements populaires et leurs dirigeants, des hommes comme Paul Gouin, Henri Bourassa et, à la Ville de Montréal, Jean Drapeau. Ils avaient repoussé les questions d'intérêt au sein des partis traditionnels et décidé de créer leur propre parti, des regroupements qui s'appuyaient sur un mouvement populaire et un programme clair. Trudeau espérait pouvoir faire de même avec le Rassemblement.

Lors de son congrès d'inauguration du 8 septembre 1956, le célèbre scientifique et universitaire Pierre Dansereau, de l'Université de Montréal, devint son premier président, et Trudeau, son vice-président. André Laurendeau, Jacques Hébert et Gérard Pelletier, étaient quelques-uns des directeurs. Le Rassemblement faisait interagir des modernisateurs de *Cité libre* avec des néo-nationalistes comme Laurendeau qui avaient la conviction que l'association entre le nationalisme traditionnel et l'Église était dangereusement mal avisée et que le système social et économique du Québec devait être promptement réformé. Peu de ses membres possédaient une expérience politique de premier plan et la plupart d'entre eux se méfiaient même de l'engagement politique. La nouvelle organisation se situait, de façon équivoque, entre le groupe de lobby et le parti politique. Comme on pouvait s'y attendre, elle ne démontra aucune efficacité politique[30].

Laurendeau, qui avait travaillé avec le Bloc populaire canadien dans les années quarante, se désintéressa rapidement quand les membres se mirent à se chamailler*. Membre de la première heure, le politicologue de l'Université Laval Gérard Bergeron expliqua le problème en 1957 dans la description qu'il fit du membre du « Rassemblement type ». Celui-ci s'était initialement détourné avec mépris de l'implication politique directe, puis était devenu militant de l'action sociale, et soudainement, réalisait au milieu des années cinquante que la solution aux problèmes sociaux devait passer par la « politique » qu'il continuait à mépriser. Dans ses mémoires, Trudeau affirma qu'il s'était tourné vers le Rassemblement parce que les principaux partis au Québec lui semblaient toujours inacceptables et que le Parti social démocratique de la CCF était peu solide, mettait de l'avant des politiques trop centralisatrices et représentait de façon disproportionnée les intérêts des Canadiens anglais. La seule voie demeurait le Rassemblement, « cet organisme fragile et dont la vie serait brève, [qui se] proposait de défendre et de promouvoir la démocratie québécoise menacée par la corruption et l'autoritarisme ».

Tout au long de sa brève existence, ses membres se querellèrent à propos des conditions d'adhésion, d'une possible affiliation au PSD et du rôle qu'il devait tenir dans l'action politique directe. Trudeau croyait toujours que le Rassemblement constituait le meilleur choix politique qui s'offrait à lui et il devint, en 1959, son troisième et dernier président. À cette époque, Laurendeau avait déjà remis sa démission, invoquant que l'intellectualisme du regroupement était trop éloigné des préoccupations de l'électeur ordinaire qui, en fin de compte, déciderait du tour que prendraient les changements sociaux[31].

Les griefs de Laurendeau à l'endroit du Rassemblement étaient inquiétants, mais l'opposition de Jean Marchand était beaucoup plus grave.

---

* Trudeau joutait régulièrement avec Laurendeau et *Le Devoir*. En 1957, il fut invité à une conférence des « Amis du Devoir » et demanda à être un orateur principal. Il débuta son intervention en citant la réponse d'André Gide à la question : qui est le plus grand poète français ? « Hugo, hélas ! » Si l'on demandait à quelqu'un de dire quel est le meilleur journal d'expression française au Canada, poursuivit-il, la réponse devrait être « *Le Devoir*, hélas ! ». *Le Devoir*, 4 février 1957.

Après avoir rencontré le « camarade Marchand » à la fin d'août 1957, Pelletier apprit à Trudeau que Marchand voulait réfléchir à certaines choses avant de poursuivre son affiliation avec le regroupement. Plus précisément, Marchand voulait procéder à une « auto-interrogation, (...) sur les raisons profondes qui nous ont poussés à mettre au monde le R. et sur la correspondance entre le R. (...) et la réalité ». Marchand insistait toujours pour que les activités intellectuelles de Pelletier et de Trudeau soient en lien direct avec la réalité concrète, où les travailleurs devaient se lever à 6 heures du matin pour gagner un salaire à peine suffisant pour envoyer leurs enfants à l'école, et devaient se passer d'une pension qui aurait assuré leurs vieux jours. La Confédération des travailleurs catholiques du Canada (CTCC) était divisée quant à l'utilité du Rassemblement. D'autres syndicats avaient fusionné pour devenir la Fédération des travailleurs et travailleuses du Québec (FTQ) ; cette nouvelle organisation était directement liée au Congrès du travail du Canada et ses dirigeants encourageaient fortement les travailleurs à soutenir la CCF. Qu'allait-il advenir du Rassemblement[32] ?

Finalement, Marchand quitta effectivement le Rassemblement, qui continua de vivoter dans l'incertitude politique. Bien que Trudeau demeurât actif, l'organisation était faible, avec des cotisations qui entraient sporadiquement et un solde bancaire au 15 août 1958 qui ne s'élevait qu'à 71,13 $[33]. Dans *La grève de l'amiante* paru en 1956, Trudeau prônait une société juste reposant sur des principes socialistes, mais un an plus tard, il prenait déjà ses distances du Parti social démocratique, le parti socialiste du Québec, prétendant que la « démocratie » devait précéder la révolution sociale. Le Québec, insistait-il, devait se doter d'une démocratie avant de pouvoir changer ses institutions sociales et économiques.

Malgré ses frustrations à l'endroit de la scène politique du Québec, Trudeau divergeait d'opinion sur un sujet provocant — sa conviction que Duplessis avait agi correctement en refusant les subventions fédérales destinées aux universités —, ce qui l'avait placé dans une position inconfortable par rapport à nombre de ses collègues. Ici aussi cependant, il demeurait fidèle à lui-même, ayant déjà exprimé cette position dans le mémoire qu'il avait rédigé en 1954 pour la commission Tremblay. Sa position avait été rejetée par Eugene Forsey, et l'ébauche avait été modifiée, mais Trudeau n'avait pas changé d'avis[34]. Il avait recommandé la claire division des responsabilités respectives des gouvernements fédéral et provincial, de même que la retenue de la part du gouvernement fédéral lorsque celui-ci utilisait son pouvoir de taxation pour envahir les champs de compétence provinciale. Quand, en 1956, Louis Saint-Laurent alloua au Québec une subvention qui devait être placée en fidéicommis par la Conférence nationale des universités canadiennes jusqu'à ce que Duplessis revienne sur sa décision, l'opposition de Trudeau sembla incompréhensible à certains et en exaspéra d'autres.

Trudeau répondit dans *Cité libre* au mois de janvier suivant, faisant valoir que le gouvernement fédéral n'avait aucunement le droit de prélever un surplus de taxes et de créer des instruments par lesquels il pourrait ensuite envahir les champs de compétence provinciale. La crise des universités, qui, dans les années cinquante, devenaient le moteur de la modernisation, était bien réelle. Entre 1945 et 1953, les inscriptions à l'Université Laval avaient augmenté de 109,6 % et, pendant la même période, le budget du gouvernement du Québec avait augmenté de 194 %. Pourtant, les subventions provinciales versées à l'Université Laval ne s'étaient accrues que de 7 %. Les professeurs, dont les salaires dépassaient ceux de la plupart des autres professionnels en 1940, avaient vu, en 1951, leur rémunération moyenne augmenter de seulement 17,4 % pour passer à 3850 $ par année, alors que, pendant la même période, le salaire d'autres professionnels était passé de 2502 $ à 9206 $[35].

À juste titre, certains professeurs d'université qui avaient mené la lutte dans *Cité libre* pour un financement accru des universités se plaignaient maintenant que Trudeau, que sa fortune personnelle mettait à l'abri du besoin, ne comprenait pas la condition critique dans laquelle ils se trouvaient. Alors que s'échauffaient les esprits, les nationalistes traditionnels et, bien entendu, Duplessis, acceptèrent à contrecœur le soutien de leur adversaire, souvent amer, mais Trudeau se détourna de cette sympathie. Si les universités québécoises étaient pauvres, disait-il, la faute en revenait à Québec, et plus particulièrement au gouvernement provincial qui avait refusé de financer adéquatement les universités. À l'occasion d'un congrès étudiant tenu à l'Université Laval en novembre 1957, il enjoignit les professeurs et les étudiants de déclencher une grève générale afin de forcer Duplessis à se montrer plus généreux*. *Le Soleil,* principal quotidien de la ville de Québec, répliqua au moyen d'un éditorial qui s'en prenait à l'irresponsabilité de Trudeau[36].

Trudeau était peut-être imprévisible, mais il était habituellement conséquent avec lui-même à mesure qu'il façonnait son identité politique. Dans *Vrai,* il rédigea une série d'articles sur la démocratie, le libéralisme, la politique et la pensée politique[37]. Dans d'autres écrits, principalement à *Cité libre,* il définit sa position sur des enjeux précis. À la radio et à la télévision, il s'attira souvent la critique en prenant part à de nombreux débats traitant de sujets d'actualité. Une émission de radio, particulièrement, donna lieu à une controverse considérable. Il y demanda à quel moment il devenait légitime d'assassiner un tyran. Étant donné que nombre de critiques désignaient Duplessis du nom de tyran, Trudeau devait certainement savoir qu'il provoquerait une réaction. Dans un article paru dans *Vrai,* il avait déjà écrit que si l'ordre social était perverti, les citoyens devaient suivre leur conscience plutôt qu'une quelconque autorité. « Et si le seul moyen sûr de rétablir un ordre juste, c'est de faire la révolution contre l'autorité tyrannique et illégale, eh ! bien, il faut la faire. » La réserve qui apparaissait sur l'imprimé — « Personnellement je n'aime pas la violence » — fut perdue dans le média radiophonique. Un politicien municipal bondit dans le débat et déclara que *Vrai* et Trudeau étaient plus dangereux que la presse à sensation, condamnée par les autorités religieuses. L'article de Trudeau, affirmait-il, constituait « un appel direct à la sédition ». « Prêcher la révolution » était très grave.

Jacques Hébert, le rédacteur en chef, répondit pour Trudeau sur le ton sarcastique et personnel de plus en plus répandu dans le débat politique au Québec au milieu des années cinquante : « Brave M. Lauriault, vous avez cru lire : "Faut-il assassiner l'imbécile ?" et vous avez pris peur… Mais rassurez-vous, il s'agissait du *tyran.* Alors vous ne

* Un an plus tard, Trudeau débattit de la question à la radio et affirma que les subventions allaient « contre la Constitution et l'esprit du fédéralisme ». FT, vol. 25, dossier 4.

risquez rien [à titre d'imbécile]. Dormez tranquille. Les révolutionnaires ne gaspillent pas leurs balles à tirer sur les flasques nouilles de votre espèce[38]. »

Afin d'échapper à ce milieu de raisonneurs où prévalait l'esprit de clocher, Trudeau chercha de nouveaux débouchés intellectuels. En mars 1957, le *University of Toronto Quarterly* l'avait invité à écrire un article traitant des partis politiques du Québec. Il déclina l'invitation, alléguant que, « l'orientation de mes actions au cours des prochains mois dépend d'une série de décisions qui sont toujours en cours d'examen par un groupe de personnes, qui n'ont d'ailleurs pas déterminé tous leurs choix. Il s'agit fondamentalement de la question à savoir ce qui adviendra d'un nouveau mouvement ["politique" est biffé] démocratique que nous avons fondé, le Rassemblement. » Il entreprit cependant la rédaction d'un article pour un livre qui devait être publié par Mason Wade, l'auteur du classique manuel d'histoire intitulé *The French Canadians.* Lorsque la parution du livre fut retardée, il soumit l'article au *Canadian Journal of Economics and Political Science (CJEPS)*, qui le publia en août 1958 sous le titre de « De quelques obstacles à la démocratie au Québec ».

Les arguments avancés par Trudeau allaient dans le sens familier du courant d'analyse du développement politique du Québec et se faisaient l'écho d'autres voix, comme celle de Michel Brunet, historien nationaliste de l'Université de Montréal, qui affirmait que trois thèmes dominaient la pensée sociale et politique des Canadiens français : « l'agriculture, l'anti-étatisme et le messianisme ». Mais ces vues étaient nouvelles pour la plupart des Canadiens anglais de l'époque. Le *CJEPS* était lu par pratiquement tous les économistes, les politicologues et les historiens d'expression anglaise ; quelques politiciens et journalistes y étaient également abonnés. L'article de Trudeau fit sensation dans les salles de professeurs, les réceptions et même dans quelques chalets de Muskoka[39].

Usant d'une prose et d'une argumentation polémique vigoureuses, Trudeau expliquait que, selon les Canadiens d'expression française, un gouvernement du peuple par le peuple pouvait ne pas être *pour* le bénéfice du peuple, mais surtout pour la partie de ce peuple qui était d'expression anglaise ; voilà quel avait été le gâchis de la Conquête. Les Canadiens français avaient utilisé la démocratie, mais ils ne croyaient pas en elle. Dans tous les aspects importants de la politique nationale, la ruse, le compromis et une forme subtile de chantage avaient décidé de leur trajectoire et déterminé leurs alliances. Ils semblaient avoir compté pour rien toutes les idéologies politiques ou sociales, à l'exception du nationalisme. Bien qu'il critiquât les Canadiens anglais qui concevaient une démocratie pour eux-mêmes et non pour les autres, sa critique de l'autoritarisme du Québec d'autrefois, de la corruption qui sévissait dans la politique québécoise contemporaine et du mélange de nationalisme, de conservatisme de l'Église catholique romaine et de la faiblesse de l'État québécois trouvait une grande résonance au Canada anglais — trop grande dans certains cas. John Stevenson, journaliste expérimenté au *Times* de Londres, en poste à Ottawa, loua l'article un peu trop généreusement dans une lettre adressée à Trudeau : « Il faut beaucoup de courage moral à un Canadien français pour accuser ainsi ses compatriotes, et vous en avez certainement fait la démonstration. » Il lui en demanda une copie afin de l'envoyer au secrétaire particulier de la reine[40]. L'année suivante, l'article lui valut le prix commandité par le président de l'University of Western Ontario pour le meilleur article spécialisé en anglais. Grace Trudeau nota que le prix fit l'objet d'une couverture importante dans la presse anglophone de Montréal, mais pas dans la presse francophone[41].

Partout où il le pouvait, Trudeau réclamait une plus grande démocratie au Québec. Il couvrit le congrès des libéraux provinciaux de mai 1958 pour le compte de *Vrai* et de la CBC et en arriva à la conclusion que le parti et le congrès étaient antidémocratiques :

> Il serait injuste d'imputer au seul parti libéral un anti-démocratisme qui est la caractéristique de notre peuple tout entier. Certes, un parti qui a dominé pendant si longtemps la vie politique de notre Province doit porter une lourde part de responsabilité en ce qui concerne notre infantilisme politique. Mais enfin d'autres facteurs aussi ont pesamment contribué à cela : l'autoritarisme de nos institutions religieuses et sociales, le complexe d'insécurité issu de la Conquête, la dégradation systématique du civisme opérée sous l'Union nationale, et bien d'autres choses aussi.

Trudeau accusait le Parti libéral d'être antidémocratique non en raison de ses dirigeants ou même de ses politiques mais parce que le

Parti libéral lui-même n'avait pas compris qu'un parti ne pouvait se construire par son sommet. Peu de temps avait été alloué à la discussion de politiques lors du congrès; son objectif, après tout, était de choisir un chef. Trudeau reconnaissait que le nouveau chef, Jean Lesage, qui avait été député fédéral pendant treize ans, était « un batailleur, un organisateur énergique, un homme ambitieux et au demeurant charmant », mais rien ne laissait croire, disait-il, qu'il fût un démocrate, ou qu'un parti, sous son leadership, puisse devenir un mouvement politique populaire, attribut essentiel afin d'éradiquer les forces réactionnaires et l'autoritarisme au Québec[42].

Sur une copie du discours d'acceptation de Lesage, Trudeau avait souligné l'appel qu'il avait fait au parti de viser l'adhésion de tous les honnêtes citoyens qui voulaient servir l'idéal démocratique, disait-il, et aux regroupements qui désiraient poursuivre leur action en marge des partis politiques existants, de se joindre à la bannière libérale afin de vaincre Duplessis. À cet endroit dans le document, Trudeau griffonna « Drapeau[43] ? ».

En 1954, Jean Drapeau avait été élu maire de Montréal à la tête de la non partisane Ligue d'action civique. Se pouvait-il que Drapeau et son mouvement fussent une « alternative » à Lesage s'ils parvenaient à étendre leur rayonnement démocratique au-delà du giron montréalais ? Drapeau, qui peut-être partageait sa vision, invita Gérard Pelletier, Trudeau et le militant Jean-Paul Lefebvre dans le sous-sol de sa maison dans la Cité-Jardin. La discussion tourna mal lorsque, si l'on se fie à Pelletier, Trudeau et Drapeau se querellèrent sur la nature de la démocratie et que « [Trudeau] évoqua des principes inquiétants pour l'esprit pratique d'un Jean Drapeau[44] ». Trudeau croyait vraiment qu'un mouvement populaire fondé sur la jeunesse et une classe ouvrière instruite pouvait amener un réel changement au Québec. Drapeau jugeait cette façon de voir irréaliste.

La persistance des opinions de Trudeau devenait un obstacle aux compromis, et il entrait de plus en plus en conflit avec ses anciens collègues et amis. À la lecture des procès-verbaux des réunions du Rassemblement, on constate que Trudeau tenait un rôle essentiel dans la définition de ses fins et de son orientation. Il fut à la tête de l'initiative visant à détourner le groupe du Parti social démocratique, au grand déplaisir de

Thérèse Casgrain et du nouveau chef du parti, Michel Chartrand, qui avaient espéré que le socialisme de Trudeau l'eût incité à s'engager envers le parti. Trudeau avait collaboré étroitement avec Chartrand lors des campagnes d'opposition à la conscription au début des années quarante et au cours de toutes les actions des travailleurs des années cinquante. Maintenant, ils devenaient des ennemis.

Mais si Trudeau déçut Drapeau, Chartrand et d'autres, il enthousiasma une jeune étudiante d'Ottawa âgée de dix-huit ans, qui l'avait rencontré lors d'une réunion du Rassemblement en avril 1957. Madeleine Gobeil, qui jouera un rôle important dans sa vie personnelle, avait lu *Cité libre* et son livre sur la grève de l'amiante. Maintenant, écrivait-elle, elle voulait en savoir plus sur les mythes qui entouraient Pierre Trudeau[45]. Il répondit à sa lettre en se lançant dans une discussion profonde sur la politique, mais il demeura vague à son sujet. Néanmoins l'intérêt qu'elle lui portait lui plut, et ils demeurèrent en contact jusqu'au mariage de Trudeau en 1971.

Peu à peu, la télévision contribua également à alimenter le mythe qui entourait Pierre Trudeau. Même si ses apparitions au petit écran étaient beaucoup moins fréquentes que celles de Lévesque ou de Laurendeau, il arrivait parfois qu'elles volent la vedette. À une occasion lors de son émission *Pays et Merveilles*, Laurendeau le taquina sur le fait d'être un jeune millionnaire faisant le tour du monde. Était-il monté à bord d'un pousse-pousse chinois, celui que les riches empruntent et qui est tiré par un coolie ? avait-il demandé un sourire aux lèvres. « Oui », avait répondu Trudeau, mais il avait assis le coolie sur le siège et avait lui-même tiré le pousse-pousse[46]. La repartie vive qui faisait la marque de Trudeau l'homme public était déjà là.

~

À l'automne 1958, il devint apparent que Lesage réussissait à s'allier certains adversaires de Duplessis, mais Trudeau ne se laissait pas convaincre par ses arguments. Au contraire, dans la publication de *Cité libre* d'octobre 1958, Trudeau annonça la formation d'un autre groupe, l'Union des forces démocratiques, un mouvement dont l'objectif était de rassembler tous ceux qui croyaient aux principes démocratiques. Ceux qui s'engageaient à adhérer au Manifeste de l'Union des forces démocratiques n'étaient pas autorisés à appartenir à un parti politique qui ne reconnaissait pas l'Union. Avec la main la plus faible, le Rassemblement bluffait et prétendait détenir tous les atouts dans son jeu. Si le Rassemblement existait toujours, l'Union devint le nouveau véhicule de la réforme politique populaire grâce surtout à l'accumulation de signatures qui était censée refléter sa force politique*. Trudeau signa en qualité de président du Rassemblement, mais, pour reprendre les termes utilisés par Behiels, il n'y avait que peu d'autres nouveaux visages inspirants et bien connus[47].

À *Cité libre*, le financement, l'intervalle entre les publications et la dissension grandissante au sein du groupe rendaient Gérard Pelletier mal à l'aise. Le 11 novembre 1958, les directeurs se réunirent à la grande résidence outremontaise de Trudeau, qu'il partageait encore avec sa mère. Ils ne s'étaient pas rencontrés depuis une réunion tenue au mois de mai, et où il y avait eu beaucoup d'absents. Le procès-verbal traduit un humour forcé : l'absence de M. Pierre Vadeboncoeur n'avait été regrettée par personne, celle de M. Gilles Marcotte, dont la sympathie pour *Cité libre* était notoire, avait été lamentable. L'absence de deux directeurs, MM. Charles Lussier et Roger Rolland, dont l'engagement envers *Cité libre* se faisait de plus en plus intermittent, avait été notée. Trudeau commença en déplorant le manque de financement du journal, mentionnant que, par le passé, quelques directeurs avaient eu à payer de leur poche la parution de quelques-uns des numéros. Le procès-verbal n'a pas retenu la réaction des autres directeurs, installés dans une pièce où étaient accrochés un Braque et un Pellan saisissant, à proximité d'élégantes porcelaines, et où un chauffeur attendait à l'extérieur. Ils s'accordèrent pour produire un autre numéro, dont Vadeboncoeur, absent, prendrait la responsabilité

* La critique de l'historien Michael Behiels fut caustique : « La stratégie procédurale avait un mauvais goût d'amateurisme à la boy-scout et une large dose de naïveté politique. Lorsqu'un manifeste public a finalement été signé par vingt et une "éminentes" personnalités politiques en avril 1959, un seul libéral, Marc Brière, avait approuvé le document, et il n'avait pas été mandaté par le parti. » [traduction libre] Voir son ouvrage *Prelude to Quebec's Quiet Revolution : Liberalism versus Neo-Nationalism, 1945-1960* (Montreal and Kingston : McGill-Queen's University Press, 1985), p. 254.

principale. Ils rejetèrent la suggestion de Guy Cormier, qui voulait qu'en première page soit ajoutée la mention voulant que les opinions énoncées dans les articles de la revue ne reflétaient pas celles de *Cité libre* et n'engageaient que leurs auteurs. Pelletier allégua qu'un tel énoncé dissocierait trop la publication des opinions qu'elle contenait.

Les directeurs se réunirent de nouveau juste avant Noël, cette fois-ci au domicile plus modeste de Pelletier, au 2391, rue Benny. Impossible de dire vraiment pourquoi — peut-être était-ce l'approche de Noël, les grelots tintant dans la rue Sainte-Catherine ou les pères Noël dans les vitrines réchauffant l'ardeur des gens —, mais cette réunion fut des plus mouvementées. À un certain moment, Pelletier, qui présidait la réunion, montra Trudeau du doigt en lui disant de se taire parce que, pour une fois, il ne présidait pas, et ne pouvait pas parler quand bon lui semblait[*]. Le procès-verbal indique que Trudeau refusa de tenir compte des réprimandes du président de l'assemblée. Une fois de plus, la réunion tourna mal. Vadeboncoeur, de nouveau absent, avait avisé Trudeau qu'il n'avait pas de temps à consacrer au numéro sur la « paix » qu'il avait proposé précédemment. Ils ne se retrouvaient qu'avec quelques articles potentiels, dont la plupart étaient déjà en retard. Trudeau irait voir si une conférence donnée en décembre 1958 à Ottawa et portant sur l'anniversaire de la Déclaration universelle des droits de l'Homme pourrait fournir quelque matériel utile. Réginald Boisvert promit un article sur trois étudiants universitaires qui protestaient devant le bureau de Duplessis, au nombre desquels figuraient la fille de Laurendeau, Francine, et un futur ministre du cabinet Trudeau, Jean-Pierre Goyer. Cependant, Boisvert démissionna bientôt de *Cité libre* en déclarant qu'il avait perdu intérêt en ses activités[48].

Les deux groupes — le Rassemblement et l'Union des forces démocratiques — avaient apporté de la visibilité aux opinions que professait Trudeau selon lesquelles un vaste mouvement de masse en faveur de la démocratie était nécessaire afin de défaire l'Union nationale et les forces

---

[*] Quelques semaines plus tard, la loquacité de Trudeau fut à l'origine d'une défaite réelle. Selon le numéro des *Nouvelles illustrées* du 27 décembre 1958, Trudeau était un « excellent combattant » lors d'une compétition de judo, mais fut disqualifié « pour avoir trop parlé » — un comportement auquel on ne s'attendait pas de la part d'une ceinture marron de judo.

réactionnaires. Il y avait maintenant un autre argument que l'on allait fortement associer à Trudeau au cours de ces années, celui selon lequel les droits individuels et la participation au processus démocratique devaient primer sur les droits collectifs du groupe et sur l'autorité des dirigeants, qu'ils soient de l'Église ou de l'État. Il devint un avocat militant, acceptant des causes au profit des droits d'individus bafoués par l'État ou l'Église. Ses clients allaient de la Canadian Sunbathing Association, qui avait été victime d'une violente descente par des officiers de la police provinciale du Québec, munie de caméras aussi bien que de revolvers, jusqu'aux patients internés des asiles et des hôpitaux. Les *sunbathers* semblaient avoir piqué sa curiosité, car il passa un temps considérable à faire des recherches sur le dossier. Il soutint également avec énergie Jacques Hébert dans sa défense de Wilbert Coffin et, après la condamnation d'Hébert pour outrage au tribunal, amena victorieusement la cause devant la Cour d'appel du Québec. Il se rapprocha de Frank Scott, qui avait fait le pas directement de la salle de classe à la salle d'audience, et remporté des victoires en Cour suprême dans les causes Roncarelli et de la Loi du cadenas. Trudeau s'assura d'être présent à certaines des séances de ces causes historiques.

Ces décisions, de même que l'annonce par Diefenbaker de la création d'une charte canadienne des droits, intriguèrent Trudeau et le menèrent à s'intéresser aux tribunaux de l'extérieur du Québec. À la conférence de décembre 1958 sur la Déclaration universelle des droits de l'Homme qui se tenait à Ottawa, il fit la connaissance de Bora Laskin, futur juge en chef de la Cour Suprême, qui commençait à se révéler le plus influent juriste du Canada anglais. Laskin et Scott avaient commencé à plaider avec détermination en faveur d'une charte canadienne des droits au milieu des années cinquante ; Laskin plus particulièrement croyait que le débat sur la charte soulevait des questions fondamentales sur le fédéralisme canadien. Son approche comportait plusieurs niveaux : les libertés civiles les plus fondamentales (liberté d'association, de parole et de religion) étaient exclusivement du ressort des autorités fédérales, alors que d'autres, dont celles associées à la procédure juridique ou aux droits économiques, pouvaient être de compétence fédérale ou provinciale, selon le droit en question.

Scott, contrairement à Laskin, demandait l'enchâssement dans la Constitution de tous les droits importants. Trudeau se rangeait du côté de

Scott, considérant de plus en plus la Constitution non seulement comme un moyen de protéger les droits, mais également comme un moyen de restreindre l'idée libérale de propriété qui nuisait au développement d'une démocratie économique. Il avait déjà défendu l'idée d'une charte des droits qui inclurait les libertés civiles les plus fondamentales dans sa présentation à la commission Tremblay, et il allait devenir un participant important dans ce débat, ultimement le plus influent[49]. Le débat associant fédéralisme et libertés civiles déboucha directement sur des discussions concernant l'avenir du Québec lorsque Duplessis ne ferait plus partie de l'échiquier. Par ailleurs, l'apport croissant de Trudeau à ces débats et la publication de son article dans le *CJEPS* l'avaient fait beaucoup mieux connaître au Canada anglais.

Personne ne fut plus important que Frank Scott, écrivain de talent, juriste et militant politique socialiste, pour faire connaître Trudeau au Canada anglais. Trudeau se souvenait d'avoir rencontré Scott pour la première fois alors que celui-ci donnait une conférence à l'Université de Montréal en 1943. Il était venu dire aux Canadiens français qu'il comprenait leur opposition à la conscription. Scott, quant à lui, pensait plutôt avoir rencontré Trudeau lors d'un rassemblement antisémite et anticommuniste à la fin des années trente. Il avait été très inquiet de ce qu'il appelait « le fascisme au Québec » et était devenu un leader dans la transformation du socialisme canadien, passant de l'autoritarisme évident du Manifeste de Regina jusqu'à un parti socialiste démocratique sur le modèle de l'Europe occidentale. Malgré sa haine du fascisme, il avait été au départ contre la participation canadienne à la Seconde Guerre mondiale, et fut celui parmi les Canadiens anglais qui parla le plus haut et fort pour défendre l'opposition à la conscription au Québec.

Scott et Trudeau se rencontrèrent souvent lorsqu'ils travaillèrent sur les questions de liberté civile au début des années cinquante, et devinrent actifs au sein de l'Association canadienne des libertés civiles. Pour Trudeau, Scott représentait l'anglophone idéal : un homme hautement intellectuel dont les idées et les considérations pratiques de la vie politique de tous les jours s'équilibraient ; un avocat constitutionnel qui avait à cœur de protéger les droits individuels au sein d'une charte des droits et libertés ; et un poète qui était également un éminent sociologue. Scott pouvait être légèrement intimidant avec sa haute stature et sa pipe qui lui donnait un air pensif. Les femmes l'adoraient et il le leur rendait bien, au grand désespoir de sa femme Marian, une artiste peintre. Trudeau acceptait volontiers les invitations de Scott à sa maison de campagne des Cantons-de-l'Est, où de belles étudiantes anglophones ne manquaient jamais de se grouper autour du professeur. Il eut également l'occasion de se familiariser avec les plus importants socialistes européens par l'entremise de Scott. C'était là un homme d'une substance considérable, et il intriguait Trudeau[50].

À la fin de l'hiver 1956, juste au moment où le livre sur la grève de l'amiante allait finalement être publié, Trudeau apprit que Scott préparait un voyage afin de connaître *de visu* le Grand Nord. Voyageur d'expérience, il semble qu'il ait appelé Scott pour lui demander de l'accompagner dans son périple. Au début, Scott a été décontenancé, mais il respectait les compétences de Trudeau dans les régions sauvages, et peut-être aussi était-il intrigué par lui. Durant cette excursion en canot, les deux hommes s'entendirent à merveille. Tous deux étaient physiquement robustes, et Trudeau, quoique de plus petite stature, à sa façon bien à lui, relevait des défis qui semblaient téméraires aux yeux de Scott. En poète qu'il était, Scott décrivit une situation où Trudeau s'engageait dans un gigantesque déferlement d'eau à l'endroit où se joignaient la rivière de la Paix et le lac Athabaska. Il lui avait crié : « Vous ne pouvez pas aller là-dedans », mais Trudeau avait poursuivi son chemin :

> Pierre, suddenly challenged,
> Stripped and walked into the rapids,
> Firming his feet against rock,
> Standing white, in white water,
> Leaning south up the current
> To stem the downward rush,
> A man testing his strength
> Against the strength of his country[51]

Tout comme les périples de Trudeau dans les années quarante avaient tracé la voie du héros nationaliste, le périple dans le Nord-Ouest canadien semble avoir été une expérience nationaliste qui fit prendre conscience à Scott et à Trudeau de la vastitude du territoire, de ses dures exigences et des bienfaits qu'il leur rendait. Dans un autre de ses poèmes sur le voyage, intitulé « Fort Providence », Scott écrivit ceci :

We came out of Beaver Lake
Into swift water,
Past the Big Snye, past Providence Island
And nosed our barges into shore
Till they grated on stones and sand.
Gang planks, thrown to the bank,
Were all we had for dock
To drop four tons of freight.

A line of men were squatting
Silently above us, straight
Black hair, swarthy skins.
Slavies they call them, who left
Their name on Lake and River.
None of them spoke or moved
Just sat and watched, quietly,
While the white man heaved at his hardware.
Farther on, by themselves,
The women and girls were huddle

Ils virent au loin l'école qui avait l'air d'une forteresse, sous la responsabilité d'une sœur grise, et s'adressèrent en français aux prêtres et aux religieuses qui enseignaient aux « Slaveys » autochtones dans leur anglais hésitant.

We walked through the crowded classrooms.
No map of Canada or the Territories,
No library or workshop,
Everywhere religious scenes,
Christ and Saints, Stations of the Cross,
Beads hanging from nails, crucifixes,
And two kinds of secular art
Silk-screen prints of the Group of Seven,
And crayon drawings and masks
Made by the younger children,
The single visible expression

Of the soul of these broken people.
Upstairs on the second storey
Seventy little cots
Touching end to end
In a room 30 by 40
Housed the resident boys
In this firetrap mental gaol.

Les autochtones qui apprenaient l'anglais de prêtres français, les cartes qui avaient été égarées et le pensionnat laissèrent certainement une empreinte durable dans l'esprit de Pierre Trudeau, empreinte qui devrait plus tard influencer son avenir, tant personnel que celui de son pays[52]. Pour l'instant, par contre, les aventuriers rentrèrent chez eux sains et saufs, liés par les défis qu'ils avaient affrontés dans le Nord canadien et leur compréhension commune des possibilités qui s'offraient au Canada*. Tout comme il l'avait fait jadis au camp ontarien, Trudeau avait mesuré sa force face à un monde nouveau, pour découvrir qu'il pouvait le conquérir aisément.

Trudeau se mit à participer de façon régulière à des émissions de télévision de langue anglaise, dont celle de la couverture des élections de 1958 au réseau CBC, en compagnie d'un vieil ami de la famille, Blair Fraser, et participa à d'autres activités organisées par des groupes

* La biographe de Scott, Sandra Djwa, affirme avec raison que celui-ci eut une influence considérable sur Trudeau. Elle laisse aussi entendre que l'emploi par Scott de l'expression « société juste » est à l'origine du slogan politique que Trudeau devrait adopter plus tard. Elle admet, cependant, que cette influence est difficilement retraçable. Elle fait remarquer que, dans ses mémoires, Trudeau parle de T. H. Green et d'Emmanuel Mounier comme des influences importantes dans les années quarante, mais ne mentionne pas Scott. En outre, poursuit-elle, il ne fait pas référence au rôle de Scott au Québec ni à leur voyage sur le Mackenzie. Le nom de Scott n'apparaît qu'une seule fois dans un court passage au sujet de la CCF. Même si Trudeau admirait Scott, ses documents personnels semblent laisser croire que l'influence de Scott fut peut-être davantage perceptible sur le plan personnel qu'intellectuel. Sandra Djwa, « Nothing by halves: F. R. Scott », *Journal of Canadian Studies*, 34 (hiver 1999-2000), p. 52-69.

canadiens-anglais. En 1957, par exemple, il assista au programme d'été de l'Entraide universitaire mondiale du Canada au Ghana. Parmi les autres délégués se trouvaient Douglas Anglin, un spécialiste de l'Afrique de l'Université Carleton; James Talman de l'University of Western Ontario; Don Johnston, futur avocat de Trudeau et futur ministre de son cabinet; Robert Kaplan, un autre de ses futurs ministres; Tim Porteous, futur membre de l'équipe Trudeau, et Martin Robin, qui enseigna à Margaret Sinclair avant que Trudeau l'épousât. À l'occasion de discussions à propos du Canada au Ghana, certains, dont Anglin, avancèrent que le fédéralisme devait être fortement centralisé, mais Trudeau répliqua que le fédéralisme, même à une « ère industrielle » qui demandait un gouvernement fort, devait être perçu comme un contrepoids à l'inertie de la bureaucratie et un outil servant à ramener le gouvernement « plus près du peuple ». Porteous, qui fut l'un des créateurs de la très populaire revue *Spring Thaw* de McGill, se souvient que Trudeau était un homme timide, mais totalement imprévisible. Il insista pour qu'on brise la monotonie anglophone en visitant les États francophones[53].

Les activités que menait Trudeau au Canada anglais attiraient peu d'attention au Québec où, à ce moment-là, se déroulaient d'intenses débats. Le Rassemblement et l'Union des forces démocratiques étaient mis sur la touche, alors que les forces d'opposition à Duplessis se rangeaient derrière Lesage. La position de Trudeau devenait de plus en plus intenable. Le politicologue Léon Dion critiquait le ton négatif employé par Trudeau dans son analyse de la politique québécoise et son utilisation excessive d'arguments appartenant au passé. Certains autres étaient moins polis. *Nouvelles illustrées* fit de Trudeau une cible habituelle. Sa rubrique mondaine tournait en dérision son « élection » à la présidence du Rassemblement, laissant entendre, avec considérablement de justesse, que l'organisation était élitiste et que l'élection ne signifiait rien. Dans une lettre anonyme parue dans le courrier des lecteurs du même journal le 25 avril 1959, l'auteur réclamait que Trudeau soit placé à bord de la première expédition interplanétaire afin qu'il puisse établir son nouveau parti sur la Lune où il serait plus utile.

Les efforts déployés par Trudeau semblaient relever de plus en plus de l'utopie et constituaient même le gaspillage d'un talent considérable. Dans le *McGill Daily* du 31 octobre 1958, Jean David commentait le

Manifeste de l'Union des forces démocratiques. De manière générale, disait-il, l'auteur est considéré comme un homme brillant, mais pour plusieurs il reste un dilettante. Cela signifie que Trudeau lui-même exerce une influence limitée, mais que ses idées sont en fait prises en considération. L'effet que produirait le Manifeste, continuait-il, dépendrait de la réaction des leaders politiques du Québec. À McGill, quelques mois plus tard, Trudeau réitérait que, parce qu'on n'avait pas appris la démocratie au « peuple », ils devraient créer un tout nouveau parti. Cela représentait, disait-il, la seule voie de sortie[54]. Quelques jours plus tard, au cours d'un débat à Radio-Canada, Drapeau rejeta fermement l'idée que l'Union des forces démocratiques puisse s'avérer efficace pour faire tomber Duplessis[55]. Trudeau pouvait repousser du revers de la main les récriminations des étudiants et même de Drapeau, mais maintenant il venait de recevoir un coup qui le troublait fortement : son plus vieil ami, Pierre Vadeboncoeur, s'en prenait à son Manifeste.

Vadeboncoeur avait travaillé étroitement avec Trudeau sur tous ses projets, saluant son retour au Québec dans *Le Devoir* en 1949 comme étant un pas de géant vers une nouvelle ère pour le Québec. Son antinationalisme, au début des années cinquante, était encore plus résolu que celui de Trudeau et tous deux parlaient régulièrement, quand bien même vaguement, de révolution. Il était le souffre-douleur des espiègleries de Trudeau, mais il lui rendait la pareille. « Tu demeures », écrivait-il en 1955, « le copain au monde que j'aime le plus faire rire… et mettre en maudit ! » Bien que Vadeboncoeur fût avocat de formation, défenseur du monde ouvrier de son métier et essayiste réputé de nature, il était constamment à court d'argent. Trudeau lui en prêtait quand il en avait besoin, comme il l'avait sans doute fait depuis qu'ils avaient tous deux commencé l'école à l'Académie Querbes plusieurs décennies auparavant. Depuis toujours cette amitié avait été solide, et ils se soutenaient mutuellement.

En 1959 cependant, Vadeboncoeur exprima son exaspération face à son vieil ami. Il attaqua d'abord l'Union des forces démocratiques et Trudeau dans une publication socialiste ouvrière, puis dans *Le Devoir* : « Il se trouve, disait-il, que des analystes trop perspicaces font parfois des erreurs énormes. Les fameuses options proposées par l'esprit très pénétrant qu'est mon ami de toujours Pierre Elliott Trudeau sont de ce genre. » Peu après, dans *Le Social Démocrate*, puis dans l'édition du 9 mai du *Devoir*, il dénonçait l'Union comme « le Club de M. Trudeau », un groupe élitiste qui sapait l'éventualité du socialisme tout en faisant la promotion du Parti libéral de manière inepte. Le coup était dur et cruel, et il porta[56]. Cependant, les vieux amis savent encaisser les coups, et Trudeau le prit bien.

Au moment où Pierre Vadeboncoeur écrivait son attaque dans *Le Devoir*, Trudeau était reparti faire un autre long voyage autour du monde. Les événements au Québec se succédèrent alors rapidement en son absence : la grève des réalisateurs à Radio-Canada, au milieu de l'année 1959, déclencha un raz-de-marée politique qui transforma René Lévesque et certains autres en néo-nationalistes. Trudeau lui-même qualifia plus tard Radio-Canada de la force la plus importante ayant réussi à briser le monopole des médias et la peur des élites, deux éléments qui avaient protégé le régime autocratique de Duplessis. La grève, par conséquent, avait eu des répercussions importantes sur la libre circulation de l'information politique dans la province. Le 7 septembre, pendant cette crise, Duplessis mourut soudainement après une série d'attaques. Quelques derniers fidèles du Rassemblement de même que certains critiques comme Vadeboncoeur et Casgrain accusèrent Trudeau de partir tout juste au moment où se formait un rapport de forces, mais, en vérité, celui-ci n'était pas prêt à poursuivre la lutte. Ses lettres et ses écrits de cette époque suggèrent qu'il désirait vivement échapper aux querelles intestines et aux disputes du Québec, alors que diverses factions jouaient des coudes pour se positionner et que les vieilles forteresses de l'Église et des traditions commençaient à s'effondrer. En outre, il n'avait pas prévu le décès de Duplessis. Après toutes ces années au pouvoir, peu de gens pensaient qu'il partirait un jour.

Quand Trudeau quitta le Québec à Pâques, en 1959, il avait espéré pouvoir entrer de nouveau en Chine, bien qu'il comptât également revisiter d'autres lieux familiers et découvrir de nouveaux horizons. Contrairement au voyage qu'il avait fait en 1949, cette fois-ci, il ne se donna pas l'air d'un étudiant vagabond parcourant le monde avec son sac à dos. Il avait alors quarante ans. Il voyagea donc en première classe la majeure partie du trajet et séjourna dans de luxueux hôtels tels que le Saint-James à Paris et le Hotel Mount Everest à Darjeeling en Inde. Pourtant, en son cœur, il demeurait un observateur passionné et un étudiant curieux. Au Vietnam, il constata que la police était présente à chaque coin de rue et il se dit avec désespoir que le pays pourrait demeurer divisé à tout jamais. En Inde, il découvrit que la passion pour la politique habitait le peuple et que le passé des hindous démontrait une ouverture à la sexualité. Il visita les magnifiques frises érotiques à Katmandou, au Népal, où les femmes représentées avaient les jambes écartées et le « sexe exposé ». Il vit aussi des animaux arborant, dit-il, une parfaite réplique des organes sexuels humains de dimensions normales. Il s'étonna des ménages à trois et même à quatre. La « glorification du sexe » faisait partie de la vie, écrivit-il, peut-être un peu envieux. Dans une rue, il vit des hommes marcher en gardant leur main sur leurs parties intimes et il se demanda ce que cela signifiait. Le gouvernement laïque du Congrès de l'Inde faisait la promotion du contrôle des naissances, mais Trudeau, catholique, se demandait si cela provoquerait des névroses ou si cela allait simplement « moderniser » le pays.

Arrivé en Perse, il nota combien les forces d'opposition au shah détestaient les Américains dont la discrète présence en tant que consultants était considérable dans l'armée. Ce qui impressionna le plus Trudeau fut le changement survenu en Israël, pays qu'il décrivait comme un miracle. À partir des déserts du Proche-Orient, les Israéliens avaient su créer une terre de verdure, de jardins, de fleurs, de champs de blé, de coton et de maïs, dit-il, et une société où les enfants étaient en santé et où les citoyens étaient bien habillés. Bien qu'il dénotât une touche de chauvinisme chez les Israéliens, il les comparait favorablement aux Arabes des environs. Il nota dans son journal qu'il ne croyait pas que les Israéliens aient des visées expansionnistes et qu'il les pensait disposés à accepter le *statu quo*[57].

Trudeau assista plus tard à un congrès socialiste international à Hambourg, en Allemagne, où il fit la connaissance de Moshé Sharett, d'Israël, et de Guy Mollet, de la France. Tout au long de son voyage, il rendit visite à d'importantes personnalités du monde des affaires, de la politique et de la vie universitaire. Avant de partir, Trudeau s'était assuré d'obtenir auprès de ses nombreuses relations les lettres de recommandation adéquates. Une des plus curieuses fut celle de Rex Billings, le directeur général du parc Belmont de Montréal, qui, le 9 avril 1959, écrivit ceci : « Le porteur de cette lettre, M. Pierre E. Trudeau, est l'un des administrateurs du parc Belmont, en voyage à l'étranger pour affaires et pour le plaisir. Il visitera divers parcs d'amusement dans le cours de ses voyages, et votre courtoisie à son endroit sera appréciée[58]. » Trudeau ne fut pas en mesure de visiter la Chine, et ce, malgré les tentatives pour lui obtenir une invitation qu'avaient faites l'intellectuelle torontoise Margaret Fairley et le critiqué ministre de l'Église unie James Endicott, tous deux bien disposés à l'égard du communisme chinois. Sa mère accueillit son infortune avec soulagement. Elle s'inquiéta tout de même tout au long du voyage : « Ne te mêle pas d'aller en Chine — tu vas t'arranger pour qu'on te confisque ton passeport ou bien te mettre les pieds dans les plats dans quelque affaire internationale », le mettait-elle en garde. « Tu as vécu assez de passions dans ta vie comme ça — sans parler que tu ne pourras pas courir aussi vite que tu le faisais avant — rappelle-toi ta blessure au pied. »

En fin de compte, il passa la majeure partie de son temps en Europe où il fit l'achat d'une nouvelle Mercedes 300SL décapotable, un bijou. Il acheta également des cadeaux : des boucles d'oreilles de perle pour Caroll Guérin, des boucles d'oreilles d'ambre pour « Alice », des perles pour « Ada », une épingle en argent pour « Nicole », un présent non précisé pour Mireille G., une épingle et un foulard pour « Kline », ainsi que du parfum et une épingle pour monsieur Grenier, son chauffeur. À Hong-Kong, il s'acheta une veste de brocart noir et or, puis dépensa 225 dollars ou 225 livres au célèbre Peninsula Hotel pour un complet confectionné par William Yu. Le 9 septembre, sa mère lui écrivait que sa Mercedes venait d'arriver à Montréal avec une portière en moins[59].

Au pays, ses amis de longue date étaient perplexes ; la plupart de ses collègues, souvent irrités. Qui donc est Pierre Trudeau ? se demandaient-ils dans l'effervescence politique de l'été et de l'automne 1959. Qui sont ses amis ? Que veut-il ? Sa mère savait combien il désirait ce qu'elle appelait le « succès ». Elle en voulut à Alec Pelletier quand celle-ci lui apprit en mai que « *son* mari » tenait Pierre informé durant son absence — « non pas que je sois au courant de choses très importantes, ajouta-t-elle, car mon entourage est du genre passif, j'imagine». En fait, Gérard Pelletier gardait peu de contact avec Trudeau* et ne semble pas avoir été vraiment au courant de ce qui se passait dans sa vie privée[60].

Méticuleux comme à son habitude, Trudeau garda un relevé des lettres qu'il écrivit au cours de sa longue absence. Il semble avoir rédigé quatre-vingt-douze lettres. Gérard Pelletier et Jacques Hébert en reçurent chacun deux, une de moins que sa mère et le même nombre que Suzette et sa famille. Carroll Guérin, sa compagne la plus fréquente sans être la seule — loin de là — en reçut onze. De nombreuses autres femmes, dont Nicole Morin, Micheline Legendre, Marie Sénécal, Madeleine Gobeil, et d'autres dont il fit la connaissance en Europe, reçurent une seule lettre. Le reste de la liste porte à réflexion, car elle illustre à quel point Trudeau avait tissé de nouveaux liens avec des Canadiens anglais et des Américains qui étaient presque complètement absents de ses listes de la fin des années quarante et du début des années cinquante. Parmi eux on trouvait John Stevenson du *Times*, Morris Miller de la Saskatchewan, Lionel Tiger de l'Université McGill, Ron Dare de l'Université de la Colombie-Britannique et l'historien Blair Neatby[61].

Trudeau fut de retour au pays à l'automne, juste avant la mort soudaine de Paul Sauvé, le successeur plein de promesses de Duplessis. Sauvé fut remplacé par le très quelconque Antonio Barrette, qui déclencha chez les réformistes une ruée vers le camp libéral. Trudeau sembla désorienté lorsque plusieurs leaders réformistes dont René Lévesque, le journaliste Pierre Laporte et l'avocat constitutionnaliste Paul Gérin-Lajoie annoncèrent qu'ils se ralliaient à Jean Lesage pour prendre part aux prochaines élections. Alors que d'autres se préparaient en vue de ce sensationnel changement politique, Trudeau était occupé à planifier une ahurissante excursion en canot depuis la Floride jusqu'à Cuba. Lesage commençait à électriser ses auditoires et Lévesque éblouissait ses téléspectateurs tandis que Trudeau partait vers Cuba avec deux amis depuis Key West. Selon un journal de la Floride, Trudeau, Valmor Francoeur et Alphonse Gagnon,

* Dans ses mémoires, Pelletier dit que Trudeau « ne lisait guère » la presse écrite. Pourtant, ses documents sont bourrés de coupures de presse provenant de tous les principaux journaux et il trouva même d'obscures références à sa personne dans la presse à sensation.

un homme d'affaires millionnaire de Chicoutimi, avaient mis au point « une méthode unique de propulsion. Pendant qu'un homme ramait de façon conventionnelle, un deuxième, allongé au fond de l'embarcation, ramait avec ses pieds. Le troisième ne faisait rien et on alternait les rôles au bout de deux heures écoulées ». C'était sans contredit une méthode de propulsion singulière, mais extrêmement dangereuse. Après avoir franchi cinquante kilomètres, ils essuyèrent des vagues hautes de un mètre et un crevettier dut les ramener sur le continent le 1er mai 1960. Bien que le voyage ne comportât aucune connotation idéologique, cela vint à faire partie du mythe voulant que Trudeau ait entretenu des liens avec Fidel Castro, dont les rebelles venaient récemment de prendre La Havane. Dans les entrevues qu'il donna, il ne souffla pas un mot sur la politique, mais apparemment il dit au *Miami Herald* qu'il avait trente-neuf ans, puis affirma au *Key West Citizen* qu'il en avait trente-six. Comme pour l'expédition, tout était prétexte au divertissement[62].

Son absence tenait peut-être davantage du calcul que du caprice. La plateforme électorale des libéraux de Lesage devenait de plus en plus néo-nationaliste au cours des premiers mois de 1960. La campagne de Jean Lesage mettait l'accent sur l'autonomie provinciale et commençait à parler d'un statut spécial pour la province. Trudeau se troubla de ce que la rhétorique nationaliste, qu'il avait déplorée depuis si longtemps dans *Cité libre*, soit devenue le moteur de la campagne libérale, en particulier au cours des apparitions télévisées de René Lévesque. Les libéraux tentèrent d'attirer Marchand, mais rien ne laisse croire qu'ils essayèrent de convaincre Trudeau — le président du Rassemblement, le codirecteur de *Cité libre*, l'auteur du Manifeste et le fondateur de l'Union des forces démocratiques — de se porter candidat. Peut-être en était-il blessé ou peut-être estimait-il qu'il valait mieux attendre le bon moment. Il était certainement difficile à joindre — dans son petit canot au milieu de l'océan — au moment où les forces d'opposition à Duplessis se rangeaient en grand nombre derrière Lesage et son équipe.

Lorsque prit fin l'escapade cubaine en canot, Trudeau revint à Montréal et écrivit dans *Cité libre* un éditorial qui fut publié juste avant l'élection de Lesage, le 22 juin 1960. Il soutenait, à contrecœur, que les libéraux devaient être préférés à l'Union nationale, mais il persistait à prétendre que son Union des forces démocratiques aurait constitué une meilleure option que le Parti libéral pour la création d'un nouveau gouvernement. Il se montra particulièrement méprisant à l'endroit du Parti social démocratique et de la Ligue d'action civique pour avoir refusé de se joindre activement à l'Union. Il discuta avec sa jeune amie Madeleine Gobeil pour savoir si le fait d'appuyer les libéraux relèverait de la « complicité[63] ».

Le 22 juin, Lesage remporta par une marge étonnamment mince la victoire sur une Union nationale éprouvée. Ce fut, et cela demeure un tournant de l'histoire récente du Québec, celui qui ouvrit les écluses restées fermées pendant trop longtemps. Contrairement à la plupart de ses collègues et amis, Trudeau n'en fut pas éprouvé.

CHAPITRE 8

Une voie différente

« J'ai confiance que les Canadiens français rateront encore une fois le tournant », écrivait Pierre Trudeau dans *Le Devoir* au début de 1960, l'année de l'historique « Révolution tranquille » du Québec. « Du moins ils le rateront, si leurs autorités politiques continuent de cultiver la médiocrité, si leurs autorités ecclésiastiques continuent de redouter le progrès, et si leurs autorités universitaires continuent de mépriser le savoir [1]. » Ils furent nombreux au Québec et ailleurs à manquer le tournant historique qui, dans les années soixante, devint une révolution sociale et politique en Occident. En Amérique du Nord, la décennie débuta avec des dirigeants qui étaient nés au cours du XIXe siècle. Au Canada, John Diefenbaker révérait la monarchie, détestait l'alcool, parlait un français cassé, avait participé à la Première Guerre mondiale, et avait été façonné par l'impact dévastateur de la Grande Dépression. Le président Dwight Eisenhower, qu'il admirait énormément, était, à soixante-dix ans, plus âgé que Diefenbaker, mais, comme la majorité des Américains à cette époque, plus moderne dans ses goûts et dans ses attitudes. Pourtant, tous deux semblaient vieux en 1960, alors que le candidat du Parti démocrate à la présidence des États-Unis, John Kennedy, amorçait sa fructueuse campagne, à quarante-deux ans, avec un appel à passer le flambeau à une nouvelle génération d'Américains faisant face à de nouveaux défis et rêvant de nouveaux rêves.

Montréal avait eu sa part de la remarquable prospérité dont avait bénéficié le continent au cours des années d'après-guerre. L'historien Paul-André Linteau estime que cette période, avec celle de la décennie des années 1850 et celle du début du XXe siècle, fut la plus prospère dans l'histoire de la ville. Et la prospérité amena ses retombées matérielles et culturelles, tel le boulevard Métropolitain qui faisait passer l'autoroute jusqu'au cœur de la ville et permettait à la Mercedes de Trudeau d'effectuer de rapides changements de voies alors que celui-ci se dirigeait vers le sud à une réception donnée à la résidence d'été de Frank Scott dans les Cantons-de-l'Est ou vers le nord dans des lieux sophistiqués des Laurentides. Le nombre d'automobiles à Montréal fut mutiplié par plus de quatre, en quelques années, passant de 229 000 véhicules après la guerre à plus d'un million en 1960 — excédant les rêves les plus fous de Charles Trudeau avec ses stations-services dans les années vingt. Avec ses gratte-ciel, culminant avec le cruciforme symbolique de la place Ville-Marie en 1962, Montréal avait l'allure d'une ville éminemment nord-américaine et moderne.

Dans les clubs du centre de la ville, Trudeau vit Oscar Peterson émerger en tant que plus grand pianiste de jazz de son époque et Félix Leclerc faire sa marque de grand chansonnier. Après les émeutes nationalistes de 1955, qui faisaient suite à la suspension imposée par le commissaire de la Ligue nationale de hockey au héros local Maurice « Rocket » Richard, les Canadiens de Montréal stimulèrent la fierté des francophones en remportant cinq coupes Stanley consécutives. À ce moment, Trudeau se préoccupait moins de hockey, un sport auquel il était jadis habile, que de culture, mais ici aussi un vent nouveau se levait, avec la création de la Comédie canadienne de Gratien Gélinas à la fin des années cinquante, d'une foule de plus petits théâtres et des Grands Ballets canadiens de Ludmilla Chiriaeff. Trudeau n'avait plus à compter sur les compagnies en tournée s'il voulait assister à un ballet, l'art qu'il affectionnait par-dessus tout. Mais la prospérité signifiait également la venue des meilleures compagnies, et il assista à la prestation de la grande Maria Callas et du New York Metropolitan Opera, qui se produisit cinq fois à Montréal entre 1952 et 1958[2].

Trudeau appréciait grandement ces changements, tout comme il appréciait les nouveaux restaurants où lui et ses nombreuses petites amies — il semble avoir eu plusieurs compagnes à cette époque — se délectaient de mets et de vins toujours plus raffinés[*]. Montréal était la ville internationale

[*] Sa compagne assidue des années soixante, Madeleine Gobeil, décrit Trudeau comme un gourmand qui, lorsqu'il était à Paris, mangeait dans les restaurants recommandés par le guide Michelin et commandait du vin de Bordeaux en provenance de châteaux légendaires. Il buvait peu cependant, et le vin demeurait un long moment dans son verre. Entrevue avec Madeleine Gobeil, mai 2006.

dont il avait rêvé dans les années trente. Pourtant, on dénote des accents de mélancolie dans son ton à cette époque, un sentiment que la répression du passé n'a pas disparu avec la mort de Duplessis en septembre 1959. Il craignait que le Québec ne rate le tournant qu'il devait absolument prendre afin d'occuper sa place dans l'économie nord-américaine et de réaliser son plein potentiel humain, si ses universités francophones demeuraient plongées dans leur héritage ecclésiastique et si les débats politiques évitaient le ton cosmopolite qui caractérisaient d'autres capitales occidentales au début des années soixante. Les efforts qu'il avait lui-même déployés afin d'ouvrir le système politique en développant de nouveaux regroupements politiques avaient remporté peu de succès, et cet échec, à n'en pas douter, avait affecté sa perspective au moment où il était témoin de véritables changements.

Trudeau, bien entendu, n'était pas le seul à sous-estimer les changements survenus au Québec au cours des années cinquante. En 1960, on entendait sa voix lors des débats au *Devoir*, aux émissions d'informations télévisées et au cours de réunions publiques, en particulier celles organisées par l'Institut canadien des affaires publiques. Il devint également un personnage familier aux assemblées où des étudiants de l'Université Laval ou de l'Université de Montréal protestaient contre le faible soutien apporté aux universités par le gouvernement provincial, et où les jeunes composaient également les rangs, peu nombreux il est vrai, du Rassemblement. Il était à son mieux dans les débats, où son intelligence vive et lumineuse lui permettait de marquer des points. Il puisait allègrement dans son impressionnant bagage culturel, littéraire et philosophique, ainsi que dans ses expériences de voyages. Il était particulièrement actif lors des débats traitant des libertés civiles, qui souvent étaient centrés sur l'utilisation d'une carte d'identité. Trudeau s'opposait fortement à cette idée[3].

Malgré toute l'activité politique qu'il déployait, ses écrits, et le réseau qu'il s'était constitué au cours de la dernière décennie, Trudeau demeurait hors de l'action. Il était à la fois « l'intellectuel le plus fascinant et le plus décevant des années cinquante » au Québec, selon Léon Dion, professeur à l'Université Laval. Il dégageait un « magnétisme envoûtant », on enviait ses aptitudes intellectuelles et physiques, et on l'admirait « pour son charme et sa fortune. Il a la réputation d'être l'esprit le plus cultivé et le plus progressiste de l'époque[4] ». Aucun de ses contemporains n'avait davantage à offrir, même si certains, comme René Lévesque, étaient plus connus. Cependant, il choisit de s'éloigner lorsque les troupes libérales montèrent aux barricades, et il n'était pas aux premières lignes de ce que Lévesque appela le « ménage de printemps du siècle » qui s'amorça en juin 1960. Lévesque était aux côtés de Jean Lesage lorsque celui-ci assembla son équipe, prit le pouvoir et commença à balayer ce qui faisait obstacle à la liberté de parole, à la liberté de pensée et aux changements sociaux. Alors que d'autres empoignaient les balais qu'il avait depuis si longtemps préconisé de brandir, lui, curieusement, demeurait sur la touche.

Mais cela était-il si curieux ? De l'avis général, durant cette période critique, les sentiments et les plans d'avenir de Trudeau étaient incertains. Bien que Lévesque eût plus tard affirmé que Trudeau, Gérard Pelletier, et Jean Marchand avaient tous refusé la chance qui s'offrait à eux de se porter candidats aux élections de 1960 (Marchand avait certainement dit non à Jean Lesage, qui considérait le célèbre dirigeant syndical comme un candidat vedette), Pierre Godin, le biographe de Lévesque, affirme de façon convaincante qu'on ne fit même pas cette offre à Pelletier et à Trudeau. À cette époque, Trudeau accueillit favorablement la décision de dernière minute de Lévesque de faire son entrée en politique et, après la victoire des libéraux, sa nomination au Conseil des ministres. Plus tard, il admit avoir envié Lévesque d'avoir fait le saut en politique à une époque où cela était crucial, dit-il. Il avait un peu pleuré sur son sort, ajouta-t-il, parce qu'on ne lui avait jamais demandé d'entrer en politique. Il avait été contre le parti auquel il avait adhéré. Mais il dit également à Paul Gérin-Lajoie, le collègue de Lévesque au Conseil des ministres libéral, qu'il le considérait chanceux d'avoir des convictions libérales ; cela lui permettait d'entrer en politique, disait-il. Pour sa part, Trudeau pensait avec mélancolie qu'il serait toujours en dehors, écrivant des articles, disait-il, à propos de ce que les politiciens devraient faire et qu'ils ne faisaient pas. Tel était le prix à payer pour avoir tenté de créer de nouveaux partis viables — le Rassemblement et l'Union des forces démocratiques — et pour avoir fustigé les partis politiques traditionnels. Cependant, malgré tout ce qu'il pouvait en dire, Trudeau n'avait jamais douté que sa place devrait être au sein du processus décisionnel. Par exemple, en 1957, lors d'une réunion syndicale, il affirma qu'il « (…) valait mieux avoir des hommes debout à Québec que "marcher" sur Québec ». Mais, lorsque les réformistes prirent finalement leur place sur les premiers bancs de l'Assemblée nationale en 1960, Trudeau, désappointé, ne s'y trouvait pas[5].

Et pourtant, en cet été de 1960, il faisait bon être en vie, démocrate et libéral au Québec. Malgré les différences de vues qui l'éloignaient des leaders du nouveau régime en place, Trudeau était d'accord avec ceux-ci « sur un tas de sujets comme l'urgence de la modernisation du Québec ou la triste constatation que le duplessisme a fait perdre 25 ans à la province[6] ». L'article que rédigea Trudeau pour *Cité libre* à la suite des élections traitait la victoire de Lesage comme un cadeau du ciel – une humeur qui contrastait de façon marquée avec les hésitations qu'il avait exprimées antérieurement concernant les élections et les libéraux de Lesage. « Il faut d'abord saluer ceux qui nous ont délivrés du fléau de l'Union nationale », écrivait-il. « (...) c'est le Parti libéral et nul autre qui a livré la bataille décisive pour notre libération, et c'est devant lui que je tire aujourd'hui mon chapeau. » Il adressait ses saluts tout particuliers « à l'incorruptible M. Lapalme et à l'infatigable M. Lesage » qui avaient petit à petit construit une armée qui dix ans auparavant ne comptait que huit membres à la législature[7].

Mais Georges-Émile Lapalme et Jean Lesage ne levèrent pas leur chapeau à Trudeau, qui n'avait nullement contribué à mettre en place l'équipe qui triompha en juin 1960. Dans ses superbes mémoires relatant sa carrière politique, Lapalme nia le rôle joué par *Cité libre* dans le renversement du gouvernement Duplessis. L'ancien premier ministre du Québec, s'il avait été toujours vivant en 1960, aurait certainement partagé cette opinion. Les raisons de leurs réserves apparaissent clairement dans ce même article publié par Trudeau immédiatement après leur victoire électorale. Quelques-uns des nouveaux politiciens libéraux n'avaient que tout récemment manifesté leur opposition à l'Union nationale, disait-il, et il entretenait toujours des doutes quant au passé, au présent et à l'avenir du Parti libéral du Québec :

> Depuis seize ans la Province croupissait sous le joug d'un gouvernement incompétent, tyrannique et rétrograde. Ce régime, appuyé sur le lucre, l'ambition et le goût de l'arbitraire, n'aurait cependant pas été possible sans la lâcheté et la complaisance de presque tous ceux qui exerçaient de l'autorité, commandaient de l'influence ou dirigeaient l'opinion publique.

> Qu'il fût recteur d'université, directeur d'école, dirigeant syndical, responsable de corps professionnel, chef d'entreprise, militant nationaliste ou administrateur de quelque institution, chacun prenait prétexte des accommodements particuliers qu'il trouvait avec le pouvoir, pour se justifier de ne pas dénoncer celui-ci quand il desservait de façon systématique le bien commun dans le domaine dont chacun avait la garde : relations industrielles, ressources naturelles, développement économique ordonné, honneur civique, respect de l'intelligence, éducation, autonomie, justice et démocratie.

Dans son article, Trudeau justifiait également son absence de l'avant-scène politique. Avec fourberie, il omit de mentionner le rôle essentiel qu'il joua dans la mise sur pied et le leadership de l'Union des forces démocratiques. Il mit l'accent sur les résultats serrés dans nombre de circonscriptions, de même que sur la victoire arrachée de justesse par Lesage. Ainsi, il affirmait que si toutes les forces d'opposition à Duplessis s'étaient rassemblées en une coalition telle que l'Union, on eût obtenu une plus grande majorité et un mandat de changement plus fort. Il critiqua le parti socialiste — le Parti social démocratique (PSD) — qui, comme les libéraux, avait refusé de se rallier à l'Union, et affirma qu'il méritait les résultats pitoyables qu'il avait obtenus. Selon Trudeau, le PSD allait probablement disparaître de la scène provinciale pour longtemps. Ici, il ne faisait pas erreur. Finalement, Trudeau mentionnait que les libéraux ne s'étaient que récemment unis de manière efficace contre Duplessis : par le passé, sous la domination de Mackenzie King et de Louis Saint-Laurent, ils avaient trop souvent acquiescé, d'un côté, aux politiques antisyndicales de Duplessis, et de l'autre, à la centralisation par Ottawa. Alors que les libéraux étaient demeurés asservis aux forces réactionnaires, d'autres s'étaient battus pour la justice « avec véhémence, courage et entêtement [8] ». En d'autres mots, il affirmait que les directeurs et les auteurs de *Cité libre* s'étaient dressés sur la mince ligne de front lorsque l'Union nationale intimidait presque tous les autres. Les arguments que Trudeau avançait avec justesse et de manière fondamentale étaient que les politiciens avaient déterminé le résultat des dernières élections, mais que les penseurs et les étudiants, ceux qui portaient *Cité libre* dans leur cœur, avaient joué un rôle tout aussi important dans ce que les historiens français appellent la « longue durée ».

Trudeau avait également d'autres raisons d'entretenir des réserves à l'endroit du gouvernement libéral. La grève à Radio-Canada avait fait de René Lévesque un nationaliste en colère contre le gouvernement canadien, même s'il demeurait un modernisateur laïque et qu'il vint à faire partie d'un groupe qualifié de néonationaliste — regroupement qui comprenait André Laurendeau, le journaliste Pierre Laporte et l'universitaire Léon Dion. Trudeau se dissociait avec plus de vigueur que jamais de la position néonationaliste, et il était agacé de ce que de nombreux néonationalistes se trouvassent au sein du gouvernement Lesage. Cette différence de vues éloignait Trudeau et Gérard Pelletier, celui-ci étant porté à suivre Trudeau, de ceux qui allaient appartenir au courant de pensée dominant au Québec après juin 1960.

Des signes de la division à venir étaient apparus plus tôt dans *Cité libre*. En 1957, Léon Dion avait émis quelque désaccord avec le ton employé par Trudeau dans son analyse de la société québécoise. Il critiqua « le nationalisme pessimiste » de Michel Brunet et de la prétendue école montréalaise d'historiens dans un article de *Cité libre* dans lequel ne figurait pas le nom de Trudeau. La correspondance rendait évident, cependant, que Trudeau, qui à l'époque partageait à certains égards l'analyse de Brunet, était également ciblé. Après de considérables débats éditoriaux, Trudeau finit par publier l'article. L'année suivante, dans un autre journal, Dion critiqua Trudeau de manière plus appuyée, affirmant qu'il passait sous silence l'existence d'institutions démocratiques au Québec tout en étant trop vague sur ce que la démocratie elle-même représentait. Il écrivait que le constat désolant que faisait Trudeau à propos de la mainmise du clergé et de l'élite conservatrice et des obstacles à la démocratie au Québec ne tenait pas compte de certains épisodes dans l'histoire du Québec, tels que la Rébellion des années 1830 et le gouvernement responsable des années 1840, au cours desquels les tendances démocratiques furent affermies. La concentration de Trudeau sur les syndicats et la démocratie était trop étroite, son désespoir trop stérile, lançait-il.

Plus tôt, Pierre Laporte, principal journaliste politique au *Devoir*, avait aussi reproché à « mon ami Pierre Elliott Trudeau » son pessimisme après avoir entendu la présentation qu'il avait faite à l'Institut canadien des affaires publiques. Laporte avait estimé que Trudeau était allé trop loin en affirmant que « le Canada français n'a encore rien produit : aucun savant, aucun chercheur, aucun homme de lettres, aucun professionnel digne de ce nom ». De plus, Trudeau se trompait complètement en affirmant que les Canadiens anglais avaient fait présent de la démocratie aux Canadiens français. À l'instar de Dion, Laporte demandait ce qu'on devait penser du sang versé et des batailles gagnées par les patriotes au cours des années 1830 et 1840, alors qu'un gouvernement représentatif et responsable fut mis en place au Bas-Canada[9]. « Un cadeau des Anglais ? » Certainement pas.

L'émergence de ces divisions se reflétait dans l'équipe de *Cité libre* elle-même. Bien que quelques jeunes auteurs et leurs partisans fussent à couteaux tirés avec les fondateurs, la chute de l'Union nationale attira soudainement beaucoup d'attention sur la revue. En dépit de l'irrégularité de ses publications et de son tirage limité, tous savaient que celle-ci avait joué un rôle important dans l'expression et la dissémination de la dissidence intellectuelle tout au long des années cinquante. Dion avait pu avoir des divergences d'opinions avec Trudeau, le rédacteur en chef, mais, en février 1958, dans une lettre adressée à celui-ci, il reconnaissait la portée de la revue, affirmant qu'il voyait l'immense utilité de *Cité libre* en ce que la revue leur permettait d'exprimer leurs opinions avec aisance devant et pour leurs contemporains[10].

À l'été 1960, *Cité libre* fut réorganisée sous le leadership de Jacques Hébert, qui avait acquis son expérience en dirigeant *Vrai*, de même qu'une nouvelle maison d'édition florissante, les Éditions de l'Homme. En élargissant le groupe de sympathisants de la revue, il en fit un succès financier : les abonnements montèrent en flèche, passant à un certain moment de moins de mille à plus de sept mille. Les abonnements de Canadiens anglais atteignirent des sommets alors que l'intelligentsia dans le reste du Canada tentait de comprendre ce qui se produisait au Québec. Cependant, comme cela arrive souvent, ce succès amena encore davantage de dissensions alors que les hésitations de Trudeau face au gouvernement Lesage d'un côté et ses critiques du Parti social démocratique de l'autre créaient des frictions avec des sympathisants de la première heure tels que Paul Gérin-Lajoie et René Lévesque, eux-mêmes ministres au nouveau gouvernement, et Pierre Vadeboncoeur et Marcel Rioux, qui devenaient de plus en plus socialistes et nationalistes.

Puis, soudainement, le spectre inattendu du séparatisme commença à perturber leurs débats. Le premier choc, encore mineur, se produisit le 10 septembre 1960, quand environ trente Québécois francophones du Rassemblement pour l'indépendance nationale (RIN), des jeunes pour la plupart, publièrent un manifeste appelant à l'indépendance « totale » du Québec.

Alors que les journaux parlaient du manifeste du RIN, parfois d'un ton dédaigneux, mais souvent avec curiosité, et que le gouvernement Lesage amorçait ses importantes réformes du système d'éducation et des services sociaux, Pierre Trudeau et Jacques Hébert s'envolaient par-delà l'Atlantique avec l'espoir de visiter la Chine. Hébert et Trudeau, de toute évidence, appréciaient de se retrouver ensemble, bien qu'ils fussent très différents : Hébert, un extraverti qui éclairait sa vie d'un humour désabusé mais conventionnel ; Trudeau, essentiellement un introverti dont les tours étaient toujours ingénieux. Ils appréciaient tous deux l'inattendu et le mystérieux et partageaient une certaine méfiance à l'endroit des puissants et du factice.

Dans les années soixante, ils avaient noué une amitié basée sur leur amour des voyages exotiques et sur leurs attaques parfois badines mais souvent on ne peut plus sérieuses contre le pouvoir en place — quel qu'il fût.

Les deux hommes, mais particulièrement Hébert, furent outrés lorsque Wilbert Coffin fut pendu le 10 février 1956, sur la base de preuves discutables, pour le meurtre de trois chasseurs de la Pennsylvanie. Le secrétaire d'État américain, John Foster Dulles, avait personnellement communiqué avec les autorités québécoises concernant cette affaire ; Duplessis avait réagi comme on le lui avait demandé, et la condamnation ne s'était pas fait attendre après que le juge se fut adressé au jury en ces termes : « J'ai confiance que vous donnerez l'exemple pour votre district, votre province et votre pays, devant l'Amérique, qui compte sur vous et qui a suivi tous les détails du procès. » Cette honteuse adresse, cette servile réaction du gouvernement à l'intervention américaine et la minceur de la preuve scandalisèrent Trudeau l'avocat et Hébert, qui faisait campagne en faveur des libertés civiles. Pendant une décennie, leur plaidoyer afin d'obtenir une justice posthume pour Coffin les lia dans leur mission[11].

Cet engagement les rendit également intraitables face aux défis que posaient les États-Unis et les conservateurs canadiens. La Chine les intriguait, tant pour elle-même que pour le défi qu'elle constituait pour l'orthodoxie. Sauf pour une photographie, Trudeau omit de mentionner ce voyage de six semaines dans ses mémoires, bien que lui et Hébert aient écrit un livre, *Deux innocents en Chine rouge*, qui le relatait. Ils étaient accompagnés de trois autres personnes : Denis Lazure, psychiatre et futur politicien séparatiste ; Micheline Legendre, une des grandes marionnettistes canadiennes ; et Madeleine Parent, une militante syndicaliste de gauche. Ils formaient un étrange quintette à la découverte d'une énigme. Bien que le Canada eût entamé des relations commerciales avec la Chine communiste, bravant ainsi quelque peu les Américains, aucun lien diplomatique officiel n'existait entre les deux pays. Le groupe formait une « délégation », et à ce titre, tous visitèrent des sites en rapport avec leurs compétences respectives. Pour Trudeau, cela voulait dire les cours de justice et les institutions connexes.

Les Chinois avaient invité cent Canadiens français à visiter leur pays mais seulement vingt, si l'on en croit Trudeau et Hébert, avaient osé répondre, selon leurs propres termes. La plupart de ceux qui avaient été invités craignaient d'entacher leur réputation en acceptant. Les auteurs, cependant, se sentaient assez à l'abri des représailles. Tous deux avaient copieusement fait l'objet de reproches, été mis au plancher et anéantis par la presse intrégriste et réactionnaire après leurs voyages précédents derrière le rideau de fer. Ainsi, disaient-ils, la perspective de se faire assassiner encore une fois à leur retour de Chine n'allait certainement pas les impressionner l'un ou l'autre.

Dans le chapitre sur Shanghai, Trudeau, avec raison, se plaignit que ses facétieux compagnons eurent affirmé à leurs hôtes obligeants qu'il raffolait des limaces de mer. Ainsi, chaque jour on lui servit de ces « bêtes assez répugnantes qui vivent dans la vase. On dirait un gros ver brunâtre muni de protubérances, verrues ou tentacules ». Trudeau s'était enfui de Shanghai en 1949 au moment où les armées de Mao approchaient. Il trouvait « bizarre de revenir après onze ans dans une ville qui incarnait toute la fascination, toute l'intrigue, toute la violence et tout le mystère qui pouvaient jaillir du choc Occident-Orient». Maintenant, les mendiants et les soldats blessés s'en étaient allés; les rues étaient propres, et personne n'était vêtu de guenilles. Les bars et les maisons closes d'antan avaient disparu; la ville se couchait tôt à 23h30, et «Changai [était] devenue une ville industrieuse». Une nuit, Trudeau échappa à la vigilance de son guide insistant et parfois impérieux, M. Hou, et erra dans les rues à minuit. Il ne trouva pas un seul bar ou café ouvert, mais dans les parcs de la ville, il vit «plusieurs couples de jeunes gens [qui] se [tenaient] par la taille, [s'embrassaient] ». Ce spectacle plut à son côté chaleureux et romantique et brisa la monotonie de cette ville par trop «industrieuse».

Le 1er octobre, date anniversaire de la victoire communiste, les Canadiens, de même que d'autres invités se tenant debout sur la porte de la place Tiananmen de Beijing, virent des dizaines de milliers de personnes dansant et célébrant plus bas, alors que des feux d'artifice illuminaient le ciel comme en plein jour. Comme M. Hou escortait les invités sur le chemin du retour vers leur hôtel, Trudeau se cacha derrière une colonne, puis soudainement il se précipita au milieu de la foule et disparut. «Ce qui s'est passé ensuite, écrivit Hébert, nous ne le saurons jamais exactement, et nous ne sommes pas convaincus que Trudeau s'en souvienne bien lui-même. Il a participé à des danses bizarres, des rondes frénétiques, des saynètes improvisées, des flirts délicieux.» Plus tard il décrivit «des orchestres exotiques, des costumes lunaires, des amitiés insolites, des parfums nouveaux, (...) des tresses noires, des enfants curieux, des adolescentes rieuses, des hommes fraternels et joyeux». Il garda souvenir des lumières s'estompant, de pas légers dans les rues sombres et du long trajet de retour vers l'hôtel, à pied, dans les lueurs de l'aube[12].

Dans son épilogue, Trudeau affirmait que ce qu'il cherchait à faire en écrivant le livre était de dissiper la notion de «péril jaune». La vraie menace, concluait-il, n'était pas «le péril jaune (...) de nos cauchemars; c'est celui, fort éventuel, d'une rivalité économique sur les marchés du monde; c'est celui, plus prochain, d'une réussite idéologique qui permet déjà à la Chine d'aider (...) les pays plus pauvres encore qu'elle en Asie, en Afrique et en Amérique latine[13]». Il disait que la politique des «deux Chines» consistant à reconnaître la Chine et Taiwan comme deux entités souveraines était inacceptable et dangereuse. C'était le «prestige» des États-Unis qui empêchait que la Chine soit acceptée dans l'arène internationale, mais, à l'ère du thermonucléaire, les « innocents » devaient se demander si Taiwan « [valait] la peine d'allumer l'holocauste thermo-nucléaire final ». Quant à lui, Trudeau ne craignait pas que la « menace de la Chine » puisse se concrétiser de son vivant. La Chine avait trop à faire à l'intérieur de ses frontières ; son histoire, contrairement à celle de l'Occident, n'était pas celle d'un agresseur. Hébert et Trudeau parvinrent à rencontrer Mao, « un des grands hommes du siècle » qui avait une « tête puissante, le visage sans rides, le regard d'une sagesse teintée de mélancolie ; dans un visage tranquille, des yeux lourds d'avoir trop vu la misère des hommes[14] ».

Une ébauche du livre, en majeure partie manuscrite, est préservée dans les documents de Trudeau, et indique qu'Hébert en fut l'auteur principal et que Trudeau révisait et modifiait ses textes, surtout. La contribution la plus substantielle de Trudeau se trouve au chapitre sur Shanghai et à l'épilogue, bien qu'Hébert affirma que Trudeau apportait constamment des changements à l'ébauche d'autres sections. Peut-être en raison de leur mode conjoint d'écriture, les deux amis ont écrit le livre à la troisième personne.

Hébert publia le livre et en fit le lancement au Cercle universitaire, rue Sherbrooke à Montréal, le 28 mars 1961. Heureusement pour eux, les attaques qu'ils avaient anticipées contre leur « innocente » présentation de la « Chine rouge » furent peu nombreuses. En fait, plusieurs prêtres assistèrent à l'élégant lancement de livre, avec un grand désir d'obtenir l'autographe des auteurs. Ce soir-là, dans son discours, Trudeau appela à la reconnaissance de la Chine par le Canada et prédit, avec justesse, qu'un jour la Chine serait la rivale de l'Ouest non seulement par son idéologie, mais également par ses échanges commerciaux[15].

Près d'un demi-siècle plus tard, la prédiction de Trudeau quant à la rivalité économique de la Chine s'est maintenant réalisée. Pourtant nous savons également aujourd'hui que la souffrance que les voyageurs perçurent dans les yeux de Mao fut très souvent causée par sa propre dictature. Dans leur biographie de Mao, bien reçue des lecteurs, les auteurs Jung Chang et Jon Halliday critiquèrent sévèrement la perspective naïve de Trudeau et Hébert sur la Chine. Les voyageurs « avec leurs yeux pleins d'étoiles », écrivaient-ils, ne tinrent pas compte de tous les signes de famine que rapportaient en détails les réfugiés de Hong-Kong à quiconque se donnait la peine de les écouter. Dans leur livre, Trudeau et Hébert écartèrent effectivement ces témoignages. La Chine précommuniste, disaient-ils, était un endroit où une misère indicible et la famine étaient le lot des sans-emploi et de familles entières. Être au chômage signifiait mourir de faim et de froid, affirmaient-ils. Sous le régime communiste, par contre, tous les Chinois avaient du travail : « cela veut dire très exactement qu'il a su leur garantir le droit à la vie. Devant ce fait fondamental, toutes les considérations des Occidentaux sur le caractère pénible du travail en Chine, sur le labeur féminin, sur le piètre standard de vie, sur le régime totalitaire, ne sont qu'arguties inefficaces* ».

Aujourd'hui, ces réflexions ne nous apparaissent plus comme des « arguties inefficaces ». Alors que Trudeau, Hébert et les autres invités occidentaux prenaient part à de longs banquets où abondaient le vin et la nourriture, plus de vingt millions de Chinois périrent au cours de la grande famine de 1960. Pendant que les Chinois mouraient de faim, Mao finançait généreusement l'Indonésie, l'Afrique, Cuba et l'Albanie, cherchant à faire de la Chine le « modèle » pour le monde post-colonial qu'avaient annoncé Trudeau et Hébert. En écrivant l'épilogue du livre, Trudeau sembla avoir quelque prémonition de ce qui allait se produire : « Il est vrai que si les auteurs [...] sont coupables de quelque chose, c'est de naïveté. Nous avons eu la naïveté de croire que ce que les yeux voient existe ; et la naïveté additionnelle de penser que nos lecteurs sauraient eux-mêmes faire la part du jeu dans les propos parfois énormes que tenaient nos interlocuteurs chinois[16]. »

En effet, les Canadiens firent partie d'une mise en scène dirigée par Mao, et ne se rendirent pas compte qu'ils figuraient parmi les

* L'enthousiasme de Trudeau pour la Chine était facilement perceptible dans la lettre qu'il adressa à son amie Carroll Guérin. Après avoir reçu une lettre de lui à cette époque, elle écrivit qu'elle avait été fascinée de recevoir une lettre de Chine, en particulier sachant qu'il en faisait tant l'éloge. Elle le trouvait chanceux d'avoir rencontré Mao Tsé-toung et se disait que les gens accueilleraient favorablement ses comptes rendus, comme ils l'avaient fait pour ses voyages en Russie en 1952. Guérin à Trudeau, 18 oct. 1960, FT, vol. 39, dossier 6.
La Chine continuait à intriguer Trudeau. Des années plus tard, lorsque Thérèse Gouin Décarie et Vianney Décarie lui demandèrent qui, de tous les dirigeants du monde, l'avait le plus impressionné, Trudeau répondit immédiatement « Chou En-lai ». Conversation avec les Décarie, juin 2006.

protagonistes. Pourtant, Trudeau avait fait preuve de perspicacité en reconnaissant rapidement que la Chine était à établir les fondations d'une puissante société industrielle, et avait vu juste en déterminant que les Chinois avaient plus confiance au régime que dans la quasi-démocratie précaire et corrompue de 1949. Même si les voyageurs n'apprirent pas les horribles événements se déroulant dans les campagnes simplement parce qu'ils ne posèrent pas assez de questions (et ils n'auraient sans doute pas obtenu de réponses honnêtes s'ils l'avaient fait), leur analyse fut juste lorsqu'ils estimèrent que l'accroissement de l'alphabétisation dans les villes et dans de vastes régions du pays constituerait une force puissante et positive pour l'avènement de transformations ultérieures.

Trudeau n'était pas seul à avoir une vision outrancièrement optimiste de la Chine. L'année suivante, dans un compte rendu du livre, l'écrivain Naim Kattan fit observer que les auteurs ne présentaient aucun parti pris idéologique. « Certains lecteurs », écrivait-il, pouvaient le considérer comme « une description négative de la Chine », d'autres pouvaient l'estimer dépourvu de sens critique. « Cela dépend de la couleur des lunettes que porte la personne. Jacques Hébert et Pierre Trudeau n'en portaient pas. » Ils avaient rapporté ce qu'ils avaient vu, et ils ignoraient que tant de choses leur avaient été cachées — leur myopie avait été partagée par de nombreuses autres personnes à cette époque. Chang et Halliday ne dénoncèrent pas seulement Trudeau et Hébert, mais également le futur président de la France, François Mitterrand, et l'ancien directeur de l'Organisation des Nations Unies pour l'alimentation et l'agriculture, John Boyd-Orr, qui affirma que la Chine nourrissait convenablement son peuple. Jusqu'au maréchal Bernard Montgomery, le héros de la bataille d'El Alamein, qui non seulement nia les allégations d'une famine à grande échelle, mais rejeta également les critiques sur Mao. La Chine, déclarait-il, avait besoin d'un timonier, et celui-ci ne devait pas abandonner le navire[17]. D'autres poursuivirent dans cette veine positive pendant plusieurs années, dont Henry Kissinger, la quintessence du réalisme, qui plaisanta avec le dirigeant chinois à propos d'appétits sexuels[*].

---

[*] L'opinion occidentale sur la Chine et Mao était beaucoup plus généreuse que celle entretenue sur l'Union soviétique et Staline. Le livre du journaliste Edgar Snow, *Red Star over China*, romançait la Chine communiste et, dans les années soixante, Mao était devenu un héros culte parmi les jeunes radicaux qui ne juraient que par son fameux *Petit livre rouge*. Dans les années soixante-dix, même les

Étant donné la réaction de Trudeau à l'égard d'autres dirigeants et d'autres nations à cette époque, il est justifié de poser la question de façon plus large : Était-il généralement trop sympathique aux régimes autoritaires de la gauche ? Les commentaires que fit Trudeau à propos de la Chine de Mao arrivaient peu après son évaluation optimiste de l'Union soviétique lors des derniers mois de la folie stalinienne. Il devint également un défenseur de la première heure de Fidel Castro, visitant La Havane à la suite de l'échec de son expédition à Cuba en canot. À ce moment, il fit la connaissance de Che Guevara, le cigare aux lèvres et se promenant au milieu des invités. Il ne rencontra pas Castro, bien qu'il assistât à un immense rassemblement où Castro fit un grand discours devant un public tout simplement suspendu à ses lèvres[18]. Et en 1976, il devint le premier dirigeant membre de l'OTAN à visiter Cuba. Au pays, lors de sa longue bataille contre Duplessis au Québec, Trudeau avait été un grand partisan de la « démocratie », des « libertés civiles » et des droits « individuels » — il était pourtant évident que les régimes communistes de Staline et de Mao en particulier étaient coupables de nombreuses violations des droits de l'homme. Trudeau changea d'opinion sur l'Union soviétique et sur Staline après les révélations dramatiques de Khrouchtchev en 1956. Pourtant, bien que Trudeau ne vît que peu d'oppression de l'État en Chine, aucun observateur objectif n'aurait pu affirmer que les valeurs de la démocratie et des droits de l'homme étaient honorées au sein de l'État communiste chinois — ni,

---

républicains américains avaient succombé. Quoique Mao ne fît pas l'éloge des États-Unis, Nixon, à l'occasion de leur première rencontre, dit à Mao que « les écrits du Grand Timonier ont fait avancer une nation et changé le monde ». Il affirma que Mao était un « philosophe professionnel ». Pour sa part, Mao parla en termes admiratifs du succès remporté par Kissinger auprès des femmes. Aussi incroyable que cela puisse paraître, la transcription se lit ainsi : Mao — « Des rumeurs courent à l'effet que vous étiez sur le point de vous effondrer (rires). Et que les femmes qui étaient là en étaient très insatisfaites (rires, spécialement chez les femmes). On a dit que si le Docteur était sur le point de s'effondrer, nous n'aurions plus de travail. » Les Chinois prirent des mesures extraordinaires afin d'isoler les étrangers des habitants locaux. Pendant la visite de Nixon, qui coïncidait avec le Nouvel An chinois, des milliers de jeunes issus des campagnes furent retournés dans leur village de crainte qu'ils ne rencontrent inopinément le président américain – une rencontre que la sécurité avait déjà rendue impossible. Jung Chang et Jon Halliday, *Mao : The Unknown Story* (New York : Knopf, 2005), 584, 587-589.

d'ailleurs, en Union soviétique ou à Cuba. Tout en considérant que plusieurs autres ne parvinrent pas à percer le voile épais qui cachait la famine, les violations des droits de l'homme et la brutalité, force est d'admettre que Trudeau, malgré ce que pouvait en dire Kattan, avait les verres de ses lunettes teintés de rose.

Plusieurs raisons peuvent expliquer cette approche en apparence contradictoire. Premièrement, Trudeau était souvent opposé aux opinions conventionnelles et, lorsqu'il visita l'Union soviétique en 1952 et la Chine en 1960, un farouche courant politique anticommuniste dominait l'Amérique du Nord. Celui-ci avait déjà été à l'origine de nombreuses violations des droits civils au sein même de l'Amérique du Nord. Madeleine Parent, la partenaire de voyage de Trudeau, et son époux, Kent Rowley, avaient subi les féroces conséquences de l'anticommunisme irrationnel de la police du Québec, de la GRC et de la presse. Ces éléments mettent en contexte l'attitude de Trudeau, qui détestait l'anticommunisme inconsidéré de Duplessis, les tirades antisoviétiques du leader conservateur George Drew et le maccarthysme qui entachait la vie publique aux États-Unis au cours des années cinquante. Cela le poussa à poser des actions qui allaient à l'encontre du courant dominant. Ainsi que Robert Ford, l'ambassadeur canadien en Union soviétique, le fit plus tard remarquer, Trudeau était par essence « anti-establishment » et les Soviétiques ne firent jamais partie de l'establishment — même pour la gauche[19].

Un incident complexe et étrange survenu au cours de la campagne électorale de 1960 au Québec illustre combien Trudeau était sensible à cet égard. L'abbé Gérard Saint-Pierre, rejetant un commentaire électoral émis par Trudeau, l'appela « le Karl Marx canadien » dans un journal de Trois-Rivières sympathique à l'Union nationale. Une cour du Québec avait récemment statué que traiter quelqu'un de communiste était diffamatoire. Trudeau décida de réagir mais, chose intéressante, utilisa le droit canon catholique plutôt que de soumettre sa cause à une cour civile. Ainsi, il demanda à Georges-Léon Pelletier, l'évêque de Trois-Rivières, d'exiger que Saint-Pierre se rétracte ; sinon, il menaçait de se tourner vers les tribunaux laïques. L'évêque Pelletier répondit le 20 juin, faisant valoir que Trudeau avait déjà affirmé que Lénine était « un remarquable socialiste ». Il ajouta : « Dans le langage commun, Karl Marx

Carroll Guérin : Pierre admirait sa beauté et son style de vie non conventionnel, en 1959.

Carroll, une artiste, travaillait parfois aussi comme mannequin.

Carroll et Pierre pendant leurs idylliques vacances d'été en Europe.

Carroll changeait souvent de coiffure, ayant tour à tour les cheveux blonds, foncés, courts ou longs.

La belle et brillante Madeleine Gobeil fut une amie proche pendant plus d'une décennie.

Le jeune intellectuel, dans les années cinquante.

Dans les années cinquante, Trudeau consacra beaucoup de temps au mouvement ouvrier au Québec. La chemise et la cravate étaient de rigueur si l'on voulait s'assurer une respectabilité à l'époque.

Pierre et Frank Scott près de l'avion qui les transporta dans leur périple vers la vallée du Mackenzie. Même en pleine région sauvage, Frank portait un chapeau.

Pierre dans un moment de détente au cours de son voyage au fleuve Mackenzie, en 1956.

La délégation canadienne dans la Chine de Mao, en 1960. De gauche à droite : Pierre Trudeau, un moine bouddhiste et Jacques Hébert.

Trois hommes dans un bateau : l'escapade cubaine, en 1960.

Trudeau s'apprête à ramer jusqu'à Cuba.

personnifie le socialisme, soit politique, soit économique. Il est donc difficile de prouver que l'on puisse associer à cette appellation l'hérésie, encore moins le communisme. » Pelletier concluait avec intelligence que « l'étiquette "communiste" d'ailleurs existait avant Karl Marx ». Trudeau, ainsi, ne pouvait exiger une rétractation, affirmait l'évêque.

Trudeau fit appel le 30 juin, bien qu'il convînt que l'esprit de la réponse de l'évêque Pelletier reflétait certaines encycliques papales. Comme il ne reçut aucune excuse, il écrivit de nouveau le 26 août. Pelletier répondit rapidement le 3 septembre et autorisa Trudeau à intenter une poursuite en cour civile. Mais il était trop tard. La loi québécoise en matière de diffamation requérait que toute poursuite soit intentée dans les trois mois suivant la publication. La lettre de Pelletier lui était parvenue au moment précis où tout recours légal devenait impossible.

Un débat ultérieur sur cette affaire eut lieu dans les pages de *Cité libre* et du journal catholique et conservateur *Notre Temps*, dans lequel Jean-Paul Poitras affirmait que Trudeau n'avait aucun besoin de recourir au droit canon et qu'il aurait pu se tourner directement vers les tribunaux. Dans une réponse intitulée « De l'inconvénient d'être catholique », Trudeau accusa Poitras d'ignorance, ajoutant ironiquement que, « depuis des années *Notre Temps* accuse *Cité libre* et ses rédacteurs d'être de mauvais fils de l'Église. Aujourd'hui *Notre Temps* et son M. Poitras m'accusent d'avoir trop tenu compte des lois de l'Église[20] ».

À l'été 1961 cependant, alors que Trudeau rédigeait son attaque contre le cléricalisme et le conservatisme de l'Église, il semblait se battre contre des moulins à vent. Le débat appartenait à une ère révolue, et non au présent en effervescence qui caractérisait le Québec d'après juin 1960. Ce qui demeure remarquable est le temps que Trudeau consacra à cette affaire alors que tant d'autres choses de portée politique importante se déroulaient au Québec. Les accusations de « sympathie avec les Soviétiques » portées contre son mentor de la London School of Economics, Harold Laski, l'utilisation de la « loi du cadenas » par l'Union nationale et l'exagération à outrance de la « menace » communiste jouèrent toutes un rôle dans l'attitude de Trudeau, tout comme, peut-être, sa thèse, oubliée depuis longtemps, sur la réconciliation du communisme et du catholicisme. Trudeau méprisait à juste raison ce maccarthysme du Nord, tout particulièrement lorsque l'Église y prenait part. Ces expériences et son attitude constituaient une partie de ce qu'il apporta en Chine dans ses bagages.

Une seconde raison expliquant la naïveté des auteurs par rapport à la Chine réside dans la compréhension qu'avait Trudeau de la politique internationale, influencée de manière considérable par Laski, Emmanuel Mounier et l'éminent journal français *Le Monde*. Il croyait, comme plusieurs autres intellectuels de l'époque, qu'à l'ère nucléaire, tous les efforts possibles devaient être entrepris afin de faire tomber les différences entre l'Est et l'Ouest. André Laurendeau et *Le Devoir* partageaient cette opinion, tout comme Gérard Pelletier, particulièrement à la fin des années cinquante et au début des années soixante, alors que les superpuissances commençaient à tester des armes à hydrogène de plus en plus destructrices et que le mouvement antinucléaire occidental prenait rapidement son essor. Le 24 juin 1961, il découpa un article du *Devoir* dans lequel Thérèse Gouin, son ex-fiancée, alors reconnue comme une éminente psychologue, décrivait la terreur qu'elle ressentait en pensant au sort de ses enfants à l'ère atomique. Trudeau partageait les craintes de Thérèse, et ses convictions le portaient à s'attacher aux enfants, qu'il chérissait. Mais il ne s'agissait pas que des enfants : l'épouse de Lester Pearson, Maryon Pearson, joignit courageusement les rangs de Canadian Voice of Women, une organisation dont le cri de ralliement à ce moment était son opposition aux armes nucléaires. En ces temps angoissants, Trudeau, comme le faisaient nombre de ses étudiants, portait le symbole de la paix sur le revers de son veston.

De plus, Trudeau reflétait le milieu des sciences sociales de l'époque dans sa conviction que, particulièrement dans les pays nouvellement décolonisés, les nations pouvaient obtenir des progrès économiques plus rapides au moyen d'une planification centralisée que par des moyens démocratiques. Le jour de la Saint-Valentin 1961, il concluait avec quelques réserves une discussion qui avait lieu après les informations à la CBC, disant que ce qu'il avait vu en Chine n'était pas l'économie planifiée dont les livres parlaient, et il fit part des « goulots d'étranglement » que la planification engendrait. Mais, concluait-il, seul un simple d'esprit pouvait ne pas voir que ce qui se passait en Chine, c'était le réveil maladroit de ce que les années à venir révéleraient comme le géant industriel le plus puissant du monde.

Pour plusieurs observateurs de la fin des années cinquante, les Soviétiques semblaient s'être développés économiquement à un rythme beaucoup plus rapide que les États-Unis ou le Canada. Ils avaient lancé le premier satellite terrestre et, selon ce qu'en disait John F. Kennedy lors de la campagne présidentielle de 1960, étaient parvenus à produire beaucoup plus de missiles que les États-Unis. Dans un monde où les missiles comptaient, les Soviétiques étaient apparemment devenus la plus importante puissance militaire. La Chine, quant à elle, semblait à ce moment grandement supérieure à sa contrepartie démocratique toute désignée, l'Inde, en termes d'alphabétisation, de croissance économique et de lutte contre la mortalité infantile. D'éminents spécialistes des sciences sociales, tel Samuel Huntington, prirent note de ces résultats et conclurent que la démocratie pouvait ne pas être la meilleure voie à suivre pour les États africains et asiatiques ayant récemment acquis leur indépendance.

En 1959, Michael Oliver, professeur à l'Université McGill et militant socialiste, avait demandé à Trudeau de commenter un article écrit par le célèbre philosophe politique canadien George Grant. Grant portait un regard critique sur le capitalisme contemporain, mais affirmait que les priorités sociales étaient « plus avancées » en Amérique du Nord qu'en Union soviétique. Trudeau inscrivit un point d'interrogation en marge de cette affirmation, bien qu'il fût d'accord avec Grant sur le fait que le capitalisme nord-américain ne produisait pas les « bons services » — il y avait trop d'automobiles et de garages et pas assez de salles de classe[21]. Trudeau était disposé à donner crédit aux Soviétiques, aux Chinois et, plus tard, aux Cubains pour avoir su établir adéquatement leurs « priorités sociales ». Tout en concédant que des limites aux droits civiques étaient imposées au sein de ces sociétés autoritaires, il mit l'accent sur leurs réussites sociales, en particulier quand d'autres dans l'Église et dans la politique québécoise et canadienne leur en niaient si vigoureusement le crédit.

Finalement, Trudeau et Hébert étaient davantage troublés par le développement intellectuel et culturel en Chine que ce que leurs critiques laissaient entendre. Après une de ces interminables visites d'usines où ils purent constater combien les « experts soviétiques » avaient contribué à augmenter la production — en tant que délégation officielle, ils n'avaient pas le choix d'aller là où leurs hôtes les emmenaient afin de faire valoir les réalisations chinoises —, les Canadiens auraient voulu rêver un moment devant la tombe d'un empereur ou devant un bouddha dans une quelconque pagode perdue dans les montagnes. Mais cela appartenait au passé, disaient les auteurs, et M. Hou, comme tous les M. Hou de la Chine, ne pensait qu'au présent, ne rêvait qu'à l'avenir. Les auteurs poursuivent :

> Quand nous demandons à nos hôtes de nous identifier tel édifice moderne, ils répondent avec enthousiasme : « C'est un hôpital, c'est une bibliothèque construite *après* la libération.
> — Et ce joli temple, là-bas sur la colline ?
> — On ne sait pas… Un temple…
> — Bouddhique ?
> — Peut-être… »
> Ça ne les intéresse pas[22].

Ils étaient également irrités par la gravité et l'ignorance des universitaires chinois : « Trudeau demande aux économistes s'ils connaissent des économistes occidentaux qui ont étudié l'économie socialiste : Schumpeter, Lerner, par exemple, ou même l'économiste polonais Lange ? Ils ne les connaissent pas. » Les Canadiens « sont à se demander » si les étudiants « prennent le temps de rigoler un peu, de se décontracter à l'occasion. » Apparemment non, et si un étudiant étranger provenant d'un « pays-frère » marxiste était pris sur le fait à flirter innocemment, il était considéré comme un « dépravé, un mauvais marxiste » et retourné dans son pays. Trudeau, qui flirtait constamment, condamnait cette rigueur[23].

~

Quand Trudeau rentra de Chine en novembre 1960, il constata que la politique et les salles de classe du Québec devenaient très différentes de celles qu'il avait fustigées dans les années cinquante. Ses craintes que le gouvernement Lesage se montrerait hésitant et trop attaché aux intérêts politiques traditionnels avaient été injustifiées. « L'équipe du tonnerre », comme les libéraux appelaient leur gouvernement, allait de l'avant à une vitesse vertigineuse, ayant sécularisé l'éducation, commencé à redéfinir la sécurité sociale et ayant même considéré donner un rôle international au Québec. René Lévesque devint le porte-étendard de ce dynamisme et, de plus en plus, du nationalisme québécois. L'impact des changements faisait chanceler l'Église catholique, et ses prêtres commençaient à noter que les fidèles assistaient maintenant beaucoup moins souvent à la messe. Paul-Émile Léger, devenu cardinal, s'efforçait de répondre au courant de modernisation. Il implora *Le Devoir* de ne pas rompre les liens historiques qu'il entretenait avec l'Église catholique romaine et accepta de restreindre l'influence de l'Église dans les universités — une décision qui ouvrit des postes d'enseignants aux opposants de l'Église tels que Marcel Rioux et, bien entendu, Pierre Trudeau. Dans le cas de Trudeau, Léger intervint personnellement afin de faire lever son exclusion et Vianney Décarie joua un rôle important afin de garantir un poste au grand admirateur de son épouse[24].

En janvier 1961 — une décennie après la rencontre historique entre Léger, Trudeau et Pelletier à propos de l'article de Trudeau questionnant le « droit divin » des prêtres —, le cardinal les invita de nouveau pour discuter — cette fois à sa résidence de Lachine. Ce fut, se rappelait Pelletier, « une rencontre amicale » — état d'esprit qui se maintint tout au long du très important processus de réforme de Vatican II et lors de nombreuses rencontres tenues jusqu'en 1967. À ce moment, Léger, le prince de l'Église québécoise, quitta sa province pour le Cameroun, afin de redevenir un simple prêtre de paroisse[25].

Ce qui s'était produit au Québec était que les positions de Trudeau et de Pelletier d'un côté, et celle du cardinal de l'autre, avaient convergé. Il est vrai que certains éclats du passé demeuraient, par exemple l'affrontement entre Trudeau et l'évêque de Trois-Rivières. Un autre affrontement survint lorsque Jean-Paul Desbiens publia sous un pseudonyme *Les insolences du frère Untel*, une violente condamnation de l'éducation catholique au Québec. André Laurendeau en écrivit la préface et, à l'automne 1960, en récompense de son travail, il reçut une sévère réprimande du cardinal Léger. Le livre se vendit au nombre incroyable de 150 000 exemplaires, mais, à ce moment, Desbiens avait été excommunié. Voilà une cause que Trudeau et ses collègues pouvaient soutenir, comme aux jours sombres des années cinquante, et *Cité libre*, afin de lui exprimer sa solidarité, décerna à Desbiens son « prix de la liberté[26] ».

Contrairement à nombre de leurs collègues ouvertement agnostiques ou athées cependant, Trudeau et Pelletier demeuraient croyants.

Pelletier admit dès octobre 1960 qu'il n'avait pas réalisé à quel point l'Église québécoise s'était affaiblie derrière ses imposants bâtiments et ses fortes traditions. Dans *Cité libre*, où étaient souvent déplorées les manières de faire catholiques, Pelletier se plaignait que « nous marchons, je le crains, vers le vide spirituel et la religiosité sans vigueur d'un certain protestantisme nord-américain ». Pelletier et Trudeau n'étaient pas des admirateurs de l'abbé Groulx mais, dans une certaine mesure, ils partageaient son opinion voulant que la Révolution tranquille eût créé une confusion d'idées et un sécularisme agressif[27].

Trudeau partageait également avec Pelletier une admiration grandissante pour le mouvement de réforme à l'intérieur de l'Église catholique romaine qui s'était amorcé avec l'élection du pape Jean XXIII en 1958[28]. L'encyclique historique *Mater et magistra*, parue le 15 mai 1961, reflétait nombre de courants intellectuels, dont le personnalisme, qui avait animé les premières rencontres entre Trudeau et Pelletier, alors de jeunes hommes dans le Paris d'après-guerre. Le discours du pape, incluant ses références à l'importance de l'individu au sein de la société et, par-dessus tout, son appel à « ouvrir les fenêtres » du catholicisme au monde, se rapprochait fortement des opinions et des écrits de Trudeau. Ainsi, Trudeau ne trouvait pas drôle la ridiculisation de l'Église qui se faisait de plus en plus commune au Québec dans les années soixante. Ce n'étaient cependant pas les blasphèmes des artistes ou des jeunes, avec lesquels, par ailleurs, il se sentait des affinités en ce qui avait trait à l'esprit, au style et aux préoccupations, qui le troublaient le plus à l'hiver 1960-1961 : c'était le nationalisme toujours plus affirmé du débat politique québécois, un nationalisme qu'il venait à considérer comme un substitut au zèle religieux du passé.

Depuis sa réorganisation sous la gouverne de Jacques Hébert en novembre 1960, *Cité libre* était devenue une publication mensuelle. Elle avait été refinancée par soixante-quinze actionnaires et s'était dotée d'un important comité administratif, comprenant un vérificateur des comptes et un archiviste. Un regroupement plus vaste signifiait, bien sûr, une plus grande diversité d'opinions. Trudeau et Pelletier, en tant que directeurs, étaient préoccupés de ce que des néonationalistes et des séparatistes siégeant au comité s'exprimaient de plus en plus et, pensaient-ils, devenaient trop influents.

Intéressés par l'opinion des jeunes, ils organisèrent cette année-là un rassemblement des « amis » de *Cité libre* un samedi matin d'automne à l'Université de Montréal. La foule semblait très différente de celle des années précédentes. On y voyait peu de complets, les femmes étaient beaucoup plus nombreuses, les barbes étaient omniprésentes, et des slogans séparatistes apparaissaient sur les tableaux d'affichage. Les étudiants répondaient à brûle-pourpoint, montraient peu d'égards pour les formalités, et démontraient clairement que les années soixante appartenaient aux jeunes et que ceux qui, comme Trudeau, avaient dépassé la quarantaine devraient faire leurs preuves avant d'obtenir quelque respect que ce soit. Ses chandails à col roulé, ses sandales, ses chemises ouvertes et ses vestes décontractées ne faisaient plus bohémien ni choquant — même s'il demandait fréquemment des conseils vestimentaires à Madeleine Gobeil, sa jeune compagne[29]. Pelletier perçut immédiatement « les premiers signes non équivoques d'une renaissance nationaliste chez nos cadets ». Une jeune femme le chahuta et accusa *Cité libre* de ne tenir aucun compte de la culture française au Québec. Il rétorqua que la revue avait été culturellement nationaliste dès son premier numéro, mais avait rejeté le nationalisme politique comme étant rétrograde.

Pelletier et Trudeau répondirent promptement aux attaques portées contre eux dans les pages de *Cité libre* et ailleurs. Après être rentré de ses vacances en Europe, Trudeau ébaucha un article, « L'aliénation nationaliste », qui parut en une du numéro de mars 1961. Il commençait en déclarant que la revue avait toujours eu tendance à considérer les nationalistes du Québec comme des aliénés. Il répondait, du moins implicitement, à cette jeune femme de l'université qui s'était exprimée lors de ce mémorable samedi matin :

> Les amis de *Cité libre* devaient – autant que quiconque, j'imagine – souffrir des humiliations dont notre groupe ethnique était victime. Mais si grande que fût l'attaque extérieure contre nos droits, plus grande encore semblait être notre propre incurie à les exercer. Par exemple, le mépris pour la langue française qu'affichaient les Anglais ne nous parut

> jamais égaler en profondeur et en bêtise le mépris de ceux des nôtres qui la parlaient et l'enseignaient aussi abominablement. Par exemple encore, les atteintes aux droits des Canadiens français des autres provinces à l'éducation ne nous parurent jamais aussi coupables et odieuses que l'étroitesse, l'incompétence et l'esprit d'imprévoyance qui ont toujours caractérisé la politique d'éducation de la province de Québec, où pourtant nos droits étaient respectés. Et il en allait ainsi dans tous les domaines où nous nous prétendions lésés : religion, finances, élections, fonctionnarisme, et le reste.

Trudeau poursuivait en fustigeant les séparatistes qui, par le passé, « appelaient à l'héroïsme (...) un peuple qui ne manifestait même pas assez de courage pour se priver des *comics* américains ou se rendre au cinéma français ». Les séparatistes voulaient fermer les frontières et redonner le pouvoir aux mêmes élites responsables de « l'état abject d'où les séparatistes se faisaient fort de nous tirer ». Les jeunes séparatistes peuvent « [se moquer] de ce que les froussards de *Cité Libre* » ne veuillent pas souscrire au séparatisme ou au nationalisme extrémiste. Pourtant ce sont eux qui se montrent irréalistes en ne reconnaissant pas qu'ils consolident « les intérêts nantis et les positions acquises au sein de la communauté canadienne-française » les plus conservateurs. Le séparatisme et le néonationalisme enfermeraient cette communauté, étoufferaient le souffle de la liberté véritable. Dans une conclusion qui devait plus tard devenir un slogan, Trudeau déclara : « Ouvrons les frontières, ce peuple meurt d'asphyxie[30] ! »

Au printemps et à l'été 1961, l'atmosphère qui prévalait au Québec et au Canada inquiétait Trudeau, particulièrement l'attrait du séparatisme auprès des jeunes. Même sa compagne la plus assidue, Carroll Guérin, lui écrivit pour lui demander ce qu'il pensait du mouvement séparatiste. Croyait-il qu'il allait un jour réussir ? Il ne serait probablement pas d'accord, disait-elle, mais elle avait le sentiment que cela pourrait se produire, tant il était nécessaire que les Canadiens français trouvent leur identité et si forte était leur conviction que cette identité ne pouvait exister si elle était mêlée au facteur anglais. Ils étaient en effet en désaccord, mais, au sujet du désarmement nucléaire, ils estimaient tous deux que cela représentait le plus important de tous les problèmes. L'époque pouvait être excitante, mais la menace était toujours toute proche.

À Ottawa, les conservateurs de Diefenbaker commençaient à éprouver de sérieux ratés et semblaient particulièrement incapables d'affronter le défi posé par le nouveau gouvernement libéral du Québec. L'éclatante victoire électorale de Diefenbaker en 1958 (au cours de laquelle il remporta deux cent huit sièges, les libéraux, quarante-huit, et la CCF, huit) avait forcé les autres partis à reconsidérer sérieusement leurs positions. Les libéraux amorcèrent une révision de leurs politiques en 1960, dans laquelle Maurice Lamontagne joua un rôle important et Jean Marchand, un rôle mineur.

Trudeau refusa toutefois de participer à ces discussions ; au niveau fédéral, il était beaucoup plus proche de la Cooperative Commonwealth Federation, laquelle avait décidé de changer de nom pour devenir le Nouveau Parti démocratique. Les liens politiques de Trudeau avec le Canada anglais se nouaient presque exclusivement avec des intellectuels de la CCF, notamment Frank Scott, Eugene Forsey, Michael Oliver et, dans les années soixante, le philosophe Charles Taylor. Il développa d'autres liens après qu'il eut fait la connaissance de l'historien Ramsay Cook au mariage d'un de ses amis et que celui-ci l'eut promptement invité à contribuer au *Canadian Forum* de tendance CCF. Le but, lors de la création du NPD, était de lier plus étroitement le parti avec l'organisation syndicale, un objectif soutenu par Trudeau tant dans le contexte québécois que canadien tout au long des années cinquante. Toutefois, lorsque s'opéra la fusion, il hésita à s'engager ouvertement envers le nouveau parti socialiste[31].

Jean Marchand affirma plus tard qu'il avait dissuadé Trudeau de s'associer à celui-ci dans les années cinquante, car il y avait des problèmes plus immédiats tel que « se débarrasser de Duplessis ». Après la chute de Duplessis et la transformation de la CCF en un NPD plus urbain, Marchand affirma que cela leur était maintenant apparu un problème de conscience. Normalement, lui et Trudeau, en tant que défenseurs de la gauche ouvrière, auraient dû soutenir la cause de la CCF, mais il s'expliqua ainsi : « À quoi sert de s'engager dans la création d'un parti avec votre voisin et de dire : « Peut-être que dans vingt-cinq ans nous aurons un bon parti qui représentera exactement nos idéologies. » Nous avons pensé que le NPD n'arriverait pas à prendre le pouvoir, même si nous avions joint ses rangs, parce que la majorité des Québécois se seraient opposés à nous. Il faisait preuve de pragmatisme — et nul doute qu'il avait vu juste[32].

Trudeau, tout comme Marchand, savait également que Tommy Douglas, premier ministre novateur de la Saskatchewan et premier chef du NPD, n'attirerait vraisemblablement pas les votes au Québec. De plus, bien qu'il admirât l'intelligence et l'éthique de Frank Scott, son compagnon de voyage, il existait de réelles différences dans leurs approches respectives de la Constitution canadienne et dans leur compréhension du rôle du Québec au sein du Canada. Trudeau s'était toujours montré très généreux en reconnaissant l'influence que Scott avait exercée sur lui mais, après avoir analysé quelques-unes des théories de celui-ci, il arrivait souvent à ses propres conclusions, quelquefois des conclusions opposées à celles de Scott. De son côté, Scott, même s'il respectait Trudeau, n'avait pas aimé son article acclamé intitulé « De quelques obstacles à la démocratie au Québec[33] ». Trudeau était trop décentralisateur au goût du très centralisateur Scott, et ses critiques de la tradition britannique n'avait pas l'heur de plaire au professeur — un homme qui possédait un héritage et un maintien fièrement anglo-canadiens. Lors de débats avec Scott, auxquels participaient d'autres francophones, Trudeau rejetait le nationalisme dans le même souffle qu'il émettait des doutes quant aux politiques centralisatrices des socialistes canadiens.

Malgré ces désaccords, Frank Scott et Michael Oliver avaient demandé à Trudeau d'apporter sa contribution en écrivant un article pour le livre *A Social Purpose for Canada*, un ouvrage commandité par la CCF[34]. En 1958, Trudeau se joignit au comité éditorial du projet avec Frank Scott ; Eugene Forsey, le directeur de la recherche au Congrès du travail du Canada ; George Grube, qui était professeur à l'Université de Toronto ; et David Lewis, un administrateur de la CCF. Comme ce fut le cas lors du projet sur la grève de l'amiante, l'ouvrage prenait du retard ; cette fois-ci, c'était Trudeau qui retardait les choses, son article traitant de la pratique et de la théorie du fédéralisme n'arrivant finalement qu'en mai 1960. Michael Oliver, le rédacteur en chef du volume, n'aima pas l'article et le critiqua durement. Il accusa Trudeau d'exagérer ses arguments et d'être imprécis, parce qu'il faisait souvent davantage appel à la politique plutôt qu'à la science politique. La critique n'était pas totalement injustifiée, car la façon d'écrire de Trudeau n'était pas celle d'un expert en sciences politiques ou d'un intellectuel universitaire. Il écrivait pour un lectorat plus large et évitait le style hermétique des spécialistes, ce que ses adversaires universitaires lui reprochèrent souvent[35]. De plus, Oliver affirma que l'argumentation de Trudeau en faveur d'une décentralisation était contredite par son appel à l'intervention de l'État. L'énoncé de Trudeau se présentant comme un observateur externe de la CCF le laissa particulièrement perplexe. En fait, cela était vrai*, même s'il avait participé à des campagnes et avait occasionnellement possédé une carte de membre du parti. Il considérait la CCF, à juste titre, comme un parti fédéral ayant constamment mis de l'avant les libertés civiles et prôné une plus grande justice économique. Il partageait ces convictions. Cependant, le parti était trop anglais, et son approche du fédéralisme était différente, particulièrement depuis que le NPD avait commencé à flirter avec le nationalisme québécois et avec l'approche du fédéralisme canadien des « deux nations » en 1963[36].

Ses relations avec le NPD représentent un exemple de la façon dont, en 1961, Trudeau était généralement hésitant à se reconnaître quelque affiliation que ce soit. Ses articles dans *Cité libre* trahissaient son mécontentement généralisé. Il était maintenant âgé de plus de quarante ans — dans une décennie que les jeunes tentaient de dominer. La plupart de ses amis étaient mariés et avaient des enfants. Sa chevelure s'éclaircissait, et sa mère, inquiète, lui avait conseillé de tenter d'y remédier en se tenant sur la tête[37]. Ses plans afin de jouer le rôle politique

* Trudeau, en compagnie du fils de Frank Scott, Peter, ne démontrait pas le sérieux qui caractérisait nombre de socialistes dans les années cinquante. Leur travail, à l'occasion d'une campagne menée par Thérèse Casgrain, consistait à « rouler à toute vitesse dans les rues de Montréal dans la décapotable sport de Trudeau, armés d'un porte-voix. Ils régalaient les passants de slogans de la CCF, en faisant assaut de mots d'esprit dans les deux langues, Scott inventant la version française et Trudeau y ajoutant quelques fioritures en anglais. » Stephen Clarkson et Christina McCall, *Trudeau*, vol. 1 : *L'homme, l'utopie, l'histoire* (Montréal : Boréal, 1990), p. 84.

qu'il avait désiré occuper depuis si longtemps semblaient avoir éprouvé des ratés, alors que d'autres parmi ses amis, tels René Lévesque et Paul Gérin-Lajoie, occupaient le haut du pavé en tant qu'acteurs politiques et transformaient leur société. Trudeau se sentait souvent désillusionné et semblait ne plus savoir quoi faire.

À l'hiver 1961, il s'affaira au livre portant sur son voyage en Chine. Il prit du temps à dresser une liste d'invités et écrivit personnellement l'adresse de plus de deux cents personnes que lui et Hébert invitèrent au lancement qui devait avoir lieu au mois de mars. Cette liste d'invités donne une idée des relations et des amitiés de Trudeau à cette époque[38]. La très grande majorité des invités étaient francophones, même si on y trouve aussi quelques anglophones, tels que Michael Oliver de l'Université McGill et l'écrivain Scott Symons. Frank Scott, chose intéressante, n'y était pas. René Lévesque était le principal politicien invité, mais il semble qu'il n'y soit pas allé. Thérèse Gouin Décarie et Vianney Décarie y étaient. Les membres de la vieille garde de *Cité libre*, dont Réginald Boisvert, Maurice Blain et Guy Cormier, figuraient sur la liste d'invités, et la plupart d'entre eux assistèrent au lancement. De nouveaux noms associés à la télévision et à la communauté culturelle y étaient, de même que nombre de femmes célibataires.

Carroll Guérin, artiste prometteuse et mannequin à l'occasion, qui était maintenant la plus assidue des compagnes de Trudeau, était présente pour la fête. Sa franchise et son mode de vie libéral avaient immédiatement attiré Trudeau lorsqu'il avait fait sa connaissance à la fin des années cinquante. Il l'encouragea à se rendre étudier en Europe, et promit d'aller l'y rejoindre l'été suivant. (Lorsqu'elle se rendit en Grande-Bretagne et présenta sa candidature à la London School of Economics, cependant, elle ne fut pas retenue — à la grande déception de Trudeau.) Au lancement du livre, Trudeau passa également du temps avec une autre invitée, Madeleine Gobeil, qui était devenue une brillante jeune femme en l'espace des quatre années écoulées depuis que Trudeau l'avait vue pour la première fois, adolescente, à une réunion du Rassemblement à Ottawa. Ambitieuse, directe, et d'une jeunesse manifeste, Gobeil stupéfiait les amis de Trudeau par sa beauté, qu'ils l'aient rencontrée sur une plage ou à un concert symphonique[39]. Leur amitié se transforma en une relation amoureuse qui dura plus de dix ans[*].

Alors que la révolution sexuelle du début des années soixante s'amorçait, les femmes devenaient un sujet qui préoccupait Trudeau, mais maintenant il fuyait les relations intenses des premières années et préférait avoir des partenaires multiples. Il préférait, dans le jargon de l'époque, « le papillonnage » ou, selon la description que Sartre faisait de ses propres relations avec les femmes, « le théâtre de la séduction ». Plus que jamais, les amies féminines de Trudeau se plaignaient de ce qu'il ne s'impliquait pas affectivement. Une d'entre elles disait que son « intérieur » était fermé, mais, pour Carroll, sa timidité, qui était en elle-même si attirante, le rendait renfermé émotionnellement[**].

Officiellement, Trudeau vivait toujours avec sa mère dans la résidence familiale d'Outremont, même s'il gardait son appartement de la rue Sherbrooke. Grace commençait à avoir des trous de mémoire et, lorsqu'il était à l'étranger, leur correspondance se faisait plus rare que par le passé. Elle

---

[*] Madeleine Gobeil, qui allait devenir la compagne la plus assidue de Trudeau jusqu'au mariage de celui-ci avec Margaret Sinclair en 1971, prit part à la table ronde de *Maclean's* présidée par Gérard Pelletier au printemps 1963. Le jeune journaliste Peter Gzowski, à cette occasion, la décrivit comme ne correspondant ni au cliché de la jeune Canadienne timide dominée par sa famille qui ne veut que se marier et avoir une douzaine d'enfants, ni à celui d'une jeune fille volage qui ne pense qu'à fêter. Elle est sérieuse, dit-il, intelligente, franche et surtout, elle est émancipée. Elle n'est pas gênée, par exemple, dit-il, de déclarer publiquement qu'elle ne croit plus en son Église. Cependant, ses commentaires la montraient on ne peut plus « canadienne ». Elle affirmait que peut-être parce qu'elle était d'Ottawa, elle se sentait plus canadienne. Cependant, lorsqu'on leur demanda leur opinion sur les Canadiens anglais, elle fut du même avis qu'un autre participant: elle trouvait les Canadiens anglais aussi ennuyants, n'ayant rien d'intéressant à dire, et ajoutait qu'ils ne savaient pas entretenir la conversation. Peter Gzowski, "What Young French Canadians Have on Their Minds," *Maclean's*, 6 avril 1963, 21-23, 39-40. Madeleine affirme qu'elle et Pierre discutaient rarement de religion. Il insistait sur le fait que sa foi était du domaine privé. Entrevue avec Madeleine Gobeil, mai 2006.

[**] Carroll elle-même n'était pas timide, et ses conversations animées avec Pierre témoignent de l'attirance qu'il exerçait auprès des femmes, de même que de ses faiblesses. Après l'avoir appelé à Montréal, elle lui écrivit le 18 juin 1962 en lui disant à quel point elle avait été heureuse de pouvoir lui parler quelques heures auparavant. Elle se sentait toujours dans l'atmosphère de leur rencontre, et avait failli le rappeler, mais s'était arrêtée en se disant qu'il n'aurait probablement pas apprécié recevoir une nouvelle fois un appel à frais virés[40].

commençait à décliner, et cela attristait davantage son fils que l'état de la politique au Québec. Ils célébraient Noël et les autres fêtes ensemble avec Tip, Suzette et leurs familles et, comme toujours, Pierre enchantait les enfants avec son charme timide et ses prouesses athlétiques sans fin — sauts carpés, appuis renversés sur la tête et bonds spectaculaires. Suzette vivait toujours à proximité de la résidence de sa mère et était dévouée à la famille.

L'été 1961 apporta de grands changements dans la carrière de Trudeau et de ses amis. Un Gérard Pelletier étonné accepta avec empressement l'offre qu'on lui fit de devenir rédacteur en chef à *La Presse*, et Jean Marchand accepta de devenir le chef de son syndicat, la Confédération des syndicats nationaux (CSN). Ceux qui avaient été sur la touche étaient maintenant dans l'action. Pendant le séjour de Trudeau en Chine, le recteur de l'Université de Montréal avait appelé Grace, « terriblement empressé » de lui parler d'un poste universitaire en enseignement. Ironiquement, bien qu'il se fût longtemps plaint de son exil forcé de l'Université de Montréal à cause de l'Église catholique et qu'il tînt maintenant la chance qu'il avait vivement espérée, Trudeau accueillit la nouvelle avec tiédeur. Les temps avaient changé et la salle de classe, qui auparavant l'avait attiré, ne lui semblait plus un havre intéressant. Il avait initialement refusé un poste à l'Institut de droit public de cet établissement, puis il accepta sans enthousiasme un poste de professeur agrégé à la faculté de droit elle-même (avec une affectation interposte avec l'Institut) — une institution qu'il avait traitée avec mépris alors qu'il était étudiant, puis avocat. Quand cela fut fait, il partit promptement pour l'Europe.

Trudeau courut avec les taureaux à Pampelune — un acte insensé et audacieux —, rencontra Carroll Guérin à Rome et se rendit au festival de jazz de Juan-les-Pins sur la Côte d'Azur, où lui et Carroll entendirent la jeune vedette Ray Charles ainsi que Count Basie, la légende du jazz*.

* En 1968, les célèbres artistes canadiens Michael Snow et Joyce Wieland organisèrent un rassemblement de « Canadians in New York for Trudeau » dans cette ville, où ils avaient établi leur résidence. Ils y avaient un trio de jazz dont faisait partie le batteur Milford Graves. Snow présenta Graves à Trudeau comme le plus grand batteur de jazz de l'heure. Trudeau serra la main de Graves en disant qu'il ne fallait pas oublier Max Roach. Graves ne fut pas insulté mais plutôt étonné des connaissances de Trudeau en matière de jazz. Michael Snow dans Nancy Southam, éd., *Pierre* (Toronto : McClelland & Stewart, 2005), p. 125.

Ils séjournèrent dans un petit hôtel quelque part sur la Méditerranée. Le séjour fut inoubliable, la séparation difficile. Lorsqu'ils s'étaient séparés au matin, elle lui avait demandé de partir pour ensuite s'en excuser, mais, explique-t-elle, elle s'était sentie si triste qu'elle avait voulu éviter une scène publique. Elle y était à peine arrivée. La femme de ménage qui avait ouvert la porte était elle-même en larmes, et toutes deux avaient été soulagées de ne pas avoir à faire de manières.

Après avoir donné quelque argent à Carroll pour que celle-ci retourne à sa vie d'étudiante à mi-temps à Londres, Trudeau alla seul vers l'est et visita l'imposant palais de Split, en Yougoslavie, où Dioclétien se réfugia pour échapper à une Rome en déclin et décadente. Comme Dioclétien, on l'entendit maugréer sur la situation prévalant dans sa patrie et même songer à demeurer en Europe[41].

Au pays, Grace Trudeau se faisait du souci pour son fils. Le 5 septembre 1961, elle lui écrivit : « Maintenant tes pérégrinations sont terminées, ou le seront bientôt — hier était la Fête du Travail — les écoles rouvrent — et on s'attend des enseignants qu'ils remplissent leurs obligations. » Le 25 septembre, elle lui écrivit de nouveau, l'implorant de rentrer chez lui : « Quatre mois, c'est bien long ! Ta Mercedes attend avec impatience de pouvoir sortir[42]. »

De toute évidence, Trudeau s'était peu préparé pour ses cours, avec pour inévitable résultat qu'il dut travailler d'arrache-pied lorsque ceux-ci débutèrent. George Radwanski décrivit plus tard les habitudes de travail de Trudeau au cours des années précédant sa vie politique : « Il travaillait intensément à tout ce qu'il faisait, et faisait une foule de choses différentes, mais sauf pour *Cité libre*, il donnait toujours l'impression d'avoir toujours le pied en l'air, d'être toujours prêt à passer à autre chose[43]. » Trudeau n'était certainement pas disposé à s'établir enseignant. Quelques années plus tard, il mentionna qu'en arrivant à l'université, il y avait trouvé une atmosphère stérile ; le vocabulaire de la gauche servait maintenant à dissimuler une seule préoccupation, à savoir la contre-révolution séparatiste[44].

Au cours de l'hiver 1961-1962, il commençait à bouillir de voir que le gouvernement Lesage devenait davantage nationaliste et que les jeunes traitaient les fondateurs de *Cité libre* de dinosaures. *Cité libre* elle-même n'était pas à l'abri des critiques, alors que les membres de son conseil élargi, tant les jeunes que les plus âgés, remettaient en question son aversion traditionnelle à l'endroit du nationalisme, sa critique du socialisme et sa farouche opposition au séparatisme. En avril, Trudeau se plaignit à un ami qu'il travaillait souvent à l'université jusqu'à minuit et qu'il était généralement malheureux. Il aurait voulu se trouver dans un pays chaud, au soleil, à proximité de la mer : vraiment, disait-il, tout était détestable au Québec[45].

Ce même printemps, Peter Gzowski vint à Montréal afin de sentir l'excitation qui y régnait et découvrit le remarquable intellectuel engagé, selon ses termes, qu'était Pierre Trudeau. (La photographie figurant sur la couverture de son livre fut incluse avec l'article.) Dans un portrait de Trudeau qu'il publia dans les *Maclean's* de langues anglaise et française, il le décrivit comme un jeune homme en colère dirigeant son mépris de façon éloquente à l'endroit de la cause morte, disait-il, des séparatistes. Trudeau reconnaissait la valeur des réformes apportées par le gouvernement Lesage, disait-il, mais il affirmait que la situation serait bien meilleure si celui-ci avait pu compter sur davantage de députés tels que René Lévesque, qui possédait énergie et talent. Et, poursuivait Gzowski, il avait été pris en train de lancer des boules de neige sur la statue de Staline — *avant* que Staline soit à la mode. Trudeau devenait une célébrité intellectuelle en col roulé : un professeur millionnaire possédant un sens exquis de la mode, une Mercedes sportive et classique, un appartement donnant sur l'élégante rue Sherbrooke et un pied-à-terre dans la grande maison de sa mère à Outremont. Trudeau était également un excellent athlète, un bon orateur et un connaisseur en matière de vin et de femmes, disait Gzowski. Il avait fait sensation, continuait-il, lorsqu'il avait décidé d'aller nager dans la piscine, sous la neige, alors qu'il se trouvait à l'Institut des affaires publiques à Sainte-Adèle. Les articles attirèrent une attention considérable du public à l'endroit de Trudeau au Québec et au Canada anglais. Il affirma plus tard qu'à cette époque on lui avait offert un poste à la télévision anglaise de la CBC, peut-être grâce à cet article[46].

Au cours du même mois, Trudeau publia un autre texte dans *Cité libre*, « La nouvelle trahison des clercs » — probablement le plus important essai qu'il écrivit dans les années soixante. Ses cibles étaient clairement identifiées : le séparatisme québécois, le nationalisme et leurs prophètes, « les clercs » — les intellectuels québécois. Il avait tiré le titre de son essai du plaidoyer de 1927 écrit par Julien Benda, qui avait combattu la tendance conservatrice et nationaliste de la France des années vingt, alors que Benda s'opposait à Maurras et à d'autres autoritaristes que Trudeau avait autrefois admirés. On sentait sa colère déborder dans l'énoncé des cinq arguments fondamentaux sur lesquels devait s'articuler sa position lors des débats politiques des années soixante.

Premièrement, écrivait-il, « ce n'est pas l'idée de nation qui est rétrograde, c'est l'idée que la nation doive nécessairement être souveraine ». Deuxièmement, il répondait à un livre à succès de 1961, *Pourquoi je suis séparatiste*, de Marcel Chaput, un employé du gouvernement fédéral, dont la publication avait entraîné le congédiement de Chaput, ce qui avait causé la fureur des nationalistes du Québec. Trudeau estimait que Chaput avait totalement tort de suggérer que l'expérience de la décolonisation en Afrique et en Asie pouvait avoir quelque pertinence relativement à la situation du Québec. Chaput lui-même s'était empressé de reconnaître que « le Canada français possède plus de droits que ces peuples n'en possédèrent jamais ». Nombre de ces États nouvellement indépendants étaient multiethniques, tout comme l'était le Canada. Ce n'étaient pas des nations homogènes mais plutôt des pays où les minorités rêvaient de posséder les droits dont jouissaient depuis longtemps les Canadiens d'expression française. Le « principe des nationalités » de Woodrow Wilson, tout comme le mouvement de décolonisation lui-même, n'avait jamais eu pour objet de créer une vague de sécessions nationalistes.

Troisièmement, poursuivait Trudeau, pendant la majeure partie de l'Histoire, aucune nation n'avait existé. Cependant, depuis l'avènement des États-nations au cours des deux cents années précédentes, le monde avait connu l'époque « des guerres les plus dévastatrices, des atrocités les plus nombreuses et des haines collectives les plus dégradantes de toute l'épopée humaine ». On ne verrait la fin des guerres que « si la nation cessait d'être le fondement de l'État. » Quatrièmement, l'Histoire nous enseigne que « affirmer que la nationalité doit détenir la plénitude des pouvoirs souverains, c'est poursuivre un but qui se détruit en se réalisant.

Car toute minorité nationale qui se sera libérée découvrira presque invariablement en son sein une nouvelle minorité nationale qui aura le même droit de réclamer la liberté». Cinquièmement, les Canadiens anglais «n'ont jamais été forts que de notre faiblesse», non seulement à Ottawa mais également à Québec. Dans les deux cas, les politiciens ont été entachés par le cynisme politique, et le système politique par «la pestilence de la corruption». Si les Canadiens de langue anglaise «avaient mis à apprendre le français un quart de la diligence qu'ils ont employée à s'y refuser, il y a belle lurette que le Canada serait effectivement bilingue.»

Trop d'énergie avait donc été perdue en vaines querelles. La «trahison des clercs» découle de leur propension à se livrer à de telles querelles et à perdre chaque jour des heures à discuter de séparatisme. Ces discussions ne donnaient pas plus de résultat que de battre des bras dans le vent. Le nationalisme au Québec était réactionnaire. Dans la bataille, les nationalistes de droite, depuis le notaire de village, en passant par l'homme d'affaires modeste, jusqu'aux membres de l'Ordre de Jacques-Cartier, auraient toujours le dessus contre les nouveaux nationalistes de la gauche, rêvant de nationalisation et d'utiliser l'État afin de garantir des avantages à la bourgeoisie canadienne-française émergente. La Constitution canadienne laissait déjà toute la latitude nécessaire à Chaput ou aux jeunes séparatistes afin de mener à bien les réformes qu'ils voulaient et d'obtenir «l'inspiration» qu'ils désiraient si ardemment. À un jeune poète ayant affirmé que le nouvel État du Québec le rendrait «capable de faire de grandes choses», Trudeau rétorqua: «S'il ne trouve pas en lui-même, et dans le monde, et dans les astres, la dignité, la fierté et les autres ressorts du poète, je me demande pourquoi et comment il les trouverait dans un Québec “libre”.»

La «nation» se fait gardienne d'un héritage, poursuivait-il; elle le fait principalement au moyen d'une constitution et d'un système fédéral protégeant une société pluraliste et une population multiethnique. Les domaines ayant une portée «ethnique» — éducation, langue, propriété et droits civils — sont déjà entre les mains de la province de Québec selon la Constitution en vigueur. Ainsi, concluait-il, «les Canadiens français ont tous les pouvoirs nécessaires pour faire du Québec une société politique où les valeurs nationales seraient respectées en même temps que les valeurs proprement humaines connaîtraient un essor sans précédent[47]».

Ces arguments demeurèrent au centre de la réponse de Trudeau au séparatisme et au néonationalisme québécois au cours des trois décennies qui suivirent. Quelques éléments changèrent: par exemple, il laissa tomber son approche en faveur du *statu quo* en matière de constitution. Mais pour ce qui est de la plupart des éléments fondamentaux — bilinguisme, respect de la règle de droit, présence accrue des francophones à Ottawa, méfiance à l'endroit d'un nationalisme lié aux politiques économiques et renforcement du rôle de l'État, tant au niveau fédéral que provincial —, ils demeurèrent présents dans ses discours, ses écrits et ses actions. Au printemps 1962, il les réitéra publiquement lors d'un débat auquel participaient André Laurendeau, René Lévesque, Frank Scott et Jean-Jacques Bertrand, politicien de l'Union nationale et futur premier ministre du Québec. Lorsque Bertrand demanda à Trudeau s'il s'opposait à un projet d'ouverture de la Constitution et à la création d'un «statut particulier» pour le Québec, Trudeau répondit promptement et sans ambiguïté: «Oui.» Il estimait que la Constitution devait être rapatriée, mais il s'opposait à tout statut particulier pour le Québec qui, selon lui, abaisserait les autres provinces et conduirait ultimement à un éclatement de la fédération. Il fut cinglant lors de son entrevue avec Peter Gzowski: «Une nation ou un peuple n'a qu'une certaine énergie à consacrer à faire la révolution. Si l'énergie intellectuelle du Canada français est consacrée à des causes aussi futiles que le séparatisme, la révolution qui ne fait que s'amorcer ici ne pourra jamais aboutir[48].»

L'argument de Trudeau selon lequel le nationalisme reflétait les aspirations de la bourgeoisie au détriment des intérêts plus vastes de la classe ouvrière était basé sur l'opinion exprimée dans *Cité libre* et ailleurs par deux jeunes frères, le sociologue Raymond Breton et l'économiste Albert Breton. Trudeau fut particulièrement intéressé par leur affirmation selon laquelle le Québec contemporain devait diriger ses efforts non sur des diversions nationalistes, mais plutôt sur de «réelles» solutions aux problèmes économiques — des réformes qui amélioreraient le sort de tous, et non seulement celui de l'élite bourgeoise.

La colère de Trudeau était réelle, et ses idées se focalisaient davantage. Cette focalisation s'intensifia au cours de discussions régulières qui débutèrent à l'automne 1961 lorsque René Lévesque, alors ministre des Ressources naturelles dans le gouvernement Lesage, demanda à André Laurendeau d'organiser un groupe qu'il rencontrerait un vendredi sur deux au cours de l'hiver (qui, à Montréal, s'étend d'octobre à mai). Laurendeau, à son tour, invita Jean Marchand, Gérard Pelletier et Trudeau. Ils se rencontraient habituellement à la résidence de Pelletier située à Westmount; là, un souper sans prétention accompagnait la conversation. Trudeau et Marchand partaient habituellement les premiers et laissaient les volubiles Lévesque et Laurendeau à leurs discussions qui se poursuivaient tard dans la nuit, dans une pièce envahie par la fumée de leurs cigarettes. Lévesque commençait les rencontres en décrivant les événements ayant eu lieu à Québec au cours des deux semaines précédentes. Trudeau attendait le bon moment, puis bondissait sur les erreurs qui surgissaient de la pensée en mouvance de Lévesque.

Quoi qu'il en soit, Trudeau et Lévesque partageaient nombre d'opinions quant au besoin de modernisation du Québec et, au milieu de l'hiver 1962, Trudeau en était venu à respecter le travail qu'effectuait Lévesque au sein du gouvernement. Cette bonne entente, cependant, vola bientôt en éclats lorsque Lévesque, au printemps et à l'été 1962, mit de l'avant sa campagne de nationalisation des compagnies d'hydroélectricité qui, depuis longtemps, symbolisaient le pouvoir économique canadien-anglais au Québec[49].

Le sujet n'était pas nouveau; son impact politique l'était. Dans l'Ontario voisine, les ressources hydroélectriques étaient la propriété de l'État, mais les riches ressources en eaux du Québec étaient toujours largement entre les mains de compagnies privées. Les arguments en faveur de la nationalisation de la production et de la distribution de l'électricité privée à l'extérieur de Montréal étaient clairs: les tarifs seraient uniformisés partout dans la province et on serait en mesure de pourvoir aux besoins toujours grandissants de l'industrie et des consommateurs. Les coûts énormes qu'entraînerait cette demande seraient transférés au gouvernement, à la société dans son ensemble. La nationalisation avait une portée politique et économique. Bien qu'il en eût été fait brièvement mention dans le programme électoral détaillé des libéraux en 1960, elle n'avait pas été mise en application. Les constantes divisions que suscitait la question au sein du Cabinet exaspéraient Lévesque et, en février 1962, celui-ci, de sa propre initiative, lança la « Semaine de l'électricité » — une campagne publique en faveur de la nationalisation. Laurendeau la soutint avec enthousiasme ; Lesage, cependant, était hésitant et à un certain moment arrêta de s'entretenir avec Lévesque parce que celui-ci avait rompu la solidarité du Conseil des ministres. Lévesque devint « René le rouge », un rôle qu'il tint brillamment au cours de l'été alors qu'il se débattait contre l'élite économique. Les barons des affaires canadiens-anglais devinrent inévitablement ses adversaires et ses arguments se firent de plus en plus nationalistes.

Exaspéré, Lesage organisa finalement une retraite pour ses libéraux dans un chalet du lac à l'Épaule. Il demanda à George Marler, un ministre anglophone sans portefeuille qui, selon Lévesque, parlait aussi français, peut-être encore mieux qu'un francophone, et représentait avec une courtoisie exquise le nec plus ultra de la minorité dominante, de présenter une argumentation contre la nationalisation. D'une façon qui contrastait énormément tant émotionnellement que physiquement, Lévesque présenta la position adverse, animant son discours de cigarettes et d'une intarissable gestuelle des mains. Lorsqu'ils eurent terminé, tous les yeux s'étaient tournés vers le premier ministre, dont seul le mouvement agité de son crayon trahissait la nervosité derrière son calme apparent. À la surprise générale, Lesage décida de régler le débat en annonçant des élections. Le slogan devint rapidement et historiquement « Maîtres chez nous[50] ».

Trudeau fut immédiatement en désaccord avec la politique et particulièrement avec le slogan nationaliste. À leurs réunions du vendredi, il attaqua vivement les plans de Lévesque. Tous deux ont laissé un compte rendu de leur confrontation. Lévesque reconstitua l'échange dans ses mémoires :

> « Tu dis que ça irait chercher dans les six cents millions... » [avançait Trudeau en invitant d'autres à comprendre l'énormité de la chose] Six cents millions pourquoi ? Pour mettre la main sur une affaire qui existe déjà. C'est du pétage de bretelles nationaliste. Quand on pense à tous les vrais progrès économiques et sociaux qu'on peut s'offrir avec une somme pareille !
>
> « Oui, répondais-je, mais une somme pareille ne tombe pas du ciel pour n'importe quel projet. Dans le cas de l'électricité, il y a tout un actif et le rendement perpétuel de la ressource qui servent de répondant. Essaie de trouver ça ailleurs.[51] »

Lévesque poursuivit en affirmant que le contrôle « d'un aussi vaste secteur d'activité » constituerait « une véritable école de compétence, cette pépinière de constructeurs et d'administrateurs dont nous avons si cruellement besoin ».

Les souvenirs de Trudeau sont similaires. Il raconte une nuit où Lévesque se lança dans son rêve de nationaliser la Shawinigan Power tout comme le premier ministre Godbout avait nationalisé la Montreal Light, Heat and Power pendant la guerre. Trudeau avait demandé, se souvient-il, s'il ne serait pas préférable de dépenser cet argent en éducation. Lévesque lui avait répondu que cela permettrait de créer une classe de dirigeants et de doubler le nombre d'emplois. Mais Trudeau lui avait dit que pour lui les priorités étaient différentes, et que leurs divergences étaient d'abord basées sur l'utilisation du terme « nationalisation ». À tout le moins, Lévesque devrait selon lui parler de socialisation, et non de nationalisation. Trudeau, contrairement à Marler et aux capitalistes, ne s'objectait pas à ce que l'État se porte acquéreur de l'hydroélectricité. En effet, un article portant sur les « droits économiques » publié en juin 1962 dans le *McGill Law Journal* allait beaucoup plus loin qu'aucun des plaidoyers « socialistes » qu'avait faits Lévesque lors de sa campagne estivale visant à donner à l'État le contrôle du secteur hydroélectrique. Les réticences de Trudeau étaient liées à la rhétorique nationaliste entourant le débat sur l'hydroélectricité. « Ce qu'il craignait en réalité », écrivit plus tard Lévesque, « c'était le potentiel mobilisateur de ce verbe et sa force d'accélération qu'on sentait capable d'aller très loin dans une société devenue torrentueuse. » Lévesque avait vu juste[52].

Mais Trudeau aussi. Celui-ci était également d'avis que les arguments éminemment émotionnels du gouvernement Lesage appauvrissaient de plus en plus l'analyse fondée sur les sciences sociales et sur la raison de ce qui était le plus profitable pour tous les citoyens du Québec. Maurice Lamontagne, qui fut probablement l'économiste québécois le plus connu de l'époque, partageait l'opinion de Trudeau : investir en éducation était beaucoup plus judicieux qu'investir dans la brique et le mortier d'une centrale électrique. Albert et Raymond Breton étaient également des adversaires qui n'acceptaient pas les arguments de Lévesque sur la création d'un noyau de professionnels francophones. Selon eux, les pauvres, les travailleurs, les petits commerçants et les veuves qui eux aussi parlaient français paieraient le prix pour la création de ce noyau — tout comme le feraient leurs enfants. De même, selon Trudeau, la « politique des grandeurs » du gouvernement Lesage, avec ses « tapis rouges à Paris », ses titres et ses voyages prétentieux, n'était rien de plus qu'une diversion qui l'éloignait de ses tâches véritables qui devaient être l'amélioration du système d'éducation et des infrastructures du Québec. Trudeau ne pouvait qu'être un témoin inquiet alors que Lesage accueillait au Québec le ministre français de la Culture, André Malraux, comme un émissaire princier et qu'en retour, il acceptait des invitations au palais présidentiel, où de Gaulle le traita comme un chef d'État honoré et ami. Trudeau connaissait bien la maxime de Lord Acton, et constatait de nouveau de quelle manière le pouvoir pouvait corrompre[53].

Lorsqu'on demanda à Trudeau si ces disputes avec René Lévesque avaient causé la fin des rencontres du vendredi soir, il répondit que non, puisqu'il était le seul à les faire. Apparemment, Gérard Pelletier et Jean Marchand restaient la plupart du temps silencieux. André Laurendeau, un nationaliste qui avait appelé de ses vœux une telle nationalisation deux décennies auparavant, soutint Lévesque. Les réunions prirent fin au bout de deux ans en novembre 1963, mais, comme le nota plus tard Pelletier, ce ne fut pas en raison de quelque litige spécifique. Les divergences étaient fondamentales, et elles avaient été présentes dès les premières réunions à l'automne 1961. Mais, alors que la ferveur nationaliste de Lévesque s'intensifiait, le fossé séparant les points de vue devint trop large pour pouvoir être comblé[54].

En discutant de leurs différences de points de vue, le biographe de Lévesque avait avancé que si le cœur de Trudeau pointait à gauche, son portefeuille d'actions faisait de lui un homme de droite[*]. D'autres,

---

[*] Pierre Godin souleva des arguments étayant sa conviction que le « portefeuille » de Trudeau influait sur ses actions. Il faisait valoir que Trudeau était franchement radin lorsque venait le temps de payer l'addition pour ses divertissements ou de laisser un pourboire. Des témoignages laissent entendre que cette affirmation n'est pas entièrement fausse. Margot Kidder, qui fréquenta Trudeau dans les années quatre-vingt, se souvenait comment elle feignait de se rendre aux toilettes à la fin des repas afin de pouvoir retourner à la table et laisser un pourboire additionnel aux serveurs – auxquels Trudeau n'avait donné que quelques dollars. Le barman de la Troika, restaurant de grande classe à Montréal dans les années soixante, se souvenait d'une soirée où Trudeau était arrivé seul. Une personne qui semblait un ami se joignit à lui au bar. Lorsqu'ils semblèrent prêts à partir, le barman apporta l'addition à Trudeau,

dont Frank Scott, Stephen Clarkson et Christina McCall, croyaient que l'orientation qu'avait prise Trudeau en faveur du libéralisme et de l'économie de marché dans les années soixante s'était opérée en réaction au nationalisme, faisant valoir que les arguments sur le « bien public » d'Albert Breton sont associés aux économistes de l'école de l'économie de marché néo-classique de Chicago.

Cependant, les écrits publics et privés de Trudeau à cette époque, tout comme l'association, à ce moment, de Breton avec le NPD fédéral, contredisent de telles affirmations. L'article de Trudeau paru dans le *McGill Law Journal* constituait une attaque vigoureuse contre le concept libéral de propriété, et s'inscrivait dans la perspective de l'économiste John Kenneth Galbraith et même dans celle du marxiste C. B. Macpherson, et non sur les travaux de Milton Friedman et de Gary Becker de l'Université de Chicago. De plus, en se basant sur les commentaires émis par Trudeau, Gzowski le qualifiait de « socialiste millionnaire ».

En novembre 1962 dans *Cité libre*, Trudeau se décrivit comme un « homme de gauche », déplorant cependant le manque de réalisme du NPD. Dans les cruciales élections devant être tenues sous peu, disait-il, l'aile provinciale du parti ne se ralliait pas derrière les libéraux et son-

---

supposant que celui-ci était l'hôte. Il paya, et les deux clients quittèrent. Après un court moment cependant, Trudeau revint et réprimanda le barman, l'avertissant de ne plus jamais lui remettre l'addition s'il ne la demandait pas. Cependant, il existe également de nombreux exemples attestant de la générosité de Trudeau, rappelant l'aide qu'il apporta au « pauvre garçon » Gaby Filion à l'école au début des années quarante, en passant par François Hertel et Pierre Vadeboncoeur dans les années cinquante, jusqu'à l'impécunieuse étudiante Carroll Guérin dans les années soixante. Ce comportement inégal ne semble pas extraordinaire. Au cours d'un docudrame télévisuel présenté plus tard, Pelletier demandait à Trudeau pourquoi il était si parcimonieux. Trudeau répliqua que, même à l'époque où il était étudiant au collège Brébeuf, les enfants voulaient qu'il paye parce qu'ils savaient qu'il était riche. L'analyse défensive de Trudeau était presque certainement juste. Les biographies de millionnaires foisonnent d'histoires similaires, telles que les téléphones payants à l'usage des invités dans le château de Jean Paul Getty. Thérèse Gouin Décarie décrit l'attitude de Trudeau à l'égard de l'argent comme étant confuse, alors que Madeleine Gobeil dit qu'il était un intellectuel troublé par son statut de millionnaire. Pierre Godin, *René Lévesque : Héros malgré lui* (Montréal : Les Éditions du Boréal, 1994), p. 118; Entrevues avec Margot Kidder et Jacques Eindiguer; et « Trudeau, the Movie », CBC Television, octobre 2005.

geait même à présenter un candidat contre René Lévesque, la voix de la gauche au sein du gouvernement provincial.

Malgré sa propre opposition à la nationalisation de l'électricité, Trudeau ne pouvait comprendre comment un démocrate pouvait considérer voter contre les libéraux, étant donné qu'il était impensable de voter pour un autre parti, ceux-ci étant réactionnaires. En effet, il appuyait davantage les libéraux en 1962 qu'il ne l'avait fait en 1960. Après les élections, son plus grand regret fut que Lesage n'eût aucun « homme de gauche » pour prêter main-forte à René Lévesque. Il concluait en manifestant l'espoir qu'après les élections, un nouveau gouvernement libéral exprimerait, avec davantage de « réalisme », une vraie politique de la gauche au Québec[55].

Le 14 novembre 1962, René Lévesque gagna son pari, et Jean Lesage ses élections. Ce furent des mois fatidiques et terrifiants.

En octobre, le monde arriva probablement plus près que jamais de sa perte lorsque John Kennedy et Nikita Khrouchtchev se défièrent à propos de la présence de missiles soviétiques à Cuba. Quand Khrouchtchev recula, le gouvernement fédéral canadien commençait à se défaire. Il était grand temps, pensèrent Trudeau, Marchand et Pelletier. Marchand avait songé à se joindre à l'équipe Lesage à l'occasion des élections de 1962, mais, contrairement à ce qui s'était produit en 1960, Lesage, cette fois-ci, ne l'invita pas à se porter candidat. C'était peut-être à cause du houleux débat télévisé entre Marchand et Réal Caouette, le chef du Crédit social québécois qui, aux élections fédérales de juin 1962, avait remporté un total incroyable de vingt-six sièges au Québec et relégué les conservateurs de Diefenbaker au statut de gouvernement minoritaire.

Jacques Flynn, organisateur québécois du Parti conservateur, analysa avec justesse les succès du Crédit social : « Personne ne l'avait prévu (…) C'était un geste de protestation, c'est tout, un vote contre[56]. »

Le succès remporté par Caouette représentait la meilleure illustration de l'argument de Trudeau selon lequel tous les démocrates se devaient de voter libéral aux prochaines élections au Québec : Caouette représentait le courant élargi des forces réactionnaires qui menaçaient de renverser les acquis de la Révolution tranquille qui s'était amorcée en 1960*.

À l'automne 1962, Jean Marchand, peut-être blessé de n'avoir pas figuré dans la liste des candidats de Lesage pour l'élection de novembre, commença à parler discrètement avec Trudeau et Pelletier de poser sa candidature comme libéral aux prochaines élections fédérales. Celles-ci ne tarderaient pas à être déclenchées. John Diefenbaker avait eu une altercation avec son ministre de la Défense, Douglas Harkness, qui lui avait reproché son hésitation à appuyer le président Kennedy lors de la crise des missiles cubains. Harkness déclencha ensuite une révolte du Cabinet qui, lors d'une réunion autour de la table de la salle à manger du 24 Sussex Drive, vint près de chasser Diefenbaker du pouvoir. Au lieu de cela, le gouvernement tomba, une élection s'ensuivit et Lester B. Pearson devint premier ministre — quoique à la tête d'un gouvernement libéral minoritaire[57].

Le gouvernement de Lester Pearson prit le pouvoir le 22 avril 1963, mais Jean Marchand, Gérard Pelletier et Pierre Trudeau n'en faisaient pas partie. Au cours de la campagne électorale, Trudeau avait fermement appuyé le NPD fédéral en raison de l'annonce faite par Pearson en janvier selon laquelle le Canada respecterait les engagements qu'il avait pris et accepterait des ogives nucléaires en provenance des États-Unis. Cette position avait probablement fait remporter des sièges aux libéraux en Ontario et précipité la fin de Diefenbaker, mais cela avait nui à la cause des libéraux au Québec. En Ontario, le *Globe and Mail* et le *Telegram* de Toronto, qui historiquement étaient de tendance conservatrice, basculèrent du côté des libéraux. Au Québec, cependant, *Le Devoir* et *La Presse* (dont Pelletier était le rédacteur en chef) appuyaient tous deux le NPD dans sa prise de position contre les armes nucléaires.

Les attaques les plus acharnées, cependant, étaient venues de *Cité libre*, où Jean Pellerin, Pierre Vadeboncoeur et Trudeau condamnèrent

---

* Les craintes de Trudeau étaient en effet justifiées. Les sondages Gallup indiquaient un appui considérable au Crédit social au Québec. Daniel Johnson, politicien de l'Union nationale, écrivit à Diefenbaker au plus fort des élections de 1963, le 8 mars; il estimait que si des élections s'étaient tenues ce jour-là, le Parti créditiste aurait remporté de cinquante à cinquante-cinq sièges. La lettre laissait entendre que certains politiciens de l'Union nationale continuaient à appuyer Diefenbaker et que d'autres appuyaient Caouette. Johnson à Diefenbaker, 8 mars 1963, Diefenbaker Papers, XII/115/F/281, Diefenbaker Library, University of Saskatchewan.

la position de Pearson comme étant un vil plan destiné à vendre le Canada pour un financement des campagnes par les Américains. L'attaque de Trudeau est passée à l'histoire, et sa virulence n'a pas été exagérée. Cependant, et contrairement à l'opinion populaire, il ne fut pas le premier à appeler Pearson « le défroqué de la paix ». Cette perle de dérision, ridiculisant le prix Nobel de la Paix octroyé à Pearson, fut inventée par son ami Vadeboncoeur, mais Trudeau s'en servit d'entrée de jeu dans son propre essai. Le « pape Pearson », écrivait-il, avait pris la décision un matin en prenant son petit-déjeuner de souscrire à une politique pronucléaire et, ce faisant, avait défroqué de son propre parti :

> Il importait peu qu'une telle politique ait été répudiée par le congrès du parti et bannie de son programme ; il importait peu que le chef ait agi sans consulter le conseil national de la fédération libérale, ou son comité exécutif ; il importait peu que le Leader ait oublié d'en parler au caucus parlementaire, ou même à ses principaux conseillers. Le pape avait parlé, il ne restait aux croyants qu'à croire.

La politique nucléaire en tant que telle était méprisable ; les « réflexes antidémocratiques » de la décision de Pearson, intolérables[58].

Trudeau vint près d'ébaucher une thèse de conspiration dans son interprétation des agissements de Pearson et de la chute du gouvernement Diefenbaker. Les « *hipsters* de M. Kennedy » avaient décidé que « *Diefenbaker must go* ». Vous croyez que je dramatise ? avait demandé Trudeau.

> Mais comment croyez-vous que la politique se fait ? Vous pensez que c'est en touriste que le général Norstad, ci-devant commandant suprême des forces alliées en Europe, est venu à Ottawa le 3 janvier sommer publiquement le gouvernement canadien de respecter ses engagements ? Vous croyez que c'est par chance que M. Pearson, dans son discours du 12 janvier, ait pu s'appuyer sur l'autorité du général Norstad ? Vous croyez que c'est par inadvertance que le State Department ait transmis aux journaux, le 30 janvier, un communiqué renforçant les positions de M. Pearson et où M. Diefenbaker était crûment traité de menteur ? Vous pensez que c'est par hasard que ce communiqué ait fourni au chef de l'opposition les arguments dont il truffa abondamment son discours au Parlement le

31 janvier? Vous croyez que c'est par coïncidence que cette suite d'événements se termina par la chute du gouvernement, le 5 février?

Mais pourquoi pensez-vous donc que les États-Unis en useraient différemment avec le Canada qu'avec le Guatemala, quand la raison d'État l'exige et que les circonstances s'y prêtent?

Bien que Diefenbaker appuyât dans une grande mesure cette interprétation, ni Basil Robinson, son assistant aux affaires étrangères de l'époque, ni Denis Smith, son biographe de référence, n'y croyaient. Comme cela est souvent le cas, les coïncidences et les erreurs peuvent expliquer la majeure partie des événements. Mais cela n'expliquait pas tout[59].

L'administration Kennedy avait publiquement fait connaître à quel point elle était opposée à Diefenbaker. Le mépris pour l'hésitation qu'avait démontrée le premier ministre à appuyer l'ultimatum de Kennedy aux Soviétiques — une réponse qui fut, selon Smith, franchement ambiguë compte tenu de la tradition canadienne — est omniprésent dans les rapports envoyés d'Ottawa par l'ambassadeur américain W. W. Butterworth. Lorsque Trudeau rédigea son attaque contre Pearson, il était troublé de constater l'influence exercée par les États-Unis sur le Canada. Vadeboncoeur était horrifié: il faisait correspondre «américanisation» avec l'impact abrutissant de la technologie moderne sur l'esprit humain. Dans le numéro de *Cité libre* d'avril 1963, lui et Trudeau s'unirent pour porter une attaque virulente contre les libéraux et particulièrement contre Lester Pearson. Depuis longtemps, Trudeau estimait que le premier ministre était un partisan trop zélé de l'arrogance que manifestaient les États-Unis dans le monde.

Sur la question nucléaire, les opinions de Trudeau étaient partagées par Pierre Vadeboncoeur, André Laurendeau, Claude Ryan, René Lévesque, Michel Chartrand et pratiquement tous ses alliés et amis des années quarante et du début des années cinquante. Mais le nationalisme et le séparatisme étaient une autre paire de manches. Au début des années soixante, les différentes attitudes quant à la question «nationale» mettaient à rude épreuve nombre de vieilles amitiés, quand elles n'y mettaient pas carrément fin. La correspondance et les écrits de Trudeau durant cette période révèlent une érosion dans les échanges de confidences et dans les principes communs qui avaient longtemps animé de grandes amitiés. Parfois, cependant, des opinions séparatistes ne signifiaient pas la fin d'une relation. Lorsque Carroll Guérin, par exemple, dit à Trudeau qu'elle croyait que le « peuple français » (elle était « à demi Française ») possédait un besoin inné de se séparer, ses opinions n'affectèrent pas leurs semaines estivales d'heureuse intimité. Il en allait autrement avec les hommes cependant, et Trudeau demeurait troublé du nombre de relations qui prenaient fin.

Au jour du Souvenir de 1992, Trudeau rencontra Camille Laurin, un vieil ami et un voisin d'Outremont avec lequel il faisait de longues promenades à pied dans les années cinquante. Laurin, un psychiatre, avait été le « père » de la loi linguistique québécoise des années soixante-dix qui avait fait du Québec une province officiellement unilingue et qui avait offensé profondément les fédéralistes québécois. Maintenant, alors qu'ils étaient de nouveau assis ensemble, Laurin se rappelait que Trudeau et lui, à une certaine époque, avaient partagé les mêmes objectifs de modernisation et de déclericalisation, et avaient tous deux livré une bataille pour la liberté contre la dictature, le cynisme et l'immoralité politique. À une époque aussi tardive que novembre 1961, Laurin, dans *Le Devoir,* avait décrit le séparatisme comme une maladie. Usant de termes freudiens, il affirmait que les Canadiens français voyaient les Anglais comme des pères et que dès lors, le séparatisme était une forme de revanche. Trudeau demanda alors à Laurin ce qui lui avait fait changer d'avis. La « révolution » de Lesage, répondit-il. Cela lui avait fait réaliser que le fédéralisme ne donnerait pas au Québec les outils nécessaires à sa modernisation. Trudeau répliqua qu'une équipe forte à Ottawa ouvrirait le Québec au monde tout en assurant la modernisation du Québec. Laurin émit des réserves et lui fit remarquer le sort réservé aux francophones des autres provinces[60].

Il s'agissait d'un vieux débat, mais celui-ci, dans les années cinquante, avait été laissé de côté par les jeunes professionnels et les intellectuels, en raison de la cause politique commune à laquelle ils travaillaient tous. Dans les années soixante, leurs buts communs disparurent sous les divergences politiques.

Pierre Vadeboncoeur et François Hertel avaient été des amis plus proches de Trudeau que ne l'avaient été Pelletier ou Marchand. Leurs divergences de vues croissantes à propos de la question « nationale » brisèrent cependant leurs liens d'amitié lorsque Vadeboncoeur vint à prendre parti en faveur du nationalisme, puis du séparatisme, et d'une forme toujours plus militante de socialisme. Vadeboncoeur fait remonter leur rupture aux années 1963-1964, alors que les slogans séparatistes québécois sortirent des salles de classe universitaires et des bars où des étudiants et des politiciens marginaux se rencontraient, et retentirent avec fracas dans les grands débats publics. Il se souvenait du moment où il avait conclu que Trudeau et Pelletier étaient aveugles aux forces qui animaient la jeunesse et l'avenir. Ils n'étaient pas « des brutes », écrivait-il, simplement aveugles : « Monsieur Pelletier, à qui, vers 1964, à la télévision, je soulignais l'existence d'un courant indépendantiste, me répondit, ne voyant rien : "Mais quel courant?[61]" »

Vadeboncoeur était d'avis que lui et Trudeau avaient pris des chemins différents principalement parce que l'approche de la politique de Trudeau était si tributaire de la loi. Dans les années quarante, à la faculté de droit, tous deux considéraient la loi comme une force conservatrice. Ils méprisaient la loi alors qu'ils rêvaient de révolution, mettaient en scène du théâtre politique et parcouraient les rues la nuit en quête de poésie et d'idylles amoureuses. Trudeau, disait-il, n'avait pas compris la nouvelle donne d'après 1960, un monde infecté par « la contagion massive d'une idée politique, notamment parmi les poètes, les artistes et les intellectuels les meilleurs du pays », une contagion si virulente que le grand public était affecté par cette souche exceptionnelle. Ils furent entraînés chacun de leur côté, et Vadeboncoeur en ressentit initialement de la tristesse, puis de la mélancolie et du respect envers l'intégrité de son ami.

En 1970, alors qu'abondaient les critiques relativement à l'honnêteté intellectuelle de Trudeau, Vadeboncoeur prit sa défense, disant qu'il n'avait pas la moindre hésitation à affirmer que Trudeau n'avait pas trahi ses convictions, mais au contraire, qu'il avait continué d'y être scrupuleusement fidèle. Inévitablement, quelques rancœurs apparurent plus tard lorsqu'il se mit à écrire sans ambages sur Trudeau, celui qui avait détruit tant de rêves. Trudeau, lui, resta généralement silencieux, mais inscrivit des points d'exclamation en marge d'une coupure de presse de 1963 qui décrivait Vadeboncoeur comme le membre de loin le plus radical parmi les invités à un débat sur le séparatisme et le socialisme.

Avant qu'ils partent chacun sur son chemin, Vadeboncoeur rendit à Trudeau l'argent que son plus proche ami lui avait prêté au cours des années. Deux hommes d'âge mûr restaient avec leurs souvenirs d'une enfance passée ensemble dans les rues et les ruelles d'Outremont, des terrifiants premiers jours à Brébeuf, du joyeux moment où Vadeboncoeur avait lancé en l'air ses notes de droit et s'était déclaré libre, et des secrets qu'ils avaient partagés lorsque Trudeau était rentré d'Europe en 1949. Trente ans après leur séparation, Trudeau rendit un dernier hommage personnel à son vieil ami, alors devenu un écrivain de premier plan. Dans ses mémoires, il écrivit que c'était Vadeboncoeur qui lui avait appris à bien écrire en français[62]. Il s'agissait d'un présent pour la vie qu'aucune brouille ne pourrait jamais effacer.

Si Vadeboncoeur avait été un des amis masculins les plus proches de Trudeau au cours de son adolescence et de ses années de jeunesse, François Hertel, à cette époque, fut son principal mentor. Plus tard, ils s'étaient fréquemment réunis à Paris, où Hertel était rédacteur en chef d'un journal qui publiait les écrits de la diaspora française auquel même Grace Trudeau était abonnée. Après 1960, la montée du séparatisme stimula les vieilles sympathies de Hertel et fit naître de nouveaux espoirs. À l'hiver 1963, il écrivit un essai, « Du séparatisme québécois », dans lequel il réitérait, à l'intention de ses lecteurs, l'affirmation qu'il avait faite en 1936 voulant qu'un jour la séparation viendrait. Maintenant, finalement, le Québec se préparait à quitter le Canada et se constituait en un bloc solide dans lequel sa vie intellectuelle, artistique et sociale prendrait son essor, dans la sécurité et la sérénité. Trudeau ne ressentait certainement aucune sérénité lorsqu'il annota l'essai de neuf points d'exclamation, d'un point d'interrogation, de nombreux soulignement de passages et d'un commentaire indéchiffrable faisant référence à l'énoncé de Hertel selon lequel même une décentralisation du type en vigueur en Suisse, exemple qu'il avait gardé comme dernier recours depuis trente ans, n'était plus possible.

L'essai déplut énormément à Trudeau, mais il fut outré lorsque des étudiants de l'Université de Montréal publièrent un article de Hertel dans *Le Quartier Latin* en avril 1964. André Laurendeau, un nationaliste, mais également un adversaire éloquent du séparatisme, avait accepté de coprésider la Commission royale d'enquête sur le bilinguisme et le biculturalisme que Pearson avait convoquée peu après avoir été porté au pouvoir. Le nouveau rôle joué par Laurendeau passait la mesure selon Hertel. Il écrivit: « Si donc vous avez envie d'assassiner quelqu'un (...) assassinez-moi un traître "bien de chez nous". Cela serait du bon "boulot". Délivrez, par exemple, de l'Existence, où il a tellement l'air de s'ennuyer — ce pauvre Laurendeau (1), vieillard précoce et d'ailleurs assez salace. » Dans le numéro de mai 1964 de *Cité libre*, Trudeau attaqua Hertel. Dans un commentaire cinglant, il l'accusa d'être un Torquemada s'apprêtant à mener une inquisition. Il regrettait profondément que Hertel, qu'il respectait depuis longtemps en raison de son refus de se plier aux règles, eût choisi d'entrer « dans la chapelle séparatiste ». Dans un Québec où les terroristes devenaient des héros et où la collectivité était de nouveau idolâtrée, les mots de Hertel étaient complètement « irresponsables », tout comme l'était *Le Quartier Latin* de les avoir publiés[63].

Hertel objecta à Trudeau et à d'autres — ingénieusement, étant donné les tensions qui prévalaient à ce moment — qu'il s'était exprimé métaphoriquement et qu'en fait il détestait la violence. Pourtant, un froid s'était installé dans sa relation avec Trudeau et, finalement, cela mit fin à presque tout contact.

Comme Pierre Vadeboncoeur, Hertel prit plus tard la défense de Trudeau lorsque certains mirent en doute sa sincérité. Tout en traitant Pelletier de manière dérisoire en le qualifiant de « boy scout », Hertel reprit ce que disait Vadeboncoeur, suggérant que ce qui empêchait Trudeau de partager leurs convictions venait de l'attention excessive qu'il portait au droit. Trudeau, qu'il connaissait bien, était un juriste qui à son avis, disait-il, était devenu prisonnier d'une formule qu'il aurait avantage à élargir. Il était aussi un peu britannique de naissance, avait-il ajouté. Ce dernier commentaire avait certainement contribué à rendre Trudeau encore plus furieux. En fait, même s'il était en faveur de l'indépendance, Hertel s'inquiéta plus tard de quelques-unes de ses expressions de violence physiques et verbales, et il détestait le « communisme » que professaient certains de ses partisans les plus bruyants.

En s'éloignant l'un de l'autre, lui et Trudeau continuèrent apparemment à s'échanger occasionnellement des messages. Quand Hertel revint au Canada dans les années quatre-vingt, il avait la nostalgie du passé et regardait avec méfiance la direction qu'avait prise la jeunesse des années soixante en matière de littérature et dans la vie. Il mourut en 1985 et, à la surprise générale, on lui fit un service religieux auquel assistèrent ensemble Camille Laurin et Pierre Trudeau[64].

Hertel et Vadeboncoeur avaient vu juste en discernant que les intérêts de Trudeau n'étaient plus aussi centrés sur la littérature qu'ils l'avaient étés quand celui-ci était dans la jeune quarantaine*. Son fort penchant de jeunesse pour la littérature s'était affaibli. En tant que professeur à l'Université de Montréal, il s'était joint au Groupe de recherches sociales, et ses propres écrits reflétaient son intérêt croissant pour les sciences sociales et le droit, en particulier au point où les deux convergeaient. En juin 1963, il écrivit à un ami ontarien, répondant à une lettre que celui-ci avait écrite un an auparavant. Le délai, disait-il, était dû à toute la pression qu'il avait subie. Il refusa l'offre que lui avait faite son ami de « faire la tournée » du Canada afin d'expliquer le point de vue canadien-français parce qu'il devait s'envoler pour l'Europe et l'Afrique du Nord. L'année écoulée avait été folle, disait-il, avec des conférences et la recherche à l'université, son bureau, *Cité libre*, les libertés civiles, la recherche sur la paix, entre autres. Il n'était pas trop grave de ne pas avoir le temps d'écrire, mais il était grave de ne pas avoir le temps d'étudier le droit. Il espérait pouvoir trouver un moyen, à l'automne suivant, de se barricader à l'université[65].

Il ne se barricada pas, entre autres parce que des étudiants gauchistes et séparatistes érigeaient les barricades qu'il voulait abattre. Il passa des moments beaucoup plus gratifiants dans les cafés situés à proximité de son appartement de la rue Sherbrooke en compagnie de Madeleine Gobeil, qui enseignait maintenant dans un collège classique où elle découvrait, à sa grande consternation, mais cela ne surprenait nullement Trudeau, que toute une génération de gens de son âge, disait-elle, au lieu de travailler à devenir

---

* Trudeau et Vadeboncoeur continuèrent à partager de l'enthousiasme pour les affaires syndicales. Bien que Trudeau, contrairement à Vadeboncoeur, ne fût pas un organisateur syndical à temps complet au cours des années soixante, il consacra d'innombrables heures à rédiger un rapport incorporant les vues syndicales au profit du comité constitutionnel mis en place par l'Assemblée nationale du Québec en mai 1963. Le mémoire reflétait l'hésitation dont faisait montre Trudeau à « ouvrir » la Constitution, de même que son appui à l'institution d'une charte des droits. Ce travail le prépara de manière exceptionnelle aux débats sur la Constitution qui devaient avoir lieu au cours de la décennie suivante. Pour une vue d'ensemble de ses opinions sur ces questions, consultez ses essais « We Need a Bill of Rights » et « Quebec and the Constitutional Problem » dans Gérard Pelletier, éd., *Against the Current: Selected Writings, 1939-1996* (Toronto : McClelland & Stewart, 1996), p. 214-216, 219-228.

compétents dans leur domaine, restaient là à discuter de choses comme le séparatisme. Albert Breton, le plus impressionnant jeune économiste francophone de sa génération, qui entretenait des liens avec quelques-uns des économistes internationaux les plus importants de l'époque, était présent lorsque Madeleine fit ce commentaire. Maintenant, lorsqu'on lui demandait si son allégeance première allait au Canada ou au Québec, il se décrivait toujours comme un « Nord-Américain ». Et quoique Trudeau se montrât critique à l'égard des politiciens américains, il était de plus en plus attiré par les sciences sociales et les débats intellectuels en provenance des États-Unis.

Au début des années soixante, sa pensée sociale reflétait de manière croissante l'argumentation sur les pouvoirs compensatoires et la pauvreté du secteur public proposée par John Kenneth Galbraith, dont le livre *The Affluent Society* était un succès de librairie.

Durant l'hiver 1963-1964, Trudeau se joignit aux frères Breton, à l'avocat montréalais Marc Lalonde, au sociologue Maurice Pinard, à l'avocat Claude Bruneau (qui avait travaillé pour le ministre de la Justice conservateur Davie Fulton) et au psychanalyste Yvon Gauthier afin d'examiner pourquoi, selon les mots employés par Trudeau, les séparatistes voulaient que « toute la tribu retourne aux wigwams ». Cela, poursuivait Trudeau, n'empêcherait pas le monde extérieur d'avancer à pas de géant ; cela ne changerait pas les règles du jeu et les faits de l'histoire, ni les rapports de pouvoir réels en Amérique du Nord.

En mai 1964, *Cité libre* publia leur manifeste « Pour une politique fonctionnelle », qui parut simultanément dans une traduction de l'avocat montréalais Michael Pitfield dans le *Canadian Forum* sous le titre de « An Appeal for Realism in Politics ». Les auteurs révélèrent leur formation en droit et en sciences sociales alors qu'ils déploraient le manque de réalisme dans la politique québécoise, l'absence de leadership politique et le refus du gouvernement de faire face aux problèmes économiques. En plaidant leur cause en faveur de « la libre circulation des facteurs économiques et culturels », ils rejetaient « le concept de l'État-nation comme dépassé » et annonçaient leur refus de « [s'enfermer] dans un cadre constitutionnel plus petit que le Canada. »

Ses nouveaux amis aidèrent Trudeau à trouver une nouvelle approche dans la « politique fonctionnelle ». Alors que tant d'amis de longue date se mettaient en marche sous une nouvelle bannière nationaliste, Trudeau prenait une voie différente[66].

CHAPITRE 9

L'homme politique

À Westmount, en ce printemps 1963, René Lévesque, Gérard Pelletier et André Laurendeau sont toujours, à 2 h du matin, assis à la table de Pelletier. Trudeau et Jean Le Moyne sont partis plus tôt. À court de cigarettes, mais pas à court d'idées, Laurendeau et Lévesque prennent une dernière tasse de café. Soudain, le bruit d'une explosion perce le silence de la rue. « C'est une bombe du FLQ », lance Laurendeau, blâmant ainsi le Front de Libération du Québec, une organisation peu structurée formée un peu plus tôt cette même année pour créer un État marxiste indépendant par la violence. « Non, non », rétorque Lévesque, « c'est une explosion dans le métro » — le réseau de métro était alors en construction à Montréal. Laurendeau n'est pas du même avis : « Je reconnais le bruit. Le mois dernier, ils en ont déposé une non loin de chez moi. » Alec Pelletier descend les escaliers et affirme sur un ton décisif : « C'est une bombe. » Une autre explosion se fait entendre et, cette fois, même Lévesque commence à douter de sa théorie du métro. Pour les membres du FLQ, les boîtes aux lettres étaient des cibles faciles — où pouvaient-ils laisser un paquet sans éveiller les soupçons ?

Les trois journalistes, dont un est ministre, l'autre un éminent éditorialiste et le troisième une icône médiatique et politique, se mettent alors en route à la recherche d'une grosse histoire. Avec Alec toujours vêtue de son élégante robe de soirée, ils trouvent rapidement les fenêtres d'une épicerie fracassées, laissant à découvert un mur de paquets de cigarettes : « Ça tombe bien, René », lance Alec. « Tu n'as qu'à te servir ! »

Dans l'odeur de la fumée et l'intense excitation de la chasse, les hommes repartent pour trouver la source des autres explosions. Inconscients du danger, ils se rendent près d'une boîte aux lettres où une autre bombe est placée, mais, heureusement, l'explosion ne se fera entendre que plus tard dans la matinée. Alors que les badauds fourmillent autour de la boîte aux lettres et du verre éclaté, Pelletier garde un silence étonné. Lévesque, divisé, affirme d'une manière critique mais admirative: « Ils sont tout de même courageux ces gars-là. » Laurendeau réfléchit tout haut en regardant les étoiles: « C'est incroyable ! Quand j'avais vingt ans, je venais voir une petite amie dans le quartier où nous sommes. Je n'ai jamais rêvé que des choses pareilles pourraient un jour se produire ici. C'est absurde, non[1] ? »

En fait, l'année 1963 fut hors de l'ordinaire: l'année des bombes dans les boîtes aux lettres, de la montée du FLQ et de l'assassinat de John F. Kennedy. Après la mort de Kennedy à Dallas dans l'après-midi du 22 novembre, Laurendeau, Trudeau, Pelletier, Lévesque et Marchand tinrent leur dernière rencontre lors de cette mémorable soirée. Lévesque pleura profondément la mort du président, « comme si le crime avait supprimé un membre de *sa* famille ». Trudeau fut plutôt analytique, réfléchissant aux assassinats d'autres présidents américains, alors que Laurendeau déplora la violence qui, dans le vocabulaire des années soixante, était aussi américaine que la tarte aux pommes. Leurs différentes réactions à la mort de Kennedy reflétaient bien leurs diverses réactions aux changements tout aussi étonnants qui se produisaient au Québec. Durant l'année, René Lévesque avait passé des commentaires explosifs concernant l'avenir du Québec au sein du Canada. Il commença par laisser entendre publiquement que le Canada n'était pas formé de dix provinces, mais plutôt de deux nations. Il songea souvent à la possibilité d'une séparation si la fédération échouait à se réformer. À Toronto, il fit sursauter un auditoire d'admirateurs lorsqu'il compara la Confédération à une « vieille vache sacrée » qui devait changer sinon le Québec se séparerait. Lorsque l'animateur de télévision Pierre Berton lui demanda si cela le dérangerait que le Québec ne fasse plus partie de la Confédération, Lévesque répondit: « Non, je ne pleurerais pas longtemps. » Les commentaires controversés et les remarques désinvoltes qui flirtaient audacieusement avec l'idée d'une séparation n'échappèrent pas à l'attention de Laurendeau et de Trudeau[2].

Laurendeau fut profondément troublé. Bien que ses opinions fussent nationalistes, on le qualifiait de plus en plus de « fédéraliste » engagé dans la refonte de la Confédération canadienne. En septembre 1961, il avait fait carrément connaître sa position dans *Le Devoir*: «Indépendance? Non: un Québec fort dans un fédéralisme neuf.» Peu de temps après, alors que le gouvernement conservateur de John Diefenbaker s'effondrait à Ottawa, Laurendeau exigea la création d'une commission qui mènerait une étude et qui rendrait un rapport sur la création d'une nouvelle fédération bilingue et biculturelle. Diefenbaker refusa, mais le chef fédéral de l'opposition, Lester Pearson, appuya la proposition de Laurendeau dans l'un de ses discours.

Lorsque Pearson décrocha le pouvoir en avril 1963, il créa rapidement la commission. Après quelques cafouillis, alors que ses faibles collègues du Québec recommandaient des gens qui n'obtenaient aucun appui dans la province, Pearson se tourna vers Laurendeau et lui demanda de coprésider la commission qu'il avait à l'origine proposée. Laurendeau hésita au début, puis il demanda l'avis de plusieurs. Lévesque lui donna de nombreuses raisons de refuser et une étrange raison d'accepter: le «big bang» que causerait la rapide démission de Laurendeau de la commission. Cependant, après une vive discussion au cours de laquelle Laurendeau déclara qu'il n'était pas un séparatiste, à quoi Lévesque répondit, «Moi non plus!», le politicien le plus populaire du Québec céda la présidence à Laurendeau. En juillet, Laurendeau rencontra Pearson et accepta le poste. Il convainquit également Jean Marchand de se joindre à lui en tant que commissaire[3]. La commission engagea Michael Oliver, de l'Université McGill, et Léon Dion, de l'Université Laval, comme codirecteurs de recherche, et ceux-ci créèrent une équipe de recherche en constante expansion[*] pour ce qui allait peut-être être la plus importante commission royale de l'histoire canadienne[4].

---

[*] À l'automne de 1964, la Commission royale d'enquête sur le bilinguisme et le biculturalisme, présidée par André Laurendeau et le président de l'Université de Carleton, Davidson Dunton, fut, selon l'historien Jack Granatstein «de loin la plus grande organisation de recherche au pays», avec huit divisions, quarante-huit chercheurs à temps plein ou partiel, et une petite armée de consultants et d'étudiants. Mis à part Marchand et Laurendeau, Trudeau connaissait bien Frank Scott et le journaliste Jean-Louis Gagnon, qui faisait partie de la commission. Les huit membres de celle-ci se répartissaient également entre francophones et anglophones et incluaient un représentant d'une minorité ethnique francophone et un autre anglophone, les professeurs J.-B. Rudnyckyj et Paul Wyczynski (qui, par coïncidence, est le père de l'archiviste directement en charge des archives Trudeau). La commission ne comptait qu'un seul membre féminin, Gertrude Laing, de l'Alberta, et aucun membre des communautés autochtones, ce qui avait entraîné le dépôt de nombreuses plaintes au cours des audiences.

Trudeau observait ces événements avec méfiance, notamment depuis qu'il s'inquiétait du nationalisme avoué de Laurendeau. La commission le chargea de mener une étude sur le rôle d'une « charte des droits » qui protégerait les intérêts culturels[5]. Il commença par accepter, mais refusa par la suite, ses cours universitaires, le journalisme et les affaires de sa famille ayant pris de plus en plus de son temps après 1963. En effet, la santé de sa mère se détériorait, le gestionnaire des affaires de la famille était décédé et Tip s'absentait souvent à l'étranger ou à sa maison de campagne. Il s'était forgé une réputation d'excellent architecte, mais lui et Pierre ne semblent pas être demeurés très proches après leur passage à Brébeuf. Lorsque Trudeau était à l'étranger, sa liste de correspondants indique qu'il n'écrivit que rarement à Tip. Il vit souvent Suzette à leur maison d'enfance d'Outremont, où ils plaisantaient comme toujours. Elle était une habile gestionnaire financière, et Grace et Pierre appréciaient ses conseils. Son rôle au centre de la famille s'accentua alors que la santé de sa mère se détériorait au cours des années soixante. Trudeau s'occupa davantage de la gestion des finances ; lorsqu'il était à Montréal, il rencontrait ses conseillers toutes les semaines. Parmi ceux-ci se trouvait l'avocat Don Johnston, qui rejoignit plus tard son cabinet. Le « bureau » de Trudeau était une pièce de réserve au plancher nu meublée d'un bureau en métal et de classeurs, située sur la très vivante rue Saint-Denis. Il va sans dire que Trudeau appréciait davantage déjeuner dans les bistros tout près que s'occuper des détails comptables[6].

Le travail exigeant de Pelletier en tant que rédacteur en chef de *La Presse* lui laissait peu de temps à consacrer à *Cité libre*. De plus, la revue connaissait de nombreux problèmes. Dans les années cinquante, Trudeau faisait partie des rares personnes de la gauche au Québec ; maintenant, de nombreuses personnes l'avaient dépassé sur sa gauche, criant des slogans marxistes et griffonnant des devises révolutionnaires dans les corridors des écoles et sur les plaques de rue. Les frontières intellectuelles que *Cité libre* avait élevées au début des années cinquante s'étendirent rapidement au début des années soixante, au grand malheur de ses fondateurs. En 1963, ces frontières s'effondrèrent. Les jeunes membres de l'équipe de *Cité libre* quittèrent la revue dans l'amertume pour fonder le journal nationaliste et fortement gauchiste *Parti pris*. Dans *Cité libre*, Pierre Vallières, alors un journaliste âgé de vingt-cinq ans, avança que les fondateurs devaient comprendre qu'il leur fallait passer le flambeau à une génération plus jeune. Reconnaissant la force de l'argument, l'équipe originale nomme Vallières « rédacteur en chef » de *Cité libre* en 1963, malgré les doutes de Jacques Hébert[7]. Dans le numéro estival, peu de temps après la nuit des bombes dans les boîtes aux lettres, Vallières écrit un article sur *Cité libre* et sa génération. Il commence par rappeler la vibrante déclaration d'intention de la revue de 1950. Ceux qui, jadis jeunes hommes, avaient fait cette déclaration étaient maintenant âgés, comme il le souligne cruellement, de « quarante ans ou plus ». Ils avaient mené de dignes batailles contre Duplessis et pour les travailleurs dans les noires années cinquante, mais maintenant ils ne ressentaient pas le besoin de s'engager dans un « dialogue avec les plus jeunes[8] ».

En février 1964, Pierre Vallières publie un autre article dans *Cité libre* qui traite d'un discours que Walter Gordon, ministre fédéral des Finances, avait livré à Toronto, alertant l'auditoire au sujet de la « révolution » au Québec. Vallières désignait ainsi avec mépris les événements qui se déroulaient dans la province depuis 1960, parce que, disait-il, il ne pourrait y avoir une révolution sans la destruction du capitalisme bourgeois. Il était temps de choisir les rues plutôt que les salons de Westmount, de préférer l'action aux rêves. Gérard Pelletier, qui avait connu Vallières en 1960 alors qu'il faisait partie des Petits frères de Jésus et le voyait comme un mystique, une sorte de rêveur, déplora cette rhétorique révolutionnaire. Il reconnaissait la créativité des révolutionnaires, le sérieux de leur travail et l'importante efflorescence littéraire de la gauche. Leurs buts, par contre, étaient inacceptables : « un séparatisme intégralement laïque et anti-religieux, un socialisme totalitaire instauré par la violence, à la faveur d'une inévitable guerre civile provoquée par l'agitation systématique d'un parti révolutionnaire[9] ».

Trudeau ne fut pas aussi poli que Pelletier dans son rejet des nouveaux rêves incendiaires de la jeunesse. Une génération plus tôt, il avait lui-même réfléchi à la révolution. Alors que l'Église catholique et le sénateur Joseph McCarthy condamnaient et poursuivaient les communistes avec une ferveur terrifiante et destructrice, il avait osé visiter la Russie et la Chine et se déclarer socialiste. Aujourd'hui, en mai 1964, il rejetait tout lien avec les rédacteurs de *Parti pris*, qui avaient, dans leur premier numéro, désigné les fondateurs de *Cité libre* comme étant « nos pères ». Il refusa de reconnaître ces origines et attaqua Vallières et les nouveaux socialistes nationalistes en les qualifiant de séparatistes

« contre-révolutionnaires ». Le grand « bouleversement » est non seulement une caractéristique des révolutions, mais également des contre-révolutions, affirmait-il. Il suffisait de penser au fascisme et au nazisme, à Hitler, à Mussolini, à Staline, à Franco et à Salazar :

> Il est indéniable qu'ils prétendaient tous servir la destinée de leur collectivité nationale respective ; trois d'entre eux se sont d'ailleurs désignés comme socialistes. Mais qui songerait à caractériser l'ensemble de leur œuvre comme révolutionnaire ? Ils ont chambardé un grand nombre d'institutions, ils ont même ouvert la voie à certains progrès matériels ; mais ils ont aboli la liberté de la personne, ou l'ont empêchée de s'épanouir ; c'est pour cela que l'histoire les classe comme contre-révolutionnaires.
>
> Adoncques je me rase quand j'entends notre engeance nationaliste se donner pour révolutionnaire. La révolution au Québec, si elle avait eu lieu, aurait d'abord consisté à libérer l'homme des contraintes collectives : libérer le citoyen qu'abrutissaient des gouvernements rétrogrades et arbitraires, libérer des consciences que brimait une Église cléricalisée et obscurantiste, libérer des travailleurs qu'exploitait un capitalisme oligarchique, libérer des hommes qu'écrasaient des traditions autoritaires et surannées.

Cette révolution ne s'était jamais réalisée, bien que, autour des années soixante, il eût semblé que la liberté allait finalement triompher. Il y avait eu les victoires de Roncarelli pour la liberté d'expression, la fin du dogmatisme dans l'Église et l'entrée de professeurs, jusque-là interdits, dans les universités. En 1960, on avait cru que tout était maintenant possible au Québec.

> Une génération entière était enfin libre d'appliquer toutes ses énergies créatrices à mettre cette Province attardée à l'heure de la planète. Seulement, il aurait fallu de l'audace, de l'intelligence, et du travail. Hélas ! la liberté s'est avérée une boisson trop capiteuse pour être versée à la jeunesse canadienne-française de 1960. Elle y eut à peine goûté qu'elle s'empressa au plus vite de rechercher quelque lait plus rassurant, quelque nouveau dogmatisme. Elle reprocha à ma génération de ne lui avoir proposé aucune « doctrine » — nous qui avions passé le plus clair de notre jeunesse à démolir le doctrinarisme servile — et elle se réfugia dans le sein de sa mère, la Sainte Nation.

Mais le dogmatisme ecclésiastique cédait le passage aux « rongeurs de balustre au Temple de la Nation » qui, comme les partisans de l'autorité du passé, « désignent déjà du doigt le non-pratiquant ». Dans son numéro d'avril 1964, *Parti pris* reconnaissait en effet qu'il y avait un « totalitarisme nécessaire », tout en attaquant Trudeau non sur ses idées, mais sur sa richesse. Trudeau réagit avec colère.

Il commença par une discussion de ses propres écrits passés et contemporains qui avaient fait l'éloge des figures révolutionnaires de la Russie, de l'Algérie et de Cuba. « Les authentiques révolutionnaires » comme Lénine, Ben Bella et Castro avaient mis l'accent sur « les libertés collectives comme préalable aux libertés personnelles » dans des situations où la liberté personnelle n'avait « à peu près pas été protégée par les institutions établies ». Ce n'était pas le cas au Québec : « Certes, les libertés personnelles n'ont pas toujours été à l'honneur au Québec. Mais, je le répète, on y était à peu près arrivé vers 1960. » Ceux qui maintenant parlaient de révolution n'avaient pas été à l'avant-garde : « Grâce à des avocats anglais et juifs (eh ! oui…), grâce à la Cour suprême à Ottawa, les libertés personnelles avaient fini par triompher sur l'obscurantisme du législateur québécois et l'autoritarisme de nos tribunaux. »

Chaque semaine, se plaignait Trudeau, une « poignée d'étudiants séparatistes » lui disaient qu'ils étaient « contre la démocratie et pour le parti unique, pour un certain totalitarisme et contre les libertés personnelles ». Comme les gens les plus traditionnels et réactionnaires, ils croyaient posséder « la vérité » et étaient convaincus que tous les autres devaient les suivre. Quand les autres ne les suivaient pas, ils se tournaient vers la violence, tout en criant à la persécution. De leur position de choix, « dans les salles de rédaction de nos journaux, (…) à Radio-Canada et à l'Office du film, disait-il, ils pèsent de tout leur poids (…) sur les *mass-media* ». D'autres entrèrent dans la clandestinité pour poser des bombes et devinrent des « fugitifs de la réalité ». La « contre-révolution » séparatiste sert principalement à protéger les intérêts de la « petite bourgeoisie » francophone et des classes professionnelles qui se déplacent en limousines diplomatiques et qui ont des bureaux dans les nouvelles tours des banques. « Plutôt que de s'y tailler [dans la société industrielle du XXe siècle] une place à force d'excellence », affirme Trudeau avec mépris, « elle veut obliger toute la tribu à rentrer sous les wigwams, en déclarant l'indépendance ».

Pendant que cette minorité privilégiée prenait de l'ampleur, prévenait-il, c'était la société qui perdait. Le livre du rebelle algérien Frantz Fanon *Les damnés de la terre* était un livre que les militants séparatistes gardaient « sur leur table de chevet ». Trudeau se tourna intelligemment vers celui-ci pour étayer son attaque envers les séparatistes nationalistes. Dans les termes de Fanon, « la bourgeoisie nationale ne cesse d'exiger la nationalisation de l'économie et des secteurs commerciaux (...) Nationalisation pour elle signifie très exactement transfert aux autochtones des passe-droits hérités de la période coloniale ». Trudeau conclut d'un ton acide : « Le séparatisme, une révolution ? Mon œil. Une contre-révolution ; la contre-révolution nationale-socialiste[10]. »

L'éloquente colère de Trudeau éclata non seulement dans cet article, mais également lors des rencontres éditoriales de *Cité libre*, où il confronta directement les tendances nationalistes et souvent séparatistes de la nouvelle équipe. Pierre Vallières, qui avait également été employé par Pelletier à *La Presse*, fut sa cible particulière, tandis qu'il devenait de plus en plus un vif séparatiste et flirtait avec la révolution et le FLQ. Dans son remarquable pamphlet autobiographique, *Nègres blancs d'Amérique*, écrit après qu'il fut devenu un leader du FLQ engagé en faveur du violent renversement de l'État, Vallières décrivit ses rencontres avec Pelletier et Trudeau. Bien qu'ils aient rejeté son article rédigé pour un numéro spécial de 1962 sur le fédéralisme, dit-il, ils l'avaient encouragé à écrire pour *Cité libre*. Pelletier avait peut-être même cru que le fait de l'engager en 1963 pour écrire dans *La Presse* et plus tard comme rédacteur dans *Cité libre* contiendrait ses tendances séparatistes. Vallières crut également, peut-être avec raison, que ses références au philosophe libéral français Emmanuel Mounier leur parlaient et qu'ils ne comprenaient pas vraiment ses arguments plus généraux.

Les opinions de Vallières étaient, au départ, opaques, mais devinrent de plus en plus transparentes et inacceptables en 1963, et ses efforts pour joindre les précédents cité-libristes, notamment Pierre Vadeboncoeur, maintenant défenseur de la littérature séparatiste, contrariaient les fondateurs. Ensuite, en mars 1964, Vallières et d'autres nouvelles voix utilisèrent *Cité libre* pour attaquer directement les rédacteurs précédents de la revue. Certains articles les ridiculisaient, y compris une brillante satire du poète et futur politicien séparatiste Gérald Godin qui comparait les fédéralistes et les séparatistes aux Hurons et aux Iroquois. Selon Vallières, Trudeau et Pelletier croyaient avoir créé « un monstre ». La jeunesse, pour sa part, réalisait soudain que « ses anciennes idoles avaient vieilli si rapidement ». Vallières et plusieurs autres démissionnèrent immédiatement après la sortie de ce numéro. Il fonda une nouvelle revue, *Révolution québécoise*, qui défendait le socialisme, le séparatisme et la violence. Il se retrouva en prison deux ans plus tard, accusé de terrorisme[11].

Trudeau avait peut-être ses différends avec la jeunesse, mais lui-même demeurait jeune dans ses goûts et agissements. Il portait des cols roulés, roulait à vive allure dans sa Mercedes et recherchait l'amitié de plus jeunes. Il était membre actif d'un mouvement antinucléaire et fut l'un des premiers à s'opposer à la guerre du Vietnam. Sur le campus, il porta le symbole de paix dès 1962, bien avant qu'il devienne omniprésent. Toutefois, il ne partageait pas la fascination excentrique de François Hertel pour ceux « qui jouaient avec des idées dangereuses et différentes » et les approuvait encore moins, parce qu'il croyait que les idées de Vallières et de ses collègues étaient irresponsables et destructrices. Peut-être avait-il déjà eu de telles idées, comme le laisse entendre Hertel dans sa réplique à l'attaque de Trudeau en 1964 dans *Cité libre*, après que le prêtre eut semblé réclamer l'assassinat d'André Laurendeau. Mais le mélange du séparatisme avec le nationalisme et, plus récemment, avec la violence, signifiait, pour Trudeau, un épouvantable retour à un précédent monde d'extrême nationalisme qui avait heureusement disparu. Là où Vallières voyait des échos des rues d'Alger ou d'Hanoï, Trudeau voyait les pubs de Munich des années vingt et les rallyes de Nuremberg des années trente. Le fossé entre les deux hommes s'élargit rapidement en 1964. Sa compagne de longue date, Madeleine Gobeil, maintenant à Paris, mais toujours très engagée dans les débats au Québec et qui se faisait un nom en tant qu'écrivaine, dit à Trudeau qu'elle écrirait dans *Cité libre* parce que cela l'identifierait comme antiséparatiste. Si elle écrivait dans *Parti pris*, qui était davantage littéraire de par sa nature, cela laisserait croire aux gens qu'elle était séparatiste.

Les deux revues avaient fixé leurs limites. Trudeau, Pelletier et d'autres réorganisèrent encore une fois *Cité libre* avec l'intention d'en faire une revue d'opinions gauchiste, laïciste, mais résolument non séparatiste. Le journaliste Jean Pellerin demeura comme rédacteur en chef après le départ de Vallières et le philosophe de McGill Charles Taylor, pour qui Trudeau avait travaillé en 1963 aux élections fédérales alors que Taylor était candidat du NPD, devint très actif à la revue. Malgré tout, des divisions profondes subsistèrent: Charles Taylor, Jean Pellerin et d'autres demeuraient sympathiques aux arguments nationalistes et à l'appui du NPD au concept des « deux nations ». Pelletier et Trudeau s'y opposaient de plus en plus.

Ces passionnants débats et différends façonnèrent la compréhension des événements qui survinrent au Québec dans les années soixante. Y avait-il une profonde rupture avec le passé ? Qu'était-il arrivé au Canadien français et quand le Québécois était-il né ? Que signifiaient le passé catholique et la culture sociopolitique des années trente et quarante pour la nouvelle société émergente des années soixante ? Et surtout, quelle était la place du Québec au sein du Canada ?

Sur la dernière question, Trudeau était de plus en plus clair : la place du Québec était au sein d'un État canadien fédéral où les droits individuels étaient bien définis et les droits culturels des Canadiens francophones, garantis. Il se distinguait d'André Laurendeau et de ses nouveaux amis néo-démocrates dans sa véhémente opposition au concept des « deux nations » ; lui, en revanche, mettait l'accent sur les droits individuels garantis par une constitution. Alors qu'il reconnaissait l'existence et l'importance de la langue et de la culture francophones en Amérique du Nord, il rejetait la définition politique du terme « nation » fondé sur « l'ethnicité ». L'historien torontois Ramsay Cook, qui l'avait très bien connu au début des années soixante, se rappela que Trudeau avait fini par croire que la démocratie au Québec, un objectif qu'il avait chéri depuis longtemps, avait fait face à un énorme danger après la victoire de Lesage : le nationalisme. « Pour Trudeau », écrit Cook, « le nationalisme était une force conformiste fondée sur le conservatisme et l'insécurité. Au pire, il était totalitariste. En outre, dans le contexte du Québec, le nationalisme agissait comme un substitut émotionnel aux solutions rationnelles à des problèmes réels. » C'était, cependant, la jeunesse qui gaspillait son avenir à chercher un certain « Jérusalem imaginaire » plutôt que de viser des objectifs plus utiles et immédiats[12].

Dans son étude sur la mémoire et la démocratie au Québec, le critique social Joseph-Yvon Thériault insiste sur le fait que Trudeau, en tant qu'intellectuel et politicien, doit être compris dans le contexte du célèbre rapport de Lord Durham qui décrivit, dans les années 1830, deux différentes « nations ». De Trudeau, il écrit, « c'est comme critique et dépassement du nationalisme canadien-français que tant sa pensée que son action politiques se structurent ». À cet égard, Pierre Trudeau est « un homme québécois de sa génération ». Tout comme Durham, il identifie la lutte des Canadiens francophones « comme une querelle de principes entre la défense de sa nationalité et les valeurs démocratiques libérales ». Il croyait que la « défense de nationalité » avait empêché le développement d'un « vrai pluralisme politique » parmi les francophones du Canada[13].

Dans les années soixante, la pensée de Trudeau sur le nationalisme et la politique s'ancrait de plus en plus dans le langage et les concepts de la science politique, bien qu'il résistât aux carcans théoriques et intellectuels. Il devint davantage intéressé à ce qu'un nouvel ami, le journaliste français Claude Julien, appelait « le défi américain ». En effet, il y avait des échos de Julien et des sciences sociales américaines dans l'appel à la politique fonctionnelle que Trudeau et plusieurs autres intellectuels montréalais lancèrent en 1964. Julien, qui avait étudié à l'Université Notre-Dame, en Indiana, était correspondant à l'étranger pour *Le Monde*.Il croyait que les succès technologiques de l'Amérique contemporaine menaçaient de faire de l'Europe un continent de seconde classe.

Au cours de ses fréquents voyages à Paris, Trudeau visita Julien, un catholique de gauche comme lui, qui se demandait ce que les doctrines gauchistes et étatistes signifieraient pour le progrès économique.

Dans son attaque lancée cette année-là à l'endroit des « contre-révolutionnaires séparatistes », Trudeau déplora le prix que les jeunes du Québec avaient payé pour avoir ignoré « les sciences et les techniques de l'heure : automation, cybernétique, sciences nucléaires, planification économique, et que sais-je encore ». Plutôt que de regarder vers l'avenir, certains fabriquaient des bombes, d'autres écrivaient des poèmes révolutionnaires et la vie continuait. Les poètes, peintres et auteurs-compositeurs soulevaient une fois de plus les bannières de la révolution dans les cafés, les clubs, les rues et les rencontres littéraires, mais, croyait Trudeau, de nombreuses personnes de la jeune génération fermaient dangereusement à la fois leurs frontières et leur esprit. Alors qu'il saluait les réformes progressistes de Vatican II, la jeunesse autour de lui, de manière générale, ignorait ces changements et rejetait la religion, se tournant plutôt vers la laïcité.

Pour avoir une meilleure perspective sur les événements, Trudeau chercha de nouvelles voix. L'économiste de l'Université de Montréal Albert Breton partageait les mêmes préoccupations que Julien et lui-même. Ils déjeunaient ensemble presque toutes les semaines dans un restaurant du campus, où Trudeau se révéla avoir la « dent sucrée » et exposa ses connaissances sur le fédéralisme. Il pouvait citer les *Essais fédéralistes* mot pour mot. Breton, qui devint l'un des meilleurs économistes au monde dans l'étude du fédéralisme, déclara que c'était Trudeau, pendant ces déjeuners, qui lui avait enseigné ses premières connaissances en matière de fédéralisme. Trudeau commença à attirer d'autres jeunes intellectuels, tels que l'avocat Marc Lalonde et le fonctionnaire Michael Pitfield, en raison de sa générosité dans l'expression de ses idées. Ils passaient également du bon temps ensemble et riaient beaucoup : à une occasion, alors que certains d'entre eux se rendaient dans les Maritimes à la rencontre annuelle de l'Association canadienne de science politique, ils décidèrent de se gâter en commandant du homard dans un restaurant sur le bord de la route. Quelle ne fut pas leur déception quand ils virent les morceaux de homard détrempé sortir tout droit d'une boîte de conserve[14] !

Le fait qu'un des amis de Trudeau devienne séparatiste, en soi, ne mena pas immédiatement ni automatiquement à une rupture des relations. Par exemple, lorsque Trudeau visitait Paris, il voyait toujours François Hertel, qui avait ouvertement pris position en faveur du séparatisme au début des années soixante. Trudeau accueillait même le nouveau conformisme de la jeunesse québécoise qui s'exprimait avec une abondance délirante de poils faciaux, ainsi que par le port de T-shirts et de minijupes dans les bars et bistros animés de Montréal. De plus, comme la jeunesse rebelle, il exprimait un dédain tout parisien pour la politique étrangère américaine et le matérialisme, notamment pour la guerre du Vietnam et la politique nucléaire. Le problème n'était pas la non-conformité de la jeunesse — il savourait et représentait l'individualisme — ou l'amalgame des années soixante où se mêlaient sexe, drogues et *rock and roll*. Il aimait particulièrement le premier, tolérait les deuxièmes sans y toucher lui-même et dansait superbement sur le troisième. Plutôt, c'était la conformité de la jeunesse qui le dérangeait énormément, plus particulièrement à l'université, où les étudiants étaient en très grande majorité séparatistes. Plus important encore, selon lui, était leur manque d'ouverture à d'autres points de vue et, dans le cas du FLQ, leur sérieux mortel. « Le Québec manquera-t-il le tournant ? » avait-il demandé en 1960 à la veille de la victoire libérale. Pendant qu'il écoutait les étudiants parler de leur rêve d'une « Jérusalem imaginaire », il craignait encore une fois que ce soit le cas.

C'est pourquoi Trudeau partageait l'opinion de Julien selon laquelle l'énergie et la technologie américaines étaient source de transformation et le Canada avait de la chance de partager un continent avec une telle force dynamique de changement. Dans la même veine, le Québec était béni de faire partie de cette fédération canadienne prospère et vitale. Malgré les doutes concernant l'influence de l'investissement américain qu'il avait d'abord exprimés dans les années cinquante, Trudeau accepta même une partie de l'argument tiré par les cheveux de Julien à savoir que le Canada, avec son ouverture à cet investissement dans la technologie et la créativité américaines, était « la dernière chance de l'Europe[15] ».

Trudeau ne lisait plus beaucoup de romans québécois, de plus en plus nationalistes. Gérald Godin, Hubert Aquin, Michel Tremblay, Jacques Godbout et d'autres qui formaient la base culturelle de l'efflorescence nationaliste et séparatiste du milieu des années soixante agaçaient tous Trudeau avec leur utilisation du « joual », leur rejet polémique du passé et, par-dessus tout, leur profonde irresponsabilité politique, selon lui. Même si les chansonniers comme Gilles Vigneault et Félix Leclerc faisaient vibrer sa fibre romantique, il était mal à l'aise avec les prises de position séparatistes de l'avant-garde culturelle et son flirt avec la violence. De façon différente, il s'opposait à la tentative des sociologues, notamment de son vieil ami Marcel Rioux, maintenant séparatiste, de considérer les francophones du Québec sous un angle sociologique, un chemin qui menait directement au caractère distinctif qui, selon lui, fondait l'expression politique dans la séparation[16].

Après l'« épuration » à *Cité libre* et la publication de l'énoncé sur la politique fonctionnelle, Trudeau fut de plus en plus consterné par l'orientation nationaliste plus explicite que prenait le gouvernement Lesage. Il avait également peur que le gouvernement de Lester Pearson à Ottawa soit mal conseillé sur les questions constitutionnelles et trop faible pour répliquer aux demandes insistantes de Québec visant à obtenir plus de compétences et d'argent. Dans ses articles et ses lettres ou commentaires à certains de ses amis proches — Carroll Guérin et Madeleine Gobeil, toutes deux maintenant en Europe, ainsi que Marc Lalonde et Jacques Hébert —, il exprimait son désespoir à propos de l'état des affaires canadiennes et se tracassait sur la meilleure façon de réagir. Il n'avait jamais beaucoup admiré Pearson, et il en était venu à croire que Lesage était un chef faible qui avait perdu le contrôle de son gouvernement. Que devait-il faire dans de telles circonstances ?

Trudeau s'aperçut que les chroniques du *Devoir* et les diatribes publiées dans *Cité libre* rejoignaient peu de travailleurs dans les usines, les manufactures ou les fermes, à qui reviendrait le choix final sur la question. Les confrontations avec ses étudiants dans les salles de classe étaient également peu satisfaisantes. Il commença à mettre ses espoirs dans la télévision, qui était entrée dans l'âge d'or de la diffusion d'émissions d'affaires publiques. En 1964, il tenta de s'entendre avec la CBC pour animer la série *Inquiry*. Les négociations échouèrent. Carroll Guérin résuma la situation pénible dans laquelle il se trouvait au début de l'hiver de 1965. Dans une lettre qu'elle lui adressa, elle lui dit comprendre que la correction des examens devait être une tâche extrêmement fastidieuse, mais que c'était là une part du prix à payer lorsqu'on était enseignant. Quel dommage que le projet d'animation à la télévision n'eût pas fonctionné, disait-elle. Cela montrait bien qu'ils n'avaient pas eu tort d'avoir peur. Il était dommage que l'on place le divertissement avant les idées. Mais de la part des gens de Toronto, on pouvait s'y attendre[17].

En 1965, Laurier LaPierre, historien à l'Université McGill, devint l'intellectuel du Québec qui charma les Canadiens anglophones, aux côtés de Patrick Watson, à *This Hour Has Seven Days*, une émission diffusée le dimanche soir qui choquait tant le gouvernement que son auditoire. Trudeau participa de plus à plus souvent à des séminaires et à d'autres rassemblements universitaires tandis que les Canadiens cherchaient à comprendre ce que la tempête du changement allait apporter. En 1964, le Parlement fédéral débattit farouchement de la question d'un nouveau drapeau canadien, un drapeau qui ne porterait pas les symboles traditionnels britanniques. Carroll Guérin en détesta le motif graphique et Trudeau considéra cette question comme une bagatelle. En octobre 1964, des émeutes éclatèrent au cours de la visite de la reine Elizabeth à Québec, peu de temps après qu'une autre institution anglaise, les Beatles, eut fait une tournée triomphale plus réussie partout en Amérique du Nord. Les temps, comme le déclara à juste titre l'artiste américain Bob Dylan, changeaient. Mais pas toujours dans la joie, semblait-il parfois à Trudeau. Ses ennemis paraissaient innombrables, et Malcolm Reid résuma leurs motifs dans son livre sur les éléments radicaux littéraires et politiques du milieu des années soixante à Montréal :

> Ce que les *partipristes* ne pouvaient pardonner à Trudeau, ce qui leur semblait faux et dangereux dans la démolition de la théocratie, était le ton froid et assuré qu'il employait. Comment pouvait-il vivre en sachant que les libertés étaient bafouées et ne pas pleurer, ne pas crier, ne pas écrire sur les murs, ne pas se jeter dans l'alcool ou faire exploser de la dynamite ? Un tel calme ne pouvait que signifier qu'il n'était pas affecté par le fait que c'est l'argent des Anglais qui avait été responsable de ce règne de la noirceur, et qu'il avait une confiance anglo-saxonne qui lui faisait dire que tous les problèmes seraient résolus lorsque les Canadiens français seraient des ingénieurs, des chefs d'entreprise et sauraient comment traiter les relations de travail selon l'approche behavioriste[18].

La critique est injuste, mais pas tout à fait erronée. Même si Peter Gzowski l'avait décrit, avec admiration, comme un « jeune homme en colère », Trudeau avait appris à maîtriser sa rage intérieure et à se présenter devant le public avec un « ton froid et assuré ». Il était, pour lui-même et dans sa politique, déterminé à être « fonctionnel », tout comme le style architectural : dépouillé, international et moderne. Ce style impressionnait de plus en plus ceux qui le côtoyaient en personne, dans la presse ou à la télévision. Trudeau, comme l'affirma un éminent professeur francophone à Ramsay Cook en 1964, était l'intellectuel le plus talentueux du Québec, mais, hélas, ses talents n'étaient pas entièrement exploités[19]. Cette situation était sur le point de changer.

La quatrième année de la Révolution tranquille commença par le vol d'un camion chargé d'armes et de munitions, y compris d'engins antichar, dans l'arsenal des Fusiliers Mont-Royal, par l'Armée pour la libération du Québec (ALQ), l'un des nombreux groupes marginaux séparatistes, le 30 janvier 1964. L'ALQ annonça son intention de libérer la province par la force dans les deux prochaines années. D'autres raids sur des installations de la défense se produisirent le 15 et le 20 février. Les éditorialistes se demandèrent si la reine devait rester chez elle plutôt que de venir en visite au Québec tel que prévu, car certaines rumeurs de complot pour meurtre circulaient. Sommes-nous des sauvages ? demanda Lorenzo Paré dans *L'Action*. Au cours de la visite de la reine, la police attaqua les séparatistes à coups de matraque. Le *Globe and Mail* réagit comme les séparatistes l'avaient souhaité lorsqu'il déclara que le Canada se trouvait maintenant au bord de la crise et ajouta que, à plusieurs égards, sa performance était lamentable. Trudeau, qui ne manifestait aucun amour particulier pour la monarchie britannique, était cependant d'accord pour dire que les événements dérapaient[20].

En 1964, l'abbé Lionel Groulx, un des premiers mentors de Trudeau, publia *Chemin de l'avenir*, un avenir qu'il disait se situer quelque part entre une indépendance sans condition et un statut d'association. Aussitôt, la Société Saint-Jean-Baptiste appuya l'idée d'un État associé dans un document écrit par l'historien bien connu Michel Brunet. Un tel pamphlet aurait probablement ramassé la poussière dans les archives si René Lévesque ne l'avait pas appuyé le 9 mai 1964, en déclarant que le statut d'État associé devait être négocié sans fusils ni dynamite aussitôt que possible. Lévesque ne recula pas et bientôt même Jean Lesage sembla reprendre la plupart de ses arguments. De telles exigences peuvent facilement être rejetées aujourd'hui comme étant une rhétorique politique vide, mais Trudeau et d'autres reconnurent que le gouvernement de Lesage avait regroupé un impressionnant cercle de bureaucrates trop forts pour leurs homologues fédéraux. Les hommes d'Ottawa croulaient sous le flot continuel des exigences de Québec.

Le gouvernement Pearson avait pris le pouvoir déterminé à créer une aide sociale à partir du modèle européen. Contrairement à l'Europe et même aux États-Unis, en 1963, le Canada n'avait pas de système de sécurité sociale. Seule une fraction des diplômés du secondaire poursuivaient des études universitaires, alors qu'aux États-Unis, un système d'éducation universitaire de masse s'était développé après la Seconde Guerre mondiale. Les ambitions de Pearson, qui furent inscrites dans la plateforme du Parti libéral après l'historique « Thinkers' Conference » qui se déroula à Kingston, en Ontario, en septembre 1960, contestaient directement la répartition des pouvoirs dans l'*Acte de l'Amérique du Nord britannique*, qui prévoyait que la santé, l'éducation et l'aide sociale devaient être, de façon générale, la responsabilité des provinces. Malgré l'opposition de nombreuses provinces, y compris bien sûr celle du Québec, le gouvernement Pearson, une fois élu, décida d'aller de l'avant avec une restructuration en profondeur du rôle de l'État dans la vie des Canadiens. Le gouvernement Lesage proposa de faire de même au Québec[21]. Comme on pouvait s'y attendre, le gouvernement fédéral s'y opposa vivement.

Cette opposition, cependant, fut parfois productive, et fut à bien des égards une justification du fédéralisme canadien, comme Trudeau le dit à l'époque. La province de Québec avait élaboré de son côté une solide proposition en vue de la création d'un régime de sécurité sociale ou de pension. Le gouvernement fédéral fut contraint de réagir. Après de difficiles négociations menées dans l'amertume, le Régime de pensions du Canada et le Régime de rentes du Québec virent le jour ; le Québec pouvait se soustraire au programme fédéral et recevoir en compensation une plus grande part de « points d'impôt ». Judy LaMarsh, ministre de la Santé et du Bien-être social sous le gouvernement Pearson, menaça de démissionner, mais des appels invoquant des préoccupations « d'unité nationale » la contraignirent au silence pendant un certain temps*. Trudeau accueillit favorablement les nouvelles dépenses relatives aux programmes sociaux, mais fut déconcerté de constater la maladresse et le caractère irrégulier du processus décisionnel et les précédents qui venaient d'être créés.

Ce qui surprit le plus Trudeau furent les pirouettes du gouvernement du Québec pour obtenir une représentation indépendante au ni-

---

* Judy LaMarsh fut exclue de la rencontre finale lorsque les négociations aboutirent en vue de la création des régimes de pension. Elle écrivit amèrement dans ses mémoires qu'elle s'était sentie traitée sans vergogne par son chef de parti. Pearson n'avait pas même reconnu le mauvais traitement qu'il lui avait infligé ni à l'époque ni plus tard. Elle avoua que les circonstances avaient pu l'avoir forcé à prendre cette décision, mais elle maintiendrait toujours qu'il n'aurait pas dû agir de cette façon. Plus tard, LaMarsh devint une opposante farouche aux conditions spéciales offertes au Québec et aussi à Pierre Trudeau, même si celui-ci partageait largement son avis. Judy LaMarsh, *Memoirs of a Bird in a Gilded Cage* (Toronto: Pocket Books, 1970), p. 281.

veau international. Ce qui avait commencé raisonnablement par une présence canadienne francophone dans la francophonie, et l'établissement de bureaux du Québec à Paris et ailleurs était devenu une voie par laquelle le Québec obtiendrait un droit de signer des traités et d'entretenir des relations internationales dans les domaines de compétence provinciale. Un fait plus troublant encore était la présence de nombreux fonctionnaires du gouvernement de Charles de Gaulle qui encourageaient le Québec dans ces ambitions. Paul Gérin-Lajoie, vieille connaissance de Trudeau, un expert constitutionnel de premier plan, était le leader politique et intellectuel de l'incursion du Québec sur la scène internationale, et d'autres, notamment le journaliste du *Devoir* et nationaliste Jean-Marc Léger, se rallièrent à l'opinion intellectuelle soutenant les ambitions du gouvernement.

En janvier 1965, alors que les deux hommes se reposaient en Floride, Lesage avoua à Pearson qu'il avait perdu le contrôle de son gouvernement : il se sentait comme un homme accroché à la queue d'un ours enragé. Les sondages d'opinion publique indiquaient que le séparatisme québécois n'était plus une utopie, mais, potentiellement, un mouvement politique qui obtiendrait l'appui d'un cinquième à un tiers des électeurs québécois. Alors que la Commission royale d'enquête sur le bilinguisme et le biculturalisme se déplaçait partout au pays, les commissaires entendirent les récits de francophones de l'Ontario, du Manitoba et d'ailleurs qui s'étaient vu refuser des emplois et à qui on avait lancé « Speak White ». Ces incidents provoquèrent de nombreux commentaires et engendrèrent du ressentiment. Le journal qu'André Laurendeau tint lors de la tournée de la Commission comprend des détails tels que le récit d'une jeune francophone vivant près de Windsor, en Ontario, qui raconta comment son accent français lui causait des problèmes même dans une région majoritairement et historiquement francophone. Lorsqu'elle avait tenté de louer un logement, un ami lui avait suggéré de ne pas appeler en raison de son accent. Partout au Canada, la Commission se frotta à de vieilles cicatrices de blessures passées laissées par la Conscription durant la guerre, les batailles de langue dans les écoles et la rébellion de Louis Riel. Laurendeau raconta également comment un membre de la Commission, Gertrude Laing, avait discuté avec un jeune « Anglo-Canadien » qui avait avoué « qu'il détestait les Français, que plusieurs de ses compagnons réagissaient comme lui », et qu'il ne croyait « aucunement à une tâche comme celle que nous faisons ». Lorsqu'on lui demanda pourquoi, il dit qu'il avait l'impression que le Québec « est en train de détruire le Canada qu'il aime ».

Les sondages commandés par le *Calgary Herald* et le *Winnipeg Free Press* indiquèrent que leurs lecteurs croyaient que le travail de la Commission était nuisible, une opinion partagée par le chef conservateur John Diefenbaker. Il n'est donc pas étonnant que la Commission ait décidé de sonner l'alarme en publiant un rapport « préliminaire ». Publié en février 1965, ce rapport contenait une déclaration mémorable : « le Canada traverse actuellement, sans toujours en être conscient, la crise majeure de son histoire[22]. »

Une fois l'alarme sonnée par la Commission, *Cité libre* publia une attaque anonyme envers Laurendeau et le rapport. Laurendeau était convaincu que Trudeau en était le principal auteur. Ces soupçons s'avérèrent : Jean Marchand le lui confirma et, plus tard, Trudeau fut « partiellement » d'accord. Les documents de Trudeau contiennent effectivement une ébauche du texte[23]. C'est essentiellement la méthode employée par la Commission qui préoccupait Trudeau. Comme l'observa l'historien J. L. Granatstein, « les commissionnaires étaient allés au-delà du rôle traditionnellement dévolu à une commission royale d'enquête en matière de collecte de données et de recommandations ; à la place, ils s'étaient impliqués personnellement dans le processus et étaient devenus, en fait, des animateurs ». Trudeau, Marc Lalonde et les autres qui en avaient appelé à une politique fonctionnelle étaient d'avis que Laurendeau restait enfermé dans la matrice nationaliste, surtout compte tenu du fait qu'il songeait à un statut particulier pour le Québec. Ils craignaient que la représentation des libéraux fédéraux du Québec soit simplement trop faible pour qu'ils puissent répliquer au défi de Québec et, au même moment, répondre aux exigences de la Commission.

Par contre, au printemps de 1965, les sondages d'opinion publique commencèrent à tourner en faveur des libéraux. L'opposition catégorique qu'avait longuement manifestée John Diefenbaker envers le drapeau à la feuille d'érable avait enragé de nombreux Canadiens, et, au Québec, l'Union nationale s'était désintégrée. Malgré certains doutes quant aux deux « bi » de la Commission, on s'attendait en général à ce que son rapport soit à l'avantage des libéraux. De nombreuses personnes au sein du parti exercèrent donc des pressions sur Pearson pour qu'il déclenche des élections.

Malheureusement, à cette époque, les scandales et la corruption accablaient les libéraux du Québec[24]. La faiblesse des ministres du Québec constituait un problème à Ottawa. Guy Favreau, ministre de la Justice, n'avait pu obtenir l'approbation des provinces aux propositions Fulton-Favreau sur la réforme de la Constitution canadienne. Sa santé s'affaiblissait rapidement et, au printemps de 1965, il fut mêlé à un scandale impliquant le trafiquant de drogues notoire Lucien Rivard*. Pearson avait déjà perdu son secrétaire parlementaire, Guy Rouleau, lié au scandale, et le fauteur de trouble Yvon Dupuis, en raison d'évidents pots-de-vin[25]. Maintenant, deux autres ministres québécois, Maurice Lamontagne et René Tremblay, étaient devenus de véritables handicaps politiques parce qu'on les soupçonnait d'avoir accepté de payer des meubles provenant de la faillite d'un magasin de meubles de Montréal sans les payer. Les scandales, comme l'astucieux journaliste Richard Gwyn l'écrivit en 1965, « étaient la conséquence d'une série de compromis effectués par commodité, ce qui avait permis que le parti se tienne à l'extérieur de la porte arrière du Parlement et demeure pendant une bonne demi-décennie après qu'il aurait dû disparaître[26] ».

Au moment même où le Québec était devenu le plus grand problème du gouvernement libéral, ses voix francophones avaient été dis-

---

* Lucien Rivard était un trafiquant de drogue arrêté au Canada dont les États-Unis demandaient l'extradition. Il s'y opposa et s'arrangea pour obtenir l'aide de Guy Masson, un libéral bien en vue, et, plus important encore, celle de Guy Rouleau, le secrétaire parlementaire du premier ministre, de même que celle de Raymond Denis, l'adjoint exécutif du ministre de la Citoyenneté et de l'Immigration et de Favreau lui-même. Denis, apparemment, offrit un pot-de-vin de 25 000 $ au procureur représentant Rivard. Favreau aurait dû soumettre la cause aux conseillers juridiques du ministère de la Justice plutôt que de décider lui-même qu'aucune accusation ne devrait être portée. Favreau présenta sa démission, mais Pearson la refusa, le nommant en charge d'un autre portefeuille. Il demeura amer pour le reste de ses jours, car beaucoup l'avaient abandonné. Fait révélateur, Pearson répondit à une lettre de l'historien A. R. M. Lower, qui s'était plaint de l'état trop « pourri » de la politique canadienne, en affirmant qu'il n'était pas d'accord pour dire que la conduite de M. Favreau, de M. Lamontagne et de M. Tremblay, bien qu'elle ait été inepte et qu'ils aient été mal conseillés, représentait une quelconque forme de corruption ou de manque d'intégrité de leur part. Lower n'avait pourtant pas mentionné les trois ministres, pas plus qu'il ne s'était référé spécifiquement au Québec.

créditées. Gérard Pelletier déclara que la route empruntée par Pearson l'avait mené dans un « perpétuel cul-de-sac », peu importe la direction qu'il prenait. Les journalistes de la presse francophone et anglophone qualifièrent cruellement Lester Pearson de pauvre incompétent, lui qui, sur le plan personnel, avait impressionné André Laurendeau et les autres commissaires avec sa sensibilité et sa perspicacité. En janvier 1965, Pearson avait rencontré Lesage et l'avait imploré de venir à Ottawa, lui laissant entendre que le bureau du premier ministre serait sa récompense. Lesage lui dit que le moment était mal choisi : il se trouvait dans la troisième année de son mandat au Québec, et une élection serait normalement déclenchée dans la quatrième année. Pearson savait que les libéraux fédéraux ne pouvaient attendre tout ce temps. Leur raffiné sondeur américain, Oliver Quayle, leur conseillait de déclencher des élections à l'été de 1965, pendant que Diefenbaker était toujours le chef conservateur. De plus, en juillet 1965, Pearson réussit à obtenir l'appui de pratiquement tous les premiers ministres au programme universel d'assurance-maladie qu'il met de l'avant, donnant ainsi aux libéraux l'enjeu progressiste dont ils avaient besoin pour attirer les votes du NPD. Malgré une forte opposition de la part de nombreux libéraux importants, y compris celle du ministre de la Défense Paul Hellyer et de l'astucieux vétéran Paul Martin père, les libéraux laissaient déjà planer l'idée d'une élection.

Pearson, accusé de manquer d'esprit de décision, ne put attendre plus longtemps. Après une tournée dans l'Ouest à la fin de l'été, il rentra à Ottawa le 7 septembre 1965 et déclencha des élections. Trois jours plus tard, lors d'une conférence de presse tenue à Montréal à l'hôtel Windsor, les trois amis Pierre Trudeau, Gérard Pelletier et Jean Marchand annoncèrent ensemble qu'ils se présenteraient comme candidats libéraux. Pour les libéraux, c'était un coup formidable. Pour la politique québécoise, un choc.

Jean Marchand était le grand prix : il était un chef syndical alors que les libéraux se battaient contre le NPD pour obtenir les votes de la classe ouvrière, un débatteur féroce qui pouvait affronter les créditistes de Réal Caouette et une figure populaire auprès du gouvernement de Lesage, y compris René Lévesque. Mais l'automne 1965 fut également l'automne de Trudeau, tout comme celui de Marchand et de Pelletier. Le rôle de Marchand dans le mouvement ouvrier était devenu de plus en plus ardu, et au printemps, il avait démissionné de son poste de chef de la Confédération des syndicats nationaux (CSN), sachant que la politique présentait une autre option. Lors de ce même printemps, le conseil d'administration de *La Presse* avait congédié Pelletier de son poste de rédacteur en chef[27]. La politique attira presque d'un coup les trois hommes au sein du Parti libéral. Trudeau était enthousiaste; son humeur reflétait l'excitation qu'éveillait cette nouvelle aventure, sa satisfaction de répondre à sa mission durant cette période trouble de l'histoire du Québec et du Canada et de réaliser, enfin, son plan de devenir un homme politique.

Depuis 1960, Jean Marchand avait contemplé l'idée de se présenter avec les libéraux tant sur la scène provinciale que fédérale. En 1963, lorsqu'il décida de ne pas se présenter en raison de la position de Pearson sur les armes nucléaires, il se retira sans fracas. Ce n'était pas le cas de Pelletier, qui dans ses éditoriaux de *La Presse* dénonçait cette décision et avait sans cesse soulevé les scandales qui tourmentaient le gouvernement minoritaire de Pearson. C'est à Trudeau, par contre, que les vétérans libéraux en voulaient le plus. Ils n'oubliaient ni sa dénonciation amère de la décision de Pearson d'accepter les armes nucléaires ni ses fréquentes attaques contre les députés libéraux, qu'il traitait d'« imbéciles » ou d'« ânes dressés ». Pearson apprit que c'était Vadeboncoeur, et non Trudeau, qui était l'auteur de la célèbre expression « le défroqué de la paix. » Sur le plan technique, l'explication était valide, bien qu'apparemment on n'ait pas dit au premier ministre Pearson que Trudeau avait tellement aimé l'expression qu'il l'avait choisie pour présenter son essai caustique sur lui dans *Cité libre*. Heureusement, il n'y avait pas d'exemplaire de la revue dans la bibliothèque de Pearson. Selon Jean Marchand, le puissant organisateur du Parti libéral, Keith Davey, essaya de le convaincre de se présenter seul quelques jours seulement avant que l'élection soit annoncée. Il demeura toutefois ferme sur sa position et insista pour que les autres se présentent aussi. Il avait « une grande confiance », avait-il dit à Davey, « dans l'intellect de Trudeau et le jugement de Pelletier ».

Le 9 septembre, on ne put repousser la décision plus longtemps. À la demande de Guy Favreau, Marchand, Pelletier et Trudeau le rencontrèrent à Montréal dans une suite de l'hôtel Windsor avec Maurice Lamontagne et l'organisateur du parti, Robert Giguère. Maurice Sauvé se présenta apparemment sans avoir été invité. La rencontre commença à 20 h et dura jusqu'à 3 h du matin. Lamontagne s'opposa fermement à la candidature de Trudeau et de Pelletier, leur disant que les choses allaient être « très difficiles » et qu'ils recevraient un accueil froid à Ottawa. Mais Trudeau garda son « humeur joviale » tout ce temps. À 16 h le lendemain, le 10 septembre, les trois hommes, rapidement surnommés « Three Wise Men » par la presse anglaise et les « Les trois colombes » par la presse francophone, annoncèrent qu'ils étaient tout à coup devenus des libéraux et qu'ils se présenteraient comme candidats à la prochaine élection[28].

Trudeau demeura timide et resta celui qui cherchait à se faire désirer. Il prit un long moment pour se trouver une circonscription. Selon le journaliste Michel Vastel, Trudeau rêvait de représenter la circonscription où était situé Saint-Michel de Napierville, d'où venaient ses ancêtres. Cela déclencha un fou rire dans les salles de rédaction, les journalistes s'imaginant « l'intellectuel de *Cité libre*, le bourgeois d'Outremont » faisant du porte-à-porte auprès des fermiers de la rive sud du Saint-Laurent. Mais le jeune libéral Eddie Goldenberg découvrit le remarquable charme politique de Trudeau lorsque, juste après l'annonce, celui-ci s'adressa à des étudiants à l'Université McGill. Il parla de la philosophie grecque, analysa la pensée démocratique et, à la consternation initiale de Goldenberg, parla comme aucun autre politicien ne l'avait jamais fait. Par contre, les étudiants furent ravis. Avec Trudeau, il semblait qu'enfin la politique prendrait une tournure différente[29].

C'est non sans problèmes que le parti trouva enfin un siège pour Trudeau dans Mont-Royal, une circonscription riche, fortement libérale, hautement anglophone et comportant une importante population juive. Comme le professeur de droit de l'Université McGill Maxwell Cohen affirma qu'il se présentait dans cette circonscription aussi, Pearson s'en mêla pour convaincre Cohen, déçu, de se retirer. L'excellent président de la Chambre des communes Alan Macnaughton, qui avait occupé ce siège depuis 1949, ayant obtenu une remarquable majorité lors des récentes élections, laissa la place à Trudeau. Cependant, le populaire médecin et ancien combattant Victor Goldbloom ne voulait pas laisser le champ libre au favori du parti. Son hésitation était peut-être liée à l'allure informelle de Trudeau lorsqu'il se présenta à la rencontre avec les organisateurs du Parti libéral au volant de sa Mercedes sport « en chemise sport à col ouvert, en veste de suède et en pantalon de velours côtelé défraîchi, coiffé d'un vétuste chapeau bosselé et chaussé de sandales ». On le renvoya à la maison se changer avant que les sceptiques fidèles du parti rencontrent cette étrange nouvelle bête politique. Trudeau pensa abandonner, disant qu'il ne voulait pas se présenter contre Goldbloom, un « bon homme ». Le résultat, dit Marchand, fut « le plus bizarre congrès que j'aie jamais connu (...) Goldbloom disait que Trudeau était le meilleur candidat et ce dernier lui rendait la pareille ». À l'insistance des organisateurs de Pearson et avec leur bénédiction, Trudeau se présenta comme candidat[30].

Encore une fois, Marchand dut calmer Trudeau lorsqu'il apprit que son ami Charles Taylor, pour qui il avait fait campagne en 1963, serait son rival pour le NPD. Taylor avait participé à une attaque conjointe dans *Cité libre* en réplique aux explications de Pelletier et de Trudeau données en octobre 1965 quant à leur décision de se présenter pour les libéraux. Leurs arguments pour joindre les rangs du Parti libéral se résumaient selon lui à une déclaration abrupte à l'effet qu'ils voulaient être des politiciens pour atteindre leurs objectifs politiques, et que seul le Parti libéral leur offrait la chance d'atteindre le pouvoir. « Or il y a deux façons de s'occuper activement de la chose publique », écrivirent-ils, « de l'extérieur, en faisant l'examen critique des idées, des institutions et des hommes qui tous ensembles constituent la réalité politique ; ou bien de l'intérieur, en devenant soi-même un homme politique[31]. » C'était, comme l'indiqua Taylor, le type d'argument opportun que Trudeau et Pelletier avaient si souvent condamné.

De plus, ils s'étaient tous deux autoproclamés voix de la gauche, et leur décision affaiblissait le NPD, dont le leader, Tommy Douglas, obtenait nombre de nouveaux appuis. Leur soudain revirement vers les libéraux étonna grandement la gauche canadienne, mais il en encouragea également beaucoup. Ramsay Cook, éloquente voix qui savait interpréter la politique québécoise et était bien considéré parmi les intellectuels anglo-canadiens, écrivit à Trudeau le 10 septembre 1965 : « Votre annonce aujourd'hui de votre intention de vouloir être nommé lors de la prochaine élection m'a renversé

(...) Même si mon cœur appartient au NPD, je serais heureux de pouvoir vous aider d'une manière ou d'une autre.» Lui aussi avait été désillusionné par la politique des deux nations du NPD. Un vieux collègue de Trudeau, Maurice Blain, pas très enclin à l'aider, fut déçu que lui et ses deux amis aient abandonné la politique de gauche pour travailler au sein «d'un parti traditionnellement inféodé au capitalisme, identifié à des structures antidémocratiques et à l'opportunisme électoral[32]». Ces commentaires inquiétèrent Trudeau, mais Marchand le convainquit de ne pas les laisser l'affecter et de tout simplement continuer à frapper aux portes pour gagner des votes.

Le 8 novembre, Trudeau remporta la circonscription de Mont-Royal avec une majorité de 13 135 voix, soit moins que la moitié de la majorité de 28 793 voix qu'avait obtenue Macnaughton en 1963. Ce n'était pas une victoire fracassante, mais son siège était sauvé et il y fut réélu pendant le reste de sa longue carrière politique, toujours avec de fortes majorités. Le gouvernement fut réélu, mais la majorité échappa encore une fois à Lester Pearson: les aptitudes évidentes de Diefenbaker en campagne électorale continuaient de morceler le vote libéral, en particulier dans l'Ouest, et les scandales continuaient de hanter les libéraux au Québec*. C'était, comme l'organisateur libéral John Nichol l'affirma plus tard, «une longue trajectoire pour rien». Marchand entra immédiatement au Cabinet comme ministre de la Citoyenneté et de l'Immigration, avec la promesse qu'il serait bientôt titulaire d'un nouveau ministère de l'Emploi. Une fois que Pearson en eut fait son ministre influent au Québec, Marchand se réjouit à l'idée de «faire du ménage» dans l'aile québécoise du Parti libéral du Canada.

Pelletier et Trudeau prirent place comme députés d'arrière-banc, probablement parce qu'une pénitence était nécessaire avant que les autres députés libéraux puissent accepter les nouveaux venus. Sur le plan politique,

* Le résultat final fut de 131 députés libéraux (129 dans le Parlement précédent), 97 conservateurs (95), 21 néo-démocrates (17), 9 créditistes et 5 du Crédit social (24 au total). Il y eut deux indépendants. Les libéraux obtinrent 40 % du vote populaire, les conservateurs, 32 %. Dans les sondages pré-électoraux et électoraux, les libéraux se trouvaient aux alentours de 45 % et s'établirent à 44 % au début de novembre, juste avant l'élection. Les libéraux remportèrent effectivement 12 sièges au Québec, mais ils y perdirent trois sièges au profit des conservateurs malgré la division du parti avant l'élection. Le NPD, malgré le leadership du populaire Robert Cliche, connut une performance médiocre, augmentant son vote à 11,9 % seulement parce qu'il avait davantage de candidats au Québec.

il était sage de tempérer les attentes en raison de la tornade que le trio avait causée au Québec, plus particulièrement dans les cercles d'intellectuels où il y avait eu, dans les mots de Blain, « une réaction émotive ». Comme il le fit remarquer avec perspicacité juste après l'élection, les trois n'avaient pas embrassé une nouvelle carrière mais s'étaient plutôt lancés dans une mission. Détestés par les séparatistes, objet de méfiance pour les néo-nationalistes et les gauchistes, ils en vinrent à représenter un virage dans le paysage politique québécois et, peut-être même canadien. Pour Pierre Vadeboncoeur, cette mission qu'ils se donnèrent ralentit l'élan menant à un Québec socialiste indépendant. Laurendeau, qui approuvait leur changement de voie, crut néanmoins « que leur décision a découronné le "socialisme démocratique" dans le Québec, et tué des espoirs ». Des années plus tard, Bob Rae, ancien membre du NPD et premier ministre de l'Ontario, affirma que leur apparition sur la scène fédérale en tant que libéraux « mit fin au rêve d'un Canada socialiste sous un gouvernement néo-démocrate[33] ».

À l'automne 1965, de tels jugements appartenaient au futur parce que, selon Pelletier, de nombreuses personnes croyaient que Trudeau et lui allaient traverser de l'autre côté de la Chambre des communes après un mois. Bien sûr, ils ne l'ont pas fait. En 1992, Trudeau dit à Michael Ignatieff, qui avait appuyé sa campagne pour la course au leadership en 1968, qu'il valait mieux ne pas faire de choix trop tôt. Plutôt, prévint-il, il devait d'abord terminer sa formation de philosophe parce que, lorsqu'on se joignait à un parti, il était difficile d'en changer, car on s'y faisait, en plus de tout le reste.

Même avant la rencontre qu'on dit décisive du 9 septembre 1965, Trudeau avait dit à Madeleine Gobeil qu'il allait faire le « grand saut* ». Plus éloquents encore furent les mots que sa confidente, Carroll Guérin, lui dit en octobre, juste avant les élections. Elle regrettait de l'avoir laissé à l'aéroport, même si elle était contente de savoir que la politique l'intéressait, probablement parce qu'elle s'était éloignée des feux de la rampe. Mais elle avait ressenti qu'elle le laissait à quelque chose de vital et qu'elle n'était pas partie au moment où il retournait à un mode de vie qui, il devait l'admettre, tenait de l'impasse. Elle résumait de

---

* Lorsque Madeleine Gobeil rencontra Grace Trudeau le soir de l'élection, celle-ci lui dit fièrement que maintenant, peut-être, Pierre pourrait arriver à faire quelque chose. Entrevue avec Madeleine Gobeil, mai 2006.

nombreuses conversations intimes dans ces deux brèves phrases. Pierre, qu'elle aimait profondément, avait trouvé sa place. Pour finir, elle l'avait embrassé, même si, avait-elle dit, il était du Parti libéral[34].

À l'hiver 1965-1966, pour des députés d'arrière-banc fraîchement débarqués à Ottawa, les élus du Parti libéral semblaient très désunis. Walter Gordon, qui avait fortement incité Pearson à déclencher des élections, présenta sa démission après que ses projets eurent échoué. À sa grande surprise, Pearson l'accepta. Le départ de Gordon affaiblit brutalement l'aile gauche ou réformiste du parti et ce déclin s'accentua quand Mitchell Sharp (plus conservateur) fut nommé ministre des Finances et que Robert Winters (très clairement conservateur) devint ministre du Commerce après avoir quitté les nombreux postes de direction qu'il occupait dans différentes entreprises.

Claude Ryan, éminent journaliste et directeur du *Devoir*, écrivit que cette réorganisation instituait un Conseil des ministres à deux étages : à l'étage supérieur, un groupe de ministres chevronnés, les « vrais maîtres » ; et à l'étage inférieur, un groupe de jeunes ministres qui devaient encore faire leurs preuves. Les « maîtres » venaient presque tous de l'Ontario ; au Québec, seul Marchand serait appelé à « pénétrer les "inner sanctum" où se prendront les vraies décisions ». Ryan avait raison de constater que presque tous les ministres provenant du Québec se tenaient sur le pont du bas. Toutefois, il ne mesurait pas l'ampleur du mandat que Pearson confia à Marchand et que ces deux hommes considéraient comme essentiel : « faire le ménage » au Québec. Selon Marchand, Trudeau et Pelletier le soutenaient, mais ne participaient pas directement ni personnellement à cette entreprise de nettoyage politique. Ils étaient de simples députés « comme les autres ». Toutefois, ils étaient déjà nimbés d'une aura[35]. Par ailleurs, certains voyaient les événements récents d'un œil sceptique.

Le *Globe and Mail*, influent quotidien de Toronto, écrivit que Marchand, Pelletier et Trudeau pourraient prendre les allures d'éléphants dans le magasin de porcelaine libéral. Bien que disposé à les accepter, Guy Favreau, le ministre du Québec le plus important du gouvernement Pearson, fut tellement ébranlé par leur arrivée qu'il alla faire « une longue randonnée à moto, à haute vitesse » pour s'en remettre — une technique à laquelle Pierre avait sans doute lui-même recouru par le passé[36]. Des trois nouveaux députés, Trudeau était le moins connu du grand public. Même au Canada anglais, Pelletier avait fait les manchettes quand il avait été congédié de *La Presse* au beau milieu de rumeurs de complot ourdi par Lesage et quelques grands noms du commerce et de l'industrie. Trudeau ne figurait pas dans le *Canadian Who's Who* de 1965, une publication anglophone, et presque aucun de ses textes n'était disponible en anglais. Quand il arriva, à l'automne, les journalistes d'Ottawa le traitèrent comme une espèce exotique que ses goûts vestimentaires autant que ses habiletés intellectuelles classaient à part de ses collègues parlementaires*. Une fois encore, les médias le crurent plus jeune qu'il ne l'était en réalité.

Néanmoins, la différence et le mystère intriguent. Dans un ouvrage sur le nationalisme canadien publié en 1966, Kenneth McNaught, un historien réputé de l'Université de Toronto, évoqua Trudeau en ces termes percutants: « C'était dans le but de faire cesser cette habitude maintenant courante de considérer et de traiter Ottawa comme une puissance étrangère que cet être sophistiqué, brillant et essentiellement non politique avait plongé dans les eaux glacées de la politique fédérale au Québec. » Militant socialiste de premier plan et biographe de J. S. Woodsworth, McNaught craignait l'impact de Trudeau sur son propre parti, le NPD, mais se réjouissait que sa voix se fasse désormais entendre à Ottawa et à Québec.

---

* Joyce Fairbairn, jeune adjointe politique albertaine, fit la connaissance de Trudeau au Restaurant du Parlement, où il venait souvent prendre le petit-déjeuner après avoir marché depuis la chambre qu'il occupait à l'hôtel Château Laurier tout proche. Il possédait, dit-elle, une réputation d'excentricité « attribuable à l'indifférence qu'il affichait à ses débuts face aux conventions vestimentaires. Dans cette Chambre des Communes peuplée de complets-cravates, de chaussettes et de souliers lacés, il détonnait avec ses vestes décontractées, ses foulards et ses sandales, qu'il portait parfois pieds nus. » « D'innombrables œufs à la coque plus tard », elle commença à éprouver une certaine sympathie pour Trudeau, qui s'adonnait peu à cette « conversation politique légère » si typique de « la Colline ». Peu à peu, elle développa envers lui un immense respect ainsi qu'une grande affection: « Dès les tout premiers débuts j'ai senti chez lui une grande timidité alliée à une gentillesse que j'ai appris à connaître avec les années passées à travailler avec lui et à être son amie. » Cette timidité passait parfois, injustement selon Joyce Fairbairn, pour de l'arrogance ou de l'indifférence. Joyce Fairbairn *in* Nancy Southam, dir., *Pierre* (Toronto: McClelland & Stewart, 2005), p. 39.

> En retour de ses efforts, on l'a qualifié de vendu, et il ne fait aucun doute qu'il partage ce que j'ai nommé l'opinion anglophone du Canada. Son destin politique sera probablement le destin politique du Canada. Personne ne peut douter de l'angoisse que lui causa cette décision, car en cela il handicapait encore davantage la section québécoise du NPD dans ses efforts ardus, le NPD étant le parti qui représente le mieux la pensée socialiste de Trudeau. Le fait qu'il ait décidé que le Parti libéral — le parti qui courtise le plus ouvertement le continentalisme américain — soit celui qui malgré tout était le seul capable d'empêcher le nationalisme racial d'atteindre un point culminant indique bien à quel point il craignait pour le Canada[37].

Au Québec, Jean-Paul Desbiens, auquel Trudeau et *Cité libre* avaient rendu hommage en 1960 à l'occasion de la publication de sa fameuse dénonciation du système éducatif provincial, écrivit à Trudeau que lui et ses collègues représentaient la « dernière chance » pour le Canada[38].

Prudent, Trudeau préféra calmer ces attentes. Au cours de la campagne électorale, il déclara aux journalistes qu'on ne lui avait pas offert de poste au Conseil des ministres quand il s'était porté candidat. En outre, ajouta-t-il, il avait bien dit qu'il ne voulait pas occuper un tel poste avant qu'on ne lui l'offre. Blair Fraser, un journaliste national que Trudeau connaissait bien depuis sa jeunesse, rédigea des profils de Trudeau, Pelletier et Marchand peu après la formation du Conseil des ministres, en décembre 1965. À juste titre, l'article désigne Marchand comme le principal acteur du trio. « Trudeau et Pelletier », écrivait Fraser, « sont assez satisfaits de soutenir Marchand, et n'ont pas d'ambitions particulières ». Le journaliste ajoutait que les débats regroupant tous les candidats semblaient étonnamment agréables à Trudeau et que son humour pince-sans-rire passait bien. À juste titre également, il énonçait certains boulets que Trudeau traînait avec lui jusqu'à Ottawa : il n'avait jamais été obligé de travailler pour vivre ; sa mère était anglophone (*Le Devoir* mettait un point d'honneur à écrire son nom « Elliott-Trudeau ») ; et, surtout, il avait la fâcheuse habitude de dire ce qu'il pensait. Certains points de détail mis à part, l'article comportait une surprenante erreur d'analyse : selon Fraser, les électrices semblaient reprocher à Trudeau son statut de célibataire nanti[39].

Juste après les élections, tandis que ses collègues s'acheminaient vers Ottawa dans l'espoir d'obtenir un poste, Trudeau, fidèle à lui-même, partit faire du ski en Europe. C'est pendant ce séjour que Pearson décida de lui proposer le poste de secrétaire parlementaire du premier ministre. Trudeau déclina rapidement l'offre, probablement parce qu'il hésitait à travailler en étroite collaboration avec Pearson et son équipe, qu'il connaissait peu, ou, plus simplement, parce qu'il craignait, non sans raison, qu'une promotion trop rapide n'attise les jalousies.

Marchand écumait de fureur: ayant appuyé la candidature de Trudeau au poste de secrétaire parlementaire du ministre des Finances, il avait été agréablement surpris d'apprendre que Pearson lui proposait plutôt le bureau du premier ministre. Pourtant, Marchand n'avait jamais été un proche de Trudeau sur le plan personnel et il s'était montré exaspéré par les scrupules que le futur député avait exprimés au moment d'affronter Victor Goldbloom dans la lutte pour l'investiture libérale, puis Charles Taylor face aux électeurs. Marchand appela Trudeau en Europe. Dans la version expurgée de leur houleuse conversation qu'il rapporte dans ses mémoires, Trudeau écrit qu'il lui a déclaré: « Laissez-moi le temps d'arriver, de faire mes classes. Tu sais que je n'aime pas l'improvisation. » Marchand répondit d'un ton caustique: « Nous ne sommes pas venus ici pour refuser le travail, Pierre. C'est la besogne à abattre qui nous a attirés, il faut sauter sur toutes les occasions de l'accomplir[40]. » Trudeau ne pouvait faire autrement que d'accepter. Il devint secrétaire parlementaire de Lester Pearson, l'homme qu'il avait régulièrement critiqué depuis qu'il l'avait rencontré, en 1949, à l'époque où il n'était encore qu'un jeune fonctionnaire d'Ottawa[*].

---

[*] Quand on lui demanda pourquoi il avait désigné Trudeau comme son secrétaire parlementaire, Pearson répondit: « Je lisais ses écrits depuis plusieurs années, et ils m'avaient impressionné, surtout en raison de sa connaissance technique approfondie de l'économie et du droit constitutionnel. Nous sommes à une époque où cet aspect est très important, et nous aurons à transiger beaucoup avec le Québec. Pierre est un Québécois et il semble qu'il soit cette sorte de personne dont nous avons besoin. » Il est peu vraisemblable que Pearson lisait alors ses articles « depuis plusieurs années », et Trudeau ne possédait en réalité aucune « connaissance technique de l'économie ». Toutefois, puisque le gouvernement du Québec pouvait compter sur de nombreux constitutionnalistes chevronnés, par exemple Claude Morin, Paul Gérin-Lajoie et Jacques-Yvan Morin, et sur des « économistes techniques » tels que Michel Bélanger et Jacques Parizeau, Trudeau représentait incontestablement un atout précieux pour Ottawa.

Les premiers mois de sa collaboration avec Pearson confirmèrent certains des doutes que Trudeau entretenait à son égard. Le premier ministre était durement affecté de n'avoir pas pu former un gouvernement majoritaire : le soir des élections, il s'exprima devant les caméras de la télévision avec une mine pétrifiée ; il ne répondit à aucune question et expliqua aux journalistes : « Les deux derniers mois ont été difficiles ; je vais rentrer chez moi et aller me coucher. » Toutefois, il dormit probablement très peu le matin du 9 novembre, car il s'apprêtait à présenter sa démission à son Conseil des ministres quelques heures plus tard. Comme prévu, sa proposition fut rejetée. Pearson quitta néanmoins la rencontre fermement décidé à constituer une nouvelle équipe. Walter Gordon partit très vite, en même temps que plusieurs membres éminents du parti tels que Keith Davey et Jim Coutts. Tom Kent, un intellectuel de premier plan de l'équipe Pearson, devint le sous-ministre de Jean Marchand, qui prenait la barre du tout nouveau ministère de la Main-d'œuvre. Pearson tenait à s'entourer de nouveaux visages, et ce, même si les anciens étaient parfois ceux d'amis ou de politiciens accusés à tort de corruption. Maurice Lamontagne, qui avait été le principal conseiller de Pearson en provenance du Québec, et ce, même alors que les libéraux se trouvaient encore dans l'opposition, compta au nombre des premières victimes : Pearson lui annonça personnellement qu'il était temps pour lui de partir. René Tremblay subit le même sort. Guy Favreau resta, mais au poste mineur de président du Conseil privé. Son état de santé continuant de se dégrader, le bureau qu'il occupait dans l'édifice de l'Est était souvent désert et ses secrétaires le voyaient à peine. Il s'éteignit finalement en 1967. Maurice Sauvé n'avait pas la confiance de ses collègues, qui le considéraient, à juste titre, comme la source des « fuites » ayant informé la presse des problèmes internes du gouvernement. Il conserva son poste mineur au Cabinet comme ministre aux Forêts, mais son influence diminua considérablement. À l'exception de Jean Marchand, Lucien Cardin, le ministre de la Justice, était le seul francophone possédant des attributions d'importance. Or, ainsi qu'un nouveau scandale allait bientôt le révéler, sa tâche dépassait largement ses capacités[41].

Interrogé sur cette époque, Trudeau déclara plus tard que ce qui avait étonné leur petit groupe avait été la facilité avec laquelle il avait été possible de se hisser à un poste d'importance au sein d'un parti politique établi. Ils savaient, dit-il, que si leurs idées obtenaient l'appui du public, certains dans la vieille garde diraient « eh bien, ces gars-là peuvent gagner en présentant des idées nouvelles, alors allons-y et gagnons [42] ». Leur réussite s'expliquait principalement par deux facteurs : d'une part, le discrédit qui avait frappé la « vieille garde » (Lamontagne était présent depuis l'ère Saint-Laurent ; Favreau et Tremblay, depuis 1963) puis la dissolution de cette équipe ; d'autre part, l'importance capitale que Pearson et l'opinion publique canadienne accordaient à la Constitution et à la question du Québec après les élections de 1965.

Trudeau perçut immédiatement les possibilités qui s'offraient à lui. André Laurendeau, qui n'avait pas eu « envie » de le féliciter de sa victoire, le croisa début janvier dans deux cocktails. Trudeau était tout aussi jovial qu'en novembre à l'hôtel Windsor et Laurendeau fut frappé par sa bonne humeur et son énergie : cela faisait longtemps qu'il ne l'avait pas vu aussi joyeux. Marchand expliqua à Laurendeau que les députés libéraux avaient du mal à accepter Pelletier : ils n'avaient pas oublié ses remarques acerbes, et la chronique sur le fait d'être candidat qu'il avait écrite pendant la campagne de 1965 témoignait d'un manque flagrant de discernement politique. Pour Trudeau, c'était très différent : il réussissait tout à merveille. Il stupéfiait le Canada anglais. Marchand concluait : « Je suis prêt à gager ma chemise que d'ici un an, Pierre sera leur homme au Canada français, il éclipsera tous les autres[43]. »

Heureusement pour Trudeau, le hasard fit bien les choses : le premier grand dossier qu'il eut à traiter fut celui de la Constitution. Avant d'entrer en politique, il avait beaucoup travaillé sur les questions constitutionnelles avec ses amis Marc Lalonde et Michael Pitfield ainsi qu'avec des groupes affiliés au Congrès du travail du Canada au Québec. En 1965 et 1966, le refus du gouvernement Lesage d'appuyer la formule Fulton-Favreau d'amendement de la Constitution déboucha sur une impasse et entraîna une crise. Pour Lester Pearson, la déception fut amère. En février 1965, par exemple, il avait confié à son grand ami, le journaliste Bruce Hutchison, qu'il avait obtenu sa réussite la plus éclatante dans le domaine du fédéralisme canadien et qu'il se consacrait maintenant entièrement à l'unité nationale. Cette question servit de trait d'union entre Trudeau et son chef politique : de ce buisson épineux d'échecs, Trudeau voyait maintenant émerger de nouvelles possibilités d'action. À mesure qu'il remportait des succès, le respect qu'il éprouvait envers Pearson grandit.

Le premier ministre Jean Lesage lui offrit sa première occasion de briller : prévoyant des élections provinciales, il créa une scission entre les libéraux provinciaux et les libéraux fédéraux. Ceux-ci organisèrent immédiatement pour leur branche du Québec un congrès portant essentiellement sur la politique constitutionnelle. Constatant qu'il devait établir son autorité lors de cette rencontre, Jean Marchand invita Trudeau à lui prêter main-forte sur les questions politiques. Déjà, les hésitations de Lesage avaient jeté le doute sur l'approche que le gouvernement fédéral avait adoptée jusque-là envers le Québec. Par ailleurs, le 20 janvier 1966, le discours du Trône prononcé à Ottawa avait révélé une position plus ferme du gouvernement en ce qui concernait l'amendement de la Constitution et les exigences provinciales, indiquant que le fédéral éviterait de s'entendre avec les provinces sur des programmes conjoints auxquels toutes les provinces ne participeraient pas.

Lors du congrès, Trudeau, sous la tutelle de Marchand, présenta des résolutions de la Fédération libérale du Québec qui rendaient compte de ses propres réticences sur un éventuel statut particulier pour le Québec, de quelque nature qu'il soit. Sur le plan intellectuel, il dominait complètement les débats. Il réussit à convaincre les congressistes que l'*Acte de l'Amérique du Nord britannique* ne nécessitait pas de modification majeure et qu'il n'était pas souhaitable d'établir « quelque chose comme un Québec indépendant, ou des États associés, ou un statut spécial, ou un marché commun canadien, ou une confédération de dix États ». Trudeau plaida également en faveur du bilinguisme dans le gouvernement fédéral et de l'adoption d'une charte des droits qui établirait les droits individuels d'un bout à l'autre du pays. Dans *Le Devoir*, Claude Ryan exprima son désaccord envers les propositions « honnêtes, mais contestables » de Trudeau et déplora sa « froide logique ». Néanmoins, quelques mois à peine après être arrivé à Ottawa, Trudeau avait réussi à implanter ses idées et à obtenir un rôle central dans la politique fédérale au Québec[44].

Les premiers succès de Trudeau dans l'arène politique fédérale survenaient alors que le chaos régnait à Ottawa. Diffusée sur les ondes de CBC et bénéficiant d'une large audience, la série télévisée *This Hour Has Seven Days* (qui avait envisagé d'engager Trudeau comme animateur) réalisait alors des entrevues qui reposaient sur l'affrontement et déstabilisaient complètement la plupart des politiciens. C'est dans l'une de ces émissions, juste après les élections, que Lucien Cardin, ministre de la Justice, révéla le nom de George Victor Spencer, un employé des Postes qui avait été congédié parce qu'il était soupçonné d'espionnage pour le compte de l'Union soviétique. Au comble de la nervosité, Cardin ajouta que Spencer ne ferait pas l'objet de poursuites, mais qu'il resterait sous surveillance jusqu'à la fin de ses jours.

Par ces propos irréfléchis, Cardin irrita à la fois les défenseurs des libertés civiles et les anticommunistes et attira sur lui les foudres de John Diefenbaker qui se targuait, non sans quelque raison, de défendre ces deux groupes. Quand la Chambre reprit ses travaux en janvier, Diefenbaker entreprit de maintenir Cardin sous attaques constantes. Les libéraux du Québec détestaient déjà Diefenbaker et l'accusaient d'avoir anéanti Favreau, Lamontagne et Tremblay — ici encore, non sans quelque raison. Alors que le Conseil des ministres avait décidé en janvier qu'il n'y aurait pas d'enquête sur les allégations entourant George Victor Spencer, Diefenbaker et le NPD exigèrent que cette étonnante affaire fasse l'objet d'investigations. Certains membres du caucus libéral, y compris Trudeau et Pelletier, commencèrent à remettre en question la position du gouvernement. Bryce Mackasey, un député de Montréal qui n'avait pas la langue dans sa poche, se leva en Chambre pour réclamer publiquement une enquête. Sur le chemin qui le menait au bureau de Pearson, où il allait apparemment présenter sa démission de secrétaire parlementaire, Mackasey rencontra Trudeau qui, selon Mackasey, lui dit alors : « J'y vais avec toi et je démissionne aussi. J'ai ressenti la même chose que toi. » Pearson les rabroua vertement en précisant que, s'il voulait leur démission, il la leur demanderait lui-même[45]. Pour Trudeau, ce fut une bonne leçon.

D'autres allaient suivre, car l'affaire Spencer montrait au grand jour les faiblesses du gouvernement et du premier ministre. Le 2 mars, David Lewis, du NPD, annonça à la Chambre que Spencer lui-même réclamait une enquête. Cette déclaration désavouait de manière flagrante les propos que Pearson avait tenus la veille, et dans lesquels il affirmait qu'il était inutile de poursuivre les investigations. Diefenbaker porta l'estocade comme lui seul, le débatteur parlementaire le plus redoutable de sa génération, pouvait le faire. Sentant que le ministre de la Justice, assailli de toutes parts, était désormais seul, il accentua la pression en laissant entendre que le gouvernement dissimulait différentes failles passées et présentes dans le système de sécurité. C'était pure calomnie et Cardin répondit sur le même registre, rétorquant à Diefenbaker qu'il était la personne la plus mal placée pour dispenser des conseils sur la sécurité. Pearson, qui s'était présenté à la Chambre, applaudit chaleureusement son ministre. Diefenbaker le montra du doigt en criant: « Applaudissements du premier ministre. Je veux que cela figure au procès-verbal. » Cardin entendit mal ce que Diefenbaker disait et crut qu'il exigeait qu'on nomme l'affaire à laquelle on l'associait. Bêtement, Cardin laissa échapper: « Monseignor ». Il avait voulu dire en fait: « Munsinger ». Gerda Munsinger était une immigrante allemande établie à Montréal qui avait entretenu des liaisons simultanées avec un diplomate soviétique et avec Pierre Sévigny, ministre associé à la Défense nationale du gouvernement Diefenbaker. Pearson et Favreau avaient déjà menacé Diefenbaker de révéler l'affaire Munsinger s'il persistait à s'en prendre personnellement aux ministres du Québec*. Ces échanges marquèrent le début du seul scandale sexuel d'envergure de l'histoire politique canadienne et, surtout, la fin de la carrière politique canadienne de Lester Pearson[46].

À la tête d'un gouvernement minoritaire et désormais privé des principaux conseillers qui l'avaient entouré jusque-là, Pearson commit l'erreur fatale de changer d'avis et d'approuver la tenue de l'enquête alors que trois ministres importants, y compris Marchand, avaient soutenu Cardin en Chambre dans son opposition à la mise en œuvre de cette procédure d'investigation[47]. Une fois encore, Pearson eut l'air d'abandonner un ministre du Québec harcelé de toutes parts. Un observateur affirme que Jean

* Lors d'une scène particulièrement disgracieuse, alors que Pearson réitérait sa menace, Diefenbaker brandit le poing dans sa direction en affirmant qu'il « savait des choses scandaleuses sur lui ». Selon Pearson, Diefenbaker ajouta qu'il « savait tout de [sa] période communiste ». Pearson lui rit au nez et répondit que toutes ces allégations reposaient sur le témoignage d'une « femme dérangée », en l'occurrence, Elizabeth Bentley, qui avait constitué une source d'informations majeure mais douteuse pour J. Edgar Hoover et d'autres Américains dans leur traque des communistes.

Marchand se rendit au bureau de Pearson après qu'il eut annoncé l'ouverture de l'enquête et qu'il lui déclara: « Si jamais tu me fais ce que tu viens de faire à Cardin, ce sera la guerre. » De fait, les hostilités ne tardèrent pas à éclater. Lucien Cardin alla passer la fin de semaine chez lui, à Sorel, décida de quitter ses fonctions, retourna à Ottawa et remit sa lettre de démission au premier ministre. Pearson refusa de l'ouvrir. Le mardi, Trudeau assistait au caucus du Québec. Ses membres étaient furieux que Cardin ait été abandonné à son sort et ils en vinrent presque à voter une motion de blâme contre Pearson, ce qui l'aurait obligé à envisager la démission. Marchand dit à Cardin qu'il démissionnerait avec lui et que certains autres ministres francophones du Québec en feraient autant. Cédant aux pressions, Cardin resta. Pearson s'embourba dans les méandres d'une enquête sordide sur les risques que la vie sexuelle trépidante de Gerda Munsinger faisait courir à la sécurité nationale[48].

Trudeau partageait la colère de ses collègues du Québec. Du chaos politique qu'il observa au cours de ses trois premiers mois de parlementaire, il tira néanmoins plusieurs conclusions. Premièrement, tout ce désordre le confirma dans son impression première que Lester Pearson était un chef faible, mais bien intentionné. Deuxièmement, Trudeau convint avec ses collègues francophones du Québec que leurs ministres n'obtenaient pas le soutien nécessaire pour relever les défis que représentaient le nationalisme et le séparatisme au Québec. Troisièmement, Trudeau fut renforcé dans son opinion que la Chambre des communes était peuplée d'« ânes dressés » brayant et d'« imbéciles » rugissant. Un jour que Trudeau se présentait à une session de vote arborant sandales de cuir et foulard, Diefenbaker tonna qu'il manquait de respect envers les règles vestimentaires dictées par la tradition. Trudeau s'intéressa peu aux Communes jusqu'à la fin de cette première année de sa vie de député, et il ne développa jamais envers la Chambre des communes l'affection que tant de parlementaires avant lui avaient éprouvée, de Wilfrid Laurier à John Diefenbaker en passant par Henri Bourassa. Toutefois, il prononça plusieurs allocutions mémorables en Chambre dans les années qui suivirent. Par ailleurs, son sens aigu de la répartie le rendait redoutable dans les périodes de questions. Mais il ne s'imposa jamais comme un gladiateur de l'arène politique que constitue la Chambre des communes.

Après la mort de Trudeau, Pierre Vadeboncoeur défendit son vieil ami contre ceux qui l'accusaient d'avoir été hautain et vaniteux. Les deux hommes avaient pourtant connu leur lot d'amers désaccords depuis le milieu des années soixante. Néanmoins, Vadeboncoeur soutint que Trudeau manquait souvent de confiance en lui et qu'il n'était pas « un tribun naturel ». Sa réussite politique avait reposé sur ses aptitudes, mais surtout, sur sa volonté farouche de maîtriser « avec précision ses actes, ses attitudes ». Comme il ne se sentait pas spontanément à l'aise dans la bataille politique, il lui arrivait d'adopter une approche querelleuse « contraire à une nature plus simple et authentique ». Ces remarques bienveillantes de Pierre Vadeboncoeur éclairent d'un jour nouveau la personnalité politique hors normes que Trudeau déploya quand il arriva à Ottawa en 1966 : il montrait une grande force, mais aussi une profonde réserve qui pouvait tourner à la gaucherie charmante ou, au moment le plus inattendu, à la colère explosive[49].

Même si Trudeau était le secrétaire parlementaire de Pearson, les deux hommes travaillèrent peu de concert cette année-là. Dans ses mémoires, Pearson reconnaît que « Trudeau n'avait pas grand-chose à faire et n'a pas eu beaucoup d'occasions d'apprendre dans [son] bureau ». Dans ses propres mémoires, Trudeau souligne qu'il s'était attendu à de modestes corvées parlementaires ainsi qu'à un peu de paperasse à remplir. Pearson l'envoya plutôt « parcourir le monde* ». En avril, il assista à Paris à une rencontre avec le Groupe parlementaire Canada-France récemment constitué, l'un des forums qui permettaient alors aux simples députés de voyager et d'obtenir quelque gratification en marge de leur mandat. Herb Gray, un jeune député de Windsor en Ontario, assistait également à la rencontre parisienne dans laquelle, se rappelle-t-il, Trudeau impressionna les Français tout autant que les Canadiens par

* Le gouvernement étant minoritaire, la Chambre siégea jusqu'à une date avancée de l'été 1966. Cette année-là, j'étais étudiant et je travaillais pour la période estivale à la Colline parlementaire. Je voyais régulièrement Pearson et Paul Martin, dont le bureau des Affaires extérieures était situé dans l'édifice de l'Est. Même Guy Favreau fit quelques apparitions. Toutefois, à l'exception d'un nombre restreint de votes tenus en Chambre, Trudeau se trouvait rarement à Ottawa. J'ai entendu parler de lui pour la première fois le jour où quelques-uns de mes amis l'ont rencontré dans un lieu de villégiature des Laurentides, au milieu de l'été. Ils le trouvèrent sérieux, mais très enjôleur avec les dames.

sa connaissance encyclopédique de Paris, de l'Europe et de l'Afrique, mais aussi grâce à l'éblouissante blonde qui l'accompagnait à certains événements officiels. Trudeau semblait à Paris comme chez lui, une impression confirmée par la liste de contacts établie lors de son voyage de 1963. Elle compte plus de quarante noms, dont celui d'intellectuels éminents tels que Jean Domenach, de *L'Esprit*, ou Paul Ricoeur, philosophe distingué très en vogue à l'époque, ainsi que, évidemment, celui de nombreuses femmes célibataires[50].

Cette association parlementaire s'avérait d'une importance stratégique en raison de l'intérêt que les Français et, plus particulièrement, le président Charles de Gaulle, portaient au nationalisme et au séparatisme qui fleurissaient au Québec. De nombreux journalistes français se rendaient au Québec, attirés par la vivacité du débat politique, par l'effervescence littéraire et musicale de Montréal et de Québec (la presse française s'était soudainement mise à porter aux nues Michel Tremblay et Marie-Claire Blais, Félix Leclerc et Monique Leyrac), et par la volonté grandissante de leur propre gouvernement de traiter directement avec le gouvernement du Québec, lequel avait alors perdu toute méfiance envers la France républicaine et athée. Le Québec répondait avec chaleur à ces marques d'intérêt, établissant une « délégation générale » à Paris et organisant plusieurs visites ministérielles au cours desquelles Lesage et ses ministres bénéficiaient d'un traitement normalement réservé aux représentants des États souverains les plus importants. Pendant ce temps, de Gaulle traitait avec dédain l'ambassadeur du Canada, Jules Léger, le vieil ami de Trudeau à l'époque à Ottawa. Son gouvernement signa en février 1965 une entente culturelle Québec-France que le magazine *Maclean's* qualifia d'« entrée de l'État du Québec sur la scène internationale ».

La bataille entre Ottawa et Québec autour des activités « internationales » du Québec prit souvent un tour cocasse : on mesura des drapeaux ; des chauffeurs de limousines jouèrent du coude pour diriger des processions... Néanmoins, il ne fait aucun doute que certains représentants officiels français, principalement dans l'entourage du président, participèrent à des intrigues visant à promouvoir le mouvement indépendantiste du Québec. De même que le Canada avait obtenu son indépendance en signant des traités de pêche et en affectant des « ministres » à des pays étrangers, les activités internationales du Québec à Paris et, de plus en plus, dans les anciennes colonies françaises, auraient pu le mener à la souveraineté politique. Sur ce point, Pearson et Trudeau étaient complètement d'accord. Trudeau partit donc représenter le Canada dans un congrès international de juristes français et, plus tard, parcourut cinq pays africains pour défendre les intérêts canadiens dans la toute jeune Francophonie, un « Commonwealth francophone » ardemment promu par Léopold Senghor, le président du Sénégal, un poète que Trudeau appréciait particulièrement[51].

Avant même d'entrer en politique, Trudeau avait critiqué les efforts déployés par le Québec sur la scène internationale. Il accepta de diriger un groupe d'experts en droit chargé d'étudier la manière dont le Canada pouvait réagir à cette situation. Marc Lalonde et Michael Pitfield, deux conseillers de Pearson très admirés de Trudeau, faisaient partie de ce groupe, de même que le sous-secrétaire d'État aux affaires extérieures, Marcel Cadieux, et le chef du service juridique du ministère des Affaires extérieures, Allan Gotlieb. Cet aréopage d'avocats brillants mit Trudeau à l'épreuve, aiguisa ses capacités intellectuelles et façonna ses positions en ce qui concernait Ottawa, mais aussi Québec. Ses membres avaient en commun la crainte que les ambitions internationales du Québec en viennent à rompre les relations juridiques qui tissent une nation, et cette inquiétude ne fit que s'accentuer quand le gouvernement Lesage subit une défaite accablante aux élections du 5 juin 1966.

Le nouveau premier ministre, Daniel Johnson, de l'Union nationale, promettait d'être beaucoup plus nationaliste que Lesage, qui avait dénoncé le séparatisme avec vigueur dans les dernières semaines de la campagne. Johnson, que Trudeau avait rencontré dans les années quarante et qui avait été l'un des premiers abonnés de *Cité libre*, fit campagne sur un slogan inspiré de son livre publié en 1965 : « Égalité ou indépendance ». Dans le premier article du programme de son parti, il promettait de faire du Québec « un véritable État national » par un accroissement des pouvoirs de la province et de sa souveraineté, en particulier au niveau international. Le soir de l'élection, Johnson souligna sombrement que, si l'on soustrayait du total des votes ceux des libéraux anglophones et juifs, 63 % de la « nation » francophone avait en fait rejeté le Parti libéral. Trop de gens, affirmait Johnson, considèrent l'*Acte de l'Amérique du Nord britannique* comme une vache sacrée, alors même qu'il a été souvent violé dans des comités à huis clos, voire dans le secret des chambres d'hôtel. Dans ces circonstances, pourquoi ne pas s'en débarrasser une fois pour toutes afin d'établir une sixième Constitution?

Trudeau, personnellement, rejetait bien sûr toutes ces prémisses : la nécessité d'une nouvelle Constitution ; le fait de considérer la population francophone du Québec comme une « nation » ; la nécessité d'un statut spécial pour le Québec ; et le droit du Québec à se doter d'une représentation internationale distincte. Son groupe et Al Johnson, qui avait quitté la fonction publique de la Saskatchewan pour se joindre au ministère des Finances, entreprirent d'élaborer une réponse fédérale forte aux exigences du premier ministre Johnson, exigences que Mitchell Sharp, ministre des Finances, présenta lors de la conférence fédérale-provinciale de septembre sur la fiscalité. Rejetant fermement l'idée d'un statut spécial pour le Québec et d'une option de retrait des programmes fédéraux qui serait accordée au Québec seul, Sharp soutint que le gouvernement fédéral devait absolument conserver les pouvoirs de taxation nécessaires pour répondre aux besoins fiscaux du Canada. Dans *Le Devoir*, Claude Ryan nota avec justesse l'influence que Trudeau et Marchand avaient eue sur l'élaboration de l'approche fédérale, en particulier dans le rejet sans équivoque d'un « statut particulier pour le Québec[52] ».

Trudeau s'absenta d'Ottawa pendant presque tout l'automne 1966, car il était membre de la délégation canadienne aux Nations Unies. À ce poste, il suscita l'ire de Paul Martin père, le ministre des Affaires extérieures du Canada, qui caracolait à l'époque en tête de tous les sondages et s'imposait comme le successeur le plus probable de Lester Pearson. À la fin des années quarante, Pearson avait établi la pratique consistant à envoyer les députés les plus prometteurs de tous les partis à l'ONU afin d'y gagner des appuis pour sa politique étrangère. De fait, cette stratégie portait ses fruits. Toutefois, Trudeau détesta tout de suite les rituels compliqués des Nations Unies ainsi que les politiques que le Canada y soutenait, en particulier sa position ambiguë sur l'adhésion de la Chine. Il prit ouvertement ses distances par rapport à l'approche des « deux Chine » défendue par Paul Martin, qui préconisait l'instauration de deux représentations, l'une pour la Chine continentale et l'autre pour Taïwan, un projet condamné à l'échec.

La guerre du Vietnam dominait de plus en plus les manchettes à mesure que l'intervention américaine s'intensifiait et que les protestations internationales gagnaient en vigueur. Mais l'ONU, incapable d'orchestrer la fin du conflit, restait sur la touche. Plus tard, Gérard Pelletier se rappela que Trudeau parlait souvent de la guerre à cette époque et que, comme Ryan, Laurendeau et la plupart des intellectuels du Québec, il s'opposait fortement à l'intervention des États-Unis. Le Vietnam, qui l'avait tant séduit lors de son voyage de 1949, le déçut quand il y retourna en 1959. Il n'avait plus de « charme » ni de « classe ». Trudeau observa que la police était partout et releva la présence des membres de la Commission internationale de contrôle, dont de nombreux Canadiens. « Ce pays restera peut-être divisé à jamais », nota-t-il tristement. Fait plus inquiétant, il apparaissait clairement que le gouvernement du Sud dépendait entièrement de l'appui des Américains, qui s'étaient déployés partout[53]. Cependant, Marcel Cadieux, des Affaires extérieures, qui avait servi au Vietnam dans les années cinquante et qui détestait le Nord communiste, dissuada Martin de critiquer la politique militaire des États-Unis. Trudeau se mit alors à considérer d'un œil de plus en plus méfiant le ministère des Affaires extérieures et son ministre, surtout après qu'il eut appris de Cadieux que Paul Martin favorisait l'adoption d'une approche conciliante envers les relations d'affection mutuelle qui s'épanouissaient entre le gouvernement de Daniel Johnson et la France. Avec Lalonde et d'autres, il se fit extrêmement critique à l'endroit de Martin et, en janvier, il accueillit chaleureusement la réintégration au Conseil des ministres de Walter Gordon, qui pourfendait haut et fort la politique étrangère des États-Unis[54].

Même si les deux hommes se connaissaient à peine à l'époque, ce retour de Gordon allait jouer un rôle fondamental dans l'évolution de Trudeau. Gordon défendait passionnément le nationalisme économique, s'opposait ouvertement à la guerre au Vietnam, critiquait l'appartenance du Canada à l'OTAN et au NORAD, et contestait avec une fermeté croissante les décisions de Pearson, dont il avait pourtant, plus que tout autre, financé et soutenu la carrière politique[55]. Par ailleurs, l'époque était de plus en plus favorable à la gauche. *Canadian Dimension*, un magazine fondé par un Américain qui avait trouvé refuge au Canada afin d'échapper à la conscription pour le Vietnam, interrogea à l'hiver 1967 de nombreux intellectuels de premier plan et constata que la plupart d'entre eux prévoyaient qu'un gouvernement « nationaliste et socialiste » dirigerait prochainement le Canada. Pearson sentit le vent tourner et, tactique astucieuse, se mit à pencher vers la gauche[56].

Gordon avait espéré que Maurice Lamontagne le rejoindrait au Conseil des ministres. Il n'en fut rien. Gordon demanda des explications à Pearson, qui lui répondit que Jean Marchand s'était opposé à la nomination. Gordon transmit tout de suite cette information à Lamontagne, qui alla en demander confirmation à Pearson. Le premier ministre confirma et invita les deux hommes chez lui pour régler le différend. Marchand expliqua à Lamontagne que le caucus du Québec n'accepterait pas qu'il soit de nouveau nommé au Conseil des ministres. Cette explication fournie sans ménagements témoignait à la fois du rôle prépondérant de Marchand dans la politique fédérale au Québec et de l'ouverture du nouveau Cabinet envers les jeunes ministrables originaires de cette province. Le 4 avril 1967, sans causer une grande surprise, Trudeau succéda à un Cardin éreinté et meurtri au poste de ministre de la Justice. Avec cette nomination particulièrement judicieuse, Pearson confiait les rênes de la Justice au constitutionnaliste le plus talentueux du parti au moment précis où le Québec et la Constitution devenaient les casse-têtes les plus épineux que son gouvernement eût à résoudre ; il renforçait aussi l'aile gauche de son parti au moment précis où le NPD commençait à menacer le Parti libéral au Canada anglais. Sur les deux fronts, Trudeau agit rapidement pour consolider ses atouts[57].

L'époque était en fait très propice à l'ascension de Pierre Trudeau. En 1967, les fondements mêmes de la tradition vacillaient : John Lennon déclarait que les Beatles étaient plus connus que Jésus-Christ ; la pilule contraceptive faisait voler en éclats les anciens tabous sexuels ; les jeunes accueillaient la révolution à bras ouverts. Le Canada aussi semblait enfin prêt à abandonner ses réserves : la télévision passait outre les anciennes contraintes restreignant le traitement de la sexualité, de la politique et de la religion à l'écran. Mais surtout, le Canada fêtait ses cent ans ! D'abord discrètement souligné, l'événement tourna dès la fin du printemps à la célébration bruyante d'un pays nord-américain devenu soudainement, et contre toute attente, « super sympa ». À Montréal, Expo 67 prenait les allures d'une kermesse mondiale follement réussie et conférait au Québec et au Canada un visage moderne et raffiné[58].

Au Canada anglais, même le magazine *Canadian Business* accueillait Trudeau avec enthousiasme et déclarait que « le millionnaire d'origine montréalaise qui conduisait des voitures de sport et arborait des foulards à la Chambre des communes était un homme dans le vent » qui incarnait « la tradition de l'intellectuel engagé dans toute sa splendeur ». La presse francophone se montrait plus circonspecte. Dans *Le Devoir*, Claude Ryan déplorait que Trudeau ne représentât pas l'opinion du Québec dans sa doctrine constitutionnelle. Balayant ces reproches du revers de la main, Trudeau organisa rapidement son bureau et se lança dans une stratégie ambitieuse qui allait transformer le Canada. Les représentants du ministère de la Justice qui avaient entendu parler de sa réputation de *play-boy* eurent la surprise de découvrir en lui un bourreau de travail extrêmement discipliné possédant d'immenses capacités intellectuelles ainsi qu'une mémoire hors du commun. Plusieurs années plus tard, comme on leur demandait ce qui les avait le plus impressionnés chez lui, des membres du personnel rivalisèrent d'anecdotes illustrant sa « mémoire d'éléphant » capable d'engranger les moindres détails : Trudeau se rappelait les notes de service par date, et même paragraphe par paragraphe... Nicole Sénécal, attachée de presse, déclara qu'elle n'avait jamais eu un « patron » si difficile, mais tout à la fois si merveilleux[59].

Au début de son mandat, Trudeau se consacra essentiellement à deux dossiers : la Constitution canadienne et la réforme du Code criminel. Ce second volet de son travail suscita un intérêt considérable dans l'opinion publique quand le célibataire de quarante-sept ans annonça qu'il prévoyait légaliser les actes homosexuels entre adultes consentants, autoriser l'avortement si la poursuite de la grossesse mettait la santé de la mère en danger et élargir considérablement les motifs légaux de divorce. « Le ministère de la Justice, déclara Trudeau à Peter Newman, alors journaliste au *Toronto Star*, doit de plus en plus planifier la société de demain, et non plus seulement conseiller le gouvernement sur les questions juridiques (…). La société génère constamment des problèmes nouveaux : divorce, avortement, planification familiale, pollution… Nous ne pouvons plus nous permettre de revoir nos lois tous les vingt ans. »

En six mois, dès la fin de l'automne 1967, Trudeau avait mis en œuvre ces amendements historiques au Code criminel canadien. Juste avant Noël, la Chambre approuva à l'unanimité les réformes qu'il voulait apporter aux lois sur le divorce, les premières depuis cent ans. H. W. Herridge, un membre de longue date du NPD, louangea Trudeau d'avoir créé un « précédent dans l'histoire canadienne ». Alors que d'autres gouvernements avaient soigneusement évité de modifier les lois sur le divorce, considérant le sujet comme « risqué du point de vue politique », Trudeau avait agi avec détermination et montré par la même occasion qu'il était « une personne très sensible et humaniste ». « Trudeau rougit », souligne un observateur de l'époque[60].

Lester Pearson avait annoncé sa démission une semaine avant les louanges exprimées par Herridge. Les célébrations du Centenaire avaient apporté beaucoup de joies, mais aussi de contrariétés. Fin juillet, Charles de Gaulle effectua une visite officielle au Canada à bord du *Colbert*, navire de guerre français. Ayant accosté dans la ville de Québec, le président de la France entreprit un périple sur le Chemin du Roy, voie historique de la rive Nord, pour se rendre jusqu'à Montréal. C'est là, le 24 juillet, que le plus grand dirigeant français du siècle fit depuis le balcon de l'hôtel de ville, devant une foule nombreuse et fervente, cette déclaration scandaleuse : « Vive le Québec libre ! » Lester Pearson était furieux ; Paul Martin père, qui se trouvait à Montréal à ce moment-là, lui recommanda la prudence. Quand le Conseil des ministres se réunit le 25 juillet, Jean Marchand et Robert Winters exprimèrent leur hésitation à infliger un blâme à de Gaulle.

Trudeau n'était pas d'accord : les procès-verbaux du Conseil des ministres rappellent que le ministre de la Justice « déclara que les Français trouveraient le gouvernement pusillanime s'il ne réagissait pas ». En outre, soulignait-il, de Gaulle n'avait pas l'appui des intellectuels français et la presse de son pays lui était hostile. En dépit des conseils de prudence de Paul Martin, son ministre anglophone le plus chevronné, et des réticences de Marchand, le ministre du Québec le plus en vue de son Cabinet, Pearson suivit tout à la fois le conseil de Trudeau et sa propre intuition. Avec l'aide des ministres du Québec, il formula des reproches sévères à l'égard du général de Gaulle, qui riposta par l'annulation de sa visite à Ottawa. L'incident renforça la position de Trudeau dans le Conseil des ministres[61]. Il exacerba aussi les débats entourant l'avenir du Québec.

Pendant l'été, Trudeau et Marchand consolidèrent leur emprise sur les libéraux fédéraux du Québec. Le Parti libéral du Québec (PLQ) discutait d'une résolution historique que René Lévesque lui avait soumise, et qui revendiquait l'indépendance du Québec puis la négociation d'une union économique avec le Canada. Cette proposition marquait, ainsi que Claude Ryan l'a justement noté, « un nouveau pas vers la minute de vérité ». Pour Trudeau comme pour bon nombre de ses collègues, elle constituait aussi la preuve que Lévesque était depuis longtemps un séparatiste non avoué. Quand la résolution fut rejetée, Lévesque et d'autres quittèrent le PLQ pour fonder le Mouvement souveraineté-association (MSA), qui donna plus tard naissance au Parti québécois. À la première réunion du MSA, Lévesque promit le triomphe d'un parti consacré à l'accession à la souveraineté du Québec, un parti qu'il dirigerait lui-même. La bataille du Canada venait de commencer[62].

Lester Pearson avait livré son dernier combat et savait que son successeur aurait à guerroyer sur des terrains encore plus difficiles, batailles pour lesquelles lui-même ne possédait pas les aptitudes voulues. Walter Gordon, qui restait très influent dans le parti parce qu'il avait parrainé et formé de nombreux députés et parce qu'il conservait des relations étroites avec le *Toronto Star*, était d'accord avec Lester Pearson sur ce point. À la mi-novembre, Gordon appela Trudeau pour l'inviter à venir rencontrer dans sa suite du Château Laurier deux de ses alliés du Conseil des ministres, Edgar Benson et Larry Pennell. Les quatre hommes convinrent qu'aucun des candidats à la direction du parti n'emportait leur adhésion[63]. Pearson avait fait savoir que le prochain dirigeant devrait venir du Québec, et il avait d'abord pensé à Marchand. Mais celui-ci était handicapé par d'importantes lacunes. Il parlait mal l'anglais ; sa personnalité bouillonnante était certes attirante, mais elle représentait aussi un certain risque politique ; enfin, il ne faisait pas toujours preuve d'un jugement très sûr. Ainsi, il avait adopté une position contraire à celle du Conseil des ministres dans l'incident de Gaulle ; par ailleurs, les éditorialistes et bon nombre de ses collègues n'appréciaient pas son projet d'autoriser la syndicalisation des fonctionnaires et de leur accorder le droit de grève.

À l'inverse, les observateurs s'intéressaient de plus en plus à Trudeau. En fin stratège, celui-ci n'exploita pas d'emblée cette notoriété toute fraîche. Le plan qu'il avait conçu à la fin des années trente, quand il avait décidé de se consacrer à la vie publique, restait entièrement d'actualité. Trudeau continuerait de se draper de mystère et d'être l'ami de tous, mais l'intime de personne. En outre, l'extraordinaire discipline dont il fit preuve pour amender le Code criminel tout en pilotant la réflexion et l'action du gouvernement fédéral sur les questions constitutionnelles réduisit au silence la plupart des critiques qui lui reprochaient de n'être qu'un *play-boy* dans le vent n'ayant jamais travaillé.

De nombreux amis de Trudeau témoignent qu'ils ne l'avaient jamais vu aussi heureux qu'en cet été 1967. Certes, il connut des épreuves. Sa mère, qui l'avait encouragé à entreprendre une carrière dans les affaires publiques, n'était plus là pour se réjouir de son ascension. La dernière lettre d'elle qu'il garda dans ses archives se résume à quelques phrases désarticulées qu'elle lui écrivit de Floride au printemps 1965, alors que la maladie d'Alzheimer commençait à miner son esprit jusque-là si vif, si ouvert et si curieux. La détérioration des capacités de sa mère creusa dans la vie de Trudeau un gouffre que personne ne pouvait combler.

À Ottawa, il était souvent aperçu en compagnie de Madeleine Gobeil, qui enseignait à l'Université Carleton et s'était rendue célèbre par une entrevue qu'elle avait réalisée avec Jean-Paul Sartre pour le compte du magazine *Playboy* en 1966. Ils dînaient ensemble régulièrement, faisaient de longues promenades le soir et vibraient d'un même enthousiasme pour le monde nouveau qui s'ouvrait devant eux. Elle lui présenta Sartre et Simone de Beauvoir et, fait probablement plus significatif, lui fit découvrir les premiers films de James Bond. Évidemment, Trudeau les apprécia beaucoup.

Pendant cette décennie, la relation personnelle la plus marquante de Pierre semble avoir été celle qui l'a uni à Carroll Guérin, qui vivait alors en Grande-Bretagne la plupart du temps. Ils passèrent un été inoubliable sur la plage de Saint-Tropez, où ils vécurent une liaison très intense. Mais elle contracta ensuite une maladie virale incurable. Trudeau la revit l'été suivant alors qu'elle n'était plus, selon ses propres termes, une femme à part entière. Ils se revirent de nouveau en 1964. Elle était alors confinée à un fauteuil roulant et toute activité physique lui était interdite. Elle apprécia la générosité dont il faisait preuve en voulant la voir dans ces circonstances. Elle ne savait que trop bien le fardeau qu'elle représentait, y compris pour elle-même, écrivit-elle[64].

Carroll Guérin n'oublia jamais la gentillesse de Trudeau à son égard. Il convainquit même la mère de cette jeune artiste de se montrer plus généreuse envers sa fille ; celle-ci considérait que la vie en Europe n'était qu'un caprice coûteux et que la maladie de Carroll était essentiellement psychologique. Comme la plupart des amies femmes de Trudeau, Carroll Guérin exprimait ses émotions avec passion et sans nulle entrave, trouvait que Trudeau était « renfermé affectivement », et cherchait la clé qui saurait déverrouiller son âme. À l'été 1967, toutefois, il la déçut. Elle espérait le voir en Corse. Il quitta l'hôtel Buonaparte avant qu'elle arrive à leur rendez-vous, sans l'informer de son départ et sans lui laisser les coordonnées de sa prochaine escale. Elle reconnut plus tard qu'il ne lui avait pas paru très enthousiaste quand il lui avait parlé depuis Montréal et qu'ils avaient planifié leurs retrouvailles. Toutefois, écrivit-elle, c'était peut-être pour le mieux. Quoi qu'il fasse, elle l'approuvait. Mais il lui semblait qu'ils ne pourraient pas vivre ensemble. Du fond du cœur elle lui souhaitait tout le succès qu'il méritait. Même si elle s'était fait « poser un lapin », elle conserva toujours une profonde affection pour Trudeau[65].

À Noël de la même année, ce fut au tour de Trudeau de se faire « poser un lapin ». En décembre, il décida de se soustraire aux rigueurs de l'hiver canadien ainsi qu'à l'intérêt de plus en plus manifeste qu'il suscitait parmi les politiciens et dans la presse. Avec deux amis, Tim Porteous et Jim Domville, il s'envola pour le Club Méditerranée de Tahiti. Il voulait y lire *Décadence et chute de l'Empire romain*, de Gibbon, et réfléchir à l'opportunité de se porter candidat à la direction du Parti libéral. Un après-midi, alors qu'il faisait du ski nautique, il attira le regard d'une séduisante étudiante universitaire de dix-neuf ans allongée sur un pneumatique. Éblouissante dans son maillot de bain, Margaret avait des yeux ensorcelants. Où qu'elle aille, un essaim d'admirateurs se formait autour d'elle. Pierre alla la voir et discuta avec elle de Platon et de la révolution estudiantine. Il connaissait bien Platon ; elle n'ignorait rien de la révolte des étudiants. Elle lui apprit qu'elle s'appelait Margaret Sinclair et qu'elle fréquentait la toute nouvelle université Simon-Fraser, en Colombie-Britannique, un établissement où s'épanouissait pleinement le radicalisme étudiant. Selon ses propres termes, elle « avalait tout : la musique, les drogues, la vie ». Elle ne reculait que devant « l'opium, car Coleridge [lui avait] fait peur ». Cependant, « un jour elle [avait pris] de la mescaline et [avait passé] huit heures assise dans un arbre à vouloir être un oiseau ».

Les parents de Margaret étaient en vacances au Club Med avec leur fille. Sa mère, l'épouse de l'honorable James Sinclair, un ancien combattant qui avait été ministre du gouvernement Saint-Laurent, lui expliqua que l'homme qu'elle avait rencontré était Pierre Trudeau, ministre de la Justice du Canada et « mouton noir » du Parti libéral. Fasciné par Margaret, Pierre dîna tous les soirs à la longue table du Club Med en compagnie de sa famille. Margaret se rappelle qu'il ne l'avait « pas particulièrement impressionnée ». Toutefois, l'attirance grandissante qu'il éprouvait envers elle n'échappait pas aux parents de la jeune fille. Plus tard, « timide » et poli, il lui proposa d'aller pêcher en haute mer. Elle accepta tout d'abord, puis préféra partir avec Yves, un jeune et beau moniteur de ski nautique français, également petit-fils du fondateur du Club Méditerranée. Yves dansait comme un Tahitien et s'avérait un inlassable amant. Quoique « très vieux et très conformiste », Pierre persista. La vitalité de Margaret, sa beauté stupéfiante et sa rafraîchissante franchise laissèrent en lui des marques très vives. Il reprit l'avion pour rentrer chez lui mais revit Margaret trois mois plus tard, au congrès à la direction du Parti libéral. Le mouton noir des Libéraux s'apprêtait alors à devenir leur « chevalier blanc ». Soudainement, il se rappela Tahiti[66].

CHAPITRE 10

L'histoire de deux villes

En ce froid dimanche soir du 14 janvier 1968, Gérard Pelletier était grognon lorsqu'il se présenta au Café Martin, à Montréal dans une petite salle privée. Jean Marchand et Pierre Trudeau, ses convives, avaient « le teint hâlé, bronzé, des mines magnifiques » après des vacances passées au soleil, tandis que lui était « blanchâtre comme une larve ». Jean Marchand avait convoqué ses collègues afin de discuter de l'avenir du Parti libéral qui allait bientôt se retrouver devant une course à la direction. Les trois amis s'étaient réunis au milieu de l'été et avaient décidé qu'il était préférable de ne pas présenter de candidat francophone parce que « l'homme qui gouverne le Canada est fatalement un homme de compromis et que, dans la conjoncture, les Canadiens francophones ne sont pas disposés au compromis ». Marchand avait cependant changé d'avis en décembre. La présence francophone avait été presque inexistante lors du choix de Robert Stanfield comme nouveau chef des progressistes-conservateurs en septembre 1967. Qu'allait conclure le Québec s'il n'y avait aucun candidat francophone au congrès du Parti libéral en avril 1968 ? « Que le gouvernement canadien et les grands partis fédéraux sont l'affaire des Canadiens anglophones, que nous n'avons rien à y voir. » La logique semblait impeccable, mais la vraie surprise n'était pas là, mais dans la décision qu'avait prise Marchand concernant son propre avenir. Il ne serait pas candidat ; Trudeau devait l'être[1].

Gérard Pelletier réalisa immédiatement qu'il occuperait une « place près du ring » dans ce qui allait être une bataille politique historique et commença le lendemain à écrire un journal pour rendre compte de la lutte au leadership des libéraux de 1968. Richard Stanbury, sénateur nouvellement nommé à Toronto et principal organisateur du congrès au leadership, commença lui aussi à tenir un journal. L'automne précédent, Lester Pearson avait confié à Stanbury ainsi qu'au président de la Fédération libérale, John Nichol, son intention de démissionner de son poste de premier ministre et ne s'était pas trompé en prédisant que la course à la direction ferait l'objet d'une lutte acharnée. Pearson espérait qu'il y aurait un candidat fort au Québec — Jean Marchand était son préféré — et s'inquiétait de la présence de Paul Martin, père, le ministre des Affaires extérieures, qui, selon lui, appartenait trop au passé des libéraux à une époque où il était crucial que de nouvelles voix se fassent entendre.

Occupé aux préparatifs du congrès au leadership, Richard Stanbury partageait les mêmes inquiétudes. Au début de janvier, il établit le calendrier de ses rencontres avec les candidats et commença avec Paul Martin. « Qui est votre candidat ? » demanda Martin. « Bien sûr, je suis impartial », répondit Stanbury. « Ah, vous et moi savons cela, mais qui est votre candidat ? » Stanbury affirma penser qu'il s'agissait d'une « belle course ouverte que tout le monde avait une chance de gagner ». Martin se racla la gorge et la conversation prit fin. Stanbury savait déjà que Martin, qui avait été le favori dans les sondages, n'obtenait plus le soutien escompté. Toronto, qui avait été le bastion des conservateurs pendant la majeure partie du premier siècle d'existence du Canada, était désormais le centre dynamique des intrigues, des rêves et des peurs des libéraux[2].

Dans les années soixante, Toronto troqua ses vêtements et ses coutumes classiques pour ceux plus colorés de ses centaines de milliers d'immigrants. Les Torontois autrefois si collet monté se mirent à boire du vin, à ouvrir des boîtes de nuit et à s'intéresser aux sports professionnels le dimanche. Stanbury donnait encore son cours d'instruction religieuse, mais la dense atmosphère protestante, britannique et conservatrice qui régnait sur la ville était rapidement en train de changer. Ces forces traditionnelles continuaient de dominer Bay Street, qui, depuis les années cinquante, avait vaincu toutes ses concurrentes économiques. Montréal demeurait cependant la plus grande ville du Canada ainsi que sa plus sexy, comme le prouvaient l'élégante modernité d'Expo 67 et la nouvelle vie nocturne animée. Le chemin suivi par Pierre Trudeau pour se rendre jusqu'au 24 Sussex Drive allait passer par le cœur politique des deux plus grandes villes du Canada. Dans le cadre de leurs efforts pour le persuader de se présenter, Pelletier et Marchand affirmèrent à Trudeau qu'ils « s'occuperaient » du Québec, et lui, du reste du Canada. Il connaissait à peine « le reste », mais le Canada anglais, lui, faisait rapidement la connaissance de Trudeau, auquel le jeune stratège politique Keith Davey n'avait même pas songé à titre de candidat possible deux mois auparavant[3]. Avec intelligence, Trudeau emprunta la déclaration de l'éditorialiste du *Globe and Mail*, Martin O'Malley : « L'État n'a rien à faire dans les chambres à coucher de la nation » et la fit sienne, comme chacun sait, lors d'une entrevue télévisée le 22 décembre 1967[4]. Cette déclaration rendait bien compte du nouvel esprit de l'époque.

Le 13 janvier 1968, un sondage Gallup révéla que les libéraux avaient fait des gains par rapport aux conservateurs, qui avaient marqué des points dans les sondages après avoir choisi comme chef Robert Stanfield, premier ministre de la Nouvelle-Écosse, en septembre. Les libéraux n'avaient plus que six points de retard. Le même jour, Peter Newman rapporta qu'un groupe d'universitaires torontois « se ralliaient » à Pierre Trudeau. Il décrivit les instigateurs du mouvement d'appui — Ramsay Cook, John Saywell et William Kilbourn comme trois jeunes hommes parmi les plus brillants du milieu universitaire, tout en se trompant en appelant ces historiens des politicologues[*]. Des centaines d'universitaires canadiens-anglais, fascinés par la possibilité de la candidature de Trudeau, signèrent rapidement une pétition l'implorant de se présenter à la direction du Parti libéral[5]. Peter Newman établissait un lien entre la pétition et son « atteinte à la pensée ultraconservatrice pleine de suffisance » et la publication prochaine du livre de Pierre Berton, *Smug Minority*, qui soutenait que « le genre de leadership politique qui était le nôtre n'était pas bon, parce qu'il était restreint à une coterie ». Trudeau, déclarait Berton, allait sauver le Canada de cette coterie :

---

* Ramsay Cook eut un rôle à jouer dans ces pétitions, mais William Kilbourn n'obtint qu'une seule signature, celle de Pierre Berton. Saywell, apparemment, n'avait joué qu'un petit rôle dans la campagne. À l'Université de Toronto, Michael Ignatieff et son ami Bob Rae, alors étudiants et militants radicaux, se rallièrent aussi derrière la candidature de Trudeau.

> Trudeau est le type qui me stimule vraiment; Trudeau représente un nouveau regard face à la politique de ce pays; il est le jeune homme dans le vent dont, je crois, notre pays a besoin. Ce dont nous avons besoin, c'est d'un homme avec des idées si nouvelles et si différentes qu'il sera capable de voir le pays sous un autre angle. Il a de nombreuses faiblesses — inexpérience, incapacité de projeter sur une plateforme et tout le reste. Mais c'est aussi ce qu'on disait de Kennedy.

Ces commentaires de Newman et de Berton, les journalistes les plus influents du Canada anglais, furent publiés la veille du dîner décisif que partagèrent Marchand, Pelletier et Trudeau au Café Martin. Pourtant, quand Marchand déclara après le premier apéritif que Trudeau devrait se présenter, Trudeau fut, selon Pelletier, abasourdi. Le bœuf bourguignon refroidit dans son assiette sans qu'il y goûte.

Pourquoi Trudeau était-il abasourdi? Cela faisait des mois que son ami Jacques Hébert insistait pour qu'il se présente comme chef. À l'automne, il avait participé à une réunion avec Walter Gordon et d'autres députés du Canada anglais et réfléchi au leadership. Pelletier et Marchand n'étaient probablement pas au courant de cette réunion importante, mais assurément Trudeau s'en rappelait. Pearson avait dit à Marchand qu'il fallait un candidat « français » du Québec et qu'il n'y avait que deux possibilités: Marchand ou Trudeau. À Montréal, le conseiller de Pearson, Marc Lalonde, ne prit pas de vacances de Noël afin de préparer la mise en candidature possible de Trudeau. Les propres adjoints de Trudeau, Eddie Rubin et Pierre de Bané, aidèrent Lalonde à s'occuper des détails — et Trudeau était au courant. Juste avant la veille du jour de l'An, Lalonde persuada Rubin et Gordon Gibson, le chef de cabinet du ministre de la Colombie-Britannique Arthur Laing, de louer un bureau à Ottawa pour la campagne. Rubin trouva le bureau et remit 1000 $ à Gibson pour couvrir les frais du loyer, et Gibson signa le bail — tout cela afin de cacher la vraie fonction du bureau. Walter Gordon avait alors déjà déclaré au *Toronto Star* que sa préférence allait à Marchand comme chef, mais que si Marchand ne se présentait pas, il choisirait Trudeau[6]. Tout cela eut lieu avant le dîner au Café Martin.

Comme d'habitude, la réserve de Trudeau était réfléchie et sage. Il savait qu'il lui était crucial d'avoir l'appui de Marchand, mais n'était pas encore sûr de la décision de son collègue. À Tahiti, il avait dit à Tim Porteous qu'il pensait que Marchand allait se présenter. Lorsque Trudeau, Pelletier et Marchand se réunirent de nouveau le 18 janvier, Trudeau déclara qu'il poserait sa candidature si Marchand refusait de le faire, puis il fit la liste de ses propres faiblesses. Pelletier, qui était alors beaucoup plus proche de Marchand que ne l'était Trudeau, pensait que Trudeau voulait réellement être certain que le refus de Marchand était définitif. Il l'était. En privé et en public, Marchand attribua son refus à des raisons de santé — il avait déjà un grave problème de consommation d'alcool — ainsi qu'à son anglais rudimentaire et à son fort accent français. En décembre, il avait déjà affirmé à André Laurendeau qu'il n'avait nullement le désir de succéder à Pearson, comme Davidson Dunton le lui avait suggéré. Il dit à Laurendeau qu'il n'aimait pas vivre à Ottawa : « J'aime pas à parler anglais tout le temps, ça me diminue de 50 %. C'est un métier de fou, pire que celui de syndicaliste parce que là au moins tu es enraciné[7]. »

Une deuxième raison expliquant la réticence apparente de Trudeau est que les semaines à venir lui offraient plusieurs occasions de se faire connaître et qu'il les perdrait s'il annonçait sa candidature. La Fédération libérale du Québec se réunissait à Montréal le 28 janvier et il pourrait y présenter ses points de vue sur la réforme du Code criminel et l'amendement de la Constitution. La conférence constitutionnelle que Pearson avait promis de tenir après la Conférence sur la Confédération de demain organisée par John Robarts, premier ministre de l'Ontario, à l'automne de 1966, était plus importante encore. Trudeau et Pearson avaient répondu en exprimant une nouvelle volonté de discuter de la modification de la Constitution et, en particulier, d'une déclaration des droits qui serait incluse dans une Constitution canadienne révisée. Trudeau avait promis de consulter les premiers ministres avant la tenue de la conférence constitutionnelle. S'il posait sa candidature, il devrait démissionner de son poste de ministre de la Justice, ce qui compromettrait les chances d'une percée dans les pourparlers constitutionnels.

Enfin, Trudeau redoutait sincèrement l'intrusion des médias dans sa vie privée. Lorsque les journalistes commencèrent à se rassembler autour de lui et que sa photographie apparut régulièrement dans les journaux, il admit que la célébrité amenait des gains en politique, mais au détriment de cet espace intérieur qu'il avait longtemps et jalousement protégé. Madeleine Gobeil, qui le voyait souvent, se rappelle son besoin intense d'avoir un espace privé, loin des autres. Lorsqu'il devint populaire, il ne prit jamais la peine de corriger les nombreux articles publiés pendant la course au leadership affirmant qu'il était âgé de quarante-six ans[8]. En outre, avant de se marier avec Margaret Sinclair, il lui dit qu'il priait chaque soir depuis des années pour avoir une femme et des enfants. Il avait à présent quarante-huit ans, un âge où la paternité devient difficile, et un premier mariage, rare. La charge de premier ministre allait-elle mettre fin à ces espoirs pour toujours ?

Le 18 janvier, Trudeau entama sa tournée auprès des premiers ministres provinciaux, et une presse de plus en plus curieuse le suivit. Accompagné d'Eddie Rubin, qui appuyait ouvertement son ministre, et de l'éminent spécialiste de la Constitution Carl Goldenberg, Trudeau bénéficia d'une tournée réussie et inopinément fertile en événements. W. A. C. « Wacky » Bennett, premier ministre de la Colombie-Britannique, ignora l'affirmation de Trudeau voulant que tous deux ne rencontreraient pas la presse au cours de leurs discussions confidentielles. À la surprise de tout le monde, Bennett déclara aux journalistes rassemblés qu'il était tellement impressionné par Trudeau que si celui-ci décidait de déménager en Colombie-Britannique, il y avait une place pour lui dans son cabinet.

Plus important que les éloges de Bennett fut l'appui du premier ministre libéral de Terre-Neuve, Joey Smallwood, un autre personnage excentrique. Les observateurs s'attendaient à ce que Smallwood appuie le ministre du Commerce, Robert Winters, qu'il connaissait bien et qui était originaire des provinces atlantiques. Cependant, l'hésitation de Winters à présenter sa candidature avait exaspéré Smallwood. Lorsque Smallwood rencontra Trudeau le 25 janvier, il l'invita immédiatement avec son groupe dans sa salle à manger privée, sortit un chambertin millésimé, demanda à Trudeau comment bien prononcer « chambertin », exigea que ses collègues essaient de parler avec un accent aussi élégant que celui de Trudeau, puis se lança à folle allure dans un monologue traitant de nombreux sujets, mais centré sur sa personne. Lorsque les adjoints de Trudeau s'inquiétèrent de voir l'heure tardive, craignant que Trudeau ne puisse se rendre en Nouvelle-Écosse comme il était prévu, Smallwood appela G. I. Smith, premier ministre de cette province, et lui demanda de se joindre à leur groupe où le vin — que Smallwood appela du « sirop » — coulait à flot.

Smith refusa l'invitation et le groupe prit congé. Juste avant de partir, Carl Goldenberg, qui connaissait bien Smallwood, déclara au premier ministre que Trudeau était le meilleur philosophe politique au Parlement. Smallwood, à n'en pas douter, se prenait pour le meilleur et convoqua une conférence de presse pour que tous les deux puissent échanger des idées et des mots d'esprit. Dans l'entrée de l'édifice de la Confédération à St. John's, une ville que Trudeau connaissait à peine et où il était en compagnie d'un premier ministre qu'il n'avait jamais rencontré auparavant, Smallwood sembla appuyer Trudeau. Il déclara que Trudeau était le « parfait Canadien » et le « plus brillant » des députés. Cette étrange prestation fut d'une importance capitale pour Trudeau, car Smallwood contrôlait les votes comme aucun autre premier ministre provincial. Son appui fit plus tard la différence et permit à Trudeau de l'emporter sur Bob Winters[9].

Après une brève visite au premier ministre du Nouveau-Brunswick, Louis Robichaud, Trudeau se rendit directement à la réunion de la Fédération libérale du Québec à Montréal, où Marchand et Lalonde s'étaient assurés qu'il jouerait le rôle principal. Même sans la course au leadership, Trudeau aurait attiré l'attention, en raison des questions constitutionnelles considérées par Lester Pearson et le premier ministre du Québec, Daniel Johnson, comme des préoccupations prioritaires de leur gouvernement. De plus, les révisions proposées au Code criminel, en particulier celles touchant l'avortement et l'homosexualité, étaient de plus en plus critiquées dans le Québec rural et par l'Église catholique. La Constitution et le Code criminel relevaient tous les deux de la responsabilité de Trudeau, et représentaient à la fois des dangers et des occasions dans la tentative de ce dernier de devenir le premier ministre du Canada.

Le 25 janvier, le « comité » formé pour la candidature de Trudeau se réunit pour la première fois à la maison de Marc Lalonde, âgé de trente-sept ans, au moment même où Smallwood accordait un appui de taille à la campagne de Trudeau. Donald Macdonald, député ontarien, cadet de trois ans de Lalonde, mais proche du puissant Walter Gordon, déclara qu'on était déjà assuré du vote de soixante-dix délégués ontariens. Pelletier affirma qu'il y en aurait « au moins quatre cent cinquante » au Québec. Les membres du comité étaient jeunes et impatients de hisser leur génération au premier plan du parti. Les aînés l'avaient souvent emporté — Louis Saint-Laurent avait soixante-six ans lorsqu'il avait été choisi en 1948, et Lester Pearson avait soixante et un ans en 1958. Les années soixante furent différentes. Aux États-Unis, John Kennedy réclama que le flambeau soit passé à une nouvelle génération, tandis qu'au Québec, un René Lévesque âgé de quarante-cinq ans cherchait à plaire aux jeunes afin de former une force séparatiste de plus en plus grande. La voix nouvelle de Trudeau devait être entendue pour qu'il puisse gagner l'appui essentiel du Québec. Lalonde et Marchand s'assurèrent que Trudeau soit le seul du groupe d'experts sur le fédéralisme canadien parrainé par la Fédération libérale du Québec à répondre aux questions sur la « reconnaissance de la spécificité du Québec » le dimanche 28 janvier, juste à temps pour que ses réponses paraissent dans les médias du lundi[10].

Le lendemain matin, les journaux rapportèrent comment Trudeau avait brillamment présenté l'option fédéraliste et comment les délégués s'étaient levés, avaient applaudi et s'étaient mis à chanter « Il a gagné ses épaulettes ». Même Claude Ryan, du journal *Le Devoir*, qui se montrait de plus en plus critique à l'égard du rejet par Trudeau de la notion de reconnaissance de la spécificité du Québec, admit que celui-ci avait été des plus impressionnants. Les délégués s'étaient attendus à voir un intellectuel froid, distant et abstrait, et avaient plutôt entendu un communicateur « capable, sans artifice oratoire, de s'élever à un degré de limpidité et de simplicité qui est peut-être le sommet de l'éloquence à notre époque[11] ». Cette réaction surprenante, compte tenu des doutes de Ryan sur les opinions constitutionnelles de Trudeau, donna sûrement à ce dernier une plus grande confiance, mais il n'était toujours pas prêt à annoncer sa candidature.

Les événements se succédaient à vive allure, trop vite, semblait-il, pour certains. Le 30 janvier, la Presse Canadienne publia un article, qui fut diffusé partout au Canada, selon lequel des « politiciens professionnels » se demandaient : « Est-ce que le ministre de la Justice, M. Trudeau, avant même d'annoncer sa candidature à la course au leadership du Parti libéral, arrivait au sommet trop tôt ? » Le lendemain, le *Montreal Star* publia la lettre d'une certaine R. A. King réagissant à cet article : « L'été dernier, John Diefenbaker a réprimandé M. Trudeau pour s'être présenté à la Chambre des communes en tenue décontractée. En ce qui me concerne, si ce Canadien brillant choisit de se présenter à la direction du Parti libéral et devient premier ministre, il pourra présider au Parlement vêtu d'un drap. » De telles réactions exaspéraient les autres candidats, et la Presse Canadienne rapporta que l'ascension vertigineuse de M. Trudeau sur la scène nationale suscitait naturellement du ressentiment[12].

Les articles ne mentaient pas. Richard Stanbury, l'organisateur du congrès, qui avait dans son journal décrit la réunion de Montréal comme une « bonne rampe de lancement » pour Trudeau, apprit que Mel McInnes, l'adjoint spécial d'Allan MacEachen, ministre de la Santé nationale et du Bien-être social, se plaignait que les dirigeants du Parti libéral montraient une préférence pour Trudeau. Stanbury écrivit à MacEachen en lui offrant de démissionner si le ministre était persuadé de sa partialité. MacEachen accepta la garantie qu'il lui offrit. Cependant, cela n'aida pas Richard Stanbury que Bob Stanbury, l'un de ses parents et un ami cher, député à Toronto, annonce à la fin de janvier la formation d'un comité pour « préparer » Trudeau. De plus, Bob Stanbury déclara à la presse que selon un sondage mené dans sa circonscription, Trudeau se classait favori à la direction du parti, même sans être encore officiellement candidat.

Gérard Pelletier, qui, contrairement à la majorité des journalistes, n'avait pas été impressionné par la prestation de Trudeau à la Fédération libérale du Québec*, subissait à présent les pressions constantes de Paul Martin, dont il était le secrétaire parlementaire. Premièrement, Martin lui demanda si Trudeau se présentait, puis, en l'espace de quel-

* Pelletier pensait que Trudeau s'était bien exprimé, mais il confia dans son journal que ses « blagues de mauvais goût sur les relations France-Québec » l'irritaient. Il se demandait si elles ne dénotaient pas un problème plus grave : « Faire des blagues (et Dieu sait qu'on peut en faire de faciles), c'est quand même laisser croire que les relations France-Québec n'ont pas d'importance. Que Pierre en parle sérieusement, connaissant sa pensée j'en serais heureux. Mais je ne comprends pas l'insensibilité qu'il affiche en pareille matière, ni son apparent mépris pour la sensibilité des autres à ce sujet. Peut-être cède-t-il à son impatience. » Gérard Pelletier, *Le temps des choix, 1960-1968*, p. 318-319.

ques jours, il devint obsédé par le sujet et, à quatre reprises, il appela Pelletier « Pierre ». Le 23 janvier, il envoya son fils, « Paul Martin *junior,* comme il se nomme lui-même », dire à Pelletier que son père souhaitait absolument que sa candidature soit associée avec l'« aile marchante du parti [au Québec] et non avec la *vieille garde* ». Cependant, les membres de « l'aile marchante » refusèrent de se ranger du côté de Martin, parce qu'ils attendaient Trudeau. Leur attente allait se poursuivre[13].

Il y avait un autre événement que Trudeau et ses partisans ne voulaient pas rater : l'occasion de défier Daniel Johnson à la conférence constitutionnelle se tenant du 5 au 7 février 1968, à Ottawa. À cette occasion, Lester Pearson, cachant à peine sa préférence pour un successeur francophone, fit asseoir Trudeau à ses côtés. Il avait déjà cédé le terrain intellectuel à Trudeau qui, le 1er février, avait publié pour le compte de Pearson une brochure intitulée *Federalism for the Future* présentant la position du gouvernement fédéral ainsi que les opinions personnelles du premier ministre[14]. Après la publication, Trudeau accorda des entrevues dans lesquelles il précisa les approches qu'adopterait le gouvernement fédéral à la conférence et par rapport aux demandes du Québec. La brochure rejetait la reconnaissance de la spécificité du Québec et la politique des « deux nations » mises de l'avant par Daniel Johnson, les progressistes-conservateurs fédéraux et le NPD, parce que Trudeau croyait que la reconnaissance de la spécificité mènerait inévitablement à la séparation. Elle mettait plutôt l'accent sur les droits linguistiques des francophones partout au Canada, les plaçant sur un pied d'égalité avec les anglophones du Québec.

Trudeau connaissait Daniel Johnson depuis les années quarante, à l'époque où ils étaient tous deux de jeunes nationalistes catholiques conservateurs du Québec qui s'opposaient fermement à la conscription et aux politiques sur la guerre des libéraux fédéraux. Dans le petit monde des avocats, du clergé et des universitaires de Montréal, Johnson et Trudeau s'étaient souvent rencontrés, mais leur relation avait mal tourné lorsque Johnson avait été nommé adjoint de Maurice Duplessis. À ce titre, il devint la cible de caricatures méchantes de la part d'Hudon dans *Le Devoir,* qui le représentaient sous les traits d'un bouffon, et des railleries calomnieuses de la part d'adversaires qui le surnommaient « Danny Boy ». En tant que député de l'Union nationale à l'Assemblée nationale depuis 1946, Johnson fut cependant souvent sous-estimé, en tout cas certainement par Lesage. Il fut donc stupéfiant pour tous d'assister à sa remarquable bataille contre les libéraux québécois en 1966 et de voir ensuite comment il commença à consolider sa victoire.

Johnson était un politicien rusé et d'une grande intelligence, mais il n'était pas prêt à affronter Trudeau à la conférence constitutionnelle. Il s'attendait à ce que Pearson dirige le débat avec sa diplomatie habituelle et à ce que les autres premiers ministres, qui partageaient certains de ses doutes concernant le programme de Trudeau, acceptent les recommandations sur l'égalité linguistique proposée par la Commission royale d'enquête sur le bilinguisme et le biculturalisme. En effet, il avait accueilli chaleureusement l'initiative au cours des semaines précédentes. Il n'avait cependant pas prévu le rôle primordial que jouerait Trudeau. Avant la conférence, celui-ci évoqua d'un ton moqueur le « petit empire » que le gouvernement québécois souhaitait bâtir. Il déclara à Peter Newman, son partisan le plus enthousiaste, qu'il souhaitait désamorcer l'explosif nationalisme québécois en s'assurant que le Québec ne soit pas un ghetto pour les Canadiens français, mais qu'ils se sentent chez eux partout au Canada.

À la satisfaction de Johnson, Pearson ouvrit la conférence le lundi matin, dans l'historique édifice de l'Ouest, en ces termes expansifs, optimistes, mais aussi saisissants : « Ici les chemins se séparent », déclara-t-il. « Si nous faisons le mauvais choix, nous allons laisser à nos enfants et aux enfants de nos enfants un pays fragmenté, et nous-mêmes deviendrons le symbole de l'échec de la Confédération. » Les autres premiers ministres firent des discours rassurants. Johnson fut le troisième à parler, après Pearson et John Robarts, de l'Ontario. Il était froid et direct lorsqu'il affirma que seuls quelques « inflexibles » niaient que le Canada fût formé de « deux nations ». Il était essentiel qu'un Canada à deux partenaires soit créé afin d'assurer le maintien du Canada à dix partenaires. D'autres premiers ministres réagirent, certains avec humour (W. A. C. Bennett et Joey Smallwood), d'autres, avec froideur (E. C. Manning, le premier ministre de l'Alberta, qui mit en garde contre un « Munich » constitutionnel en vertu duquel on apaiserait le Québec au détriment de l'unité canadienne). À l'extérieur de l'édifice de l'Ouest, un protestataire solitaire brandit ce thème sur une pancarte : « Un autre Munich. Un autre apaisement. »

Le mardi matin, Johnson louangea l'acceptation générale de l'égalité linguistique par les premiers ministres, mais demanda de nouveau que l'on modifie la Constitution en profondeur. Trudeau écoutait, assis à côté de Pearson, sympathique et désinvolte. L'intense lumière des projecteurs durcissait le visage de tous les participants, mais mettait en évidence les traits finement ciselés et les yeux remarquables de Trudeau. Johnson, lui, semblait au contraire mal à l'aise. En réponse au discours du premier ministre du Québec, Trudeau exprima sans ménagement son opposition à la reconnaissance du caractère distinct du Québec et son opinion à l'effet que les modifications proposées à la Constitution canadienne auraient pour seul effet de saper la position des députés du Québec à Ottawa. Il souligna en outre l'importance d'avoir une Charte canadienne des droits de l'homme pour sauvegarder les droits linguistiques, proposition que Manning et Johnson avaient rejetée la veille. Avec un ton encore plus mordant et une voix métallique, Trudeau réagit au fait que Johnson l'avait désigné comme le « député de Mont-Royal » en appelant le premier ministre « député de Bagot ».

Sentant la tension et lui-même inquiet du ton de Trudeau, Pearson proposa de faire une pause-café. Pendant la pause, Trudeau fit un signe brusque de la tête en direction de Johnson et grommela que le premier ministre du Québec cherchait à détruire le gouvernement fédéral. Johnson dit d'un air méprisant que Trudeau se comportait comme un candidat à la direction du Parti libéral, pas comme un ministre fédéral.

Les journalistes se précipitèrent hors de la salle pour rédiger leurs articles. Le gouvernement avait enfin trouvé sa propre voix, affirmaient-ils, passant sous silence la question complexe des relations fédérales-provinciales et mettant l'accent sur l'attaque claire de Trudeau contre Johnson. Les Canadiens anglais qui s'étaient inquiétés du manque de fermeté de la réponse du gouvernement fédéral aux demandes de Johnson visant l'égalité ou l'indépendance étaient impressionnés, peut-être parce qu'ils étaient las du débat prolongé entourant la Constitution et probablement parce que Trudeau avait si bien confronté Johnson. Les Canadiens de langue française avaient eu la rare occasion d'entendre un important débat national en français. La conférence aurait pu donner lieu à bien d'autres réalisations, mais elle avait au moins eu deux résultats notables : l'acceptation de l'égalité des deux langues officielles au gouvernement du Canada et la création d'une structure officielle pour la révision de la Constitution au moyen de la tenue régulière de conférences. Ces réalisations étaient de taille[15].

Au début du mois de février, comme se rappela plus tard Jean Marchand, Pierre Trudeau fut réellement « créé ». Après l'hésitation qui avait semblé caractériser la réponse du gouvernement de Pearson aux demandes du Québec d'obtenir plus de pouvoir, Trudeau représentait enfin la clarté, la nouveauté et la force. Tandis que Claude Ryan et de nombreux journalistes québécois déploraient le ton et le contenu des remarques de Trudeau, les éditorialistes canadiens-anglais accueillaient chaudement son approche. Le sociologue québécois Stéphane Kelly décrivit plus tard comment la « performance virile » de Trudeau à la conférence en avait fait un candidat hamiltonien, « un chef fort et autoritaire, capable de rétablir l'ordre, après dix ans d'instabilité politique[16] ».

Une fois que la conférence fut terminée, Trudeau retrouva son adjoint Eddie Rubin et d'autres membres de sa future équipe de campagne. Ils étaient probablement inquiets de l'intensité de l'échange et de son incidence, mais le jeune organisateur Jim Davey, qui avait analysé le soutien accordé à Trudeau partout au Canada, rapporta que l'effet était électrique. Il conclut que Trudeau devrait être présenté tel qu'il était vraiment, avec sa personnalité et ses idées propres concernant le Canada, ses problèmes et ses multiples possibilités. Lorsque l'analyse fut terminée, Trudeau quitta la colline du Parlement pour s'installer au Château Laurier, là où il logeait quand il était à Ottawa, et nagea dans l'élégante piscine Art Déco dans le sous-sol du grand hôtel. Tout en faisant méthodiquement ses longueurs, Trudeau réalisa qu'il allait peut-être l'emporter. Ce n'était cependant pas encore sûr.

Les adversaires de Trudeau étaient déjà à l'œuvre et les délégués prenaient des engagements. Paul Martin commençait ses appels téléphoniques avant le petit-déjeuner et continuait jusqu'à tard dans la soirée, sans tenir aucunement compte des différents fuseaux horaires du Canada. Pelletier et Marchand croyaient que Martin, étant bilingue, rallierait la moitié au moins des délégués du Québec si Trudeau ne se présentait pas. Mitchell Sharp, le ministre des Finances du Canada, faisait souvent les manchettes ; son élégance et son pouvoir avaient beaucoup d'impact, tant dans la fonction publique canadienne que dans les salles de conseil des entreprises. Paul Hellyer, le ministre de la Défense, était déjà, à quarante-quatre ans, un politicien chevronné et multimillionnaire. Lorsqu'il avait procédé à l'unification historique, mais controversée, des forces de défense sous le gouvernement Pearson, il avait réussi à tenir tête aux généraux. John Turner, âgé de seulement trente-huit ans, était déjà un ministre de second rang. Né en Colombie-Britannique, il avait obtenu une bourse de la fondation Cecil Rhodes pour étudier à Oxford, dansé avec une princesse Margaret ravie, appris le français et pratiqué le droit à Montréal, et il avait invité Trudeau à son mariage avec Geills Kilgour, la fille d'un grand homme d'affaires de Winnipeg. Ce jeune et beau politicien impressionnant était, comme l'écrivit Peter Newman, « entré en courant dans la course (...) fort d'une liste de qualités personnelles et professionnelles qui faisaient de lui une sorte de premier ministre sorti d'un conte de fées, ou du moins un prince sorti d'un conte de fées ».

Parmi les autres candidats se trouvaient le brillant mais singulier Eric Kierans, qui avait été ministre dans le gouvernement Lesage ; Joe Greene, un avocat de l'est de l'Ontario, qui avait pleinement conscience d'intéresser les filles et les garçons des régions moins développées ; et le Néo-Écossais Allan MacEachen, le parlementaire le plus rusé de son époque. La scène était donc déjà remarquable lorsque Gérard Pelletier et Pierre Trudeau se rendirent ensemble en voiture à Ottawa le dimanche soir 11 février 1968, et tentèrent de mettre au clair les pensées confuses de Trudeau[17].

Trudeau dit à Pelletier qu'il avait presque pris sa décision, mais qu'il avait encore un doute. Marchand travaillait fort au Québec, mais Claude Ryan, l'éditorialiste du *Devoir*, se préparait à appuyer Sharp ; Maurice Sauvé penchait pour Martin ; et Maurice Lamontagne était devenu un adversaire amer de Trudeau. Après la tenue de la conférence constitutionnelle, André Laurendeau critiqua Trudeau et exprima son soutien à Johnson, tandis que René Lévesque, affairé à mettre sur pied un parti séparatiste, rejetait Trudeau comme le nouveau roi-nègre du Québec. Jean Lesage fit également état de son mécontentement à l'égard de

En 1962, le mouvement antinucléaire international battait son plein. Gérard Pelletier et Trudeau lisent ici un dépliant sur le mouvement pacifiste. Trudeau porte sur le revers de son veston une épinglette où l'on peut lire « ban the bomb » pour afficher son engagement envers la cause.

« Les trois colombes » : Gérard Pelletier, Jean Marchand et Pierre Trudeau, en 1965.

Pelletier, Trudeau et Marchand annoncent qu'ils se présenteront comme candidats pour le Parti libéral, le 10 septembre 1965.

The Big Attraction (la grande attraction)

L'heure du thé, évidemment, pour le nouveau candidat de Mont-Royal, en 1965.

Devanture du bureau du candidat: première campagne, Mont-Royal, 1965.

L'affiche de la première campagne de Trudeau, en 1965.

Trudeau candidat dans la circonscription de Mont-Royal, en 1965.
À noter le fleurdelisé et l'étoile de David à l'arrière.

Lester Pearson et ses successeurs : Pierre Trudeau, John Turner et Jean Chrétien.

Trudeau s'exprime avec énergie lors du congrès du Parti libéral fédéral, en 1968.

Suddenly Everyone Looks a Little Older
(Soudain tout le monde a l'air un peu plus vieux).

Pearson donna à son ministre de la Justice une place importante lors de la conférence fédérale-provinciale, en 1968.

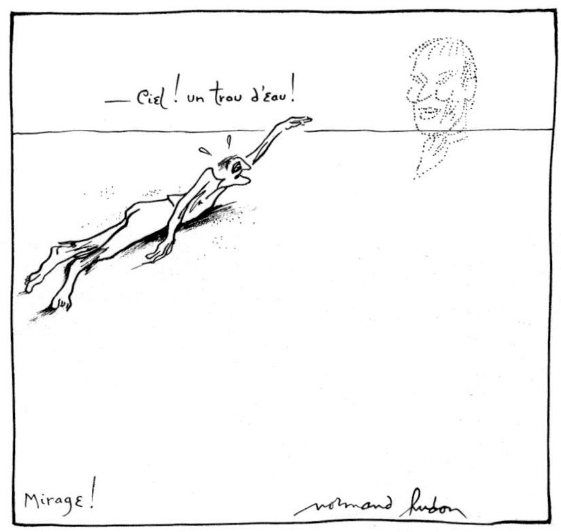

A Mirage ! (un mirage !)

The Swinger (un homme percutant)

Le candidat entouré de ses partisans lors du congrès à la direction.

Déjà la pose « mains dans les poches » : la course à la direction du Parti libéral, en 1968.

Quelques membres de l'équipe Trudeau, lors du congrès à la direction, en 1968. De gauche à droite : Jean Marchand, Mitchell Sharp, Pierre Trudeau, et, derrière, avec la pipe, Edgar Benson.

Trudeau embrassait les femmes, pas les bébés : congrès à la direction, en 1968.

Jouant avec une fleur pour briser la monotonie de l'attente des résultats des quatre scrutins de la course à la direction. Edgar Benson le regarde faire.

Candidat à la course à la direction du Parti libéral, en 1968 : se laissant glisser sur la rampe de l'escalier de l'hôtel Château Laurier, à Ottawa.

Trudeau. Deux jeunes ministres francophones de taille, Jean-Luc Pepin et Jean Chrétien, appuyaient Sharp, tout comme le puissant C. M. « Bud » Drury, pour qui Trudeau avait beaucoup d'admiration. Claude Frenette, le président du Parti libéral du Québec qui avait remporté une victoire décisive sur le candidat Hellyer en janvier, appuyait avec enthousiasme la candidature de Trudeau, mais lui et Marchand avaient besoin que Trudeau se décide bientôt. Trudeau refusa cependant de le faire. Il dit à Pelletier ce dimanche soir-là qu'il réfléchissait à deux considérations importantes, que Pelletier résume ainsi dans son journal :

> A-t-il le droit de briguer le plus haut poste du parti après deux ans seulement de présence au Parlement et dix mois à peine au Conseil des ministres ? Comment se fait-il que personne ne pensait à lui en novembre et que deux mois plus tard, la rumeur de son nom remplit la presse ? Pourquoi le parti est-il agité maintenant par tous ceux qui veulent le porter au pinacle ?

Se méfiant toujours des médias, Trudeau trouvait « ironique et inquiétant d'être ainsi porté sur les ailes des *mass media* ». Sa deuxième considération découlait de la première :

> Même s'il était convaincu de la légitimité de sa candidature, il ferait encore état d'une « résistance viscérale », d'une angoisse diffuse, de « quelque chose » en lui qui dit non à cette entreprise.

Pelletier répondit dans le détail à Trudeau sur le premier point pendant qu'ils poursuivaient leur route vers Ottawa. Selon lui, Trudeau ne devait pas s'en faire avec ses hésitations. S'il n'avait pas d'hésitations, il serait présomptueux, et cela, il ne l'avait jamais été. Il devait faire confiance au jugement des autres sur son habileté à gouverner et sur les risques que cela comportait. De l'avis de Pelletier, l'attention des médias, que l'on appelait déjà en français la « trudeaumanie » et, en anglais, « Trudeaumania », était en quelque sorte un « dérivé » de la légende des Kennedy qui avait si profondément touché la politique de l'Amérique du Nord et le ferait encore, en mars 1968, lorsque Bobby Kennedy entamerait sa quête historique et tragique de la présidence des États-Unis.

Trudeau ne devrait pas s'inquiéter, insista Pelletier. Si ce mythe reposait sur les épaules d'un incompétent, d'un candidat sans vigueur, celui-ci s'écraserait sous son poids. Mais il se trouvait que Trudeau avait une certaine stature. Le mythe ne l'écraserait jamais. Au contraire, il avait ce qu'il fallait pour soutenir le mythe et en faire une réalité. Le hasard, mais pas seulement cela, avait choisi Trudeau.

Pelletier aborda ensuite la deuxième objection et demanda à Trudeau: « Tu dors bien, la nuit? » Oui, répondit ce dernier, « parfaitement », mais le matin, il commençait à avoir peur d'être malheureux en tant que premier ministre. Peut-être perdrait-il sa joie de vivre, et que pourrait-il « faire de bon ensuite » ? Encore une fois, Pelletier rejeta les peurs de Trudeau et dit que cette résistance disparaîtrait lorsqu'il aurait pris sa décision. Il avait vu ce qui était arrivé depuis que les trois amis étaient venus à Ottawa. À la différence de Marchand et de Pelletier lui-même, Trudeau avait pris goût au parlement et au gouvernement: il était « comme un poisson dans l'eau, [jouissant de] chaque minute ou presque ». Puis Pelletier en vint au point essentiel que la presse ignorait: Pierre, dit-il, « toute ta vie t'a préparé à la politique ». Le reste du voyage se fit en silence. Arrivé à Ottawa, Pelletier arrêta la voiture, mais Trudeau resta assis. Enfin il déclara: « Je pense que tu m'as convaincu. Je vais voir, demain matin... [18]. »

Enfin, le sort semblait être jeté lorsque Pelletier, Marchand et Trudeau se rencontrèrent pour déjeuner le 13 février au bureau de Marchand. Malgré tout, Trudeau refusait encore de s'engager et cherchait à être rassuré. Ils se virent de nouveau dans la soirée, mais « la conversation repasse dans les mêmes ornières ». Plus tôt, dans la fin de semaine du 9 février, Trudeau avait assisté au congrès libéral de l'Ontario. Sa brève apparition avait suscité autant d'émoi que s'il avait été une vedette du rock, les jeunes femmes poussant des cris et cherchant à le saisir, et les journalistes le poursuivant avec leur microphone collé à son visage. Il déclara à une foule insistante qu'il prendrait sa décision dans les dix jours. Bob Stanbury, Donald Macdonald et de nombreux autres qui avaient organisé la réunion de Toronto s'impatientaient, leur avenir politique étant le jouet des hésitations de Trudeau. Marchand et Pelletier se sentaient dans la même position lorsqu'ils rencontrèrent Trudeau pour dîner le mardi soir. La conversation les convainquit qu'il n'allait probablement pas se présenter à la tête du parti. Ils assistèrent ensuite à une réunion de l'« équipe » de Trudeau sans Trudeau et, selon les termes de Pelletier, eurent l'impression de faire « un mauvais rêve », nombre des partisans de Trudeau à Ottawa ayant organisé une campagne qui serait probablement tuée dans l'œuf. Apparemment, Trudeau n'informa pas Marchand et Pelletier qu'avant de les rejoindre, il avait rencontré Pearson et que le premier ministre, dont il admirait le bon sens, l'avait encouragé à se présenter. Il partagea plus tard ses pensées avec Marc Lalonde et Michael Pitfield avant de marcher lentement jusqu'au Château Laurier et de décider de son avenir en cette froide nuit d'hiver[19].

Le lendemain matin, le jour de la Saint-Valentin, Trudeau surprit Marchand et Pelletier dans le restaurant du Parlement en leur apprenant qu'il se présentait. Marchand annonça immédiatement qu'il allait se désister comme responsable du parti au Québec dès le caucus du mercredi matin et que Jean-Pierre Goyer, un fervent partisan de Trudeau, aiderait celui-ci à organiser le caucus du parti au Québec. Trudeau n'était pas encore prêt à rendre publique sa décision ; il souhaitait obtenir des preuves d'appui. En conséquence, Goyer promit qu'une foule de plus de cinquante députés et sénateurs du Québec assisteraient à un rassemblement prévu pour le mardi 15 février à midi, mais seulement une vingtaine de personnes se présentèrent. Le résultat était décevant, et aussi un signe que la trudeaumanie pouvait bien avoir gagné les médias, mais qu'elle avait frappé une certaine résistance sur la colline du Parlement. Trudeau se fit de la bile ; Marchand fut furieux. Pelletier et d'autres s'attelèrent au téléphone et arrivèrent à la conclusion que Trudeau bénéficiait d'un solide soutien du caucus québécois. À 18 h 30 ce soir-là, l'équipe de Trudeau, composée de Marchand et des députés Edgar Benson, Jean-Pierre Goyer et Russell Honey, se réunit avec les adjoints Eddie Rubin, Pierre Levasseur, Jim Davey et Gordon Gibson. Ils comptèrent avec soin les appuis potentiels et conclurent que Trudeau avait déjà entre six cent soixante-quinze et sept cents votes au premier tour de scrutin. Ce n'était pas suffisant pour gagner, car il en fallait environ mille deux cents, mais ce fut suffisant pour convaincre Trudeau d'annoncer sa candidature le lendemain[20].

Le 16 février 1968, Trudeau traversa la rue, se rendant de son bureau dans l'édifice de l'Ouest au Centre national des journalistes, et annonça sa candidature. L'annonce était remarquable, différente de celle de tout autre candidat antérieur. Il attira la presse dans la conspiration que lui et ses amis avaient créée, et ils s'y firent prendre, pour quelque temps :

> Si je tente d'évaluer les événements des deux derniers mois, quelque chose me dit que vous [la presse] y êtes pour beaucoup. Si quelqu'un doit être blâmé, je suppose que c'est vous collectivement. S'il faut remercier quelqu'un, c'est vous collectivement. Pour être franc, si je tente d'analyser la chose, je pense que dans le subconscient de la presse (...) cela a commencé comme une immense blague aux dépens du Parti libéral. Je le pense vraiment, car dans un sens, la décision que j'ai prise ce matin et hier soir est en quelque sorte similaire à celle que j'ai prise lorsque je suis entré au Parti libéral. Il m'a semblé, en lisant la presse au début il y a quelques mois, il m'a semblé que certains d'entre vous aviez dit, vous savez, « nous mettons au défi le Parti libéral de choisir un gars comme Trudeau. Bien sûr, nous savons qu'ils ne le feront jamais, mais nous allons quand même les mettre au défi et nous allons démontrer qu'il s'agit de l'homme qu'ils auraient pu avoir comme chef s'ils l'avaient voulu. Voici à quel point il est grand. »

La presse, poursuivit Trudeau, affirma alors que les libéraux n'avaient pas le cran de choisir le « bon gars ». À présent, la blague s'était retournée contre de nombreux médias et contre lui-même :

> Vous savez, les gens l'ont pris au sérieux. Je l'ai réalisé, non pas quand la presse a cru que j'avais une chance, et que je devais me présenter, et ainsi de suite, mais quand j'ai vu la réponse des politiciens, des membres du parti et des membres responsables du Parlement. C'est là que j'ai commencé à me demander si, oh, vous savez, si toute cette affaire n'était pas un peu plus sérieuse que vous et moi l'avions voulu. Et quand les membres du Parlement ont formé des comités pour ma candidature, et quand j'ai entendu des libéraux qui occupaient des postes responsables à différents endroits du pays me dire sérieusement que je devais me présenter, je crois que ce qui s'est passé, c'est que la blague est devenue sérieuse. (...) Alors j'ai été pris avec ça. Eh bien, vous êtes pris avec moi.

La presse était peut-être prise avec Trudeau, comme il l'affirmait, mais elle ne se fit pas prier pour en faire ses manchettes jusqu'à ce qu'il devienne premier ministre du Canada moins de deux mois plus tard[21].

Les hésitations de Trudeau avaient irrité de nombreux amis et laissé perplexes de nombreux adversaires. Certains, comme Pelletier et Marchand, connaissaient bien sa manie et se rappelaient d'autres exemples plus anciens de la résistance de Trudeau. Mais les enjeux étaient plus grands et, comme Pelletier l'affirma à Trudeau, il avait passé sa vie à se préparer pour la carrière politique qui était désormais à sa portée. Cette fois, Pelletier ne put deviner ce qui se passait dans la conscience, les émotions et le for intérieur d'un ami, même d'un ami qu'il connaissait depuis vingt ans. Celui-ci refusa de le laisser percer ses émotions soigneusement gardées. Malgré les inquiétudes de ses partisans, Trudeau avait de bonnes raisons de souhaiter bien peser sa décision.

La première était que la personne dont l'opinion lui importait le plus était devenue muette. Les week-ends, Trudeau retournait à la maison familiale visiter sa mère qui avait toujours ses ongles vernis, une coiffure parfaite, une robe élégante mais conventionnelle. Il lui prenait la main et lui parlait doucement, mais elle ne lui répondait plus. La maladie d'Alzheimer, ou une autre forme de démence, avait atteint l'esprit autrefois si vif de Grace Trudeau au moment même où son rêve le plus cher allait se réaliser. Trudeau était plus seul qu'il ne l'avait jamais été.

En outre, il se méfiait avec raison de l'enthousiasme des médias à l'égard de sa campagne. Il savait que celui-ci pourrait se refroidir rapidement, comme cela s'était produit pour Diefenbaker et Lesage, dont le charisme n'avait fonctionné qu'un moment. Le journaliste Leslie Roberts, un partisan, craignait que « l'utilisation constante et répétitive de ce terme idiot de “charisme” ne produise une contre-réaction qui ferait que Trudeau se retrouverait relégué par ses propres meilleurs amis au septième rang des douze aspirants au leadership[22] ». Trudeau lui-même s'inquiétait de n'être qu'un épiphénomène, un fantôme flottant au-dessus de la réalité politique canadienne ; une réalité qu'il connaissait à peine. Il savait déjà que son passé recelait des secrets qui pourraient rapidement se retrouver à la une des journaux. Déjà, l'imprévisible libéral torontois Ralph Cowan distribuait des traductions de l'attaque acerbe de Trudeau, en 1963, contre le « défroqué de la paix », Lester Pearson, et promettait de plus amples révélations. Trudeau, le fléau des séparatistes et le plus éloquent partisan d'un État laïque dans les années soixante, avait appuyé la candidature d'une « Laurentie » catholique et indépendante au début des années quarante. Il avait pris fait et cause pour Pétain et appelé à la violence. Nombre de ceux qui le détestaient connaissaient son passé. Allaient-ils le révéler ? Comment cela allait-il le toucher ?

En fait, il semblait indifférent. Lorsqu'on lui demanda dans une émission de fin de soirée à Radio-Canada de nommer son auteur préféré, il répondit « Niccolò Machiavelli » — un choix surprenant pour un aspirant à la démocratie. Mais cela l'amusa, et, semble-t-il son auditoire aussi[23]. La politique, semblait-il dire à lui-même et aux autres, pouvait être amusante.

Enfin, Trudeau tenait à son intimité et réagissait souvent aux attaques de façon décidément très personnelle — comme ce fut le cas dans sa dispute prolongée avec le père Braun au début des années cinquante concernant le voyage de ce dernier en Union soviétique. Lorsqu'il devint une célébrité politique à l'hiver de 1968, les ragots, la jalousie et la suspicion qui vont de pair avec un tel statut prirent rapidement de l'ampleur. Christina McCall, qui connaissait bien Ottawa à cette époque, se souvient comment le candidat conservateur de la Beauce qui avait dénoncé la législation de Trudeau sur l'homosexualité avait déclaré que le projet de loi était fait pour les « tapettes et les pédales », tout en ajoutant de façon gratuite que Trudeau était célibataire. Walter Gordon raconta à McCall comment, lorsqu'il confronta Trudeau dans l'entrée de la Chambre des communes sur les nombreuses rumeurs voulant qu'il soit homosexuel, Trudeau réagit avec colère et suggéra que les hommes portant de telles accusations devraient le laisser seul avec leur femme pendant quelques heures. Selon une source fiable, Pearson lui-même a demandé à un proche de Trudeau si son ministre de la Justice était homosexuel. Le tristement célèbre Canadian Intelligence Service, qui avait établi un lien entre Pearson et les réseaux d'espionnage communistes, commença à porter son attention sur Trudeau, qui avait déjà été l'objet de quelques pages de leurs rapports[24].

À ces raisons bien personnelles s'ajoutait une analyse politique judicieuse : Trudeau n'était nullement assuré de remporter le leadership et les élections qui suivraient. Le Parti progressiste-conservateur avait déjà une avance de six pour cent dans les sondages, et la campagne au leadership des libéraux divisait déjà l'opinion. De plus, la « campagne préliminaire » de Trudeau ne lui accordait que sept cents partisans ; il devait en attirer environ cinq cents autres pour succéder à Pearson à la tête du parti. Ni lui ni Marchand ne connaissaient le parti à l'extérieur du Québec et ils devaient se fier à l'analyse d'autres personnes pour avoir une idée du soutien dont il jouissait. Tous ces repas dans les sous-sols d'église et ces barbecues estivaux, et toutes ces faveurs accordées au cours de ses trente-trois années de service au Parti libéral devaient assurément signifier quelque chose pour la candidature de Paul Martin ! Le parti était-il une coquille vide en attente d'être remplie de nouveaux venus enthousiastes ? Cela avait-il compté que l'un des plus importants partisans, issu du milieu universitaire du Canada anglais, l'historien Ramsay Cook, ait été un partisan de longue date du CCF-NPD et, que dans une lettre privée écrite en 1965, il ait critiqué l'affiliation de Trudeau avec les libéraux tout en accueillant chaleureusement sa venue à Ottawa ? Cette période n'était ni normale ni prévisible sur le plan politique. Et il était heureux pour Trudeau qu'il en soit ainsi.

Trudeau annonça sa candidature le vendredi 16 février et, trois jours plus tard, le gouvernement libéral vit l'un de ses postes du budget être rejeté à la Chambre des communes. Le ministre des Finances, Mitchell Sharp, et le premier ministre intérimaire, Robert Winters, avaient décidé d'aller de l'avant avec une troisième lecture contre l'avis d'Allan MacEachen, leader du gouvernement en Chambre. Les cloches sonnèrent, les conservateurs réunirent des membres que les libéraux croyaient absents, et ces derniers perdirent le vote. Cela aurait dû normalement signifier la défaite du gouvernement et le déclenchement immédiat d'élections, avec probablement Lester Pearson à la tête des libéraux.

Pearson était alors en vacances en Jamaïque et trois candidats au leadership étaient absents. Pearson, « abasourdi et furieux », rentra au pays et réprimanda ses collègues qui s'étaient montrés irresponsables. Il persuada ensuite Robert Stanfield d'accepter un ajournement de vingt-quatre heures. Ce fut une erreur fatale de sa part, une erreur que le très partisan John Diefenbaker, lui, n'aurait jamais faite. Walter Gordon déclara plus tard que ce que « Stanfield devait faire (...) était de se lever et de sortir de la Chambre pour dire : “Le gouvernement est défait ;

il n'y a plus rien à faire ici". » Mais Stanfield hésita et perdit. Pearson contre-attaqua, réussit à reporter le vote de confiance sur le mince élément faisant l'objet du vote du lundi soir et convainquit les créditistes de faire volte-face. Tout au long de la crise, Trudeau conseilla Pearson et le Cabinet sur le droit constitutionnel et défendit avec calme la position du gouvernement devant la Chambre. Toute la situation, avec ce qu'elle avait de spectaculaire, fut bénéfique à Trudeau[25]. La course à la direction se poursuivit, mais la campagne de Mitchell Sharp avait reçu un coup mortel[26].

La presse réagit vivement au chaos régnant dans les rangs du Parti libéral. Cette réaction confirma pour Trudeau les récriminations de ses partisans Marc Lalonde et Michael Pitfield sur la piètre organisation du gouvernement Pearson, et confirma son opinion sur la nécessité d'adopter une approche plus rationnelle de la politique. La rationalité dans le gouvernement devint un thème important dans la campagne de Trudeau. La soudaine fragilité de la campagne de Sharp fit du bruit parmi les libéraux de droite, surtout dans le milieu des affaires. Au congrès politique libéral de 1966, Sharp avait réussi à se présenter comme l'adversaire de choix au nationalisme de Walter Gordon et aux tendances de gauche dans le parti. La rapide progression des programmes sociaux canadiens au milieu des années soixante avait nui aux finances du gouvernement et Sharp avait proposé de retarder d'une autre année l'entrée en vigueur du régime d'assurance-maladie. Mais après la semaine du 19 février, il était difficile d'imaginer que Sharp pourrait devenir leader du parti et la faction du milieu des affaires du Parti libéral, plus conservatrice, commença à s'inquiéter.

Soudain, un mouvement se créa au Sénat afin de préparer Robert Winters à présenter sa candidature, lui qui avait refusé de le faire au début de janvier et qui avait été impliqué dans la décision de tenir le vote qui avait eu des conséquences si désastreuses. Son rôle dans cette mésaventure semblait avoir été oublié et Winters accepta. Il présenta sa démission à Pearson le 28 février et annonça sa mise en candidature le lendemain (le 29 février en cette année bissextile). Il parla en des termes que ses partisans comprenaient : « J'ai toujours cru que si vous n'êtes pas d'accord avec les politiques d'une entreprise, soit vous partez, soit vous en prenez les rênes[27]. » Il serait le candidat pour la rectitude fiscale et contre les abus du gouvernement.

Les résultats des premiers sondages effectués au début de février furent publiés au début de mars. Ils indiquèrent une avance pour Paul Martin, mais aussi une deuxième position pour Trudeau, qui n'avait même pas encore annoncé officiellement sa candidature. Ces résultats étaient encourageants, mais Martin avait une solide organisation, tandis que celle de Trudeau était encore officieuse. L'équipe de campagne de Trudeau n'avait décidément rien de professionnel avec Pelletier dans le rôle de coordonnateur des politiques, Jean-Pierre Goyer comme responsable du congrès, Jim Davey en coordonnateur de la campagne au leadership, Pierre Levasseur en tant que coordonnateur à Ottawa et Gordon Gibson, le fils d'un riche politicien très connu en Colombie-Britannique, à titre de responsable de l'organisation et compagnon de voyage de Trudeau. Bien que peu expérimentés en politique, ils étaient intelligents, ambitieux et prêts à essayer de nouvelles méthodes, en partie parce qu'ils ne connaissaient pas les anciennes. Mais comment être sûr que ces méthodes fonctionneraient? De plus, en date du 1er mars, la campagne de financement de Trudeau n'avait permis de recueillir que 6500$.

Après l'annonce de Winters, Pelletier, toujours pessimiste, écrivit le 6 mars dans son journal que la victoire de Trudeau lui semblait tout à fait incertaine. Il était dégoûté par le haut degré de *fabrication* et de mythe entourant la candidature de Trudeau, un «personnage» qui ne ressemblait en rien à l'homme qu'il connaissait depuis vingt ans et qui se nommait Pierre Trudeau. Pourtant, ce qui irritait Pelletier étonnait et intriguait les autres. Il y avait également un autre facteur: le candidat Pierre Trudeau n'était pas l'homme que Pelletier connaissait depuis si longtemps.

Pelletier était inquiet de voir Trudeau utiliser le sarcasme acerbe et faire preuve de cruauté inattendue pendant les débats. Ce qu'il vit après le début de la campagne, c'est un Trudeau parfaitement décontracté, peu prompt à se fâcher, et réagissant avec amusement et tolérance aux attaques des journalistes. Lorsque les intervieweurs de la télévision Pierre O'Neil et Louis Martin accusèrent Trudeau de n'avoir aucun appui au Québec, il «gard[a] son calme, répond[it] qu'on verra[it] bien». Lorsqu'ils l'interrompirent impoliment avant qu'il réponde, il sourit simplement. De plus, la timidité habituellement affichée par Trudeau dans les événements mondains disparut devant les foules remplies d'adoration pour lui pendant sa campagne. Au lancement des deux livres publiés dans la hâte par ses partisans à partir de ses écrits antérieurs, *Federalism and the French Canadians* et *Réponses*, Trudeau surprit tant ses vieux amis que les journalistes en embrassant les nombreuses jolies femmes présentes avec autant d'enthousiasme que les politiciens faisaient traditionnellement la bise aux bébés. Au moins, dans ce nouveau phénomène politique consistant à embrasser des femmes adultes, il pouvait faire appel à son expérience.

Au cours de la campagne, les journalistes rivalisaient entre eux pour raconter les histoires les plus croustillantes. Une réceptionniste d'un hôtel de Sudbury avait été tellement stupéfaite de la poignée de main de Trudeau qu'elle en avait oublié de lui rendre sa monnaie. Une partisane de MacEachen déclara, à la vue de Trudeau, que plutôt que de faire sa connaissance, elle aimerait l'épouser; elle avait oublié que son mari se tenait à ses côtés. Une femme d'âge moyen lors d'une rencontre organisée à la Bibliothèque nationale, devint tellement nerveuse au moment de lui poser une question qu'elle plaça son microphone devant son oreille. Trudeau, taquin, fit la même chose pour lui répondre. En Colombie-Britannique, l'épouse du président de la Fédération libérale, qui était un partisan de Hellyer, affirma aux journalistes que le parti avait besoin d'un candidat qui ne soit pas ennuyant. « Et puis, de toute façon, dit-elle, je pense qu'il est séduisant. » Tout le monde savait qu'elle parlait de Trudeau. Bientôt, Trudeau fut surnommé le candidat de l'ère du Verseau — il portait une rose au revers de son veston, tout comme les hippies mettaient des fleurs dans leurs cheveux. Il promit d'organiser des fêtes au 24 Sussex Drive et, lorsqu'on lui demanda qui serait l'hôtesse, il répondit : « Pourquoi n'en avoir qu'une seule[28] ? » Woodstock n'était pas très loin.

Le nouveau « personnage » de Trudeau transmettait le message qu'il serait différent. Les candidats à la direction du Parti libéral formaient l'un des groupes de politiciens les plus impressionnants à s'être jamais disputé le leadership d'un parti au Canada, et Trudeau se distinguait de tous les autres. Les enjeux qui lui étaient associés, soit la réforme du Code criminel, la Constitution et le Québec, reflétaient l'esprit d'un pays qui souhaitait changer et, dans le cas du Québec, qui savait qu'il devait changer.

Ses affiches de campagne aux couleurs contrastantes, qui, contre l'avis du directeur de la campagne, avaient été exécutées selon les instructions de deux jeunes femmes remarquables, Alison Gordon et Jennifer Rae, étaient aussi très différentes. Des années plus tard, elles devinrent « les souvenirs les plus convoités de la course à la direction[29] ». Dans le *Toronto Star*, Peter Newman reconnut l'importance de l'annonce de Trudeau le jour même où il la fit : « Deux ans plus tôt, avant que n'ait eu lieu Expo Canada [sic], il aurait été presque impossible d'imaginer [Trudeau] comme un candidat sérieux. À présent, nous n'avons pas à murmurer avec espoir "les temps changent"; "les temps *ont* changé". »

Les modifications apportées par Trudeau au Code criminel et, plus important encore, ses explications claires des raisons sous-tendant ces changements — « L'État n'a rien à faire dans les chambres à coucher de la nation » et « Ce qui est un péché pour certains n'est pas une loi pour tous » — contrastaient grandement avec l'ambiguïté dont faisaient preuve ses adversaires au sujet des mêmes questions. Norman Spector, alors un étudiant à tendance gauchiste de l'université McGill, exprima l'opinion des jeunes et l'esprit de changement dans une lettre que publia le *Montreal Star* le 12 janvier :

> Tous les Canadiens doués de raison devraient approuver les réformes mises en œuvre par l'honorable Pierre Elliott Trudeau au cours des dernières semaines. Sans l'ombre d'un doute, notre ministre de la Justice est un intellectuel de premier ordre.
>
> Pour tous ceux d'entre nous qui en étaient venus à la conclusion que le Parti libéral était devenu collet monté et barbant, les réformes du Code criminel sont une surprise. Est-ce bien le même Parti libéral qui procrastine inutilement avant d'instaurer le régime d'assurance-maladie ? Est-ce bien le parti qui ennoblit Robert Winters et ostracise Walter Gordon ? Les libéraux ont-ils enfin vu la lumière ?

Pour un grand nombre de jeunes, l'attitude flamboyante et non conventionnelle de Pierre Trudeau était devenue la lumière qui illuminait un nouveau Canada.

Pour d'autres, comme ses vieilles connaissances Daniel Johnson et Claude Ryan, l'accession de Trudeau à la tête du Parti libéral allait faire basculer le Canada dans une nouvelle obscurité. La première prise de bec se produisit peu après que Trudeau eut annoncé sa candidature. Le premier ministre du Québec se concentra sur une remarque faite par Trudeau à l'effet que le français enseigné au Québec était « nul » — qu'il y avait « un état d'urgence concernant la langue » au Québec dont son gouvernement ne s'occupait pas. Cette remarque contrastait grandement avec la politesse dont faisait preuve Trudeau avec ses adversaires au titre de leader du parti. Johnson répondit d'un ton acide que l'élection de Trudeau signerait la mort du Canada. Il appela Trudeau « Lord Elliott » et compara ses remarques à celles de Lord Durham, qui, comme chacun le sait, avait encouragé l'assimilation du Canada français en 1839.

Trudeau répondit rapidement et souligna que son objectif, contrairement à celui de Durham, était d'obtenir l'égalité pour la langue française partout au Canada. Il défia Johnson directement : « Je crois que cela montre à quel point il a peur que le peuple québécois commence à s'intéresser à la politique fédérale. Si c'est le cas, alors il sait qu'il ne régnera pas en seigneur et maître sur le Québec. » Pour faire bonne mesure, il ajouta : « il s'attire des ennuis (...) quand il m'appelle Lord Elliott alors que lui s'appelle Johnson ». À une autre critique, il répliqua simplement et efficacement : « Quand le roi est nu, je dis que le roi est nu. » Trudeau non seulement gagna le débat avec Johnson, mais il gagna également l'attention et le soutien du Canada anglais. Un sondage réalisé auprès de délégués de l'Alberta révéla une montée de l'appui pour Trudeau, qui était considéré de plus en plus comme le meilleur candidat pour lutter contre le séparatisme et le nationalisme du Québec[30].

La clarté de l'intention qui impressionnait tant les Albertains en troublait d'autres. Jour après jour, dans *Le Devoir*, Claude Ryan critiquait la rigidité de Trudeau. Le débat avec Johnson exaspéra Ryan, qui mettait en garde les Canadiens anglais : ils se trompaient, affirmait-il, s'ils croyaient avoir trouvé en Trudeau un messie qui les guiderait hors de la jungle constitutionnelle. Il exposait les raisons pour lesquelles il s'opposait à la position de Trudeau sur la Constitution et mettait en évidence le fait que les deux partis provinciaux appuyaient tous les deux la reconnaissance d'un statut particulier pour le Québec. Un autre enjeu international avec de sérieuses conséquences pour la reconnaissance d'un tel statut particulier se produisit lorsque l'État africain du Gabon invita le Québec à participer à une conférence sur l'éducation destinée aux pays francophones. Trudeau, intransigeant, fit remarquer que les affaires étrangères relevaient du gouvernement fédéral, et il provoqua même Pelletier, qui souhaitait qu'un compromis soit fait pour permettre au Québec de faire partie de la délégation canadienne à la conférence. La déclaration non équivoque de Trudeau contre « l'interférence française » si tôt après le discours de Charles de Gaulle et sa déclaration « Vive le Québec libre » renforça son image de principal opposant à la reconnaissance du statut particulier du Québec et à des droits spéciaux pour cette province.

Les autres candidats remarquèrent l'opposition qui s'élevait à l'endroit de Trudeau au Québec et commencèrent à le critiquer. Mitchell Sharp, par exemple, s'attaqua aux durs propos tenus par Trudeau à l'égard de Johnson, tandis que Paul Martin, père, soutint qu'un premier ministre « doit être un homme qui n'a pas de relations troubles avec un gouvernement important ou un premier ministre provincial ». Encore une fois, Trudeau tira profit de la simplicité de sa position par rapport à la Constitution : une égalité linguistique enchâssée dans une charte des droits. Selon la formule classique du comte de Buffon, scientifique et écrivain français, le style devint l'homme politique même[31].

Gérard Pelletier fut finalement convaincu de la valeur politique du nouveau personnage de Trudeau lorsque ce dernier visita son vieil ami dans sa circonscription d'Hochelaga. Ses apparitions précédentes y avaient été moroses, mais cette fois, Trudeau était sûr de lui-même, calme et posé, et suscitait l'adoration. Cela prouva pour Pelletier la véracité de la maxime « américaine » voulant que « Nothing succeeds like success » (rien ne réussit comme le succès). L'excitation dans Hochelaga lui rappela ce que Trudeau lui avait dit après avoir été pris d'assaut par la foule à Victoria. Quand les militants lui avaient demandé comment il réussissait à garder le sourire toute la journée, il n'avait pas osé leur dire la vérité. Mais il confia à Pelletier : « C'est que j'aurais eu davantage de peine à ne pas sourire, tellement je trouvais tout ça drôle, invraisemblable, presque loufoque. »

Cela avait pu sembler drôle et loufoque, mais les résultats étaient probants. Grâce aux efforts de Marchand, l'appui au Québec se matérialisa finalement lorsque, après la réunion du 6 mars, trente et un députés acceptèrent d'appuyer Trudeau publiquement. Dans un sondage confidentiel effectué à la mi-mars, Trudeau reçu l'appui de trente-huit des quatre-vingt-sept députés qui y avaient répondu. Hellyer, qui s'était classé en tête à la première réunion des députés à Toronto dans le but de choisir un nouveau chef au parti, avait l'appui de quinze députés ; Winters, treize ; Martin, onze ; Turner et MacEachen, chacun quatre ; et Sharp et Greene, chacun un. De plus, Trudeau était le deuxième choix de dix-neuf délégués, suivi de Winters, avec quinze. Au cours de la dernière semaine avant le congrès, la campagne devint, très simplement, Trudeau contre le reste des candidats[32].

Walter Gordon appuya finalement la candidature de Trudeau le 26 mars, même s'il admit être inquiet de l'opposition de Trudeau au nationalisme économique. Joey Smallwood appuyait aussi officiellement Trudeau, chose qu'il avait confirmée à presque tous les journalistes de Terre-Neuve. Les membres du Parlement Bryce Mackasey et Edgar Benson prirent la direction de la campagne de Trudeau et lui permirent de profiter de leur précieuse expérience politique pendant les derniers jours de la course. Puis la chance croisa le chemin de Trudeau de façon tout à fait imprévue : Mitchell Sharp se retira de la campagne et accorda son appui à Trudeau.

Une série complexe d'événements l'avait mené à prendre cette décision. Sharp avait tenté de revigorer sa campagne dans la seconde moitié de mars, mais les foules étaient clairsemées et son cœur, fragile. Lorsque son organisation, aux finances solides, sonda l'opinion des délégués, elle se rendit rapidement compte que l'appui à Sharp s'était évaporé. Après la crise budgétaire de février, Sharp avait parlé à Pearson de se retirer et avait demandé au premier ministre ce qu'il pensait de Trudeau. Pearson avait dit être impressionné, mais perplexe, ce qui avait encouragé Sharp à rester dans la course. Des rumeurs de cette discussion parvinrent jusqu'au camp de Trudeau. Marchand, montrant par là une grande naïveté, alla trouver Sharp pour lui proposer que lui et Trudeau fassent campagne ensemble puis laissent le caucus décider du candidat qui deviendrait chef du parti. Même si Sharp était associé à l'aile du parti plus conservatrice et proche du milieu des affaires, il avait perdu le respect qu'il avait pour Robert Winters. Lorsque Winters fit savoir en janvier 1968 qu'il n'avait aucunement l'intention de disputer le leadership, il ajouta gratuitement que les finances du Canada étaient en piètre état et mal gérées. Sharp, en tant que ministre des Finances, prit la remarque comme une attaque personnelle et lui demanda des excuses. Winters s'excusa dans une lettre privée, mais enleva ensuite à ses excuses tout poids politique en refusant que Sharp la fasse publier.

Sharp rencontra Pearson une deuxième fois à la fin de mars et lui dit qu'il avait à présent une meilleure opinion de Trudeau. Pearson affirma que lui aussi. Ainsi, le 3 avril, la veille du congrès, Sharp appuya la candidature de Trudeau, et les membres de son équipe, Jean-Luc Pepin, Jean Chrétien et Bud Drury, vinrent grossir les rangs de l'équipe de Trudeau. Les trois constituaient des atouts remarquables : Pepin, parce qu'il était un puissant Franco-Ontarien, Chrétien, pour ses extraordinaires compétences en matière de campagne politique, et Drury, pour ses liens avec le monde des affaires.

La nouvelle suscita un rassemblement fou pour Trudeau à l'énorme club de nuit Chaudière de l'autre côté de la rivière des Outaouais. L'exubérant Joey Smallwood y déclara que « Pierre est meilleur que le régime d'assurance-maladie — les éclopés n'ont qu'à toucher ses vêtements pour remarcher[33] ».

Le jeudi 4 avril, soit la première journée du congrès, James Earl Ray tua par balle Martin Luther King dans un motel de Memphis. Des émeutes eurent lieu toutes les grandes villes américaines pendant que le meurtrier s'enfuyait à Toronto. La tragédie assombrit les esprits, mais n'émoussa pas l'excitation entourant les groupes de travail sur les politiques à Ottawa. Les foules de partisans de Trudeau étaient les plus impressionnantes, avec nombre de jeunes filles enthousiastes en minijupe. L'hommage rendu à Lester Pearson ce soir-là se termina avec l'étrange cadeau d'un chiot et, à l'embarras du leader sortant, par la démonstration sans équivoque de la grande affection de Maryon Pearson pour Trudeau.

Les discours furent prononcés le lendemain. Le Centre municipal d'Ottawa était rempli à craquer, il y avait des perches et des caméras de télévision partout, et des serpentins pendaient de chaque chevron. Deux candidats marginaux, le révérend Lloyd Henderson et le négateur de l'holocauste Ernst Zündel, n'avaient pas le droit de parler dans les groupes de travail courants; ils furent restreints à une courte séance pendant laquelle Zündel, trilingue, condamna les mauvais traitements infligés aux Canadiens français et allemands au cours de l'histoire. Le vendredi soir, Trudeau fut la cible des autres orateurs, qui se montrèrent en majorité décevants, sauf Joe Greene, qui prononça un discours populiste des plus éloquents. La piètre performance de Paul Hellyer eut des conséquences importantes, car au moment de voter, les délégués avaient encore ses ternes propos en mémoire.

Le discours de Trudeau, rédigé par Tim Porteous et traduit en français par Gérard Pelletier, eut du succès; Richard Stanbury pensa que seul Greene avait fait mieux, et personne ne douta que la foule de partisans de Trudeau était la plus imposante et la plus bruyante. Trudeau ne parla que pendant dix-neuf des trente minutes qui lui étaient allouées, parce que ses partisans manifestèrent longuement et énergiquement. Ils continuèrent à l'applaudir pendant qu'il déclarait: « Le libéralisme est la seule philosophie qui convient à notre temps, parce qu'il n'essaie pas de conserver chacune des traditions du passé; parce qu'il n'applique pas aux nouveaux problèmes les vieilles solutions doctrinaires; parce qu'il est prêt pour l'expérimentation et l'innovation et parce qu'il sait que le passé est moins important que l'avenir. » Le message était, comme toujours, clair: Trudeau était l'avenir du Parti libéral. C'était à la fois une promesse et un avertissement[34].

Trudeau commença la journée de samedi, le dernier jour du congrès, en mangeant un petit-déjeuner de crêpes et sirop d'érable au Château Laurier en compagnie de six cents autres délégués. Lorsqu'il partit, il se laissa glisser sur la rampe de l'escalier d'honneur de l'hôtel, au grand plaisir des photographes tout autant que des délégués.

Le scrutin débuta à 13 h. À 14 h 30, le sénateur John Nichol annonça les résultats:

Greene	169
Hellyer	330
Kierans	103
MacEachen	165
Martin	277
Trudeau	752
Turner	277
Winters	293

Trudeau avait répondu aux attentes de son équipe ; la transpiration commença à ruisseler du visage de Paul Hellyer ; Maurice Sauvé bondit de son siège à côté de Paul Martin et se fraya un chemin dans la foule vers Trudeau. Les jeunes historiens Robert Bothwell et Norman Hillmer furent stupéfaits de voir Claude Ryan commencer à trembler de rage dans la tribune de la presse[35].

Lloyd Henderson n'obtint aucun vote et fut automatiquement éliminé, et Ernst Zündel s'était retiré avant la tenue du scrutin, mais les autres candidats devaient décider individuellement s'ils allaient s'effacer. Kierans et Paul Martin, qui avaient été pendant si longtemps au sommet parmi les prétendants à la succession de Pearson, se retirèrent tous deux de bonne grâce. MacEachen avait l'intention de se retirer aussi, mais il omit d'en aviser à temps le sénateur Nichol et, à la déception de l'équipe de Trudeau, sa candidature était encore valide au deuxième tour de scrutin. Lors de ce deuxième tour, le nombre de votes pour Trudeau grimpa à neuf cent soixante-quatre, car il obtint l'appui de la plupart des partisans de gauche de MacEachen. Winters termina deuxième avec quatre cent soixante-treize votes, Hellyer inscrivit un décevant quatre cent soixante-cinq votes, tandis que les votes pour Turner augmentaient à trois cent quarante-sept et que ceux pour Greene tombaient à cent quatre. L'effet bénéfique du retrait de Mitchell Sharp sur la campagne de Trudeau devint alors évident.

Les deux hommes d'affaires prospères qu'étaient Hellyer et Winters s'entretinrent sur ce qu'ils devraient faire pour arrêter Trudeau. Malgré les supplications de Winters, Paul Hellyer refusa de se retirer — ce qui aurait eu pour effet d'accroître les votes pour Winters. Ce dernier demanda alors à Judy LaMarsh, qui appuyait Hellyer et détestait Trudeau, de parler à Hellyer. La télévision et les microphones perchés étaient une nouveauté pour les politiciens canadiens de l'époque. Ignorant qu'on pouvait l'entendre, LaMarsh, au bord des larmes et portant à présent un macaron de Winters, cria à Hellyer : « C'est dur, Paul, mais qu'est-ce que ça peut bien faire ? Tu veux vraiment que ce bâtard dirige le parti ? » Il ne le voulait pas, mais, de façon cruciale, il ne se désista pas[36].

Au troisième tour de scrutin, Winters obtint six cent vingt et un votes et Hellyer, trois cent soixante-dix-sept. Trudeau, avec mille cinquante et un votes, n'avait que cinquante-trois votes de plus que leurs votes réunis. Turner s'agrippait à ses deux cent soixante-dix-neuf votes, et Greene, avec ses vingt-neuf votes, abandonna. Si Hellyer s'était mieux exprimé le vendredi soir et si Sharp n'avait pas appuyé Trudeau, Paul Hellyer serait probablement devenu le chef du Parti libéral. Ce sont les « et si… » de l'histoire qui intriguent, mais ils demeurent la source de rêves nostalgiques pour les perdants. Hellyer tint la promesse qu'il avait faite à Winters d'appuyer sa candidature s'il gagnait des votes au troisième tour. Tout en brandissant avec enthousiasme une bannière de Winters, il commença à scander « Go, Bob, go ». Joe Greene se joignit à la foule remplissant le compartiment de Trudeau, où ce dernier s'amusait calmement à lancer dans les airs des raisins qu'il attrapait avec sa bouche. John Turner refusa obstinément de se désister et, lorsque le dernier scrutin commença à 20 h, la majorité de la foule se mit à crier : « Trudeau. Canada. Nous voulons Trudeau. »

Lorsque Nichol commença à lire les résultats finaux — Trudeau, mille deux cent trois votes — la foule explosa, couvrant l'annonce des résultats pour Winters, neuf cent cinquante-quatre, et Turner, cent quatre-vingt-quinze. Le visage de Trudeau s'épanouit momentanément d'un large sourire exubérant, puis se figea dans une contemplation silencieuse.

Quelles images tourbillonnaient dans la tête de Pierre Trudeau au moment où la foule se pressait contre lui pendant qu'il avançait lentement vers le podium ? Il se rappela certainement ce moment où, deux jours plus tôt, il avait aperçu dans la foule cette jolie jeune femme rencontrée sur une plage à Tahiti et comment il s'était immédiatement éloigné de son équipe pour parler un peu avec elle. Il pensa probablement à Thérèse Gouin Décarie qui, avec son mari, avait fait circuler à l'Université de Montréal une pétition en faveur de sa candidature auprès des universitaires. Et affluaient aussi probablement les souvenirs de ces soirées passées dans le sous-sol de Pelletier à rédiger des pamphlets que peu de gens lisaient et que beaucoup n'appréciaient pas ; des jours passés à Paris à rêver à ce que le Québec pourrait être ; des vacances estivales passées avec la famille à Old Orchard ; et des soirées où son père et ses amis politiciens restaient jusqu'à tard dans la nuit à discuter ; et de sa mère, silencieuse, de laquelle irradiait toujours un amour infini pour lui. Il parvint à la scène à l'avant de la salle des congrès, monta les marches et, soudain, sourit.

Notes

Sauf indication contraire, tous les documents contenus dans le Fonds Trudeau (FT) se trouvent dans MG 26 02, Bibliothèque et Archives Canada.

Chapitre 1 : Deux mondes

1. Isaac Starr, « Influenza in 1918 : Recollections of the Epidemic in Philadelphia », *Annals of Internal Medicine*, octobre 1976, p. 516.
2. Cité (en anglais) dans Jean-Claude Marsan, *Montréal en évolution : historique du développement de l'architecture et de l'environnement urbain montréalais* (Laval : Éditions du Méridien, 1994), p. 251.
3. La population de Montréal en 1911 était anglophone dans une proportion de seulement 25,7 %. Le troisième groupe en importance, les Juifs, qui représentaient 5,9 % de la population, tendaient à se joindre à la minorité anglaise, tout en instaurant leurs propres institutions afin de préserver leur identité religieuse. Voir à ce propos Paul-André Linteau, *Histoire de Montréal depuis la Confédération* (Montréal : Boréal, 2000), p. 162. Entre les années 1901 et 1911, le groupe des Anglais avait diminué, passant de 33,7 % à 25,7 %.
4. Zweig est cité dans Gérard Bouchard, *Les deux chanoines : Contradiction et ambivalence dans la pensée de Lionel Groulx* (Montréal : Boréal, 2003), p. 38. Plus tôt, en 1904, le sociologue français renommé André Siegfried s'était rendu au Canada et avait déclaré que la politique canadienne était corrompue, incapable de se hisser au-dessus des « mesquines préoccupations de patronage ou de clientèle ». Combien de temps, demanda-t-il, les politiciens canadiens pouvaient-ils empêcher la crise qui menaçait à l'horizon ? André Siegfried, *Le Canada, les deux races : problèmes politiques contemporains* (Paris : A. Colin, 1906), p. 113.
5. Terry Copp, « Public Health in Montreal, 1870-1930 », dans S. E. D. Shortt, éd., *Medicine in Canadian Society : Historical Perspectives* (Montréal :

McGill-Queen's University Press, 1981), p. 395-416; et Martin Tétrault, « Les maladies de la misère : Aspects de la santé publique à Montréal, 1880-1914 », *Revue d'histoire de l'Amérique française,* 36 (mars 1983), p. 507-526.

6. Grace Trudeau à Pierre Trudeau, 30 mars 1948, Fonds Trudeau (FT), MG 26 02, vol. 46, dossier 16, Bibliothèque et Archives Canada (BAC).
7. Collectif Clio, *L'histoire des femmes au Québec depuis quatre siècles,* (Montréal : Le Jour, éditeur, 1992), p. 254-255.
8. « Philip » était le nom de famille du grand-père maternel de Trudeau. « Baby's Days », Baby Book 1919-1929, FT, vol. 1, dossier 14.
9. *Ibid.* Dans un concours tenu en 1988, où les membres du bureau du premier ministre avaient à donner le nom complet de Trudeau, Trudeau répondit par « Joseph Yves Pierre Elliott ? Trudeau » — et ne remporta pas le prix. Voir Nancy Southam, éd., *Trudeau tel que nous l'avons connu,* (Saint-Laurent : Fides, 2005), p. 88.
10. Le livre de bébé indique que Trudeau, à deux mois, pouvait se tenir la tête droite seul, qu'il a marché à quatre pattes à l'âge de huit mois et qu'il se tenait debout sans aide à 11 mois. Il perça sa première dent le 6 août 1920 et sa seconde, le 10 août. Il sortit de la maison pour la première fois le 8 décembre 1919, à bord d'un traîneau, et fit son premier voyage à Saint-Rémi le 13 décembre 1919, à l'occasion du décès de son grand-père Joseph Trudeau. On lui enleva les amygdales le 16 octobre 1921. FT, vol. 1, dossier 14.
11. Charles Trudeau à Grace Trudeau, 17 août 1921, FT, vol. 53, dossier 30.
12. On peut lire une évaluation de Charles par Pierre Trudeau dans George Radwanski, *Trudeau* (Montréal : Fides, 1979), chap. 4. Parmi les autres biographies remarquables de Trudeau contenant des éléments importants de sa vie familiale, qui souvent s'inspirent des entrevues qu'a accordées Trudeau à Radwanski, sont celles de Stephen Clarkson et de Christina McCall, *Trudeau,* vol. 1 : *L'homme, l'utopie, l'histoire* ; vol. 2 : *L'illusion héroïque* (Montréal : Boréal, 1995) ; et celle de Michel Vastel, *Trudeau : Le Québécois* (Nouvelle édition ; Montréal : Les Éditions de l'Homme, 2000). Voir aussi Pierre Trudeau, *Mémoires politiques* (Montréal : Le Jour, éditeur, 1993).
13. Radwanski, *Trudeau,* p. 57.
14. Victor Barbeau, cité dans Claude Corbo, *La mémoire du cours classique : Les années aigres-douces des récits autobiographiques* (Outremont, Québec : Les Éditions Logiques, 2000), p. 33.
15. Ces commentaires et documents se trouvent dans FT, vol. 1, dossiers 1-6.
16. Trudeau, *Mémoires politiques,* p. 19 ; Radwanski, *Trudeau,* p. 61.
17. Trudeau, *Mémoires politiques,* p. 23-25.

18. Vastel, *Trudeau : Le Québécois*, p. 22-23. Cette remarque récente de Clarkson se trouve dans John English, Richard Gwyn et P. Whitney Lackenbauer, éd., *The Hidden Pierre Elliott Trudeau* (Ottawa : Novalis, 2004), p. 33. Pour ce qui est des souvenirs rapportés par cet ami, voir Clarkson et McCall, *Trudeau*, vol. 1, p. 30. Max et Monique Nemni émettent également des doutes quant à la nature abusive de Charles et en brossent un portrait semblable à celui présenté dans le présent ouvrage. Voir Max et Monique Nemni, *Trudeau, fils du Québec, père du Canada*, vol. 1 : *Les années de jeunesse, 1919-1944* (Montréal : Les Éditions de l'Homme, 2006).
19. Paul-André Linteau, René Durocher et Jean-Claude Robert, *Histoire du Québec contemporain de la confédération à la crise* (Montréal : Boréal, 2002), p. 455-457.
20. Charles Trudeau à Grace Trudeau, 17 août 1921, FT, vol. 53, dossier 30.
21. Trudeau, *Mémoires politiques*, p. 25. Voir aussi Radwanski, *Trudeau*, p. 58, et FT, vol. 53, dossier 31. Sur la question des membres et des directeurs du club, voir *Le Devoir*, 11 avril 1935.
22. Entrevue entre Pierre Trudeau et Ron Graham, 18 avril 1992, FT, vol. 23, dossier 3. Au cours de cette entrevue, Trudeau affirma qu'il croyait que la majorité des clients faisaient partie de l'élite française. Ce n'était probablement pas le cas, même si ce fait est difficile à prouver.
23. Pierre Trudeau à Charles Trudeau, n.d., FT, vol. 53, dossier 33.
24. Charles Trudeau à Pierre Trudeau, 28 septembre 1926 ; et Charles à Pierre, mai 1930, *ibid.*, dossier 31.
25. Pierre Trudeau à Charles Trudeau, n.d., et Charles à Pierre, 19 juillet 1929, *ibid.*
26. Pierre Trudeau à Charles Trudeau, *ibid.*
27. Pierre Trudeau à Charles et Grace Trudeau, 10 mars 1935 ; et Pierre à Charles, 8 avril 1935, *ibid.*, dossier 33.
28. Trudeau, *Mémoires politiques*, p. 38 ; Radwanski, *Trudeau*, p. 68.
29. Radwanski, *Trudeau*, p. 69.
30. Trudeau, *Mémoires politiques*, p. 38.
31. Père Jean Bélanger à Pierre Trudeau, [12 ?] avril 1935, FT, vol. 41, dossier 1.
32. Trudeau transmit cette information au peintre. FT, vol. 23, dossier 6.
33. Radwanski, *Trudeau*, p. 69.
34. *Le Devoir*, 15 avril 1935. Les noms sont en très grande majorité francophones.
35. Pierre Trudeau à Grace Trudeau, 28 avril, 2 mai et 10 juin 1935, FT, vol. 2, dossier 5.
36. Vastel, *Trudeau*, p. 27.
37. Clarkson et McCall, *Trudeau*, vol. 1, p. 30.

38. *Ibid.*; Radwanski, *Trudeau*, p. 69-70.
39. FT, vol. 1, dossier 22.
40. Grace Pitfield fit part de ses remarques dans une lettre à Christina McCall-Newman le 26 octobre 1974. Cité dans McCall-Newman, *Les Rouges : un portrait intime du parti libéral* (Montréal : Les Éditions de l'Homme, 1983), p. 77.
41. Richard Gwyn, *Le prince* (Montréal : France-Amérique, 1981), p. 24.
42. « Notes sur la succession JCE Trudeau et la Cie Trudeau-Elliott », FT, vol. 5, dossier 17.
43. FT, vol. 1, dossier 25.
44. Conversation entre Trudeau et Suzette, sa sœur, FT, vol. 23, dossier 5.
45. « Cahiers d'exercices », FT, vol. 2, dossier 8.
46. Fernand Foisy, *Michel Chartrand : Les voies d'un homme de parole* (Outremont, Québec : Lanctôt, 1999), p. 29.
47. Les notes concernant la période où il vécut rue Querbes se trouvent dans FT, vol. 1, dossiers 16 à 22.
48. Les trois dissertations s'intitulent « Dévouement de Dollard », « Danger des armes à feu » et « L'enfant poli ». *Ibid.*, dossier 22.
49. Trudeau, *Mémoires politiques*, p. 35, 40.
50. Radwanski, *Trudeau*, p. 70. Bernier confirme le caractère de la discussion politique à la page 71.
51. La meilleure description des origines du nationalisme de l'abbé Groulx se trouve dans Bouchard, *Les deux chanoines*, p. 38 et suiv. Aussi, Pierre Hébert, *Lionel Groulx et L'appel de la race* (Montréal : Fides, 1996), p. 20-21.
52. Frédéric Boily, *La pensée nationaliste de Lionel Groulx* (Sillery, Québec : Les Éditions du Septentrion, 2003), p. 50.
53. Lionel Groulx, *L'appel de la race* (Montréal : Bibliothèque de l'Action française, 1922). Voir le compte rendu de l'accueil réservé au roman dans Boily, *La pensée*, chap. 5.
54. Cité dans Donald Horton, *André Laurendeau : la vie d'un nationaliste 1912-1968* (Saint-Laurent : Bellarmin, 1995), p. 126.
55. Voir Louise Bienvenue, *Quand la jeunesse entre en scène : L'action catholique avant la révolution tranquille* (Montréal : Boréal, 2003), p. 42-44.
56. Trudeau, *Mémoires politiques*, p. 32. Sur l'incident relatif à l'eau, voir Trudeau à sa mère, 14 avril 1937, FT, vol. 2, dossier 8. Sur ses amis, voir Radwanski, *Trudeau*, p. 67 ; et Clarkson et McCall, *Trudeau*, vol. 1, p. 34-38.
57. Journal personnel 1938, 8 juin 1938, FT, vol. 39, dossier 9.
58. Entrevue avec Alexandre Trudeau, février 2006.
59. François Hertel, *Leur inquiétude* (Montréal : Les Éditions de Vivre, 1936), p. 14.

60. Voir Louise Bienvenue et Christine Hudon, « "Pour devenir homme, tu transgresseras..." : Quelques enjeux de la socialisation masculine dans les collèges classiques québécois (1880-1939) », *Canadian Historical Review* 86 (septembre 2005), p. 485-511. Voir aussi leur document intitulé « Entre franche camaraderie et amours socratiques : L'espace trouble et ténu des amitiés masculines dans les collèges classiques (1840-1960) », *Revue d'histoire de l'Amérique française* 57 (printemps 2004), p. 481-508.
61. Trudeau, « My Interview with King George of England », 17 février 1935, FT, vol. 2, dossier 5.
62. Cette remarque se trouve dans le document cité ci-dessus, dossier 10 ; pour le soulignement, voir FT, vol. 37, dossier 9.
63. FT, vol. 2, dossier 8. Sur l'incident qui eut lieu avec les autres groupes de jeunes catholiques, voir Nemni et Nemni, *Trudeau*, p. 131-132. Dans ce livre, on indique que Trudeau et Pelletier ne s'étaient pas rencontrés à l'époque ; toutefois, à la page de son journal intime datée du 12 novembre 1939, Trudeau indique qu'il avait rencontré Pelletier lors d'un rassemblement étudiant à Québec. FT, vol. 39, dossier 9.
64. FT, vol. 2, dossier 8.
65. *Ibid.*, dossier 10.
66. *Ibid.*
67. *Ibid.*, dossier 8. Histoire « L'aventure ».
68. Vastel fait ce commentaire dans son blogue du 8 avril 2006 : http://forums.lactualite.com/advansis/?mod=for&act=dis&eid=1&so=1&sb=1&ps=10. Nemni et Nemni relatent le discours de 1937 dans leur livre *Trudeau*, p. 83-85.
69. Sur Maritain, voir FT, vol. 2, dossier 8. Voir aussi Nemni et Nemni, *Trudeau*, p. 308 et suiv.
70. Le programme de la « Semaine sociale » se trouve dans FT, vol. 4, dossier 6. La lettre de Fordham se trouve dans vol. 2, dossier 10.
71. FT, vol. 2, dossier 9.
72. Journal personnel, FT, vol. 39, dossier 9.
73. *Ibid.*, 18 août 1937.
74. *Ibid.*, 2-5 janvier 1938.
75. *Ibid.*, 2 février 1938.
76. Lettre de Trudeau à sa mère, 19 décembre 1936 ; poème non daté, FT, vol. 2, dossier 8.
77. *Ibid.*, octobre 1937.
78. *Ibid.*, 5 février 1938.
79. François Hertel, *Le beau risque* (Montréal : Fides, 1942), p. 130.
80. L'ébauche de la pièce se trouve dans FT, vol. 1, dossier 29.

81. Pierre à Grace Trudeau, FT, vol. 2, dossier 10.
82. FT, vol. 39, dossier 9.

Chapitre 2 : La guerre, *no sir!*

1. Pierre Trudeau, journal personnel, 19 juin 1938, Fonds Trudeau (FT), MG 26 02, vol. 39, dossier 9, Bibliothèque et Archives Canada (BAC).
2. Voir Farley Mowat, *And No Birds Sang* (Toronto : McClelland & Stewart, 1979).
3. La transcription du débat se trouve dans FT, vol. 2, dossier 10.
4. Corriveau à Trudeau, 7 septembre 1939 ; Trudeau à Corriveau, 12 septembre 1939, FT, vol. 45, dossier 4.
5. « Entrevue entre M. Trudeau et M. [Jean] Lépine, 27 avril 1992 », FT, MG 26 03, vol. 23, dossier 2.
6. J. L. Granatstein, *Canada's Army : Waging War and Keeping the Peace* (Toronto : University of Toronto Press, 2002), p. 180. Pour plus de détails, voir Jean-Yves Gravel, éd., *Le Québec et la Guerre* (Montréal : Boréal, 1974), en particulier la contribution de Gravel, « Le Québec militaire », p. 77-108.
7. Trudeau à Grace Trudeau, 26 novembre 1935, FT, vol. 2, dossier 5.
8. Dans un ouvrage influent sur le milieu des années trente, le politicologue André Bélanger a avancé que cette période était marquée par le désintéressement des intellectuels à l'égard de l'action politique directe, alors qu'ils réagissaient à la « mêlée » en se concentrant sur la religion, le nationalisme et l'organisation économique par le truchement du corporatisme. Il y eut, à son avis, un « grand tournant » en 1934-1936. Bélanger, *L'apolitisme des idéologies québécoises : Le grand tournant de 1934-1936* (Québec : Les Presses de l'Université Laval, 1974). Bien entendu, les idéologies avaient de l'importance, et le retrait des intellectuels de la politique ne signifie pas que leurs écrits ou leurs pensées ne réussirent pas à influencer les actions de leurs étudiants ou de leurs lecteurs. La déclaration de Trudeau, soit qu'il ne portait que peu d'attention à la politique, est valide dans le sens où lui et ses camarades de classe ne participaient apparemment pas aux élections.
9. « Propos d'éloquence politique », 10 février 1938, FT, vol. 2, dossier 10.
10. Entrevue entre Pierre Trudeau et Ron Graham, 28 avril 1992, FT, vol. 23, dossier 3. Max et Monique Nemni n'ont pas vu ce document ni la référence à la participation aux manifestations anticommunistes citées au chapitre 1. Ils pensent avec raison que Trudeau participa aux nombreuses manifestations anticommunistes organisées par les étudiants catholiques.

Voir leur livre *Trudeau, fils du Québec, père du Canada*, vol. 1 : *Les années de jeunesse, 1913-1944* (Montréal : Les Éditions de l'Homme, 2006).

11. Sans titre (texte original en anglais), note datée du 6 octobre 1937, FT, vol. 2, dossier 10.
12. Lucienne Fortin, « Les Jeune-Canada », dans Fernand Dumont, Jean Hamelin et Jean-Paul Montminy, éd., *Idéologies au Canada Français* (Québec : Les Presses de l'Université Laval, 1978), p. 219-220.
13. Cité (texte original en anglais) dans John Herd Thompson et Allen Seager, *Canada 1922-1939 : Decades of Discord* (Toronto : McClelland & Stewart, 1986), p. 313-314.
14. Douglas Letson et Michael Higgins, *The Jesuit Mystique* (Toronto : Macmillan, 1995), p. 143.
15. Cité dans Louis-P. Audet, *Bilan de la réforme scolaire au Québec, 1959-1969* (Montréal : Les Presses de l'Université de Montréal, 1969), p. 14.
16. « À l'aventure », n.d. [1936 ?], FT, vol. 3, dossier 8.
17. Journal personnel, 10 avril 1938, FT, vol. 39, dossier 9.
18. Pierre Trudeau, *Mémoires politiques* (Montréal : Le Jour, éditeur, 1993), p. 33. Pour une appréciation tardive de l'impact de Hertel sur les étudiants, voir J.-B. Boulanger, « François Hertel : Témoin de notre renaissance », *Le Quartier Latin*, 14 février 1947, p. 4. Voir aussi Trudeau, *Mémoires politiques*, p. 23-24. Sur Hertel plus généralement, voir Michael Oliver, *The Passionate Debate : The Social and Political Ideas of Quebec Nationalism, 1920-1945* (Montréal : Véhicule, 1991), p. 130-135; et Jean Tétreau, *Hertel : L'homme et l'œuvre* (Montréal : P. Tisseyre, 1986).
19. Boulanger, « François Hertel : Témoin de notre renaissance », p. 4. Trudeau garda cet article dans ses papiers. FT, vol. 38, dossier 30.
20. Tétreau, *Hertel : L'homme et l'œuvre*, p. 64-65.
21. Lionel Groulx, « La bourgeoisie et le national », *L'Action nationale*, 12 (1939), p. 292-293.
22. Sur Groulx et la démocratie, voir la discussion dans Gérard Bouchard, *Les deux chanoines : Contradiction et ambivalence dans la pensée de Lionel Groulx* (Montréal : Boréal, 2003), p. 91-93.
23. Voir H. Stuart Hughes, *The Obstructed Path : French Social Thought in the Years of Desperation, 1930-1960* (New York and Evanston : Harper and Row, 1968), p. 67.
24. *Brébeuf*, 27 mai 1939.
25. FT, vol. 39, dossier 9.
26. Jerome Kagan, *Des idées reçues en psychologie* (Paris : Odile Jacob, 2000), p. 187.

27. FT, vol. 39, dossier 9, juillet 1939.
28. Trudeau à Camille Corriveau, 11 janvier 1939, FT, vol. 45, dossier 4.
29. Journal personnel, 28 janvier 1938, FT, vol. 39, dossier 9.
30. *Ibid.*, 12 avril 1938.
31. *Ibid.*, 7 juillet 1938. Aussi dans ses cahiers de notes, 1er juillet 1938, FT, vol. 2, dossier 10.
32. Clarkson et McCall avancent que toute sa vie Trudeau s'identifia à Cyrano, le poète romantique et le protecteur des faibles qui a dit « cette vie rêvée se devait d'être spectaculaire (...). Il n'aurait d'autre but — ainsi qu'il le reconnaissait ouvertement — que de monter tout seul à la conquête des sommets. » Stephen Clarkson et Christina McCall, *Trudeau,* [vol. 1] : *L'homme, l'utopie, l'histoire* (Montréal : Boréal, 1990), p. 42. Max et Monique Nemni ne sont pas d'accord avec l'interprétation de Clarkson-McCall et avancent que Cyrano était un héros favori chez la plupart des adolescents français. Cependant, la force avec laquelle Trudeau admirait l'individualisme de Cyrano en 1938 est évidente à la lecture du début du journal et semble appuyer l'interprétation de Clarkson et McCall.
33. Entrevue citée dans George Radwanski, *Trudeau* (Montréal : Fides, 1979), p. 49. Pour un point de vue différent, voir Nemni et Nemni, *Trudeau*, p. 89 et suiv. Ils n'ont pas vu le journal contenant ces remarques.
34. Journal personnel, 29 juillet 1938, FT, vol. 39, dossier 9.
35. *Ibid.*, 1er août 1938.
36. *Ibid.*, 1er septembre 1939.
37. *Ibid.*, 3 septembre 1939.
38. *Ibid.*, 6 septembre 1939.
39. *Ibid.*, 9 octobre 1939.
40. *Ibid.*, 20 octobre 1939.
41. *Brébeuf*, 11 novembre 1939.
42. Journal personnel, 9-31 octobre 1939, FT, vol. 39, dossier 9.
43. Alex Gourd au comité de la bourse Rhodes, 8 janvier 1940, comprenant le dossier de Trudeau ; « Recorder-en-chef de la cité de Montréal au comité de la bourse Rhodes », 10 janvier 1940 ; et Trudeau, « Statement of General Interests and Activities », 7 janvier 1940, FT, vol. 5, dossier 7.
44. Gérard Pelletier, alors une figure dominante des Jeunesses étudiantes catholiques, avait demandé que les journaux étudiants expriment leur opinion sur la guerre, mais *Brébeuf* n'avait pas répondu. Voir Michel Vastel, *Trudeau : Le Québécois* (Montréal : Les Éditions de L'Homme, 2000), p. 34, pour le contexte entourant cet incident.
45. Cité dans *Catholic Register,* 30 mai 1940.

46. Kagan, *Des idées reçues en psychologie*, p. 193-196.
47. Max et Monique Nemni, qui croient à tort que Trudeau n'avait pas rencontré Jacques Maritain, décrivent l'opinion libérale de Maritain et indiquent que Trudeau s'y opposait. En fait, tant Hertel que Trudeau approuvaient les éléments de la pensée individualiste de Maritain. Cela donne une indication des changements survenus dans les années du régime de Vichy. Maritain fut identifié au mouvement personnaliste, et il est clair que Trudeau, qui avait d'abord lu Maritain au milieu des années trente, s'était familiarisé avec l'approche personnaliste bien avant ses études à Paris — l'époque où, d'après les Nemni, Trudeau en avait fait le centre de son catholicisme. Dans sa biographie de Trudeau « le Québécois », Michel Vastel indique que ce fut l'année 1940 qui s'avéra décisive, au moment où Trudeau décida d'étudier à la faculté de droit à Montréal et se plongea plus profondément dans l'univers « français ». Son argument, qui était nouveau au moment où il fut présenté en 2000, est fondé sur une lecture attentive et, à mon avis, exacte des écrits de Trudeau dans les journaux étudiants *Brébeuf* et *Le Quartier Latin*. Vastel, toutefois, n'a pas eu accès à tous les documents permettant d'établir la preuve de l'action politique de Trudeau — documents qui auraient renforcé son argument. Dans leur biographie de Trudeau, Clarkson et McCall mettent l'accent sur le fait que Trudeau était « contradictoire », mais avancent, se fiant beaucoup trop aux papiers de Trudeau, que la mort de son père fut la principale explication à ses schémas de comportement. Ses propres documents laissent entendre qu'il n'était pas si ambivalent à l'égard de son père, mais que son comportement reflétait beaucoup plus l'ethos nationaliste tel qu'il se développait à son école — le collège Brébeuf. Voir Nemni et Nemni, *Trudeau*, p. 308-313; Vastel, *Trudeau*, p. 27-41; et Clarkson et McCall, *Trudeau*, vol. 1, p. 37-44.
48. Trudeau à Corriveau, 30 mars 1940, FT, vol. 45, dossier 5. Les Nemni décrivent l'accueil favorable de Trudeau à Carrel et expriment avec raison leur critique. Nemni et Nemni, *Trudeau*, p. 98-103.
49. Journal personnel, 19 juin 1940, FT, vol. 39, dossier 9.
50. Kenner à Trudeau, 17 mars 1940; Trudeau à Kenner, 1er mai 1940, FT, vol. 49, dossier 37.
51. Esther Delisle avance que Trudeau devint un ardent nationaliste en 1937 et qu'il poursuivit dans ce sens en faisant partie d'une société secrète et, plus tard, en s'engageant dans une intense activité politique auprès d'autres ardents nationalistes pendant la guerre. Ces propos exagèrent le nationalisme de Trudeau, surtout avant 1940, même s'il est vrai qu'ils permettent d'enrichir les dossiers existants. Ils réfutent également les propres arguments de Trudeau disant qu'il se tenait

à l'écart de la politique et en dehors des controverses suscitées par la guerre, à l'exception de quelques interventions excentriques. Voir Esther Delisle, *Essais sur l'imprégnation fasciste au Québec* (Montréal: Les Éditions Varia, 2002), p. 20-50. Les sources qu'elle utilise sont une entrevue avec François Lessard ainsi que le livre de Lessard, *Message au « frère » Trudeau* (Pointe-Fortune: Les éditions de ma grand-mère, 1979), p. 122; aussi, une entrevue avec Hertel dans *La Presse*, 9 juillet 1977. Madame Delisle m'a aimablement remis certains de ses documents originaux, y compris la correspondance de Lessard et Trudeau qui ne figure pas dans ses papiers.

52. Delisle, *Essais sur l'imprégnation fasciste au Québec*, p. 42; et Sandra Djwa, *F.R. Scott: une vie: biographie* (Montréal: Boréal, 2001), p. 239-246.
53. La question fut posée par René Matté le 5 avril 1977. Trudeau ne répondit pas oralement, mais l'orateur indiqua que Trudeau avait approuvé de la tête. Hansard, 5 avril 1977.
54. Journal personnel, 15 juin 1940, FT, vol. 39, dossier 9.
55. Une description du voyage se trouve dans le journal personnel, juin-juillet 1940, *ibid.* L'ébauche de la lettre à Camille dans laquelle il parle de sa famille se trouve dans ses papiers, vol. 41, dossier 2. Elle n'est pas datée, mais fut rédigée de toute évidence en juillet 1940.
56. *Toronto Daily Star*, 8 avril 1968. Robert McKenzie et Lotta Dempsey interviewèrent Raymond Choquette, un comptable de la famille Trudeau.
57. *Brébeuf*, 30 octobre 1941.
58. *Le Quartier Latin*, 3 mars et 15 mars 1939.
59. Il commença ses cours le 18 septembre 1940. Ses notes indiquent que Groulx était très détaillé dans ses explications et qu'il passait souvent des remarques sur les caractéristiques physiques des personnes dont il parlait. FT, vol. 6, dossier 13.
60. FT, vol. 5, dossier 23.
61. Corriveau à Trudeau, 21 novembre 1940; Corriveau à Trudeau, 30 décembre 1940; et Trudeau à Corriveau, 31 décembre 1940, FT, vol. 45, dossier 5.
62. Trudeau à Corriveau, 4 février 1940 (1941 d'après le contenu), et 18 mars 1941, *ibid.*, dossier 9.
63. Cette description provient d'une entrevue avec Charles Lussier. Voir aussi Clarkson et McCall, *Trudeau* [vol. 1]: *L'homme, l'utopie, l'histoire*, p. 39.
64. Archevêque de Montréal à Trudeau, 9 avril et 17 avril 1941, FT, vol. 4, dossier 8.
65. Hertel à Trudeau, 27 août 1941, FT, vol. 49, dossier 8.
66. Stephen Clarkson et Christina McCall, *Trudeau*, vol. 2: *L'illusion héroïque* (Montréal: Boréal, 1990), p. 39, basée sur une entrevue avec Rolland.

67. Hertel à Trudeau, 25 août 1941, FT, vol. 49, dossier 8.
68. Trudeau à Hertel, 18 octobre 1941, *ibid.*
69. *Ibid.*, 15 novembre 1941.
70. Tétreau, *Hertel*, p. 70 ; Delisle, *Essais sur l'imprégnation fasciste au Québec*, p. 58-59.
71. Delisle m'a fourni plusieurs lettres du père d'Anjou à Lessard dans lesquelles on mentionne Trudeau. La plupart d'entre elles sont présentées en référence dans son livre *Essais sur l'imprégnation fasciste au Québec*, p. 59.
72. FT, vol. 5, dossier 21.
73. Nemni et Nemni, *Trudeau*, p. 230 et suiv. Voir les commentaires de Trudeau dans ses *Mémoires politiques*, p. 34.
74. Trudeau à Corriveau, 17 février 1942, FT, vol. 45, dossier 6.
75. FT, vol. 5, dossier 12.
76. Hertel à Trudeau, décembre 1941, FT, vol. 49, dossier 8 ; Trudeau à Hertel, 13 janvier 1942, *ibid.*
77. *Le Quartier Latin*, 20 mars 1942.
78. *Montreal Daily Star*, 8 avril 1942. Delisle, *Essais sur l'imprégnation fasciste au Québec*, p. 61. Trudeau a gardé la coupure de presse dans ses dossiers. Riel n'a pu se rappeler l'événement lorsque Delisle lui posa la question. Lessard confirma que Trudeau avait comparu comme témoin lors du procès.
79. Nemni et Nemni, *Trudeau*, p. 243.
80. Hertel à Trudeau, 17 avril 1942, FT, vol. 49, dossier 8.
81. Le plus gros de la lettre est cité dans Nemni et Nemni, *Trudeau*, p. 216 et suiv. Les lettres à Boulanger sont dans FT, vol. 44, dossier 6.
82. Trudeau, *Mémoires politiques*, p. 36 ; Nancy Southam, éd., *Trudeau tel que nous l'avons connu* (Saint-Laurent : Fides, 2005), p. 90-91. Une note dans les papiers de Trudeau, vol. 3, dossier 5, décrit ce qu'il apporta en voyage. Il avait 70 $ en chèques de voyage et 25 $ en argent comptant — un assez gros montant pour un voyage en motocyclette.
83. *Le Devoir*, 26 novembre 1942, trouvé dans FT, vol. 5, dossier 19.
84. *Ibid.*, 28 novembre 1942.
85. Trudeau à Roméo Turgeon, 9 décembre 1942, FT, vol. 53, dossier 45.
86. *Le Quartier Latin*, 29 novembre 1942.
87. Roger Rolland à John English, 7 juin 2006.
88. Trudeau, *Mémoires politiques*, p. 43-44 ; entrevue avec Lépine, FT, vol. 23, dossier 2 ; Claude Bélanger, « The Resignation of Jean-Louis Roux », novembre 1996, www2.marianopolis. edu/quebechistory/events/roux. htm. Voir aussi Delisle, *Essais sur l'imprégnation fasciste au Québec*, p. 43 ; et

spécialement Jean-Louis Roux, *Nous sommes tous des acteurs* (Montréal: Éditions Lescop, 1998), dans lequel il décrit son appartenance à une « cellule » secrète.

89. Roux affirma plus tard qu'il faisait partie des Frères Chasseurs, mais qu'il avait quitté l'organisation en raison de l'opposition de ses parents. Une lettre personnelle envoyée au père Marie d'Anjou indique qu'il avait l'intention de poursuivre des projets culturels pour le futur État. La lettre, dont l'entête indique Ville-Marie plutôt que Montréal, dit qu'il continue à partager les objectifs du groupe. Delisle affirme, certaines preuves à l'appui, que la pièce *Le Jeu de Dollard* fut organisée par deux Frères membres. Trudeau apparaît dans de nombreux événements théâtraux pendant ses années d'université, et sa présence dans cette performance n'est pas nécessairement un acte politique. Dans le même sens, ceux qui jouaient dans les pièces de Brecht n'étaient souvent pas des communistes. Delisle, *Essais sur l'imprégnation fasciste au Québec*, p. 63; Roux à François-J. Lessard, 5 novembre [n.d.], Documents Lessard, collection privée.
90. Radwanski, *Trudeau*, p. 60. Le programme se trouve dans FT, vol. 5, dossier 10. *La Presse* rapporta le débat le 16 janvier 1943. Delisle donne un autre compte rendu du débat, affirmant qu'il se produisit en 1942. Lessard dit qu'il y a participé, mais le programme ne confirme pas sa présence. Delisle, *Essais sur l'imprégnation fasciste au Québec*, p. 60. Voir aussi la description dans Nemni et Nemni, *Trudeau*, p. 344 et suiv.
91. *La Presse*, 25 juin 1943. Le dossier contenant les résultats se trouve dans FT, vol. 5, dossier 24. Sur les prix et les médailles, voir *ibid.*, dossier 25.
92. Suzette à Pierre, 1er juillet 1943, *ibid.*
93. Vastel, *Trudeau*, p. 56.
94. Clarkson et McCall, *Trudeau*, vol. 1, p. 42-43.

Chapitre 3 : L'identité et ses malaises

1. Trudeau à Corriveau, 24 septembre 1940, Fonds Trudeau (FT), MG 26 02, vol. 45, dossier 5, Bibliothèque et Archives Canada (BAC).
2. Freud fut mentionné sept fois, une de plus que saint Thomas d'Aquin et, chose intéressante, Emmanuel Mounier, mais moins que onze autres personnes. Aucun Canadien autre que Groulx (9) ne fut mentionné plus de trois fois. Même si Groulx fut nommé plus souvent que Freud, il fut mentionné moins souvent que deux autres philosophes catholiques, soit Teilhard de Chardin et Jacques Maritain (11), deux écrivains, Georges

Bernanos et Dostoïevski (11), l'écrivain français catholique Charles Péguy (10), et arriva à égalité avec le romancier existentialiste Albert Camus et le romancier Honoré de Balzac. Les choix des collègues politiciens de Trudeau, Gérard Pelletier et Jean Marchand représentent ceux de leur génération : Pelletier — Pascal, Mounier, Bernanos, Malraux et Claudel ; Marchand — Pascal, Berdiaeff, Péguy, Dostoïevski, ainsi que son propre contemporain et le rédacteur des discours de Trudeau, Jean Le Moyne. Cette liste ainsi qu'une excellente analyse se trouvent dans Germain Lesage, *Notre éveil culturel* (Montréal : Rayonnement, 1963), p. 135-148.

3. Les listes originales se trouvent dans « Qui avons-nous interrogés et qu'ont-ils répondu ? », *Le Nouveau Journal*, 7 avril 1962, III ; cependant, les listes et la discussion dans Lesage, *Notre éveil culturel*, sont beaucoup plus utiles.
4. Louis Bouyer, *Newman : sa vie, sa spiritualité.* (Paris : Cerf, 1952), p. 287.
5. Lesage, *Notre éveil culturel*, p. 143-145.
6. E.-Martin Meunier et Jean-Philippe Warren, *Sortir de la « grande noirceur » : L'horizon « personnaliste » de la Révolution tranquille* (Sillery, Québec : Les Éditions du Septentrion, 2002), p. 108.
7. Charles Taylor, *Les sources du moi : la formation de l'identité moderne* (Montréal : Boréal, 2003), p. 62, 77.
8. Trudeau, Journal 1939-1940, 5 février 1940, FT, vol. 39, dossier 9.
9. Trudeau à Corriveau, 24 septembre 1940, *ibid.*, dossier 5.
10. Trudeau à Corriveau, 18 mars 1941, *ibid.*, dossier 9.
11. Corriveau à Trudeau, 21 mars 1941, *ibid.*
12. Journal 1939-1940, 5 février 1940, FT, *ibid.*
13. Hertel à Trudeau, septembre 1941, FT, vol. 49, dossier 8.
14. Hertel à Trudeau, octobre 1941, *ibid.* La lettre semble avoir été envoyée avec la précédente.
15. Grace Trudeau à Trudeau, 4 février 1940, *ibid.*
16. Gustave Beaudoin à l'Honorable Hector Perrier, secrétaire provincial, 25 mai 1943, FT, vol. 7, dossier 3.
17. Trudeau à Pierre Dumas, 18 mai 1943 ; Dumas à Trudeau, 30 juillet 1943, FT, vol. 41, dossier 4 ; Trudeau à Donald Watt, directeur d'Experiment in International Living, 8 mai 1943, FT, vol. 15, dossier 7 ; et Trudeau à Grace Trudeau, n.d. [août 1943], FT, vol. 53, dossier 34.
18. Pierre Trudeau, « Pritt, Zoum, Bing », *Le Quartier Latin*, 10 mars 1944. Voir aussi Max et Monique Nemni, *Trudeau, fils du Québec, père du Canada*, vol. 1 : *Les années de jeunesse, 1919-1944* (Montréal : Les Éditions de l'Homme, 2006), p.364-365.
19. Sur le bail et autres documents, voir FT, vol. 7, dossier 2.

20. Sur Marcil, orateur dans le dernier gouvernement de Laurier (1909-1911), voir www.parl.gc.ca/information/about/people/key/SP"-BC/hoc-cdc/sp_hoc-e.asp? SP=2734.
21. Le *Bulletin d'Histoire Politique*, 3 (printemps/été 1995) consacre un numéro entier à « La participation des Canadiens français à la Deuxième Guerre mondiale ». Il s'agit encore du meilleur compte rendu de la situation complexe relative à la participation à la guerre. Les articles de William Young, de Robert Comeau, de Béatrice Richard et de Jacques Michon sont particulièrement intéressants.
22. L'insigne se trouve dans FT, vol. 5, dossier 12. Ce dossier contient également une coupure du *Devoir* indiquant que des membres du Bloc avaient perturbé un discours prononcé par l'abbé Maheux, un partisan de la guerre. Trudeau a souligné le passage à propos de la perturbation, une indication, peut-être, qu'il y avait lui-même participé.
23. « Inaugural Speech » (Allocution d'ouverture), dans Michael Behiels et Ramsay Cook, éd., *The Essential Laurendeau* (Toronto: Copp Clark, 1968), p. 123.
24. Trudeau à Donald Watt, 25 mai 1944, FT, vol. 15, dossier 7; et avis de départ du service national, *ibid.*, dossier 12.
25. Cette information se trouve dans le Fonds Hertel conservé aux Archives nationales du Québec (Montréal), dossier P42.
26. François-Marc Gagnon, *Paul-Émile Borduas: Biographie critique et analyse de l'œuvre* (Montréal: Fides, 1978), p. 108. La critique de Hertel, « L'actualité: Anatole Laplante au vernissage », se trouve dans *Le Devoir*, 19 mai 1941. Curieusement, Gagnon affirme que Trudeau ne fut présent qu'à une seule exposition de Borduas, celle d'octobre 1944. Il est très improbable qu'il y fut car il était alors étudiant à Harvard. Cependant, il fut présent lors d'autres vernissages, comme en témoigne la correspondance de Borduas. Il fit également l'acquisition d'une des œuvres de Borduas.
27. Ébauches des lettres à Gabrielle Borduas, septembre 1942, FT, vol. 43, dossier 31; et Gabrielle Borduas à Trudeau, 14 décembre 1943, *ibid.* Lorsque j'ai demandé au sénateur Laurier LaPierre s'il avait connu madame Borduas, il m'a répondu sans que je le lui demande qu'il l'avait effectivement connue et qu'elle aimait Pierre Trudeau.
28. Camille à Pierre, 22 mars 1941, FT, vol. 45, dossier 6. Entrevue avec Alexandre Trudeau.
29. Entrevue avec Thérèse Gouin Décarie, juin 2006.
30. *Ibid.*
31. George Radwanski, *Trudeau* (Montréal: Fides, 1978), p. 80.

32. Pierre Trudeau, *Mémoires politiques* (Montréal: Le Jour, éditeur, 1993), p. 44-45.
33. «Tip» à Pierre, 18 avril 1945, FT, vol. 53, dossier 26.
34. Trudeau, *Mémoires politiques*, p. 45.
35. Il écrivit au vicaire général, Monsignor Hickey, qui répondit: «compte tenu des circonstances [l'archevêque] vous autorise à lire même durant vos vacances» tous les livres nécessaires. Hickey à Trudeau, 20 novembre 1944, FT, vol. 7, dossier 5.
36. Entrevue avec John Kenneth Galbraith, 28 février 2005. Voir ses remarques similaires dans Nancy Southam, éd., *Trudeau tel que nous l'avons connu* (Saint-Laurent: Fides, 2005), p. 250-251.
37. Sur Keynes, voir FT, vol. 7, dossier 11 ; sur Haberler, *ibid.* ; sur Schumpeter, *ibid.*, dossier 13 ; sur Galbraith, Southam, éd., *Trudeau tel que nous l'avons connu*, p. 250.
38. Les commentaires proviennent des notes de Trudeau sur leurs écrits et se trouvent dans FT, vol. 7, dossier 16.
39. Voir *ibid.*, pour les commentaires et les détails.
40. *Ibid.*, dossier 21.
41. Trudeau à Thérèse Gouin, 1er mai 1945 ; Gouin à Trudeau, 24 mai 1945 ; et Trudeau à Gouin, 25 mai 1945, FT, vol. 48, dossier 13.
42. Radwanski, *Trudeau*, p. 76.
43. Trudeau, *Mémoires politiques*, p. 44.
44. Conversation avec Gerald Butts, ami proche de la famille, avril 2006. Trudeau a utilisé le mot «chaff».
45. Friedrich était issu d'une famille aristocratique allemande. Il émigra aux États-Unis en 1920 et devint une sommité dans le domaine constitutionnel et de la démocratie. Il fut conseiller auprès du gouvernement militaire américain en Allemagne. McIlwain était un spécialiste de l'histoire intellectuelle, notamment de la pensée politique médiévale. Ses publications reflètent aussi une approche fortement centrée sur les questions constitutionnelles et institutionnelles.
46. FT, vol. 7, dossier 18.
47. *Ibid.*, dossiers 19 et 22.
48. *Ibid.*, dossier 19.
49. Trudeau, «A Theory of Political Violence», *ibid.*, dossier 23.
50. Christina McCall et Stephen Clarkson, *Trudeau*, vol. 2 : *L'illusion héroïque* (Montréal: Boréal, 1995), p.36-38.
51. Edith Iglauer, «Prime Minister/Premier Ministre», *New Yorker*, 5 juillet 1969, p. 41.

52. Andrée Trudeau à Pierre Trudeau, 18 juillet 1946, FT, vol. 53, dossier 26.
53. Pierre Trudeau, « Collège-Jean de Brébeuf — Notes prises durant la semaine sociale 1937 », FT, vol. 4, dossier 6.
54. Trudeau à Gouin, 19 avril 1945 ; Gouin à Trudeau, 21 avril 1945, *ibid.*, dossier 2.
55. Trudeau à Gouin, 5 juillet 1945, *ibid.*, dossier 14.
56. Trudeau à Gouin, 26 septembre 1945, *ibid.*, dossier 15.
57. *Ibid.*
58. Trudeau à Gouin, 11 octobre 1945, *ibid.*
59. Trudeau à Gouin, 17 octobre 1945, *ibid.*
60. Trudeau à Gouin, 15 novembre 1945, *ibid.*
61. Trudeau to Gouin, 19 novembre 1945, dossier 3.
62. Charles Trudeau à Pierre Trudeau, 18 avril 1945 ; et faire-part de mariage, 20 juin 1945, FT, vol. 53, dossier 26.
63. Trudeau à Gouin, 8 décembre 1945, FT, vol. 48, dossier 16.
64. Iglauer, « Prime Minister », p. 38. Voir aussi Radwanski, *Trudeau*, p. 62-63.
65. Clarkson et McCall, *Trudeau*, vol. 2, p. 32.
66. Gouin à Trudeau, 25 février, 1947, FT, vol. 48, dossier 10.
67. Trudeau à Gouin, 3 janvier 1946, *ibid.*, dossier 17.
68. Trudeau à Gouin, 23 janvier 1946, *ibid.*
69. Trudeau à Gouin, 15 mars 1946, *ibid.*, dossier 18.
70. Trudeau à Gouin, 1er avril 1946, *ibid.*
71. Trudeau à Gouin, 29 avril 1946, *ibid.*
72. Trudeau à Gouin, 25 avril 1946, *ibid.*
73. Trudeau à Gouin, 22 mai 1946, *ibid.*, dossier 19.
74. Conversation avec Alexandre Trudeau, février 2005.
75. Trudeau à Gouin, 14 juillet 1946, FT, vol. 48, dossier 8.
76. Voir FT, vol. 8, dossiers 1 et 2.
77. Trudeau à Gouin, 20 juillet, 1946, *ibid.*, dossier 8.
78. Entrevue avec Thérèse Gouin Décarie, juin 2006.
79. Gouin à Trudeau, n.d. [juillet 1946], *ibid.*, dossier 5.
80. Gouin à Trudeau, 29 septembre, 1946, *ibid.*, dossier 8 ; et agenda de 1946, FT, vol. 39, dossier 1.
81. FT, vol. 8, dossier 11.
82. Trudeau à Gouin, 9 octobre 1946, FT, vol. 48, dossier 20.
83. Trudeau, *Mémoires politiques*, p. 49.
84. Antony Beevor et Artemis Cooper, *Paris libéré, Paris retrouvé, 1944-1949* (Paris : Perrin, 2004).

85. Hertel, « La quinzaine à Paris », dans *Le Devoir,* 12 mai 1971. Il s'agit aujourd'hui de l'hôtel Esmeralda, un hôtel classé une étoile d'une réputation considérable et qui a attiré des personnalités telles que Serge Gainsbourg et Terence Stamp. La citation se trouve dans une critique affichée à la fenêtre de l'hôtel au 4, rue Saint-Julien-le-Pauvre.
86. *Brébeuf,* 7 octobre 1946.
87. Linda Lapointe, *Maison des étudiants canadiens : Cité internationale universitaire de Paris : 75 ans d'histoire 1926-2001* (Saint-Lambert : Stomboli, 2001), p. 80-84 ; entrevue avec Vianney Décarie, juin 2006.
88. Trouvé dans FT, vol. 8, dossier 7. Viau rédigea une critique du spectacle intitulée « Reconnaissance de l'espace » dans *Notre Temps,* 12 juillet 1947.
89. Trudeau, *Mémoires politiques,* p. 33.
90. La preuve se trouve dans son agenda de 1947, FT, vol. 39, dossier 1.
91. Trudeau à Gouin, FT, n.d. [1947], vol. 48, dossier 11.
92. Trudeau, *Mémoires politiques,* p. 46.
93. Pour la lettre relative à l'Index, voir FT, vol. 8, dossier 6 ; Chartres, *ibid.,* dossier 7 ; Renouvin et Siegfried, *ibid.,* dossier 13.
94. Trudeau, agenda de 1947, FT, vol. 39, dossier 1.
95. Trudeau avait vu le grand film de Marcel Carné peu après son arrivée en France. Trudeau à Gouin, 9 octobre 1946, FT, vol. 48, dossier 20.
96. Trudeau, *Mémoires politiques,* p. 51 ; Marcel Rioux, *Un peuple dans le siècle* (Montréal : Boréal, 1990), p. 49.
97. La date du 16 septembre 1946 apparaît sur la lettre et sur la papeterie du Sénat du Canada. FT, vol. 8, dossier 6.
98. Trudeau à Gouin, 21 octobre 1946, FT, vol. 48, dossier 20.
99. *Ibid.*
100. Trudeau à Gouin, 5 novembre 1946, *ibid.,* dossier 21.
101. Gouin à Trudeau, 14 novembre 1946, *ibid.,* dossier 9.
102. Trudeau à Gouin, 22 novembre 1946, *ibid.,* dossier 21.
103. Gouin à Trudeau, 24 novembre 1946, *ibid.*
104. Trudeau à Gouin, 3 décembre 1946, *ibid.*
105. Trudeau, agenda de 1946, FT, vol. 39, dossier 1 ; Gordon Elliott à Trudeau, 16 décembre 1946, FT, vol. 46, dossier 1.
106. Trudeau à Gouin, 12 [?] décembre 1946, FT, vol. 48, dossier 2.
107. Trudeau à Gouin, 29 décembre 1946, *ibid.*
108. Entrevue avec Thérèse Gouin Décarie, juin 2006.
109. Gouin à Trudeau, 15 février 1947, *ibid.,* dossier 10 ; et Trudeau à Gouin, 22 février 1947, *ibid.,* dossier 22.

110. Une courte biographie se trouve sur le site www.aejepp.free.fr/psychanalysefrancaise5.htm. Cette référence s'y trouve.
111. Les notes de Trudeau se trouvent sous le titre « Journal personnel thérapie, février-juin 1947 », FT, vol. 39, dossier 10.
112. Gouin à Trudeau, 25 février 1947, FT, vol. 48, dossier 10.
113. Journal personnel thérapie, FT, vol., 39, dossier 10.
114. *Ibid.*

Chapitre 4: Le retour

1. Gouin à Trudeau, 3 mars 1947, Fonds Trudeau (FT), MG 26 02, vol. 48, dossier 10, Bibliothèque et Archives Canada (BAC).
2. L'école disposait d'un impressionnant budget de 50 000 $ et attirerait 150 étudiants des pays de l'Europe fragmentée. Des professeurs de Harvard y participeraient. Trudeau à Gouin, 19 mars 1947, *ibid.*, dossier 22.
3. Trudeau à Gouin, 6 mars 1947, *ibid.*
4. L'horaire se trouve dans l'agenda de Trudeau. FT, vol. 39, dossier 1.
5. Gouin à Trudeau, n.d. [lettre reçue à Paris apparemment le 1er mai 1947], FT, vol. 48, dossier 10.
6. Trudeau à Gouin, 21 mai 1947, *ibid.*, dossier 11.
7. Trudeau à Gouin, 7 avril 1947, *ibid.*
8. Il rêva que Desautels, Rolland et Hertel se trouvaient à table avec lui et qu'il urinait. Il craignait que cela ne scandalise les autres, mais Desautels le rassura en lui disant qu'elle avait déjà vu des marins faire la même chose. FT, vol. 39, dossier 10.
9. Trudeau à Gouin, 7 juin 1947, FT, vol. 48, dossier 23. Aussi, Journal personnel thérapie, février-juin 1947, *ibid.*
10. Christina McCall et Stephen Clarkson, *Trudeau*, vol. 2: *L'illusion héroïque* (Montréal: Boréal, 1995), p. 40.
11. Michel Vastel, *Trudeau: Le Québécois* (Montréal: Les Éditions de l'Homme, 2000), p. 47.
12. Trudeau à Lomer Gouin, 10 juillet 1947, FT, vol. 48, dossier 24.
13. Entrevue avec les Décarie, juin 2006.
14. Dans la section des remerciements de son livre *Intelligence and Affectivity in Early Childhood: An Experimental Study of Jean Piaget's Object Concept and Object Relations* (New York: International Universities Press, 1965), Thérèse Gouin remercie généreusement le père Noël Mailloux qui l'a fait

aimer Freud (p. xvi). Il était son analyste et à ce titre son nom figure à plusieurs reprises dans la correspondance Trudeau-Gouin.
15. Vastel, *Trudeau*, p. 46-47.
16. McCall et Clarkson, *Trudeau*, vol. 2, p. 77.
17. Gouin à Trudeau, n.d. [1969], FT, vol. 48, dossier 1.
18. On trouve un compte rendu du voyage dans FT, vol. 11, dossier 12, y compris des photographies.
19. Pour la note sur l'*Empress of Canada*, voir FT, vol. 7, dossier 17.
20. Trudeau, agenda de 1947, FT, vol. 1, dossier 39.
21. Lomer Gouin à Trudeau, n.d. [novembre 1947], FT, vol. 48, dossier 1.
22. Cité dans Clarkson et McCall, *Trudeau*, vol. 2, p. 41-42.
23. Trudeau à Thérèse Gouin, Vendredi saint 1947, FT, vol. 48, dossier 11; et Trudeau à Lessard, n.d. [avril 1947], Documents Lessard, collection privée.
24. Sur le point de vue catholique et conservateur de *Notre Temps*, voir Jean Hamelin, *Histoire du catholicisme québécois: Le XXe siècle*, vol. 2: *De 1940 à nos jours* (Montréal: Boréal, 1984), p. 138. Selon Hamelin, le journal s'inspira de publications françaises de droite. Conrad Black écrivit une biographie de Maurice Duplessis: « Léopold Richer, ancienne tête chaude du Bloc populaire était devenu l'un des membres les plus obséquieux de la clique de journalistes qui entouraient Duplessis. Il devint directeur de *Notre Temps*, journal qui se disait un "hebdomadaire social et culturel", et qui était la propriété de Fides, maison d'édition des Pères de Sainte-Croix à Montréal. Richer, un nationaliste qui avait toujours été hostile aux libéraux, adopta le duplessisme avec la ferveur du converti. » Il n'était pas tout à fait converti au moment de son contact avec Trudeau en 1947. Conrad Black, *Duplessis* (Montréal: Les Éditions de l'Homme, 1977), p. 403.
25. *Notre Temps*, 15 novembre, 1947; et lettre de H. P. Garceau, *Notre Temps*, à Trudeau, 27 décembre 1945, FT, vol. 22, dossier 28, dans laquelle Garceau demande à Trudeau de lui envoyer quelques articles et où il lui dit qu'il leur manque à Montréal et que les promoteurs du libéralisme économique recevraient bientôt leur juste châtiment. Il dit qu'il voit plusieurs de leurs « amis » tenter de faire leur part, en particulier l'historien nationaliste Guy Frégault.
26. Emmanuel Mounier, « L'homme américain », dans *Esprit*, novembre 1946, p. 138-140; et John Hellman, *Emmanuel Mounier and the New Catholic Left, 1930-1950* (Toronto: University of Toronto Press, 1981), chap. 10.
27. Trudeau à Gouin, avril 1947, FT, vol. 48, dossier 11.
28. Gérard Pelletier, *Les années d'impatience, 1950-1960* (Montréal: Stanké, 1983), p. 40-41.

29. Ralph Miliband, « Harold Laski », *Clare Market Review* (1950) sur le site www.spartacus.schoolnet.co.uk/TUlaski.htm ; Pierre Trudeau, *Mémoires politiques* (Montréal : Le Jour, éditeur, 1993), p. 52.
30. FT, vol. 2, dossier 26.
31. Trudeau, *Mémoires politiques*, p. 53.
32. Lettre de Trudeau à John Reshetar, cité dans Clarkson et McCall, *Trudeau*, vol. 2, p. 40.
33. Harold Laski, *The State in Theory and Practice* (1935 ; New York : Viking, 1947), p. 3.
34. Max Beloff, « The Age of Laski » *The Fortnightly*, juin 1950, p. 378.
35. Harold Laski, *Authority in the Modern State* (New Haven, Conn. : Yale University Press, 1919), p. 74-75 ; et Bernard Zylstra, *From Pluralism to Collectivism : The Development of Harold Laski's Political Thought* (Assen, The Netherlands : Van Gorcum, 1968), p. 75.
36. Trudeau avait souvent rencontré F. R. Scott, un intellectuel de la CCF et professeur de droit à McGill. Il s'intéressait davantage à la forte position libertarienne sur les questions civiles en temps de guerre qu'à ses activités à la CCF. Il vota assurément CCF lors de l'élection fédérale de 1949 alors qu'il était l'agent du candidat de la CCF dans Jacques-Cartier à Montréal. FT, vol. 2, dossier 6. Trudeau rencontra aussi Scott et le chercheur Eugene Forsey du Congrès du travail canadien (CTC) en mai 1949. L'un de ses professeurs de droit à l'Université de Montréal, Jacques Perrault, un éminent activiste de la CCF et beau-frère d'André Laurendeau, écrivit une lettre d'introduction pour lui. Il dit que Trudeau s'était classé au premier rang de sa classe à la faculté de droit et le recommanda à titre de chercheur idéal pour le mouvement au Canada et plus particulièrement pour la province de Québec. Perrault à A. Andras, adjoint au directeur de la recherche, CTC, 28 avril 1949, *ibid.*, dossier 23. Il est tentant de se demander quel aurait été le sort de Trudeau s'il avait travaillé au sein du CTC au début des années cinquante. Il aurait définitivement été davantage lié à la CCF, et il aurait presque certainement été un candidat de la CCF ; il aurait probablement perdu dans une circonscription de Montréal. Il ne serait fort probablement jamais devenu chef du Parti libéral.
37. Claude Ryan à Trudeau, 25 septembre 1947, FT, vol. 8, dossier 30. D'autres coupures de presse faisant partie du même dossier indiquent qu'ils participaient à d'autres activités.
38. Trudeau participa à la LSE Canadian Association, qui tint sa première réunion le 19 février 1948. Parmi les participants se trouvaient Robert McKenzie, qui deviendrait plus tard un éminent politicologue britan-

nique ; John Halstead, un futur diplomate et écrivain canadien ; et John Porter, le sociologue canadien le plus réputé lorsque Trudeau entra en politique dans les années soixante. *Ibid.*

39. Trudeau, agenda de 1948, 20 mars 1948, FT, vol. 22, dossier 20.
40. Trudeau à « M. Caron », n.d., *ibid.*, dossier 23.
41. Entrevue avec Jacques Hébert, février 2006.
42. La lettre de Laski se lit comme suit : [traduction libre] « Le porteur de cette lettre, M. Pierre Trudeau, est une bonne connaissance à moi. Il a participé à mon séminaire à cette école et mérite toute ma considération et mon respect. Il possède un esprit vigoureux et tenace et est hautement capable de se former ses propres conclusions. Je le recommande vivement, avec tout mon respect. » Trudeau lui rendit plus tard la pareille en qualifiant Laski de l'une des cinq personnalités l'ayant le plus influencé dans sa vie sur le plan intellectuel. Aucun autre enseignant n'entre dans cette catégorie et, à cet égard, Laski fut un mentor comme nul autre professeur à Paris, à Harvard ou à Montréal ne l'a été. FT, vol. 11, dossier 23.
43. Lettre de Léger, 15 juin 1948 ; et lettre de Beaulieu, 23 juin 1948, *ibid.* Ces lettres disent que Trudeau était un journaliste pour *Notre Temps* et *Le Petit Journal.*
44. Suzette à Trudeau, 10 mars 1946, FT, vol. 3, dossier 40 ; et Trudeau à Charles Trudeau, 20 octobre 1948, FT, vol. 53, dossier 36.
45. Trudeau, *Mémoires politiques,* p. 53.
46. Agenda de 1948, 28 août 1948, FT, vol. 11, dossier 20.
47. Trudeau, *Mémoires politiques,* p. 54-56.
48. *Ibid.*, p. 58-59. Les journaux du voyage se trouvent dans FT, vol. 11, dossier 21.
49. Trudeau à la famille, 23 octobre 1948, *ibid.*, dossier 22.
50. Trudeau à la famille, 2 décembre 1948, *ibid.*
51. Le dossier est confus. Même si Trudeau s'était inscrit au programme de doctorat à la LSE et avait demandé à Laski de superviser sa thèse, il disait à ce moment-là que sa thèse était dans le cadre de ses études à Harvard. Le fait d'avoir terminé ses examens généraux à Harvard lui donnait la possibilité de poursuivre à l'étape de la thèse. Cependant, rien n'indique dans les dossiers de Harvard ou dans les papiers de Trudeau qu'il avait trouvé un superviseur ou qu'il avait entrepris de s'inscrire en ce sens en vue de sa thèse. Harvard avait des normes très relâchées en matière de supervision de thèse. Lorsque j'étais moi-même étudiant là-bas dans les années soixante, j'ai appris qu'un universitaire canadien travaillait sur sa thèse depuis vingt ans. Quoi qu'il en soit, la thèse de Trudeau fut réellement un prétexte pour

voyager, et ses journaux de voyage conviennent davantage au cadre du journalisme que comme documents à la base d'une recherche de thèse.
52. Trudeau à la famille, 2 décembre 1948, FT, vol. 11, dossier 22.
53. Trudeau à Suzette, 27 décembre 1948, *ibid.*
54. Trudeau à Grace Trudeau, 18 janvier 1949, *ibid.*
55. Trudeau à Grace Trudeau, 28 janvier 1949, *ibid.*
56. *Ibid.*
57. Trudeau à Grace Trudeau, 11 février 1949, *ibid.* Voir aussi l'agenda de 1949, 11-12 février 1949, *ibid.*, dossier 18.
58. Trudeau à Grace Trudeau, 10 mars 1949, *ibid.*
59. Trudeau à la famille, 20 mars 1949, *ibid.*
60. *Ibid.*; Trudeau, *Mémoires politiques*, p. 63. Norman avait été contacté plus tôt à propos de Trudeau et était l'officier canadien responsable au Japon.
61. Trudeau, *Mémoires politiques*, p. 64.
62. George Radwanski, *Trudeau* (Montréal: Fides, 1979), p. 84.
63. *Ibid.*, p. 83-86.
64. Pelletier est cité dans Edith Iglauer, « Profiles: Prime Minister/Premier Ministre », *New Yorker*, 5 juillet 1969, p. 44.
65. « Réflexions sur une démocratie et sa variante », *Notre Temps*, 14 février 1948.
66. Trudeau à Lise et François Lessard, 19 octobre 1948, Documents Lessard.
67. Trudeau, « Des avocats et des autres dans leurs rapports avec la justice », dans FT, vol. 22, dossier 31.
68. Voir le livre du canadien John Humphrey, *Human Rights and the United Nations: A Great Adventure* (Dobbs Ferry, NY: Transnational, 1984), dans lequel Humphrey, l'un des auteurs de la Charte des droits de l'homme de 1948, montre le caractère centralisateur des années quarante dans la définition des droits de l'homme.
69. Trudeau à John Reshetar, tel que cité dans Clarkson et McCall, *Trudeau*, vol. 2, p. 40.
70. *Notre Temps*, 14 février 1948.
71. Lettre à l'éditeur, *Le Devoir*, 6 juillet 1949.
72. Agenda de 1949, 19 mai 1949, FT, vol. 11, dossier 18.
73. Paul-Émile Borduas, « 1948 Refus Global », dans Ramsay Cook, éd., *French-Canadian Nationalism* (Toronto: Macmillan, 1969), p. 276-284. Voir aussi François-Marc Gagnon, *Paul-Émile Borduas: Biographie critique et analyse de l'œuvre* (Montréal: Fides, 1978), chap. 13.
74. *Le Devoir*, 28 septembre 1948.
75. Pierre Vadeboncoeur, « Jean Marchand, autrefois », sur le site www.csn.qc.ca/Connaitre/Histoire/Vad/Vad2.html.

76. Douglas Stuebing, John Marshall, Gary Oakes, *Trudeau, l'homme de demain!*, traduction de Hélène Gagnon (Montréal: HMH, 1969), p. 44. Entrevue avec Jacques Hébert, février 2006.
77. Marchand est cité dans Radwanski, *Trudeau*, p. 88-89.
78. Monique Leyrac et le film de 1949 sur le site http://www.thecanadianencyclopedia.com/index.cfm?PgNm=TCE&Params=U1ARTU0002065.
79. Pelletier, *Les années d'impatience*, p. 35-36, 111.
80. Trudeau, éd., *La grève de l'amiante* (Montréal: Le Jour, éditeur 1970), p. 90.
81. Pelletier, *Les années d'impatience*, p. 122 et suiv. Sur l'amiante et son importance comme produit au Québec, voir William Coleman, *The Independence Movement in Quebec, 1945-1990* (Toronto: University of Toronto Press, 1984), p. 113-115.
82. Black, *Duplessis*, p. 349-350.
83. Trudeau, éd., *La grève de l'amiante*, p. 379.

Chapitre 5: Le foyer et la nation

1. Gérard Pelletier, *Les années d'impatience, 1950-1960* (Montréal: Stanké, 1983), p. 122-123.
2. Voir Paul-Émile Roy, *Pierre Vadeboncoeur: Un homme attentif* (Montréal: Éditions du Méridien, 1995).
3. Cité dans Robert Rumilly, *Henri Bourassa: La vie publique d'un grand Canadien* (Montréal: Les éditions Chantecler, 1953), p. 777.
4. *Le Devoir*, 13 avril 1949.
5. Les notes relatives à « Où va le monde » se trouvent dans Fonds Trudeau (FT), MG 26 02, vol. 12, dossier 1, Bibliothèque et Archives Canada (BAC).
6. Pierre Vadeboncoeur, lettre à l'éditeur, *Le Devoir*, 14 juillet 1949.
7. Entrevue entre M. Trudeau et M. [Jean] Lépine, 27 avril 1992, FT, vol. 23, dossier 2.
8. De manière intéressante, dans son histoire de la London School of Economics, le sociologue allemand Ralf Dahrendorf a suggéré que l'institution a exercé une grande influence sur la gauche démocratique et libérale dans les années d'après-guerre. Certains voudraient décrire cette tendance comme fabianiste, d'autres comme socialiste, et quelques-uns comme relevant de l'État bien-être, mais ce que ces différentes voix exprimaient était, dans les termes de Dahrendorf: [traduction libre] « une combinaison

d'approches relevant d'institutions démocratiques du style de Westminster avec celle d'un gouvernement interventionniste bienveillant guidé par une vision de la société juste ou bonne. » Pour la plupart des pays occidentaux et même des pays en développement, cela signifiait [traduction libre] « un peu de Laski, pour ainsi dire, un peu de Beveridge, une touche de Tawney et beaucoup de Pierre Trudeau, le premier ministre canadien aux longues années de service et qui avait étudié à la LSE ». Ralf Dahrendorf, *LSE : A History of the London School of Economics and Political Science, 1895-1995* (Oxford : Oxford University Press, 1995), p. 405.

9. Marcel Rioux, *Un peuple dans le siècle* (Montréal : Boréal, 1990), p. 50.
10. François Hertel, *Méditations philosophiques* (Paris : Éditions de la Diaspora, 1963), p. 26. L'affection que l'on ne cesse de vouer à Hertel trouve écho dans l'hommage que Roger Rolland lui rend en 1948 dans *Le Petit Journal*. Hertel, dit-il, possédait une verve extraordinaire. L'article, intitulé « François Hertel », se trouve dans FT, vol. 38, dossier 61. Trudeau avait eu connaissance par sa mère du mécontentement de Hertel et de son désir de retourner à Paris. Grace Trudeau à Pierre Trudeau, 31 octobre 1948, FT, vol. 46, dossier 15. La description que Hertel lui-même fait se trouve dans « Lettre à mes amis (15 août 1950, Paris, France) », *Cité libre*, février 1951, p. 34-35.
11. Grace Trudeau à Pierre Trudeau, 20 février 1948, FT, vol. 46, dossier 16.
12. E.-Martin Meunier et Jean-Philippe Warren, *Sortir de la « Grande noirceur » : L'horizon « personnaliste » de la Révolution tranquille* (Sillery, Québec : Les Éditions du Septentrion, 2002), p. 115 ; voir aussi les notes en bas de page 27 et 28, lesquelles décrivent l'attrait de la vie intellectuelle de Paris sur Gérard Pelletier et Jean-Charles Falardeau.
13. Grace Trudeau à Pierre Trudeau, 8 janvier, 11 janvier, 13 janvier, 17 janvier, 26 janvier, ? février et 20 février 1947, FT, vol. 46, dossier 15.
14. *Ibid.*, 27 février 1947.
15. *Ibid.*, 16 juillet 1947.
16. *Ibid.*, 31 octobre et 20 novembre 1947.
17. *Ibid*, 1er février et 20 février 1947.
18. *Ibid.*, dossier 20, 24 février et 28 mars 1952.
19. *Ibid.*, 4 juin 1948 et 4 février 1949. Le montant de 700 $ équivaut approximativement à 5600 $ en dollars de 2005. Voir http://www.eh.net/hmit/ppowerusd/dollar_answer.php.
20. *Ibid.*, 6 novembre 1948.
21. *Ibid.*, 2 juillet 1948.
22. *Ibid.*, dossier 17, 4 février 1949.

23. *Ibid.*, dossier 18, 18 octobre 1950.
24. Kristin Bennett dans Nancy Southam, éd., *Trudeau tel que nous l'avons connu* (Saint-Laurent: Fides, 2005), p. 298.
25. Grace Trudeau à Pierre Trudeau, 28 novembre 1951, FT, vol. 46, dossier 18.
26. Entrevues avec Thérèse Gouin Décarie, juin 2006; et Madeleine Gobeil, mai 2006.
27. Margaret Trudeau, *Les conséquences* (Montréal: Éditions Optimum internationales, 1982), p. 77-78; et Henry Kissinger dans Gerald Ford Papers, Gerald Ford Library, Memorandum, 4 décembre 1974, MR 02-75.
28. Grace à Pierre Trudeau, 11 mai 1948, FT, vol. 46, dossier 17.
29. Sur Hébert et MacEachen, voir Allan MacEachen, « Reflections on Faith and Politics », dans John English, Richard Gwyn et P. Whitney Lackenbauer, éd., *The Hidden Pierre Elliott Trudeau* (Ottawa: Novalis, 2004), p. 153-160. Sur Kidder, voir ses commentaires dans Southam, éd., *Trudeau tel que nous l'avons connu*, p. 301-302. Sur Cattrall, voir Line Abrahamian, « Taking Choices, Making Choices », *Reader's Digest*, avril 2005, p. 70-71. Aussi, conversations avec Marc Lalonde, Margot Kidder, Allan MacEachen et Margot Breton.
30. Pierre Trudeau, *Mémoires politiques* (Montréal: Le Jour, éditeur, 1993), p. 66. Sur le salaire, voir R. Gosselin à Trudeau, 31 août 1949, FT, vol. 9, dossier 7.
31. Pierre Trudeau, *Le fédéralisme et la société canadienne-française* (Montréal: HMH, 1967), p. 11. Sur le ministère des Affaires extérieures et la Commission royale d'enquête sur le bilinguisme et le biculturalisme, voir Gilles Lalande, *Le Ministère des affaires extérieures et la dualité culturelle*, Études de la Commission royale d'enquête sur le bilinguisme et le biculturalisme, numéro 3 (Ottawa: Imprimeur de la Reine, 1969), p. 44-48; et J. L. Granatstein, *The Ottawa Men: The Civil Service Mandarins, 1935-1957* (Toronto: Oxford University Press, 1982), p. 6. Pour une excellente description du caractère d'Ottawa à cette époque, voir Stephen Clarkson et Christina McCall, *Trudeau*, vol. 2: *L'illusion héroïque* (Montréal: Boréal, 1995), p. 52 et suiv.
32. Voir, par exemple, FT, vol. 9, dossier 13. Les commentaires tardifs de Gordon Robertson sur Trudeau se trouvent dans son autobiographie: *Memoirs of a Very Civil Servant: Mackenzie King to Pierre Trudeau* (Toronto: University of Toronto Press, 2000), p. 88-89.
33. Trudeau à Gordon Robertson, 28 octobre 1950, FT, vol. 9, dossier 23.
34. Robertson à Trudeau, 6 janvier 1951, FT, vol. 10, dossier 4. Les autres documents dont on fait référence se trouvent dans ce dossier, tout comme la ré-

férence à Diefenbaker. Le 24 janvier 1951, le Conseil des ministres étudia la question des contrôles de sécurité internes que Trudeau avait commencé à examiner. RG-2 Séries A-5-a, vol. 2647, BAC.

35. La citation relative à l'enregistrement se trouve dans un mémorandum à R. G. Robertson, daté du 17 mars 1951, auquel était joint un document destiné à « Mr. Eberts ». Le commentaire se trouve dans le document joint, et non dans le mémorandum, qui aurait été lu par beaucoup d'autres personnes. FT, vol. 10, dossier 27.
36. Les commentaires de Vadeboncoeur sont dans l'édition du 20 octobre 1965 du *Devoir*, et les commentaires de Hertel sont dans l'édition du 17 septembre 1966 de *La Presse*.
37. Les commentaires de Trudeau se trouvent dans FT, vol. 9, dossier 10. Sur la complexité des questions d'ordre fiscal et de sécurité sociale, voir R. M. Burns, *The Acceptable Mean: The Tax Rental Agreements, 1941-1962* (Toronto: Canadian Tax Foundation, 1980), chap. 5.
38. Ébauche de « Theory and Practice of Federal-Provincial Cooperation », n.d., FT, vol. 10, dossier 5.
39. Mémorandum à R. G. Robertson, 13 mars 1951, FT, vol. 10, dossier 3.
40. Ébauche de la lettre à Léger du 31 août 1950, FT, vol. 10, dossier 11.
41. Grace Trudeau à Pierre Trudeau, 28 février 1947, FT, vol. 46, dossier 17.
42. Marginalia sur les discours de Pearson du 5 décembre 1950 et du 10 avril 1951. FT, vol. 10, dossier 11.
43. Trudeau à LePan, 28 avril 1951, FT, vol. 10, dossier 11.
44. Trudeau à Robertson, 6 juin 1951, FT, vol. 10, dossier 1.
45. Entrevues avec le personnel de Trudeau. Rencontre organisée par Bibliothèque et Archives Canada.
46. Il a conservé la coupure de presse dans FT, vol. 38, dossier 70.
47. Segerstrale à Trudeau, 6 novembre 1951, FT, vol. 53, dossier 1 ; Trudeau à Segerstrale, n.d. [? janvier 1952], *ibid.*
48. Les notes envoyées à l'édifice de l'Est ne sont pas datées. La lettre au sujet de sa mère est datée du 10 novembre 1951, et la lettre en réponse aux complaintes de Trudeau est datée du 21 décembre 1951. La lettre au sujet de Gibraltar est datée du 2 janvier 1952, *ibid.*
49. Helen Segerstale à Trudeau, 26 janvier 1952, *ibid.*
50. Trudeau à Segerstrale, 17 [?] mars 1952, *ibid.*
51. Trudeau à Norman Robertson, 24 septembre 1951, FT, vol. 10, dossier 1.
52. Trudeau à Norman Robertson, 28 septembre 1951, FT, vol. 9, dossier 2. Le superviseur immédiat de Trudeau, Gordon Robertson, traite le départ de Trudeau brièvement et n'a pas réagi au compte rendu de la conversation

finale entre les deux présentée dans les mémoires politiques de Trudeau. Voir Robertson, *A Very Civil Servant*, p. 88-89.

53. Cité dans Michael Behiels, *Prelude to Quebec's Quiet Revolution: Liberalism versus Neo-Nationalsm, 1945-1960* (Montréal et Kingston: McGill-Queen's University Press, 1985), p. 62.
54. Pelletier, *Les années d'impatience*, p. 156.
55. *Ibid.*, p. 155.
56. Les comptes se trouvent dans FT, vol. 20, dossier 2.
57. FT, vol. 21, dossier 2.
58. « Faites vos jeux », *Cité libre*, juin 1950, p. 27-28.
59. Pierre Elliott Trudeau, *À contre-courant: textes choisis, 1939-1966* (Montréal: Stanké, 1996), p. 39-40. Document original « Politique fonctionnelle », *Cité libre*, juin 1950, p. 20-24.
60. Ébauche de la lettre à Jean Marchand, n.d. [1951], FT, vol. 15, dossier 8.
61. Cité dans Pierre Godin, *Daniel Johnson, 1946-1964 : La passion du pouvoir* (Montréal: Les Éditions de l'Homme, 1980), p. 77.
62. Paul-André Linteau, René Durocher, Jean-Claude Robert et François Ricard, *Le Québec depuis 1930* (Montréal: Boréal, 1986), p. 352-355.

Chapitre 6: Nationalisme et socialisme

1. Entrevue avec M. [Jean] Lépine, 27 avril 1992, Fonds Trudeau (FT), MG 26 03, vol. 23, dossier 2, Bibliothèque et Archives Canada.
2. Michael Behiels, *Prelude to Quebec's Quiet Revolution: Liberalism versus Neo-nationalism, 1945-1960* (Montréal et Kingston: McGill-Queen's University Press, 1985), p. 70.
3. *Ibid.*, p. 60. Sur la Corée, seulement 21 % des Québécois (francophones comme anglophones) approuvaient la proposition d'envoyer des soldats en Corée (41 % dans le reste du Canada) le 3 août 1950. Le 3 juillet 1952, seulement 32 % croyaient qu'il ne s'agissait pas d'une erreur d'envoyer des troupes en Corée (59 % dans le reste du Canada). Voir Mildred Schwartz, *Public Opinion and Canadian Identity* (Scarborough, Ontario: Fitzhenry and Whiteside, 1967), p. 80.
4. Arès à Trudeau, 2 mars 1951, FT, vol. 21, dossier 9.
5. D'Anjou à Trudeau. 21 février 1951. *Ibid.*
6. *Ibid*, 2 mars 1951.
7. Gérard Pelletier, *Les années d'impatience, 1950-1960* (Montréal: Stanké, 1983), p. 162-163.

8. Sur Johnson, voir Pierre Godin, *Daniel Johnson, 1946-1964 : La passion du pouvoir* (Montréal : Les Éditions de l'Homme, 1980) ; Pelletier est cité dans Michel Vastel, *Trudeau : Le Québécois* (Montréal : Les Éditions de l'Homme, 2000), p. 105 ; Pelletier cite l'ami critique dans son livre *Les années d'impatience*, p. 124 ; Thérèse Casgrain, *Une femme chez les hommes* (Montréal : Le Jour, éditeur, 1971), p. 211 ; commentaires de Jean Marchand tirés d'une entrevue dans Stephen Clarkson et Christina McCall, *Trudeau*, vol. 1 : *L'homme, l'utopie, l'histoire* (Montréal : Boréal, 1995), p. 69 ; et Duplessis dans Conrad Black, *Duplessis* (Montréal : Les Éditions de l'Homme, 1977), p. 394. Vastel est particulièrement intéressant sur les années cinquante et s'étend pendant un bon moment sur la personnalité de Trudeau au cours de cette décennie.
9. Fournier dans Stephen Clarkson et Christina McCall, *Trudeau*. vol. 2 ; *L'illusion héroïque* (Montréal : Boréal, 1995), p. 57.
10. Conversation avec Sharon et David Johnston, décembre 2004. Entrevue avec Donald Johnston, juin 2004. Johnston, l'avocat de Trudeau et un ministre du Cabinet dans les années quatre-vingt, décrit Trudeau et la famille dans ses mémoires intitulées *Up the Hill* (Montréal : Opticum, 1996).
11. Pierre Trudeau, *Mémoires politiques* (Montréal : Le Jour, éditeur, 1993), p. 71-72.
12. Paul-André Linteau, René Durocher, Jean-Claude Robert et François Ricard, *Le Québec depuis 1930* (Montréal : Boréal, 1986), p. 390.
13. Curieusement, Trudeau dit à Helen Segerstrale le 21 août 1952 qu'on lui avait offert un poste en sciences politiques à l'Université de Montréal, mais qu'il l'avait refusé. Cette information entre en conflit avec d'autres comptes rendus, mais elle laisse supposer que Trudeau ne croyait pas à l'époque que Duplessis avait bloqué sa nomination. Il est possible qu'il fasse référence à un autre poste qui n'avait pas été approuvé par les hauts responsables de l'université. FT, vol. 12, dossier 53.
14. *Marshall McLuhan : The Man and His Message*, une coproduction de CBC Television et de McLuhan Productions produite et dirigée par Stephanie McLuhan, 1984 ; Marshall McLuhan, « The Man in the Mask », cité dans W. Terrence Gordon, *Marshall McLuhan : Escape into Understanding. A Biography* (Toronto : Stoddard, 1997), p. 235. L'enthousiasme de McLuhan à l'endroit de Trudeau était évident dans une critique parue en 1968 dans le *New York Times* au sujet du livre de Trudeau *Le fédéralisme et la société canadienne-française* (Montréal : HMH, 1967).
15. « Portrait de P. E. Trudeau à Radio-Canada, 1950 », FT, vol. 11, dossier 27.
16. Entrevue avec Marc Lalonde, avril 2004.

17. Pelletier, *Les années d'impatience*, p. 49-50.
18. À l'époque où il rédigea l'article sur l'opposition à la guerre de Corée, Trudeau avait discuté avec ses collègues de *Cité libre* s'il devait utiliser un pseudonyme qui pourrait être facilement reconnu, tel que « Pierre d'Ectbatane ». « Trudeau, citoyen » à « citoyens libres » [1951], FT, vol. 21, dossier 28.
19. Ben Rogers au sous-secrétaire d'État aux Affaires extérieures, 1er avril 1952 ; Robert Ford au sous-secrétaire d'État aux Affaires extérieures, 3 avril et 17 avril 1952 ; et Trudeau à Norman Robertson, en date du 17 mars, mais envoyé le 17 avril 1952, de Moscou. Tous ces documents se trouvent dans les dossiers du Conseil privé, RG 2, C-100-4, BAC. Je tiens à remercier Paul Marsden de m'avoir dirigé vers ces dossiers.
20. « Au Sommet des Caucases », émission de *CBF au réseau français*, 18 septembre 1952, FT, vol. 12, dossier 16.
21. Entrevue entre Trudeau et Ron Graham, 12 mai 1992, FT, vol. 23, dossier 12.
22. « J'ai fait mes Pâques à Moscou », émission du *Réseau français de Radio-Canada*, 4 septembre 1952, *ibid.*
23. « Aux prises avec le Politbureau [sic] », émission de *CBF au réseau français*, 25 septembre 1952, *ibid.*
24. Trudeau à Laurendeau, ébauche de lettre, 17 novembre 1952, FT, vol. 12, dossier 12.
25. Braun, « Apparences et réalités religieuses en U.R.S.S. », *L'Action catholique*, 19 novembre 1952.
26. Les articles dans *Le Devoir* sont datés du 14 juin et des 16 au 21 juin 1952. L'attaque de Braun se trouve dans *L'Action catholique*, 17 novembre 1952. Aussi, *Nos Cours*, vol. 14 (13) (10 janvier 1953), p. 19-32. Correspondance avec J.-B. Desrosiers dans FT, vol. 12, dossier 12, incluant une lettre de Trudeau du 4 décembre 1952 ; lettre au père Florent, 23 janvier 1951, *ibid.*, dossier 14.
27. FT, vol. 12, dossier 18.
28. « Retour d'URSS : Le camarade Trudeau », *Le Quartier Latin*, 23 octobre 1952.
29. *Ibid.* ; et « Staline est-il poète ? », émission de *CBF au réseau français*, 11 septembre 1952, FT, vol. 12, dossier 16. Sur la conférence de Moscou, voir le rapport de l'économiste Alec Cairncross, « The Moscow Economic Conference », *Soviet Studies*, 4 (octobre 1952), p. 113-132. Cairncross jugeait la conférence valable en ce qu'elle permettait aux économistes occidentaux de rencontrer leurs homologues orientaux. Il remarqua que « les déléga-

tions de l'Occident provenaient surtout de groupes radicaux ou de gauche, et aucune voix ne s'est jamais élevée qui aurait pu faire croire que l'opinion de droite était clairement représentée. Les discours, par conséquent, ont donné une impression de partialité et furent unanimement élogieux envers l'URSS, mais extrêmement hostiles à l'égard des États-Unis». (p. 114)

30. Susan Trofimenkoff, *Dream of Nation* (Toronto: Gage, 1983), p. 285. Voir aussi Gérard Laurence, «Les affaires publiques à la télévision, 1952-1957», *Revue d'histoire de l'Amérique française*, vol. 6 (septembre 1952), p. 213-219.
31. Pour une description du style de Lévesque, voir Paul Rutherford, *When Television Was Young: Primetime Canada, 1952-1957* (Toronto: University of Toronto Press, 1990), p. 175-177; et Pelletier, *Les années d'impatience*, p. 50.
32. Jim Coutts, «Trudeau in Power: A View from Inside the Prime Minister's Office», dans Andrew Cohen et J. L. Granatstein, éd., *Trudeau's Shadow: The Life and Legacy of Pierre Elliott Trudeau* (Toronto: Random House Canada, 1998), p. 149.
33. Trudeau à Segerstrale, 21 août 1952; et Segerstrale à Trudeau, 18 décembre 1952, FT, vol. 53, dossier 1.
34. La marge fut plus serrée que le nombre de sièges indiqué. Les libéraux remportèrent 46 % du vote comparativement à 50,5 % pour Duplessis, mais ils ne remportèrent que 23 sièges comparativement à 68 pour l'Union nationale. Ce déséquilibre devint un problème d'ordre politique important dans les années cinquante, même s'il s'agit d'une chose fréquente dans le système parlementaire britannique.
35. Black, *Duplessis*, p. 112-113.
36. Pierre Elliott Trudeau, *À contre-courant: textes choisis, 1939-1996*, choix et présentation par Gérard Pelletier (Montréal: Stanké, 1996), p. 41-44. Aussi, «La Revue des Arts et des Lettres», émission de *CBF au réseau français*, 27 janvier 1953, FT, vol. 25, dossier 5.
37. Pelletier, *Les années d'impatience*, p. 179-180. Sur la politique de neutralité, voir Roch Denis, *Luttes de classes et question nationale au Québec, 1948-1968* (Montréal: Les Presses Socialistes Internationales, 1979), p. 157-158.
38. Ébauche des remarques à la Conférence Couchiching, 1952, FT, vol. 25, dossier 41.
39. Trudeau, «Techniques du voyage», «Moulin à vent», 17 janvier 1954, FT, vol. 12, dossier 17.
40. Voir, par exemple, Clarkson et McCall, *Trudeau*, vol. 2, p. 60-63.
41. Cité dans Pelletier, *Les années d'impatience*, p. 152.
42. Paul-André Linteau, *Histoire de Montréal depuis la Confédération* (Montréal: Boréal, 2000), p. 483.

43. *Le Devoir,* 15 octobre, 1952; Denis, *Luttes de classes,* p. 136 et suiv.; Donald Horton, *André Laurendeau: la vie d'un nationaliste 1912-1968* (Saint-Laurent: Bellarmin, 1995), chap. 8; et, pour la description du sentiment anti-duplessiste de Laurendeau tel qu'il s'est développé dans sa famille, voir Chantal Perrault, « Oncle André », dans Robert Comeau et Lucille Beaudry, éd., *André Laurendeau, un intellectuel d'ici* (Sillery, Québec: Les Presses de Université du Québec, 1990), p. 34.
44. Trudeau, « Réflexions sur la politique », *Cité libre,* décembre 1952, p. 65-66. Sur le syndicalisme et le groupe de *Cité libre,* voir Behiels, *Prelude to Quebec's Quiet Revolution,* chap. 7.
45. Trudeau, « La Revue des Arts et des Lettres », émission de *CBF au réseau français,* 2 janvier 1953.
46. André Malavoy, « Une recontre mémorable », dans Comeau et Beaudry, éd., *André Laurendeau,* p. 20.
47. George Radwanski, *Trudeau* (Montréal: Fides, 1979), p. 98.
48. « École de la métallurgie, Cours de P. E. Trudeau, le 23 janvier 1954 », FT, vol. 15, dossier 6.
49. Maurice Lamontagne, *Le fédéralisme canadien: Évolutions et problèmes* (Québec: Presses de l'Université Laval, 1954).
50. Le père Lévesque entra en contact avec Trudeau par l'entremise de Doris Lussier, un ami de Trudeau qui travaillait avec Lévesque. Il avait remis à Lévesque le texte de l'un des discours de Trudeau. Lévesque dit qu'il s'agissait d'une allocution solide « dont la véhémence égale la vérité ». Il espérait pouvoir rencontrer Trudeau bientôt et organiser une conférence à Laval où il viendrait donner un discours.
51. Behiels, *Prelude to Quebec's Quiet Revolution,* p. 191.
52. « Mémoire de la F.U.I.Q. », FT, vol. 16, dossier 2.
53. Voir Black, *Duplessis,* p. 280; et Trudeau, « De libro, tributo et quibusdam aliis », dans Trudeau, *Le fédéralisme et la société canadienne-française,* p. 65-69. Original dans *Cité libre,* octobre 1954, p. 1-16. Sur les subventions plus spécifiquement, voir Trudeau, « Les octrois fédéraux aux universités », *Cité libre,* février 1957, p. 9-31.
54. Robert Rumilly, « Pierre E. Trudeau honoré pour avoir insulté les Can.-Français », FT, vol. 14, dossier 38.
55. Sur les attitudes et les antécédents de Rumilly, voir Jean-François Nadeau, « La divine surprise de Robert Rumilly », dans Michel Sarra-Bournet et Jocelyn Saint-Pierre, éd., *Les Nationalismes au Québec du* XIXe *au* XXIe *siècle* (Québec: Les Presses de l'Université Laval, 2001), p. 105-116.
56. Conversation avec Sylvia Ostry, février 2003.

57. Erasmus, « À propos de “Cité Libre”, », *L'Action catholique*, 22 juin 1953.
58. Les transcriptions de ces émissions se trouvent dans FT, vol. 25, dossiers 3 et 4. Entrevue confidentielle avec une amie à propos de l'Église catholique romaine.
59. Trudeau à Segerstrale, 6 août 1955, FT, vol. 53, dossier 1.

Chapitre 7 : À la veille de la révolution

1. Frank Scott, « Foreword », dans Pierre Trudeau, éd., *La grève de l'amiante* (Montréal : Les Éditions Cité libre, 1956), p. ix. Les références supplémentaires sont tirées de l'édition anglaise *The Asbestos Strike*, trad. James Boake (Toronto : James Lewis & Samuel, 1974). Le contexte dans lequel s'est inscrit Recherches sociales est décrit dans David Lewis, *The Good Fight : Political Memoirs 1909-1958* (Toronto : Macmillan, 1981), p. 456. Gérard Pelletier décrit les arrangements financiers et la « fondation » qui en assurerait le financement. Frank Scott, Eugene Forsey, Jacques Perrault et Jean-Charles Falardeau en étaient les administrateurs, et ils se réunirent afin de finaliser les dispositions le 11 février 1951. Fonds Trudeau (FT), MG 26 02, vol. 25, dossier 15, Bibliothèque et Archives Canada (BAC).
2. Fernand Dumont, « Histoire du syndicalisme dans l'industrie de l'amiante », dans Pierre Trudeau, éd., *La grève de l'amiante*, p. 124. Gilles Beausoleil, alors étudiant de troisième cycle au Massachusetts Institute of Technology, fut l'autre auteur. On songea à de nombreuses autres personnes, dont Jean Marchand, comme auteurs potentiels.
3. En raison des délais encourus, le projet fut presque abandonné en 1953. Jean Gérin-Lajoie à Trudeau, 11 mars 1953, FT, MG 26 02, vol. 23, dossier 16.
4. *Ibid.*, 23 novembre 1955.
5. J.-C. Falardeau à Trudeau, 20 décembre 1955, *ibid.*, dossier 15. Les problèmes avec les imprimeurs sont mentionnés dans Grace Trudeau à Pierre Trudeau, 6 octobre 1955 ; elle compatit avec lui dans sa difficulté à trouver un éditeur le 1er décembre 1955, FT, vol. 46, dossier 23. Falardeau s'opposa vivement à la tentative d'édition en France dans une lettre du 17 juin 1955, FT, vol. 23, dossier 16.
6. Trudeau, éd., *La grève de l'amiante*, p. 400, 21, 90.
7. Trudeau, éd., *La grève de l'amiante*, p. 404. Les articles de Trudeau précurseurs de l'essai comprennent « La démocratie est-elle viable au Canada français ? » *L'Action nationale*, novembre 1954, p. 190-200, et « Une lettre sur la politique »,

Le Devoir, 18 septembre 1954. Sur l'Église, voir son article « Matériaux pour servir à une enquête sur le cléricalisme », *Cité libre,* mai 1953, p. 29-37.

8. Trudeau, éd., *La grève de l'amiante,* p. 10-14. Une excellente analyse de l'argumentation de Trudeau se trouve dans Michael Behiels, *Prelude to Quebec's Quiet Revolution : Liberalism versus Neo-Nationalism, 1945-1960* (Montréal et Kingston : McGill-Queen's University Press, 1985), en particulier les chapitres 4 et 5.
9. Trudeau, éd., *La grève de l'amiante,* p. 24-31, 36, 51, 88.
10. Trudeau dit avec justesse, qu'en 1945 Hertel préconisait une vision corporatiste du personnalisme. Trudeau, éd., *La grève de l'amiante,* p. 36. À propos des politiciens, voir *ibid.*, p. 70.
11. *Ibid.*, p. 71.
12. *Le Devoir,* 2 février 1955 ; *Vrai,* 12 février 1955.
13. Trudeau, éd., *La grève de l'amiante,* p. 400-404.
14. François-Albert Angers, « Pierre Elliott Trudeau et *La Grève de l'amiante* », *L'Action nationale,* septembre 1957, p. 10-22, et septembre-octobre 1958, p. 45-56; le père Jacques Cousineau, *Réflexions en marge de "la Grève de l'amiante"* » (Montréal : Les cahiers de l'Institut social populaire, 1958) ; et Pierre Trudeau, « Le père Cousineau, s.j., et *La grève de l'amiante* », *Cité libre,* mai 1959, p. 34-48. Les articles de Laurendeau se trouvent dans *Le Devoir,* 6, 10-11 octobre 1956. Les dossiers se rapportant à l'affaire Cousineau se trouvent dans FT, vol. 20, dossiers 20-21.
15. Cette façon d'écarter sèchement la pensée catholique et nationaliste était caractéristique de nombre de membres de *Cité libre.* Les propres commentaires de Trudeau disant que la grève fut strictement imputable aux forces industrielles et que les idées telles que le nationalisme et la religion ne pouvaient y avoir joué de rôle attira par la suite les reproches de Fernand Dumont, le collaborateur de Trudeau dans les années cinquante : « Un événement qui a portée historique sans interférence des idéologies, par la seule vertu des forces de production, est-il plus grande merveille ? » Le rejet implicite par Trudeau de la pertinence de son éducation classique et, évidemment, de ses années à la faculté de droit n'était pas inhabituel pour les gens de sa génération. Fernand Dumont, « Une révolution culturelle », dans Dumont, Jean Hamelin et Jean-Paul Montminy, éd., *Idéologies au Canada Français, 1940-1976* (Québec : Les Presses de l'Université Laval, 1981), p. 19.
16. Sur Scott et Trudeau, voir Sandra Djwa, « Nothing by Halves : F.R. Scott », *Journal of Canadian Studies,* 35 (hiver 2000), p. 52-69.
17. Cité dans J. D. Legge, *Sukarno : A Political Biography* (London : Allen Lane, 1965), p. 264-265.

18. Rapport de la tournée d'Entraide universitaire mondiale du Canada, FT, vol. 13, dossier 4.
19. Conrad Black, *Duplessis* (Montréal: Les Éditions de l'Homme, 1977), p. 153.
20. Perron à Trudeau, 9 septembre 1950, FT, vol. 20, dossier 2; Doris Lussier à Trudeau, 21 mai 1953, FT, vol. 21, dossier 12; Lionel Tiger à Trudeau, 28 août 1958, FT, vol. 18, dossier 1; Trudeau à « Jennifer », n.d. [1954], FT, vol. 53, dossier 38.
21. Black, *Duplessis*, p. 130; Paul-André Linteau, René Durocher, Jean-Claude Robert, François Ricard, *Le Québec depuis 1930* (Montréal: Boréal, 1986), p. 367-370.
22. Grace Trudeau à Pierre Trudeau, 6 septembre 1955 et 22 octobre 1955, FT, vol. 46, dossier 23. Lorsque Thérèse Casgrain s'était portée candidate dans Outremont en 1952, Trudeau avait travaillé pour elle. *Ibid.*, vol. 28, dossier 14.
23. *Le Devoir*, 1er juin 1956. Les ébauches de Trudeau se trouvent dans FT, vol. 22, dossier 12.
24. Ces résultats sont tirés du site officiel de l'Assemblée nationale du Québec: www.assnat.qc.ca/fra/patrimoine/votes.html.
25. André Carrier, « L'idéologie politique de la revue *Cité libre* », *Canadian Journal of Political Science*, 1 (décembre 1968), p. 414-428.
26. Trudeau possède de nombreux dossiers sur *Cité libre*. Voir aussi Yvan Lamonde et Gérard Pelletier, éd., *Cité libre: une anthologie* (Montréal: Stanké, 1991), pour une histoire plus générale. Une comparaison des tirages du journal, avec chiffres à l'appui, apparaît dans Pierre Bourgault, *La Presse*, 11 novembre 1961. La tentative de démission de Cormier se trouve dans FT, vol. 21, dossier 5. Pour les dossiers généraux, voir *ibid.*, vol. 20, dossiers 1-45. L'échange avec Vadeboncoeur se déroule le 22 janvier 1955, *ibid.*, vol. 21, dossier 29. Voir également *Time*, 19 janvier 1953.
27. Cité dans Pelletier, *Les années d'impatience*, p. 48-49.
28. Lamonde et Pelletier, éd., *Cité libre*, p. 16.
29. Ces listes sont tirées de dossiers provenant du Fonds Trudeau, particulièrement FT, vol. 21, dossier 36. Scott à « Réginald [Boisvert] », 7 juillet 1950, *ibid.*, dossier 26; Léon Dion à Trudeau, 26 avril 1957, *ibid.*, dossier 12; Jean Le Moyne à Trudeau, 9 mars 1955, *ibid.*, dossier 12; Rocher à Jean-Paul Geoffroy, 20 mai 1951, *ibid.*, dossier 25; Blair Fraser à Trudeau, n.d., *ibid.*, dossier 3; et Rocher à Trudeau, 21 janvier 1953, *ibid.*, dossier 2.
30. Voir Behiels, *Prelude to Quebec's Quiet Revolution*, p. 250-251, pour une description de la plateforme électorale et de l'organisation du Rassemblement. Pour la constitution et les principes du Rassemblement, voir *Le Devoir*, 14 septembre 1956.

31. Pierre Trudeau, *Mémoires politiques* (Montréal : Le Jour, éditeur, 1993), p. 72 ; Pierre Dansereau, « Témoignage », dans Robert Comeau et Lucille Beaudry, *André Laurendeau : Un intellectuel d'ici* (Sillery, Québec : Presses de l'Université du Québec, 1990), p. 184 ; Gérard Bergeron, *Du Duplessisme au Johnsonisme* (Montréal : Éditions Parti Pris, 1967), p. 132-135; Behiels, *Prelude to Quebec's Quiet Revolution*, p. 253-256; et André Laurendeau, « Blocs-notes », *Le Devoir*, 3 décembre 1957.
32. Pelletier à Trudeau, 29 août 1957, FT, vol. 27, dossier 13.
33. *Ibid.*, dossier 9.
34. Pierre Trudeau, « Les octrois fédéraux aux universités », *Cité libre*, février 1957, p. 9-31; Forsey à Trudeau, 26 février 1954, FT, vol. 16, dossier 7.
35. Chiffres de Jean-Louis Roy, *La marche des Québécois : Le temps des ruptures (1945-1960)* (Montréal : Leméac, 1976), p. 273.
36. *Le Soleil*, 6 novembre 1957. Trudeau débattit de la question le 10 octobre 1958 à la radio et affirma que les subventions allaient « contre la Constitution et l'esprit du fédéralisme ». FT, vol. 25, dossier 4.
37. Ils furent publiés plus tard sous Pierre Trudeau, *Approaches to Politics* (Toronto : Oxford University Press, 1970).
38. *Ibid.*, « Faut-il assassiner le tyran ? », *Vrai*, 15 mars 1958 ; et la défense d'Hébert dans *Vrai*, 22 mars 1958.
39. La correspondance avec Wade débuta le 3 novembre 1955 et incluait des lettres du 5 octobre 1956 et du 30 octobre 1956. La lettre du *University of Toronto Quarterly* avait été écrite le 12 mars 1957, et l'ébauche de réponse par Trudeau est datée du 17 avril 1957. Le 13 janvier 1958, il écrivit pour offrir l'article au *Canadian Journal of Economics et Political Science*, FT, vol. 24, dossier 1. Voir Trudeau, « De quelques obstacles à la démocratie au Québec », *CJEPS*, 23, (août 1958), p. 297-311, réédité dans Pierre Trudeau, *Le fédéralisme et la société canadienne-française* (Montréal : HMH, 1967), p. 105-128. Voir aussi John Dales à Trudeau, 11 février 1958, FT, vol. 22, dossier 1.
40. John Stevenson à Trudeau, 15 octobre 1958, FT, vol. 53, dossier 13. La citation est tirée de Trudeau, « De quelques obstacles », p. 106-107.
41. Des coupures de presse et l'annonce du prix par James Talman, historien à la University of Western Ontario, se trouvent dans FT, vol. 22, dossier 1. *Le Devoir* en fit mention. Flavien Laplante à Trudeau, 26 décembre 1959, *ibid.*, vol. 13, dossier 8.
42. *Vrai*, 14 juin 1958.
43. Le discours de Lesage annoté par Trudeau se trouve dans *ibid.*, vol. 22, dossier 38.
44. Pelletier, *Les années d'impatience*, p. 221.

45. Madeleine Gobeil à Trudeau, 7 avril 1957, FT, vol. 47, dossier 32.
46. *Le Petit Journal*, 29 mai 1955.
47. Trudeau, « Un manifeste démocratique », *Cité libre*, octobre 1958, p. 1-31; et Behiels, *Prelude to Quebec's Quiet Revolution*, p. 254.
48. « Rapport d'une assemblée de *Cité libre* tenue le 11 novembre 1958 », et « Rapport d'une assemblée de *Cité libre* tenue le 6 décembre 1958 », FT, vol. 21, dossier 41. Sur la manifestation à l'université, voir Jacques Hébert, *Duplessis Non Merci !* (Montréal : Boréal, 2000), chap. 7.
49. Edward Sommer à Jacques Hébert, 15 février 1961, FT, vol. 14, dossier 5. Sur les membres de la Canadian Sunbathing Association et d'autres dossiers, voir *ibid.*, dossier 2. Trudeau semble avoir eu un ami américain nudiste. Sur Laskin, Scott, et la relation entre le fédéralisme et les libertés civiles, voir l'excellent exposé dans Philip Girard, *Bora Laskin : Bringing Law to Life* (Toronto : University of Toronto Press, 2005), p. 210-221. Sur les opinions de Trudeau, voir son « Economic Rights », *McGill Law Journal*, 8 (juin 1962), p. 121, 123, 125.
50. Les lettres de recommandation de Scott se trouvent dans FT, vol. 13, dossier 1. Sur la présence antisémite et anticommuniste, voir Sandra Djwa, *F.R. Scott : une vie : biographie* (Montréal : Boréal, 2001), p. 173. Sur l'effet des années trente, voir Sean Mills, « When Democratic Socialists Discovered Democracy : The League for Social Reconstruction Confronts the "Quebec Problem" », *Canadian Historical Review*, 86 (mars 2005).
51. Le compte rendu est tiré de Sandra Djwa, *F.R. Scott : une vie : biographie* (Montréal : Boréal, 2001), p. 447-453 ; F.R. Scott, « Fort Smith » dans *The Collected Poems of F.R. Scott* (Toronto : McClelland & Stewart, 1981), p. 226.

Pierre, soudain mis au défi
Se dévêt et entre dans les rapides
Les pieds bien solides sur le roc
Il est debout, blanc dans l'écume blanche
Penché au sud face au courant
Endiguant la descente des flots
Un homme teste sa puissance
Contre la puissance de son pays

Fort Providence
Nous sommes sortis de Beaver Lake
Et passés dans l'eau vive.
Passé le Big Snye, passée l'île de la Providence
Avons accosté nos barges au rivage

Leur nez glissant et grattant
Sur les galets et le sable.
Des passerelles jetées sur la rive
Sont notre seul quai de fortune pour
Décharger quatre tonnes.

Une rangée d'hommes accroupis
En silence au-dessus de nous,
Au teint basané, aux cheveux noirs et raides.
Esclaves on les appelle,
Lac et rivière portent leur nom.
Aucun ne parle ni ne bouge
Assis, ils observent simplement, tranquillement,
Tandis que l'homme blanc peine sous sa charge.
Plus loin, isolées
Les femmes et les filles se serrent.

Nous marchons dans les classes peuplées
Sans carte du Canada ni des Territoires
Sans bibliothèque, sans atelier,
Partout les scènes religieuses,
Christ et saint, chemins de croix
Chapelets suspendus aux clous, crucifix
Et deux exemples d'art laïque,
Sérigraphies du Groupe des Sept,
Et dessins au crayon et masques
Faits par les enfants plus jeunes,
Unique expression visible
De l'âme de ce peuple brisé.

Là-haut à l'étage
Soixante-dix petits lits
Alignés bout à bout
Dans une pièce de 30 x 40
Pour caser les garçons qui y vivent,
Dans ce nid à feu et cette geôle de l'esprit.

[Traduction libre]

52. Scott, « Fort Providence », *ibid.*, p. 230-231.
53. Entrevue avec Tim Porteous, mai 2006.
54. Les coupures de presse ainsi que ces commentaires se trouvent dans FT, vol. 25, dossier 28.

55. Le débat entre Drapeau et Trudeau se trouve dans FT, vol. 28, dossier 9.
56. Pour les notes indiquant cette étroite amitié, voir FT, vol. 21, dossier 29. Un exemplaire du journal *Le Social Démocrate* se trouve au vol. 28, dossier 9. La description de Vadeboncoeur enseignant à écrire à Trudeau est dans Trudeau, *Mémoires politiques*, p. 31.
57. Pour le carnet de notes de Trudeau décrivant le voyage, voir FT, vol. 13, dossier 5.
58. La famille Trudeau tira bénéfice de son association avec Belmont au cours des années cinquante, et Trudeau prit l'importante responsabilité de s'occuper des investissements de la famille, *Ibid.*, dossier 6.
59. *Ibid.*, et Grace Trudeau à Pierre Trudeau, 1er juin et 8 septembre 1959, FT, vol. 46, dossier 26.
60. Dans les journaux que j'ai consultés, il n'existe pratiquement aucune référence à Trudeau qui n'ait été soigneusement découpée à l'intention de ses propres documents. Pelletier affirme également qu'on avait dû convaincre Trudeau de faire de la télévision. En fait, il recherchait avec empressement les apparitions télévisées, gardait les coupures de presse qui en faisaient mention et insistait vivement pour que sa mère regarde ses prestations. Pelletier explique que « il était entendu entre nous que l'amitié a des limites ». En matière de sentiments personnels et d'ambitions, les limites étaient importantes. Pelletier, *Les années d'impatience*, p. 246-247; Grace à Pierre Trudeau, 24 novembre 1958, FT, vol. 46, dossier 25 ; et *The Canadian Intelligence Service* (juillet 1959), p. 2.
61. Michel Vastel, *Trudeau : Le Québécois* (Montréal : Les Éditions de l'Homme, 2000), p. 109. La liste d'adresses se trouve dans FT, vol. 13, dossier 7.
62. FT, vol. 13, dossier 11. Les anecdotes sur le voyage se trouvent dans le *Miami Herald*, 2 mai 1960 ; et le *Key West Citizen*, 29 avril et 2 mai 1960. Un long article parut au Canada dans le *Star Weekly* du 14 janvier 1961, à propos de Gagnon et de la technique de canotage.
63. Gobeil à Trudeau, 18 [?] mai 1960, FT, vol. 47, dossier 32.

Chapitre 8 : Une voie différente

1. *Le Devoir*, 29 janvier 1960.
2. Le compte rendu provient principalement de Paul-André Linteau, *Histoire de Montréal depuis la Confédération* (Montréal : Boréal, 2000), chap. 16. Le commentaire sur le Metropolitan Opera et sur les autres sujets culturels se trouve dans Paul-André Linteau, René Durocher, Jean-Claude Robert et François Ricard, *Le Québec depuis 1930* (Montréal : Boréal, 1986), p. 304-305.

3. Quelques-uns des débats sur la question se trouvent dans le Fonds Trudeau (FT), MG 26 02, vol. 22, dossier 16, Bibliothèque et Archives Canada (BAC), dont une importante dénonciation des efforts qu'il fit à la télévision concernant les cartes d'identité par le Dr J. S. Lynch parue dans *Le Devoir*, 20 novembre 1959.
4. Léon Dion, *Québec, 1945-2000*, vol. 2: *Les intellectuels et le temps de Duplessis* (Sainte-Foy, Québec: Les Presses de l'Université Laval, 1993), p. 195 et suiv.
5. À propos de la victoire libérale dans l'arène politique, voir Pierre Godin, *René Lévesque*, vol. 1: *Un enfant du siècle, 1922-1960* (Montréal: Boréal, 1994), p. 403-405. L'information se trouve également dans Dale Thomson, *Jean Lesage et la révolution tranquille* (Montréal: Trécarré, 1984), p. 118. Les commentaires de Trudeau sont tirés d'entrevues réalisées par Ron Graham pour ses mémoires dans FT, vol. 24, dossier 15. Ses propos quant au besoin d'hommes à la législature se trouvent dans *Le Travail*, 22 février 1957.
6. Pierre Godin, *René Lévesque*, vol. 2: *Héros malgré lui, 1960-1976* (Montréal: Boréal, 1997), p. 118.
7. Pierre Elliott Trudeau, « L'élection du 22 juin 1960 », *Cité libre*, août-septembre 1960, p. 3. L'article fut écrit en juillet. À cette époque, Trudeau écrivait parfois son nom avec un trait d'union.
8. *Ibid.*, p. 6. Georges-Émile Lapalme, *Mémoires: Le vent de l'oubli* (Montréal: Leméac, 1971). Sur Duplessis, voir Godin, *Lévesque*, 1, p. 290.
9. Dion, *Québec, 1945-2000*, vol. 2, p. 195-196; Léon Dion, « Le nationalisme pessimiste: Sa source, sa signification, sa validité », *Cité libre*, novembre 1957, p. 3-18; Léon Dion, « L'esprit démocratique chez les Canadiens de langue française, » *Cahiers*, novembre 1958, p. 34-43; et Pierre Laporte, « La démocratie et M. Trudeau », *L'Action nationale*, décembre 1954, p. 293-296.
10. Dion à Trudeau, 27 février 1958, FT, vol. 21, dossier 12.
11. La cause continue de trouver sa place au rang des grandes injustices. L'éminent avocat criminaliste canadien Eddie Greenspan en fit mention lors de son plaidoyer en faveur de l'abolition de la peine de mort. Voir http://www.injusticebusters.com/2003/Coffin_Wilbert.htm.
12. Jacques Hébert et Pierre Trudeau, *Deux innocents en Chine rouge*, (Montréal: Les Éditions de l'Homme, 1972), p. 77-90.
13. *Ibid.*, p. 156.
14. *Ibid.*, p. 157-158. Le commentaire sur Mao se trouve à la page 77.
15. Sur le lancement, voir FT, vol. 24, dossier 3. Aussi, *Montreal Star*, 29 mars 1961, qui renferme la photographie d'Hébert en compagnie des prêtres.

16. Hébert et Trudeau, *Deux innocents en Chine rouge*, p. 67-68, 158. Jung Chang et Jon Halliday, Mao : *The Unknown Story* (New York : Knopf, 2005), p. 460.
17. Chang et Halliday, Mao : *The Unknown Story* ; et Naim Kattan dans *The Montrealer*, juin 1961, p. 4.
18. Entrevue entre Pierre Trudeau et Ron Graham, 12 mai 1992, FT, vol. 23, dossier 12.
19. Entrevue avec Robert Ford, 15 octobre 1987, Robert Bothwell Papers, University of Toronto Archives.
20. Pierre Trudeau, « De l'inconvénient d'être catholique », *Cité libre*, mars 1961, p. 20-21; et Pierre Trudeau, « Note sur le parti cléricaliste, » *Cité libre*, juin/juillet 1961, p. 23. La correspondance se trouve dans FT, vol. 21, dossier 35.
21. Sur les Soviétiques et la perception de la puissance, voir Michael Beschloss, *The Crisis Years : Kennedy and Khrushchev, 1960-1963* (New York : Edward Burlingame Books, 1991), chap. 2 ; l'émission de Trudeau *China's Economic Planning in Action* se trouve dans FT, vol. 25, dossier 26; Samuel Huntington, *Political Order in Changing Societies* (New Haven : Yale University Press, 1968) ; Trudeau, « De l'inconvénient d'être catholique », p. 20-21; et Michael Oliver à Trudeau, 29 octobre 1959, FT, vol. 24, dossier 4.
22. Trudeau et Hébert, *Deux innocents en Chine rouge*, p. 53.
23. *Ibid.*, p. 118, 120.
24. Entrevue avec Thérèse Gouin Décarie et Vianney Décarie, juin 2006.
25. Gérard Pelletier, *Les années d'impatience, 1950-1960* (Montréal : Stanké, 1983), p. 163, note 1.
26. Desbiens et Untel sont décrits dans Dion, *Québec, 1945-2000*, vol. 2, p. 224-225.
27. Gérard Pelletier, « Feu l'unanimité », *Cité libre*, octobre 1960, p. 8. La section se rapportant à Groulx se base sur une liste d'objections prises de divers textes des années cinquante et soixante que l'on retrouve dans Gérard Bouchard, *Les deux chanoines : Contradiction et ambivalence dans la pensée de Lionel Groulx* (Montréal : Boréal, 2003), p. 22-23. Dans une lettre de 1962 adressée à Raymond Barbeau, Groulx reprend étrangement ce que disait Trudeau en suggérant que le Québec n'était pas prêt pour la démocratie ; cité dans Bouchard, *Les deux chanoines*, p. 222.
28. Trudeau, « De l'inconvénient d'être catholique », p. 20-21, dans lequel il affirme clairement son catholicisme tout en critiquant ses aspects restrictifs.
29. Entrevue avec Madeleine Gobeil, mai 2006.
30. Gérard Pelletier, *Le temps des choix, 1960-1968* (Montréal : Stanké, 1986), p. 83-89; Pierre Trudeau, *À contre-courant : textes choisis, 1939-1996* (Montréal : Stanké, 1996), p. 151-156.

31. Ramsay Cook à Trudeau, avril 1962, FT, vol. 21, dossier 3; Trudeau à Cook, 19 avril 1962, Documents Ramsay Cook, collection privée.
32. Marchand, cité dans George Radwanski, *Trudeau* (Montréal: Fides, 1979), p. 260.
33. Sandra Djwa, *F.R. Scott: une vie: biographie* (Montréal: Boréal, 2001), p. 459-466. Scott, dans une lettre datant de 1980, mentionna à Djwa qu'il songeait à réfuter l'article.
34. Le dossier ayant trait à *A Social Purpose for Canada* se trouve dans FT, vol. 24.
35. Une collection d'attaques contre les écrits et les actions de Trudeau fut publiée en 1972. Parmi les auteurs, se retrouvent ses amis d'antan, Marcel Rioux et Fernand Dumont. André Potvin, Michel Létourneux et Robert Smith, *L'anti-Trudeau: Choix de textes* (Montréal: Éditions Parti pris, 1972).
36. «La pratique et la théorie du fédéralisme» est publié de nouveau dans Pierre Trudeau, *Le fédéralisme et la société canadienne-française* (Montréal: HMH, 1967), p. 129-158.
37. Grace Trudeau à Pierre Trudeau, 14 septembre 1960, FT, vol. 46, dossier 26.
38. La liste d'invités au lancement du livre se trouve dans FT, vol. 24, dossier 5.
39. Sur Gobeil, voir *La Presse*, 6 avril 1966.
40. FT, vol. 39, dossier 6, 21 septembre 1961.
41. Trudeau à Guérin, 21 septembre 1961, FT, vol. 39, dossier 6.
42. Le dossier de voyage, comprenant talons de billets et factures, de même que quelques lettres, se trouvent dans FT, vol. 13, dossier 13. Aussi, Grace Trudeau à Pierre Trudeau, 14 juin, 26 juillet, 5 septembre et 26 septembre 1961, vol. 46, dossier 26.
43. Radwanski, *Trudeau*, p. 98.
44. Trudeau, *Le fédéralisme et la société canadienne-française*, p. xxi.
45. Trudeau à Marie-Laure Falès, 22 avril 1962, FT, vol. 53, dossier 39.
46. Peter Gzowski, «Portrait of an Intellectual in Action», *Maclean's*, 24 février 1962, p. 23, 29-30; et «Un capitaliste socialiste: Pierre-Elliott Trudeau», *Le Magazine Maclean*, mars 1962, p. 25, 52-55. À noter la différence considérable dans les titres.
47. Pierre Trudeau, «La nouvelle trahison des clercs», dans Trudeau, *Le fédéralisme et la société canadienne-française*, p. 151-181.
48. «Faut-il refaire la Confédération?» *Le Magazine Maclean*, juin 1962, p. 19; Gzowski, «Portrait of an Intellectual in Action», p. 30.
49. Godin, *Lévesque*, vol. 2, p. 118; René Lévesque, *Attendez que je me rappelle* (Montréal: Québec/Amérique, 1994), 232-234; et Pelletier, *Le temps des choix*, *p.* 164-166.

50. Paul-André Linteau, René Durocher, Jean-Claude Robert et François Ricard, *Le Québec depuis 1930*, p. 340; Gérard Bergeron, *Notre miroir à deux faces* (Montréal: Québec/Amérique, 1985), p. 48-50, sur l'émergence de Lévesque dans la vie publique; Thomson, *Jean Lesage et la Révolution tranquille*, p. 155, pour un compte rendu de la rencontre du Cabinet; et Lévesque, *Attendez que je me rappelle*, p. 227 et suiv.
51. Lévesque, *Attendez que je me rappelle, p.* 232-234.
52. Trudeau dans « Entrevue entre M. Trudeau et M. [Jean] Lépine, 27 avril 1992 », [entrevue Lépine], FT, MG 26 03, vol. 23, dossier 2, Bibliothèque et Archives Canada (BAC). Il est intéressant de constater que Trudeau omit de mentionner ces commentaires dans ses mémoires. Aussi, Pierre Trudeau, « Economic Rights », *McGill Law Journal* 12 (juin 1962), p. 121-125.
53. Entrevue Lépine, FT, vol. 23, dossier 2; Albert Breton, « The Economics of Nationalism », *Journal of Political Economy*, 72 (août 1964), p. 376-386.
54. Stephen Clarkson et Christina McCall, *Trudeau*, vol. 2: *L'illusion héroïque* (Montréal: Boréal, 1995), p. 69-71; et Pelletier, *Le temps des choix*, p. 174-176.
55. Trudeau, « Economic Rights », p. 121-125; Clarkson et McCall, *Trudeau*, vol. 2, p. 69-71; Godin, *Lévesque*, p. 117-119; et Pierre Trudeau, « L'homme de gauche et les élections provinciales », *Cité libre*, novembre 1962, p. 3-5.
56. Les commentaires de Flynn sont cités dans Michael Stein, *The Dynamics of Right-Wing Protest: A Political Analysis of Social Credit in Quebec* (Toronto: University of Toronto Press, 1973), p. 87, note 33.
57. Le récit de la révolte dans la salle à manger de Diefenbaker et la question de l'armement nucléaire se trouvent dans Denis Smith, *Rogue Tory: The Life and Legend of John Diefenbaker* (Toronto: Macfarlane Walter & Ross, 1995), chap. 12. Les opinions de Trudeau se trouvent dans Entrevue Lépine, FT, vol. 23, dossier 2. Pelletier affirma plus tard que Lévesque et Lesage avaient bloqué Marchand lorsque le rapport d'un organisateur eut indiqué que sa candidature signifierait la perte de votes créditistes en région rurale au profit de l'Union nationale. Cette évaluation semble raisonnable. Pelletier, *Le temps des choix*, p. 175-177.
58. John Saywell, éd., *The Canadian Annual Review for 1963* (Toronto: University of Toronto Press, 1964), p. 31; et Pierre Trudeau, « Pearson ou l'abdication de l'esprit », *Cité libre*, avril 1963, p. 7-12.
59. Trudeau, « Pearson ou l'abdication de l'esprit »; Smith, *Rogue Tory*, chap. 12; et Basil Robinson, *Diefenbaker's World: A Populist in Foreign Affairs* (Toronto: University of Toronto Press, 1989).

60. L'entrevue avec Laurin se trouve dans FT, vol. 24, dossier 13. *Le Devoir,* 28 novembre 1961, donne l'analyse freudienne. Entrevue avec Graham Fraser, avril 2005.
61. Pierre Vadeboncoeur, « Les qui-perd-gagne », dans *To be or not to be: That is the question!* (Montréal: Les Éditions de l'Hexagone, 1980), p. 101.
62. *Ibid.*, p. 102; et Pierre Vadeboncoeur, *La dernière heure et la première* (Montréal: Les Éditions de l'Hexagone, 1970), p. 53. Voir également Pierre Vadeboncoeur, « L'héritage Trudeau: La fracture », *L'Action nationale*, novembre 2000 (http://www.action-nationale.qc.ca/00-11/dossier.html).
63. L'essai se trouve dans *Rythmes et Couleurs*, février-mars 1964, p. 1-13. Les commentaires de Trudeau sont dans FT, vol. 38, dossier 30. Les remarques concernant Laurendeau sont émises dans « Un extraordinaire document de François Hertel », *Le Quartier Latin*, 9 avril 1964. Les commentaires de Trudeau se trouvent dans « Les Séparatistes: Des contre-révolutionnaires », *Cité libre*, mai 1964, p. 3-4.
64. Le commentaire de Hertel concernant Trudeau se trouve dans *Le Devoir,* 18 septembre 1966. L'article s'intitule « Le bilinguisme est un crime ». Grace Trudeau à Pierre Trudeau, 13 septembre 1961, FT, vol. 46, dossier 26; et Jean Tréteau, *Hertel, l'homme et l'œuvre* (Montréal: Pierre Tisseyre, 1986), p. 131-132, 211, 223, 232, 258, 320. Tréteau fait figurer Trudeau sous « Elliott Trudeau » dans sa table alphabétique.
65. La correspondance avec l'ami ontarien se trouve dans RG 32, dossier 4, Archives de l'Ontario.
66. Gobeil et Breton sont cités dans Gzowski, « What Young French Canadians Have on Their Mind », *Maclean's*, 6 avril 1963, p. 21-23, 39-40; « Pour une politique fonctionnelle », *Cité libre*, mai 1964, p. 11-17; « An appeal for Realism in Politics », *The Canadian Forum*, mai 1964, p. 29-33.

Chapitre 9: L'homme politique

1. Le compte rendu provient de Gérard Pelletier, *Le temps des choix, 1960-1968* (Montréal: Stanké, 1986), p. 166-169; André Laurendeau, *Journal tenu pendant la Commission royale d'enquête sur le bilinguisme et le biculturalisme* (Outremont: VLB Le Septentrion, 1990), p. 291; et discussion de Trudeau avec Pelletier, 9 juin 1992, Fonds Trudeau (FT), MG 26 02, vol. 23, dossier 16, Bibliothèque et Archives Canada (BAC).
2. Pelletier, *Le temps des choix*, p. 172-175. Les déclarations de Lévesque sont tirées du compte rendu des transformations dans son attitude dans

Pierre Godin, *René Lévesque: Héros malgré lui* (Montréal: Boréal, 1997), p. 290-292.

3. Laurendeau, septembre 1961, cité par Pierre de Bellefeuille, « André Laurendeau face au séparatisme des années soixante », dans Robert Comeau et Lucille Beaudry, éd., *André Laurendeau : Un intellectuel d'ici* (Sillery, Québec : Presses de l'Université du Québec, 1990), p. 159 ; Laurendeau, *Journal*, p. 294 ; et J. L. Granatstein, *Canada 1957-1967 : The Years of Uncertainty and Innovation* (Toronto: McClelland & Stewart, 1986), chap. 10. Le soi-disant problème de langue, qui est au cœur des transformations, est décrit dans Paul-André Linteau, René Durocher, Jean-Claude Robert et François Ricard, *Le Québec depuis 1930* (Montréal: Boréal, 1990), chap. 41.
4. La composition des membres de la commission est donnée dans Smart, éd., *The diary of André Laurendeau : written during the Royal Commission on bilingualism and biculturalism, 1964-1967* (Toronto: James Lorimer, 1991), p. 13-17. La conclusion et le déroulement de la commission sont décrits en détail dans Granatstein, *Canada 1957-1967*, chap. 10. Pour des extraits bien choisis de témoignages et de commentaires, voir le site http://archives.cbc.ca/IDD-1-73-655/politics_economy/bilingualism/ (NDT : La composition des membres, qu'analyse l'auteur dans ce passage, n'apparaît pas dans l'édition française VLB/Septentrion, seulement dans la version anglaise de Smart et Howard, mise en référence par l'auteur.)
5. L'étude de Trudeau commandée par la commission est décrite dans les dossiers de la Commission royale d'enquête dans Fonds Laurendeau, 18 juin 1964, document 324E, Fondation Lionel Groulx, Montréal. Les propres documents de Trudeau ne comprennent aucune indication qu'il a travaillé à cette étude.
6. Entrevues avec Donald Johnston, mai 2004, et Sophie Trudeau, février 2006.
7. Entrevue avec Jacques Hébert, février 2006.
8. Pierre Vallières, « *Cité libre* et ma génération », *Cité libre*, août-septembre 1963, p. 15-22.
9. Pierre Vallières, « Sommes-nous en révolution ? », *Cité libre*, février 1964, p. 7-11 ; et Gérard Pelletier, « *Parti pris* ou la grande illusion », *Cité libre*, avril 1964, p. 3-8. Sur *Parti pris*, voir Pierrette Bouchard-Saint-Amant, « L'idéologie de la revue *Parti-pris* : Le nationalisme socialiste », dans Fernand Dumont, Jean Hamelin et Jean-Paul Montminy, éd., *Idéologies au Canada français, 1940-1976* (Québec : Les Presses de l'Université Laval, 1981), p. 315-353.
10. Pierre Trudeau, « Les séparatistes : Des contre-révolutionnaires », dans *Le fédéralisme et la société canadienne-française* (Montréal: HMH, 1967), p. 217-227. Cet article fut publié d'abord dans *Cité libre*, mai 1964, p. 2-6.

11. Le compte rendu de Pierre Vallières se trouve dans son livre *Nègres blancs d'Amérique : Autobiographie précoce d'un « terroriste » québécois* (Montréal : Éditions Parti Pris, n.d. [c1968]), p. 291-296.
12. Ramsay Cook, *The Maple Leaf Forever* (Toronto : Macmillan, 1971), p. 36.
13. Joseph-Yvon Thériault, *Critique de l'américanité : Mémoire et démocratie au Québec* (Montréal : Québec/Amérique, 2005), p. 310-313; Trudeau à Hertel, 13 janvier 1942, FT, vol. 49, dossier 19.
14. Breton dans Nancy Southam, éd., *Trudeau tel que nous l'avons connu* (Saint-Laurent : Fides, 2005), p. 35. Plusieurs discussions avec Breton au sujet de Trudeau.
15. Trudeau, « Les séparatistes : Des contre-révolutionnaires », p. 221. Voir aussi Claude Julien, *Le Canada : Dernière chance de l'Europe* (Paris : Graset, 1965); et Jean Le Moyne, *Convergences* (Montreal : Hurtubise, 1961), p. 26-27.
16. Un bon exposé de la renaissance culturelle se trouve dans Linteau *et al.*, *Le Québec depuis 1930*, chap. 53. Voir aussi Michel Vastel, *Trudeau : Le Québécois* (Montréal : Les Éditions de l'Homme, 2000), p. 123 ; et Guérin à Trudeau [février 1965], FT, vol. 49, dossier 8.
17. Sur Trudeau et la CBC, voir Eric Koch, *Inside This Hour Has Seven Days* (Toronto : Prentice-Hall, 1986), p. 45 ; et Carroll Guérin à Trudeau, 16 décembre 1964, FT, vol. 49, dossier 8.
18. Malcolm Reid, *The Shouting Signpainters : A Literary and Political Account of Quebec Revolutionary Nationalism* (Toronto : McClelland & Stewart, 1972), p. 59-60.
19. Cook, *The Maple Leaf Forever*, p. 41.
20. John Saywell, éd., *The Canadian Annual Review for 1964* (Toronto : University of Toronto Press, 1965), p. 46-49, comprend la citation de Paré ; et *Globe and Mail*, 14 octobre 1964.
21. Saywell, éd., *The Canadian Annual Review for 1964*, p. 52-54; *Le Devoir*, 18-19 septembre 1964; et John English, *The Worldly Years : The Life of Lester Pearson, 1949-1972* (Toronto : Knopf, 1992), p. 218 et suiv.
22. Laurendeau, *Journal*, p. 138, 174. Une description des sondages se trouve dans John Saywell, éd. *The Canadian Annual Review for 1965* (Toronto : University of Toronto Press, 1966), p. 44. Voir aussi *Rapport préliminaire de la Commission royale d'enquête sur le bilinguisme et le biculturalisme* (Ottawa : Imprimeur de la Reine, 1965), p. 5.
23. Dans son introduction, Patricia Smart mentionne la découverte par Laurendeau du fait que Trudeau soit l'auteur de cet article critique. Trudeau avoua à Laurendeau d'en avoir été « partiellement l'auteur ». Smart, éd., *Laurendeau*, p. 6-7, 154.

24. English, *The Worldly Years*, p. 300-304; Claude Morin, *Le pouvoir québécois... en négociation* (Montréal: Boréal Express, 1972), p. 137.
25. Pearson à Lower, 22 décembre 1964, Fonds Pearson, MG 26 N3, vol. 3, BAC.
26. Richard Gwyn, *The Shape of Scandal: A Study of a Government in Crisis* (Toronto: Clarke Irwin, 1965), p. 244. Dans *The Worldly Years*, p. 278 et suiv., je parle de la réaction de Pearson à ces scandales.
27. Vadeboncoeur décrit comment les syndicalistes réalisèrent que Marchand avait perdu de son élan d'autrefois et comment « plusieurs militants » crurent qu'« il était devenu trop irrésolu dans ses actes et dans son orientation ». Voir le site officiel: www.csn.qc.ca/Connaitre/histoire/Vad/Vad2.html. Pelletier décrit son congédiement dans *Le temps des choix*, p. 175-176; voir aussi Saywell, éd., *The Canadian Annual Review for 1965*, p. 483.
28. Pour le meilleur compte rendu des négociations, révélant les tensions profondes au sein des libéraux du Québec, voir les entrevues menées par Peter Stursberg dans son livre *Lester Pearson and the Dream of Unity* (Toronto: Doubleday, 1978), p. 255-260. Voir aussi Vastel, *Trudeau*, p. 129-132, qui s'inspire des entrevues menées plus tard par Pierre Godin avec Marchand.
29. Entrevue avec Eddie Goldenberg, septembre 2004.
30. Lamontagne dans Stursberg, *Lester Pearson and the Dream of Unity*, p. 258; Pelletier, *Le temps des choix*, p. 217; Vastel, *Trudeau*, p. 130; Peter Newman, *The Distemper of Our Times: Canadian Politics in Transition* (1968; éd. rév. Toronto: McClelland & Stewart, 1990), p. 360, sur les compétences de Macnaughton comme orateur; et George Radwanski, *Trudeau* (Montréal: Fides, 1979), p. 106-107. Sur Cohen, voir Pearson à Cohen, 5 août 1965, Fonds Pearson, MG 26 N5, vol. 45; entrevue avec Robin Russell, l'adjoint de Macnaughton, juin 2001.
31. « Pelletier et Trudeau s'expliquent », *Cité libre*, octobre 1965, p. 3-5.
32. Ramsay Cook à Trudeau, 10 septembre 1965 (merci à Ramsay Cook de m'avoir procuré cette lettre); et Maurice Blain, « Les colombes et le pouvoir politique: Observations sur une hypothèse », *Cité libre*, décembre 1965, p. 7.
33. Les résultats de l'élection se trouvent dans Pierre Normandin, éd., *The Canadian Parliamentary Guide 1972* (Ottawa: Normandin, 1972), p. 382. Nichol est cité dans Stursberg, *Lester Pearson and the Dream of Unity*, p. 274; Blain, « Les Colombes », p. 8; Laurendeau, *Journal*, p. 347; Pierre Vadeboncoeur, *To Be or Not to Be, That Is the Question: Le peuple qui ne s'impose pas périra. Ce livre parle de pouvoir souverain de la première ligne à la dernière ligne* (Montréal: Les Éditions de l'Hexagone, 1980), p. 91-109; et entrevue avec Bob Rae, juillet 2003.

34. Gobeil à Trudeau, 8 septembre 1965, FT, MG 26 02, vol. 47, dossier 35, et Guérin à Trudeau, 25 octobre 1965, vol. 49, dossier 8.
35. Ryan dans *Le Devoir,* 18 décembre 1965 ; et Marchand dans Stursberg, *Lester Pearson and the Dream of Unity,* p. 261.
36. *Globe and Mail,* 14 septembre 1965. Sur la motocyclette de Favreau, voir Pelletier, *Le temps des choix,* p. 218.
37. Kenneth McNaught, « The National Outlook of English-speaking Canadians », dans Peter Russell, éd., *Nationalism in Canada* (Toronto : McGraw-Hill, 1966), p. 70.
38. Jean-Paul Desbiens (Frère Untel) est cité dans Newman, *The Distemper of Our Times,* p. 512.
39. *Montreal Gazette,* 23 octobre 1965 ; et Blair Fraser, « The Three : Quebec's New Face in Ottawa », *Maclean's,* 22 janvier 1966, p. 16-17, 37-38.
40. Pierre Trudeau, *Mémoires politiques* (Montréal : Le Jour, éditeur, 1993), p. 79. Voir aussi le compte rendu dans Stephen Clarkson et Christina McCall, *Trudeau,* vol. 1 : *L'homme, l'utopie, l'histoire* (Montréal : Boréal, 1995), p. 88-89; Laurendeau, *Journal,* p. 345-346 ; et Pearson tel qu'il est cité dans Radwanski, *Trudeau,* p. 91.
41. *Globe and Mail,* 9 novembre 1965 ; English, *The Worldly Years,* p. 310-312; et Lester Pearson, « Election Analysis », 10 décembre 1965, Fonds Pearson, MG 26 N5, vol. 45.
42. Entrevue entre Pierre Trudeau et Ron Graham, 29 avril 1992, FT, vol. 23, dossier 4.
43. Laurendeau, *Journal,* p. 351.
44. Bruce Hutchison, « A Conversation with the Prime Minister », 11 février 1965, Hutchison Papers, University of Calgary Library ; John Saywell, éd., *The Canadian Annual Review for 1966* (Toronto : University of Toronto Press, 1967), p. 52-53; *Le Devoir,* 29 mars 1966 ; et *Toronto Star,* 2 avril 1966.
45. Sur Spencer, voir Newman, *The Distemper of Our Times,* p. 534-553; Chambre des communes, *Débats,* 25 février 1965 ; Saywell, éd., *The Canadian Annual Review for 1966,* p. 9-11; et spécialement Stursberg, *Lester Pearson and the Dream of Unity,* p. 291-294.
46. On a retrouvé les preuves dans les documents de Diefenbaker. Documents J. G. Diefenbaker, boîte II 008386-92, Diefenbaker Centre, Saskatoon. Le compte rendu de Pearson se retrouve dans une entrevue avec Bruce Hutchison, 11 février 1965, Documents Hutchison.
47. Chambre des communes, *Débats,* 2-4 mars 1966; et Newman, *Distemper of Our Times,* p. 540-542.

48. Newman, *Distemper of Our Times*, p. 540-542; Marchand est cité dans Stursberg, *Lester Pearson and the Dream of Unity*, p. 294; la menace de sa démission est décrite à la page 297. Entrevue avec André Ouellet, mai 2001.
49. Pierre Vadeboncoeur, « À propos de Pierre Elliott », *Le Devoir*, 8 décembre 2005.
50. Newman, *The Distemper of Our Times*, p. 604; Trudeau, *Mémoires politiques*, p. 79-80, où l'on cite le commentaire de Pearson tiré de ses propres mémoires, indiquant présumément son accord. Entrevue avec Herb Gray, juin 2005.
51. *Le Magazine Maclean*, janvier 1965, p. 2; et English, *The Worldly Years*, p. 319 et suiv. L'exposé le plus complet est donné dans John Bosher, *The Gaullist Attack on Canada* (Montréal and Kingston: McGill-Queen's University Press, 1999). Voir aussi Trudeau, *Mémoires politiques*, p. 79-80.
52. Clarkson et McCall, *Trudeau* vol. 1, p. 95-96; la citation de Johnson sur la constitution se trouve dans Newman, *The Distemper of Our Times*, p. 445; Saywell, éd., *The Canadian Annual Review for 1966*, p. 57-73; et *Le Devoir*, 15 septembre 1966. Entrevue avec Mitchell Sharp, janvier 1994. Sharp remarqua Trudeau pour la première fois au cours d'une discussion sur le projet de structure fiscale lors d'une réunion du Conseil des ministres, où il représentait Pearson et où il exprima sa vive opposition au statut particulier. Voir Mitchell Sharp, *Which Reminds Me...* (Toronto: University of Toronto Press, 1994), p. 139.
53. Commentaires dans le cahier de notes, 25 avril 1959, FT, vol. 13, dossier 5.
54. Entrevue avec Paul Martin, père, septembre 1990; entrevue avec Marc Lalonde, octobre 1990. John Bosher eut accès au journal de Marcel Cadieux, dans lequel il critique vigoureusement Martin, particulièrement sur la question de la France. Voir Bosher, *The Gaullist Attack on Canada*. Avant sa mort, Cadieux me parla de ses forts sentiments contre Pearson concernant sa critique de la politique américaine sur le Vietnam et contre Martin concernant ses « manigances », lesquelles furent un moyen, croit-il, d'utiliser la politique étrangère pour obtenir un gain électoral.
55. Gordon prit les devants à la fin des années quarante lorsqu'il créa un fonds, l'Algoma Fishing and Conservation Society, en l'honneur de la circonscription de Pearson de Northern Ontario. Il fut également le principal organisateur de sa campagne au leadership et de la réorganisation du parti à la fin des années cinquante et au début des années soixante. Il présenta Pearson à Keith Davey, Richard O'Hagan et à de nombreux autres qui jouèrent un rôle majeur au sein des gouvernements Pearson, et recruta un grand nombre de candidats dans la région de Toronto. Sa relation avec

Pearson ne se remit jamais après l'acceptation de sa démission par le premier ministre à la suite de l'élection de 1965. Il rédigea un mémorandum chargé de colère à propos de leur relation, déclarant qu'il avait ramassé 100 000 $ en fonds privés pour Pearson, et demeura profondément méfiant à l'égard de ce dernier qui, écrivit-il après sa rencontre de 1967, « reniera [l'arrangement] s'il le peut ». Walter Gordon, « LBP », 5 décembre 1965, Gordon Papers, MG 26 B44, vol. 16, BAC ; et mémorandum du 18 janvier 1967, *ibid.*

56. Gad Horowitz, « A Dimension Survey : The Future of the NDP », *Canadian Dimension* 3 (juillet-août) ; p. 23, 24.
57. Lamontagne et Gordon se racontent dans Stursberg, *Lester Pearson and the Dream of Unity*, p. 374-376.
58. Clarkson et McCall, *Trudeau*, vol. 1, p. 97-98 ; et Saywell, éd., *The Canadian Annual Review for 1966*, p. 34, 52-53.
59. Entrevue, Bibliothèque et Archives Canada, 5 mars, 2003.
60. William Robb, « Trudeau Up Front », *Canadian Business*, mai 1967, p. 11-12. Newman dans le *Toronto Daily Star*, 25 avril 1967. Le correspondant qui vit Trudeau rougir est Robert Stall, *Montreal Star*, 20 décembre 1967. Sur l'argument de Trudeau voulant que la justice naturelle devait être observée, voir RG 2, Bureau du Conseil privé, séries A-5-a, vol. 6323, 6 avril 1967.
61. RG 2, Bureau du Conseil privé, séries A-5-a, vol. 6323, 25 juillet 1967.
62. *Le Devoir*, 20 septembre 1967. La transcription de l'allocution de Lévesque en appelant à la souveraineté fut publiée dans *Le Devoir* entre le 19 et le 21 septembre 1967.
63. Gordon, mémorandum, 17 novembre 1967, Fonds Gordon, MG 26, B44, vol. 16.
64. Guérin à Trudeau, 4 juillet 1964, FT, vol. 28, dossier 8.
65. Guérin à Trudeau, 15 septembre 1967.
66. Margaret Trudeau, *À cœur ouvert* (New York et Londres : Paddington, 1979), p. 28-29; entrevue avec Margaret Sinclair Trudeau, février 2006.

Chapitre 10 : L'histoire de deux villes

1. Gérard Pelletier, *Le temps des choix, 1960-1968* (Montréal : Stanké, 1986), p. 307-308. Le compte rendu de Pelletier donne à penser que le dîner eut lieu le 7 janvier 1968, mais la date exacte ainsi qu'un exposé plus complet de la rencontre au Café Martin se trouvent dans l'ouvrage plus contemporain de Donald Peacock, *Journey to Power : The Story of a Canadian*

Election (Toronto : Ryerson, 1968), p. 185 et suiv. Trudeau lui-même se souvint que Pelletier avait fait les premières remarques. Entrevue entre M. Trudeau et M. [Jean] Lépine, 30 avril 1992, Fonds Trudeau (FT), MG 26 03, vol. 23, dossier 5, Bibliothèque et Archives Canada (BAC).

2. Journal de Richard Stanbury, propriété de l'auteur. M. Stanbury répondit également à mes questions au sujet de certaines entrées dans son journal. L'échange avec Martin se déroula le 31 janvier 1968. Le compte rendu le plus intéressant des libéraux de Toronto demeure celui qui se trouve dans Christina McCall-Newman, *Les Rouges : un portrait intime du parti libéral* (Montréal : Les Éditions de l'Homme, 1983). Le contenu du journal de Stanbury et d'autres entrevues sur le sujet menées par Peter Stursberg viennent contredire le souvenir de John Nichol soit que seul lui et le responsable de la Fédération libérale Paul Lafond étaient au courant de la démission de Pearson avant le fait. Voir Strursberg, *Lester Pearson and the Dream of Unity* (Toronto : Doubleday, 1978), p. 405-406. Entrevue avec John Nichol.
3. Procès-verbal de la réunion tenue le dimanche 22 octobre au 580 Christie Street.
4. La phrase de O'Malley fut publiée dans le *Globe and Mail* du 12 décembre 1967. Trudeau l'avait de toute évidence trouvée intéressante et devait la reprendre dans une entrevue dix jours plus tard. Voir Richard Gwyn, *Le Prince* (Montréal : France-Amérique, 1981), p. 72.
5. *The Montreal Star,* 13 janvier 1968. À ma connaissance, il n'y eut aucune mention de cette pétition dans la presse francophone.
6. Peacock, *Journey to Power,* p. 183-185; Martin Sullivan, *Mandate '68* (Toronto : Doubleday, 1968), p. 274 ; entrevues avec Marc Lalonde et Jacques Hébert ; et *Toronto Star,* 3 janvier 1968. Voir aussi le compte rendu dans John Saywell, éd., *Canadian Annual Review for 1968* (Toronto : University of Toronto Press, 1969), p. 17 et suiv.
7. Laurendeau, *Journal,* entrée du 3 décembre 1967, p. 384-385. Les problèmes de consommation d'alcool de Marchand inquétaient personnellement Trudeau et il lui en avait parlé. Entrevue avec Alexandre Trudeau. Aussi conversations avec Pauline Bothwell et Tom Kent, qui furent, respectivement, l'adjointe et le ministre adjoint de Marchand. Entrevue avec Tim Porteous, mai 2006.
8. Dans l'article du *New York Times* du 7 avril 1968, qui rapporte sa victoire à la course à la direction, Trudeau est décrit comme un « avocat montréalais de 46 ans ». Plus tard, Jean Lépine défia Trudeau sur l'ambiguïté au sujet de son âge, mais il nia qu'il avait menti. Il blâma les journalistes qui n'avaient pas vérifié les faits. Entrevue entre M. Trudeau et M. Lépine, FT, vol. 23, dossier 5.

9. Sur Smallwood, voir Peacock, *Journey to Power*, p. 190-192. Les propres commentaires de Smallwood se retrouvent dans Stursberg, *Lester Pearson and the Dream of Unity*, p. 421. J. W. Pickersgill, qui avait été le plus important ministre des libéraux à Terre-Neuve, quitta la politique, incapable de supporter plus longtemps les excentricités de Smallwood. En tant que locataire pendant l'été chez lui au milieu des années soixante-dix, je me suis souvent régalé des histoires relatant le comportement de plus en plus bizarre de Smallwood. Il compta son appui à Trudeau comme l'un des exemples de ce comportement.
10. Pelletier, *Le temps des choix*, p. 317-318. Peacock décrit les négociations tourmentées avec Lamontagne à propos de la rencontre du dimanche dans *Journey to Power*, p. 195-196. Entrevues avec Donald Macdonald et Marc Lalonde.
11. *Le Devoir*, 29 janvier 1968. Voir aussi Saywell, éd., *Canadian Annual Review for 1968*, p. 18-19.
12. *Montreal Star*, 30-31 janvier 1968.
13. Journal de Stanbury, 9 février 1968 ; *Globe and Mail*, 30 janvier 1968 ; et Pelletier, *Le temps des choix*, p. 315.
14. L. B. Pearson, *Federalism for the Future* (Ottawa : The Queen's Printer, 1968).
15. Cook dans Saywell, éd., *Canadian Annual Review for 1968*, p. 82.
16. Marchand est cité dans Stursberg, *Lester Pearson and the Dream of Unity*, p. 425 ; Stéphane Kelly, *Les Fins du Canada selon Macdonald, Laurier, Mackenzie King and Trudeau* (Montréal : Boréal, 2001), p. 205.
17. Newman donne le résumé le plus juste des différents candidats dans son livre *Distemper of Our Times : Canadian Politics in Transition* (1968 ; Toronto : McClelland & Stewart, 1990), p. 596-601.
18. Pelletier, *Le temps des choix*, p. 328-330.
19. *Ibid.*, p. 330-332; et Peacock, *Journey to Power*, p. 222-224.
20. Les comptes rendus sur les rencontres avec Pelletier sont différents. Certains disent que Trudeau leur fit l'annonce le jour de la Saint-Valentin, mais d'autres (Saywell, éd., *Canadian Annual Review for 1968* et Peacock, *Journey to Power*) laissent entendre que l'annonce fut faite le 15. Le compte rendu de Pelletier est basé sur son journal et, par conséquent, est probablement correct. Voir son livre, *Le temps des choix*, p. 332.
21. La citation provient de Saywell, éd., *Canadian Annual Review for 1968*, p. 21.
22. *Montreal Star*, 9 mars 1968.
23. Tim Porteous dans Nancy Southam, éd., *Trudeau tel que nous l'avons connu* (Saint-Laurent : Fides, 2005), p. 65. La réponse était peut-être

sérieuse. Trudeau, comme bon nombre d'intellectuels, considérait qu'on avait mal compris et déformé la pensée de Machiavel.

24. Christina McCall-Newman, *Les Rouges: un portrait intime du parti libéral*, p. 124-126. Entrevue confidentielle. Trudeau conserva des exemplaires de *Canadian Intelligence Service* dans ses documents. Le numéro de mars 1968 contient des « révélations » faites par un responsable du service de renseignements de la GRC à propos des voyages de Trudeau en Chine et en Russie et de son expédition ratée vers Cuba.
25. Cependant, certains journalistes critiquèrent Trudeau pour avoir fait de la politique « à l'ancienne » en défendant le gouvernement de manière si virulente. Le *Globe and Mail*, qui avait bien accueilli sa candidature mais avait été hostile au gouvernement, fit remarquer que « cet homme de principes qu'est le ministre de la Justice Pierre Trudeau, a respecté la ligne du parti avec obéissance et voté avec le gouvernement. Ou bien n'est-il *plus* un homme de principes ? », 19 février 1968. Peter Newman a dit avec justesse que Trudeau en avait le plus profité, car lui, Turner et Kierans « sont les seuls à projeter un nouveau style qui les dissocie des bévues de l'administration Pearson ». *Toronto Daily Star*, 3 mars 1968.
26. Entrevue avec Gordon dans Stursberg, *Lester Pearson and the Dream of Unity*; *Globe and Mail*, 20 et 28 février 1968. Un excellent compte rendu des manœuvres libérales se trouve dans l'édition du 26 février 1968 du *Toronto Daily Star*. Les autorités en matière constitutionnelle étaient divisées sur la question à savoir si le gouvernement avait le droit de reporter le vote de confiance. Eugene Forsey, par exemple, croyait qu'il l'avait. Voir Saywell, éd., *Canadian Annual Review for 1968*, p. 12-13. On trouve l'analyse de Sharp dans son livre *Which Reminds Me… : A Memoir* (Toronto: University of Toronto Press, 1994), p. 159 et suiv. Les commentaires de Trudeau se trouvent dans *Hansard*, 27 février 1968.
27. Sur Winters, voir Newman, *The Distemper of Our Times*, p. 602-603. Les résultats des sondages de février se trouvent dans les dossiers de l'Institut canadien d'opinion publique, MG 28 III 114, dossier 89, sondage 327, BAC.
28. Pelletier, *Le temps des choix*, p. 348-350; Peacock, *Journey to Power*, p. 255-258. Le commentaire de l'hôtesse se trouve dans le *Toronto Daily Star* du 4 mars 1968.
29. Tim Porteous dans Southam, éd., *Trudeau tel que nous l'avons connu*, p. 61.
30. Le compte rendu complet se trouve dans Peacock, *Journey to Power*, p. 251-253. Voir aussi *Le Devoir*, 16-17 février 1968.

31. *Le Devoir,* 6-7 mars 1968. Les critiques à l'endroit de Trudeau se trouvent dans Saywell, éd., *The Canadian Annual Review for 1968,* p. 24-25. Sur Johnson et le Gabon, voir Pierre Godin, *Daniel Johnson, 1964-1968 : La difficile recherche de l'égalité* (Montréal: Les Éditions de l'Homme, 1980), p. 329-333.
32. Pelletier, *Le temps des choix,* p. 352-361; *Montreal Star,* 23 mars 1968.
33. Sharp, *Which Reminds Me…,* p. 155-165; entrevue avec Mitchell Sharp. La citation de Smallwood se trouve dans Newman, *Distemper of Our Times,* p. 628.
34. Journal de Stanbury; Peacock, *Journey to Power,* p. 283 et suiv. Entrevue avec Tim Porteous, mai 2006.
35. Conversation avec Robert Bothwell, février 2006.
36. Ce compte rendu est similaire à celui de Peacock, *Journey to Power.* Cependant, on trouve une formulation légèrement différente dans Newman, *Distemper of Our Times,* p. 638. Tous deux disent substantiellement la même chose.

Note sur les sources

La source ayant servi à la rédaction du présent ouvrage est la remarquable collection de documents personnels qui furent transférés de la résidence montréalaise de Trudeau à Bibliothèque et Archives Canada à Ottawa. Ces documents furent minutieusement réunis par Grace Trudeau et par Trudeau lui-même.

La plus intéressante des pièces préservées est la correspondance entre Thérèse Gouin et Trudeau, qui date du milieu des années quarante. Lorsque leur relation prit fin, Thérèse lui rendit ses lettres. Plus tard, ils discutèrent de cette correspondance et il lui fit la promesse que celle-ci ne serait pas rendue publique tant qu'elle serait vivante, en lui mentionnant toutefois qu'il avait récemment relu les lettres. Ayant maintenant moi-même eu le privilège de lire cette correspondance, je puis comprendre le souhait exprimé par Trudeau à l'effet que ces lettres soient conservées dans leur intégralité. Elles sont remarquables et, un jour, lorsqu'elles seront publiées, elles trouveront leur place parmi les correspondances canadiennes les plus importantes et les plus éclairantes.

Bien que Trudeau, apparemment, se soit peu servi de ses documents dans la rédaction de ses mémoires, de nombreuses indications laissent croire qu'il en lut une grande partie plus tard dans sa vie. On y retrouve des annotations et des points d'interrogation, et des individus dont le nom complet n'apparaît pas dans les documents originaux sont identifiés. Ses documents renferment également les excellentes entrevues réalisées pour ses mémoires par Ron Graham et Jean Lépine, de même que certaines entrevues avec des membres de sa famille et d'autres menées avec des personnalités aussi diverses que Michael Ignatieff et Camille Laurin. Encore une fois, très peu de ceci fut utilisé dans ses mémoires. Nous savons maintenant que les mémoires de Trudeau gardèrent sous silence la majeure partie de ses pensées et de ses activités personnelles, mais il garda ses documents intacts, et ceux-ci en rendent compte en détail. Nous ne pouvons que nous interroger quant aux raisons qui le poussèrent à agir ainsi. Il y a par contre dans le Fonds Trudeau des indications prouvant, et ce, dès 1939, que Trudeau s'attendait à avoir un jour un biographe. En outre, il affectionnait la littérature de confession, depuis saint Augustin jusqu'à Proust. En fin de compte, il aura permis à d'autres de mettre à nu l'âme qu'il avait au cours de sa vie pris tant de soin à garder cachée, et il le fit, semble-t-il, de façon délibérée.

Il semble que certaines pièces manquent dans sa documentation. Par exemple, on n'y retrouve presque aucune lettre du père Marie d'Anjou ou de François Lessard, bien que nous sachions que tous deux correspondaient régulièrement avec Trudeau dans les années quarante sur des sujets à teneur nationaliste et religieuse. De même, on y retrouve peu de lettres écrites par Jean Marchand ou Gérard Pelletier, et aucune de quelque importance écrite par Trudeau. Tout cela laisse supposer (particulièrement en ce qui concerne Pelletier) que la correspondance ayant trait à leur travail politique et littéraire au cours des années cinquante et soixante est soit perdue, soit confinée dans quelque classeur abandonné. Il reste que les documents privés de Trudeau constituent un filon d'une exceptionnelle richesse pour un biographe, où l'on trouve de précieuses pépites dans pratiquement toutes les boîtes.

Ce livre comporte des notes en fin de texte complètes indiquant les principales sources utilisées ainsi que les ouvrages secondaires. La majorité des ouvrages secondaires ayant trait à Trudeau trouveront leur pertinence dans le second volume de la biographie, qui traitera de sa carrière politique et des événements qui s'ensuivirent. Il est impossible de séparer les sources des deux volumes étant donné que des entrevues ayant rapport à une époque plus tardive de sa vie, par exemple, peuvent également être pertinentes à l'examen de ses années de jeunesse. Une bibliographie complète, incluant sources manuscrites et entrevues, sera disponible sur le Web à l'adresse www.theigloo.org après la publication du présent volume, et celle-ci prendra de l'ampleur à mesure que j'écrirai le second volume. Le site fournira également la possibilité à d'autres personnes — étudiants, experts, et tous les lecteurs que cela intéresse — d'offrir leurs propres informations se rapportant à l'époque plus tardive de la vie de Trudeau.

Remerciements

Dans l'avant-propos de ce livre, je remercie les membres de la famille Trudeau et les exécuteurs de la succession de Trudeau — Alexandre Trudeau, Jim Coutts, Marc Lalonde, Roy Heenan et Jacques Hébert — de m'avoir invité à écrire cette biographie. Je les remercie également de m'avoir lancé cette invitation sans avoir jamais songé à m'imposer des restrictions, et de m'avoir confié la rédaction d'un compte rendu complet et objectif de la vie de Pierre Elliott Trudeau. J'aimerais également remercier les membres de la famille Trudeau de leurs encouragements, non seulement Alexandre et Justin, bien sûr, mais également mes amies Margaret Sinclair Trudeau et Sophie Grégoire, l'épouse de Justin Trudeau, pour leur point de vue féminin fort précieux sur la famille Trudeau.

Il y a bien d'autres personnes à qui j'aimerais exprimer toute ma reconnaissance parce qu'elles m'ont aidé à mieux connaître Pierre Trudeau. Trois personnes en particulier, qui ont non seulement connu Trudeau mais qui ont aussi eu un grand effet sur lui pendant cette période de sa vie, m'ont offert leur aide. L'une d'entre elles est la remarquable Thérèse Gouin Décarie, compagne très proche de Trudeau pendant nombre de ces années, qui a accepté de collaborer à ce projet de biographie et donné accès à des documents essentiels. (Son époux, Vianney Décarie, m'a également fourni des renseignements importants sur les premières années de Trudeau.) Roger Rolland, l'ami qui, avec Trudeau dans sa jeunesse, a participé à bien de ses tours pendables (et qui est devenu plus tard le rédacteur de ses discours), a corrigé certaines histoires qui avaient été mal racontées dans le passé et m'en a fourni de nouvelles. Madeleine Gobeil, qui a connu intimement Trudeau dans les années soixante, époque où les données sur sa vie personnelle sont plus rares, m'a fait bénéficier d'un regard unique et intelligent sur ses habitudes, ses goûts et ses amitiés.

J'ai rencontré deux des amis proches de Pierre lorsque j'ai fréquenté l'université de Harvard. Ramsay et Eleanor Cook vinrent à Boston à l'automne de 1968, juste après que Pierre fut devenu premier ministre — en partie grâce à leurs efforts. Après l'exposé de Ramsay sur l'histoire canadienne aux étudiants de premier cycle de Harvard, quelques-uns des étudiants canadiens au doctorat dont je faisais partie ruminèrent avec lui sur le sort du gouvernement de Trudeau, qui avait déjà commencé à perdre un peu de l'aura qui l'entourait au cours de l'été. L'année suivante, je fis la connaissance d'Albert Breton, un ancien collègue de Trudeau de l'Université de Montréal, qui suivit Ramsay au poste de professeur du Mackenzie King Professorship of Canadian Studies à Harvard. J'étais l'assistant à l'enseignement d'Albert et, lorsque mon épouse, Hilde, et moi nouèrent une amitié durable avec Albert et son épouse, Margot, ceux-ci nous communiquèrent une vision de Pierre empreinte de chaleur et d'un grand respect. Ramsay et Eleanor ont lu le manuscrit de ce livre et tous les deux m'ont épargné bien des erreurs de fait et d'interprétation.

J'ai également tiré profit d'entrevues que j'ai réalisées avec Trudeau lorsque j'ai écrit une biographie de Lester Pearson et, avec Robert Bothwell, un livre sur l'histoire de l'après-guerre au Canada. La majorité de ces entrevues avec des sommités politiques et bureaucratiques faites dans les années soixante et soixante-dix se trouvent dans les documents de Robert Bothwell qui sont déposés dans les archives de la University of Toronto et à Bibliothèque et Archives Canada, ainsi que dans mes propres documents déposés aux archives de l'Université de Waterloo. Robert a mis à ma disposition ses notes de recherche prises dans le cadre de ses travaux sur la politique étrangère canadienne et le Québec, et, aux États-Unis, sur les documents de Nixon et de Ford. Je suis également très redevable aux nombreuses personnes qui ont écrit des articles, des livres et des essais fort pénétrants sur Trudeau. Le deuxième volume de cette biographie comprendra une bibliographie critique complète. Entre-temps, la liste des titres des livres figurera dans le site Web de ce livre.

Bibliothèque et Archives Canada m'a énormément aidé dans mon travail. Grâce aux conseils d'expert de Christian Rioux, une équipe a organisé rapidement et judicieusement les documents de Trudeau. Peter de Lottinville, Michel Wyczynski et George Bolarenko ont également été très obligeants, et j'aimerais remercier en particulier Michel d'avoir répondu avec peu de préavis à mes demandes de visite. Paul Marsden, qui travaille à présent aux archives de l'OTAN, à Bruxelles, m'a orienté vers certains documents importants sur le travail de Trudeau au Conseil privé dans les années cinquante. À toutes les étapes de mon travail, j'ai pu compter sur l'aide de Ian Wilson, l'archiviste national, et son attention exceptionnelle à l'enregistrement de l'histoire politique du Canada. Sous ses auspices, en 2002 et en 2003 j'ai pu m'entretenir en petits groupes avec les personnes suivantes (portant toutes le titre d'honorable) qui ont rendu bien des services à Trudeau : Jack Austin, Jean-Jacques Blais, Charles Caccia, Judy Erola, Herb Gray, Otto Lang, Ed Lumley, Allan MacEachen, André Ouellet, John Reid, Mitchell Sharp et David Smith. Les autres assistants et collègues qui ont participé à ces entretiens sont Gordon Ashworth, Jean-Marc Carisse, Denise Chong, Ralph Coleman, Marie-Hélène Fox, Bea Hertz, Ted Johnson, Michael Langille, Mary MacDonald, Bob Murdoch, Nicole Sénécal, Larry Smith, Jacques Shore, Courtney Tower et George Wilson. Ces entretiens seront accessibles dans le site Web du livre lorsque j'aurai obtenu la permission de les publier.

J'ai reçu de nombreuses lettres, tant de membres de l'opposition que de membres du gouvernement des années Trudeau après la publication d'une annonce dans le bulletin de l'Association canadienne des ex-parlementaires invitant les anciens collègues de Trudeau à communiquer avec moi pour me faire part de leur expérience. Edward McWhinney, autorité distinguée dans le domaine constitutionnel, n'avait pas été un collègue parlementaire de Trudeau, mais lui aussi m'a fait parvenir une longue lettre qui m'a été très utile.

Le Conseil de recherche en sciences humaines a appuyé ce projet par l'entremise de son programme de subventions de recherche, surtout en finançant le recrutement d'assistants à la recherche. Plusieurs de ces assistants comptaient parmi mes étudiants de doctorat à l'Université de Waterloo et ont travaillé simultanément sur des dissertations examinant divers aspects de la politique gouvernementale des années Trudeau. Leurs efforts seront régulièrement mis à contribution dans les notes du deuxième volume de cette biographie. Ils m'ont aussi aidé à faire des recherches dans les collections importantes de Bibliothèque et Archives Canada sur la vie publique canadienne dans les années cinquante et soixante. J'aimerais remercier de leur aide précieuse Stephen Azzi, Matthew Bunch, Jason Churchill, Andrew Thompson et Ryan Touhey. Mon ancien étudiant, Greg Donaghy, à présent au service du ministère des Affaires étrangères, a aidé à effectuer bon nombre des demandes de renseignements. Marc Nadeau a fait les recherches à Bibliothèque et Archives nationales du Québec, au collège Brébeuf et à l'Université de Montréal. Esther Delisle a partagé avec Marc et moi la preuve de la participation du jeune Trudeau à une cellule nationaliste. Ses compétences exceptionnelles en recherche ont permis de trouver la piste menant à la preuve qui est présentée dans les premiers chapitres de ce livre. L'honorable Alistair Gillespie et sa biographe, Irene Sage, ont partagé les résultats de leur recherche dans les archives britanniques et américaines. M. Gillespie m'a aussi permis de lire ses propres notes, qui commençaient au congrès à la direction. J'aimerais également remercier l'honorable Richard Stanbury de m'avoir donné des copies de son journal ; je m'en suis beaucoup servi pour la rédaction du dernier chapitre.

L'Université de Waterloo et son département d'histoire ont fourni un environnement très favorable à l'activité collégiale et professorale. Le président du département, mon ami Pat Harrigan, a été le premier lecteur de nombreux chapitres de ce livre (et le premier à m'apprendre les victoires des Tigers de Detroit, une passion commune). Je ne peux pas nommer tous les collègues qui ont contribué d'une façon ou d'une autre au livre, mais j'aimerais remercier le doyen, Bob Kerton, et le président, David Johnston, de l'Université de Waterloo pour leur assistance au cours des dernières années. Ils ont, en particulier, négocié une entente qui m'a permis de devenir directeur général du Centre pour l'innovation dans la gouvernance internationale, un centre d'études et de recherche sur les affaires internationales situé à Waterloo et qui est né de l'imagination et de la générosité financière de mon ami et ancien voisin Jim Balsillie.

Au centre, Lena Yost a été ma merveilleuse assistante, avec le soutien de Jenn Beckermann pendant l'été. Le directeur de recherche, Daniel Schwanen, s'est non seulement chargé de nombreuses tâches qui m'incombaient, mais il a également mis à contribution son bilinguisme impeccable pour traduire en anglais certains documents. Kerry

Lappin-Fortin a traduit nombre des citations françaises, et Alison de Muy a aidé à la traduction ainsi qu'à certaines autres questions. L'ami et étroit collaborateur de Trudeau, Ron Graham, a également traduit en anglais certaines des lettres de Trudeau. J'aimerais remercier plusieurs collègues du centre, en particulier Andy Cooper, qui a fait le gros du travail dans certains livres dont nous étions corédacteurs, Dan Latendre et son personnel, qui ont aidé sur les aspects techniques, et Paul Heinbecker, dont l'affection pour Brian Mulroney a fourni l'influence compensatoire que Trudeau a toujours trouvé essentielle. Victor Sautry, un boursier de Jim Balsillie, a contribué à l'exécution de nombreuses tâches, et plusieurs excellents étudiants de premier cycle ont également participé aux travaux de recherche. Alex Lund et Eleni Crespi ont travaillé pour moi pendant l'été, et Jonathan Minnes a été le principal organisateur des documents, l'assistant « en disponibilité » tout au long de l'année et un fin limier lorsque les notes en fin d'ouvrage avaient disparu. Joan Euler m'a donné certains articles fort utiles que je n'aurais pas trouvés autrement. Nicolas Rouleau, un jeune avocat brillant, m'a proposé son aide. Il a appliqué son esprit d'avocat à la lecture du manuscrit, ses compétences d'historien à la recherche et son bilinguisme au projet en général.

À la fin d'un après-midi de septembre 2000, mon fils de quinze ans, Jonathan, est arrivé de l'école en déclarant : « Adam et moi allons à Montréal ce soir. » Deux élèves d'immersion en français nés l'année suivant la démission de Pierre Trudeau, ils avaient décidé qu'ils devaient se rendre aux funérailles de Trudeau. Au moment où le cercueil voyageait par train d'Ottawa à Montréal, Jonathan et Adam, eux, quittaient la vieille station de Kitchener pour un long voyage qui, heureusement, se termina avec des places assises dans un coin reculé de la basilique Notre-Dame, où ils assistèrent à l'un des événements d'État les plus marquants du Canada. Jonathan et sa mère, Hilde, ont dû beaucoup trop supporter mes absences pendant la rédaction de ce livre. Je les remercie de leur générosité et de leur soutien, surtout Hilde, qui souhaitait tellement réussir à lutter contre le cancer jusqu'à la publication de ce livre. Elle n'a pas pu le faire. À présent, je pleure sa perte et lui dédie cette histoire d'une vie.

Crédits de photographies et permissions

À moins d'indication contraire, toutes les photographies et les images proviennent du Fonds Trudeau.

CP

Pierre au Proche-Orient, Peter Breggs ; Délégation canadienne en Chine ; Trudeau glissant sur la balustrade, Ted Grant.

Bibliothèque et Archives Canada

Trudeau dans les années cinquante, Walter Curtin PA-144330 ; Pelletier, Trudeau et Marchand annonçant leur candidature, Duncan Cameron PA-117502 ; Pearson et ses successeurs, Duncan Cameron PA-117107 ; Trudeau parlant, Horst Ehricht PA-184613 ; Trudeau à la conférence fédérale-provinciale, Duncan Cameron PA-117463 ; Trudeau au congrès à la direction, Duncan Cameron PA-206324 ; Équipe Trudeau, Duncan Cameron PA-206327.

Musée McCord

The Big Attraction (la grande attraction), M965.199.1451 ; Suddenly Everyone Looks a Little Older (Soudain tout le monde a l'air un peu plus vieux), M965.199.6529 ; A Mirage ! (un mirage !), M997.63.37 ; The Swinger (un homme percutant), M965.199.6647.

Don Newlands/KlixPix

Pierre Elliott Trudeau (couverture) ; Trois hommes dans un bateau ; En route pour Cuba. Pose « mains dans les poches » ; Trudeau embrassant des femmes ; Fleur dans la bouche.

Famille Trudeau
Premières photos de bébé ; Grace Elliott Trudeau ; Pierre sac au dos.

Permissions
L'auteur s'est efforcé autant que possible de retracer tous les détenteurs des documents assujettis à des droits d'auteur et qui sont reproduits dans le présent ouvrage. Il tient aussi à exprimer toute sa reconnaissance envers ceux qui lui ont permis de reproduire des extraits des documents déjà publiés suivants :

Bibliographie

Lévesque, René. *Attendez que je me rappelle...* Montréal, Éditions Québec/Amérique, 1994.

Pelletier, Gérard. *Souvenirs – Les années d'impatience, 1950-1960*, Montréal, Stanké, 1983.

Pelletier, Gérard. *Souvenirs – Le temps des choix, 1960-1968*, Montréal, Stanké, 1986.

Saywell, John et Donald Foster (éd.). *Canadian Annual Review for 1968*, Toronto, University of Toronto Press, 1969.

Scott, F. R. *The Collected Poems of F.R. Scott*, McClelland & Stewart, Toronto, 1981.

Trudeau, Pierre Elliott. *À contre-courant : textes choisis, 1939-1996*, Montréal, Stanké, 1996.

Trudeau, Pierre Elliott et Jacques Hébert. *Deux innocents en Chine rouge*, Montréal, Éditions de l'Homme, 1972.

Index

J

K

L

Table des matières

Achevé d'imprimer au Canada
sur les presses des Imprimeries Transcontinental Inc.